Hauffs Märchen

Hauffs Märchen

Mit den Illustrationen
von Ruth Koser-Michaëls

Knaur

Besuchen Sie uns im Internet:
www.knaur.de

Die Einschweißfolie ist biologisch abbaubar.
Dieses Buch wurde auf chlor- und säurefreiem Papier gedruckt.

Umschlaggestaltung: ZERO Werbeagentur, München
Satz: Ventura Publisher im Verlag
Layout und Umbruch: Michaela Daigl
Druck und Bindung: Offizin Andersen Nexö
Printed in Germany
ISBN 3-426-66453-4

2 4 5 3 1

Einleitung

In einem schönen fernen Reiche, von dem die Sage lebt, dass die Sonne in seinen ewig grünen Gärten niemals untergehe, herrschte von Anfang an bis heute die Königin Phantasie. Mit vollen Händen spendete sie seit vielen Jahrhunderten die Fülle des Segens über die Ihrigen und war geliebt, verehrt von allen, die sie kannten. Das Herz der Königin war aber zu groß, als dass sie mit ihren Wohltaten bei ihrem Lande stehen geblieben wäre; sie selbst im königlichen Schmuck ihrer ewigen Jugend und Schönheit stieg herab auf die Erde, denn sie hatte gehört, dass dort Menschen wohnen, die ihr Leben in traurigem Ernst, unter Mühe und Arbeit hinbringen. Ihnen hatte sie die schönsten Gaben aus ihrem Reiche mitgebracht, und seit die schöne Königin durch die Fluren der Erde gegangen war, waren die Menschen fröhlich bei der Arbeit, heiter in ihrem Ernst.

Auch ihre Kinder, nicht minder schön und lieblich als die königliche Mutter, sandte sie aus, um die Menschen zu beglücken. Einst kam Märchen, die älteste Tochter der Königin, von der Erde zurück. Die Mutter bemerkte, dass Märchen traurig sei, ja hie und da wollte es ihr bedünken, als ob es verweinte Augen hätte.

»Was hast du, liebes Märchen?«, sprach die Königin zu ihm. »Du bist seit deiner Reise so traurig und niedergeschlagen; willst du deiner Mutter nicht anvertrauen, was dir fehlt?«

»Ach, liebe Mutter«, antwortete Märchen, »ich hätte gewiss nicht so lange geschwiegen, wenn ich nicht wüsste, dass mein Kummer auch der deinige ist.«

»Sprich immer, meine Tochter!«, bat die schöne Königin. »Der Gram ist ein Stein, der den Einzelnen niederdrückt, aber zwei tragen ihn leicht aus dem Wege.«

»Du willst es«, antwortete Märchen; »so höre: Du weißt, wie gerne ich mit den Menschen umgehe, wie ich freudig auch mit dem Ärmsten vor seiner Hütte sitze, um nach der Arbeit ein Stündchen zu verplaudern; sie boten mir auch sonst gleich freundlich die Hand zum Gruß, wenn ich kam, und sahen mir lächelnd und zufrieden nach, wenn ich weiterging; aber in diesen Tagen ist es gar nicht mehr so!«

»Armes Märchen!«, sprach die Königin und streichelte ihm die Wange, die von einer Träne feucht war. »Aber du bildest dir vielleicht dies alles nur ein?«

»Glaub mir, ich fühle es nur zu gut«, entgegnete Märchen, »sie lieben mich nicht mehr. Überall, wo ich hinkomme, begegnen mir kalte Blicke; nirgends bin ich mehr gern gesehen. Selbst die Kinder, die mich doch immer so lieb hatten, lachen über mich und wenden mir altklug den Rücken zu.«

Die Königin stützte die Stirn in die Hand und schwieg sinnend.

»Und woher soll es denn kommen, Märchen«, fragte die Königin, »dass sich die Leute da unten so geändert haben?«

»Sieh, die Menschen haben kluge Wächter aufgestellt, die alles, was aus deinem Reiche stammt, o Königin Phantasie, mit scharfem Blick mustern und prüfen. Wenn nun einer kommt, der nicht nach ihrem Sinne ist, so erheben sie ein großes Geschrei, schlagen ihn tot oder verleumden ihn doch so sehr bei den Menschen, die ihnen aufs Wort glauben, dass man gar keine Liebe, kein Fünkchen Zutrauen mehr findet. Ach, wie gut haben es meine Brüder, die Träume! Fröhlich und leicht hüpfen sie auf die Erde hinab, fragen nichts nach jenen klugen Männern, besuchen die schlummernden Menschen und weben und malen ihnen, was das Herz beglückt und das Auge erfreut.«

»Deine Brüder sind Leichtfüße«, sagte die Königin, »und du, mein Liebling, hast keine Ursache, sie zu beneiden. Jene Grenzwächter kenne ich übrigens wohl; die Menschen haben so Unrecht nicht, sie aufzustellen, es kam so mancher windige Geselle und tat, als ob er geradeswegs aus meinem Reiche käme, und doch hatte er höchstens von einem Berge zu uns herübergeschaut.«

»Aber warum lassen sie dies mich, deine eigene Tochter, entgelten?«, weinte Märchen. »Ach, wenn du wüsstest, wie sie es mir gemacht haben! Sie schalten mich eine alte Jungfer und drohten, mich das nächste Mal gar nicht mehr hereinzulassen.«

»Wie, meine Tochter nicht mehr einzulassen?«, rief die Königin, und Zorn erhöhte die Röte ihrer Wangen. »Aber ich sehe schon, woher dies kommt; die böse Muhme hat uns verleumdet!«

»Die Mode? Nicht möglich!«, rief Märchen. »Sie tat ja sonst immer so freundlich.«

»Oh, ich kenne sie, die Falsche«, antwortete die Königin; »aber versuche es ihr zum Trotze wieder, meine Tochter! Wer Gutes tun will, darf nicht rasten.«

»Ach Mutter! Wenn sie mich dann ganz zurückweisen oder wenn sie mich verleumden, dass mich die Menschen nicht ansehen, oder einsam und verachtet in der Ecke stehen lassen?«

»Wenn die Alten, von der Mode betört, dich gering schätzen, so wende dich an die Kleinen! Sie sind meine Lieblinge, ihnen sende ich meine lieblichsten Bilder durch deine Brüder, die Träume; ja, ich bin schon oft selbst zu ihnen hinabgeschwebt, habe sie geherzt und geküsst und schöne Spiele mit ihnen gespielt; sie kennen mich auch wohl, sie wissen zwar meinen Namen nicht, aber ich habe schon oft bemerkt, wie sie nachts zu meinen Sternen hinauflächeln und morgens, wenn meine glänzenden Lämmer am Himmel ziehen, vor Freude die Hände zusammenschlagen. Auch wenn sie größer werden, lieben sie mich noch; ich helfe dann den lieblichen Mädchen bunte Kränze flechten, und die wilden Knaben werden stiller, wenn ich mich auf hoher Felsenspitze zu ihnen setze, aus der Nebelwelt der fernen blauen Berge hohe Burgen und glänzende Paläste auftauchen lasse und aus den rötlichen Wolken des Abends kühne Reiterscharen und wunderliche Wallfahrtszüge bilde.«

»O die guten Kinder!«, rief Märchen bewegt aus. »Ja, es sei! Mit ihnen will ich es noch einmal versuchen.«

»Ja, du gute Tochter«, sprach die Königin, »gehe zu ihnen! Aber ich will dich auch ein wenig ankleiden, dass du den Kleinen gefällst und die Großen dich nicht zurückstoßen; das Gewand eines Kalenders will ich dir geben.«

»Eines Kalenders, Mutter? Ach! – ich schäme mich, so vor den Leuten zu prangen.«

Die Königin winkte, und die Dienerinnen brachten das zierliche Gewand eines Kalenders. Es war von glänzenden Farben, und schöne Figuren waren eingewoben.

Die Zofen flochten dem schönen Märchen das lange Haar; sie banden ihm goldene Sandalen unter die Füße und hingen ihm dann das Gewand um.

Das bescheidene Märchen wagte nicht aufzublicken; die Mutter aber betrachtete es mit Wohlgefallen und schloss es in ihre Arme. »Gehe hin«, sprach sie zu der Kleinen, »mein Segen sei mit dir! Und wenn sie dich verachten und höhnen, so kehre zurück zu mir. Vielleicht, dass spätere Geschlechter, getreuer der Natur, ihr Herz dir wieder zuwenden.« Also sprach die Königin Phantasie.

Märchen aber stieg hinab auf die Erde. Mit pochendem Herzen nahte es dem Ort, wo die klugen Wächter hausten; es senkte das Köpfchen zur Erde, es zog das schöne Gewand enger um sich her, und mit zagendem Schritt nahte es dem Tor.

»Halt!«, rief eine tiefe raue Stimme. »Wache heraus! Da kommt ein neuer Kalender!«

Märchen zitterte, als es dies hörte. Viele ältliche Männer von finsterem Aussehen stürzten hervor; sie hatten spitzige Federn in der Faust und hielten sie dem Märchen entgegen, und einer aus der Schar schritt auf es zu und packte es mit rauer Hand am Kinn. »Nur auch den Kopf aufgerichtet, Herr Kalender«, schrie er, »dass man Ihm in den Augen ansieht, ob Er was Rechtes ist oder nicht!«

Errötend richtete Märchen das Köpfchen in die Höhe und schlug das dunkle Auge auf.

»Das Märchen!«, riefen die Wächter und lachten aus vollem Hals. »Das Märchen! Haben Wunder gemeint, was da käme! Wie kommst du nur in diesen Rock?«

»Die Mutter hat ihn mir angezogen«, antwortete Märchen.

»So? Sie will dich bei uns einschmuggeln? Nichts da! Mach, dass du fortkommst!«, riefen die Wächter untereinander und erhoben die scharfen Federn.

»Aber ich will ja nur zu den Kindern«, bat Märchen, »das könnt ihr mir doch wohl erlauben!«

»Läuft nicht schon genug solches Gesindel im Land umher?«, rief einer der Wächter. »Sie schwatzen unseren Kindern nur dummes Zeug vor.«

»Lasst uns sehen, was es diesmal weiß!« sprach ein anderer.

»Nun ja«, riefen sie, »sag an, was du weißt, aber beeile dich, denn wir haben nicht viel Zeit für dich!«

Märchen streckte die Hand aus und schrieb mit dem Zeigefinger viele Zeichen in die Luft. Da sah man bunte Gestalten vorüberziehen: Karawanen, schöne Rosse, geschmückte Reiter, viele Zelte im Sand der Wüste; Vögel und Schiffe auf stürmischen Meeren; stille Wälder und volkreiche Plätze und Straßen; Schlachten und friedliche Völker; sie alle schwebten in lebenden Bildern, in buntem Gewimmel vorüber.

Märchen hatte in dem Eifer, mit dem es die Bilder aufsteigen ließ, nicht bemerkt, wie die Wächter des Tores nach und nach eingeschlafen waren. Eben wollte es neue Zeichen schreiben, als ein freundlicher Mann auf es zutrat und seine Hand ergriff. »Sieh her, gutes Märchen!«, sagte er, indem er auf die Schlafenden zeigte. »Für die sind deine bunten Sachen nichts. Schlüpfe schnell durch das Tor! Sie ahnen dann nicht, dass du im Lande bist, und du kannst friedlich und unbemerkt deine Straße ziehen. Ich will dich zu meinen Kindern führen; in meinem Hause geb ich dir ein stilles, freundliches Plätzchen; dort kannst du wohnen und für dich leben; wenn dann meine Söhne und Töchter gut gelernt haben, dürfen sie mit ihren Gespielen zu dir kommen und dir zuhören. Willst du?«

»Oh, wie gerne folge ich dir zu deinen lieben Kleinen, wie will ich mich bemühen, ihnen zuweilen ein heiteres Stündchen zu machen!«

Der gute Mann nickte ihm freundlich zu und half ihm über die Füße der schlafenden Wächter hinübersteigen. Lächelnd sah sich Märchen um, als es hinüber war, und schlüpfte schnell in das Tor.

Die Karawane

Es zog einmal eine große Karawane durch die Wüste. Auf der ungeheuren Ebene, wo man nichts als Sand und Himmel sieht, hörte man schon in weiter Ferne die Glocken der Kamele und die silbernen Glöckchen der Pferde; eine dichte Staubwolke, die ihr vorherging, verkündete ihre Nähe, und wenn ein Luftzug die Wolke teilte, blendeten funkelnde Waffen und hell leuchtende Gewänder das Auge. So stellte sich die Karawane einem Manne dar, der von der Seite her auf sie zukam. Er ritt ein schönes arabisches Pferd, mit einer Tigerdecke behängt; am hochroten Riemenwerk hingen silberne Glöckchen, und auf dem Kopf des Pferdes wehte ein schöner Reiherbusch. Der Reiter sah stattlich aus, und sein Anzug entsprach der Pracht seines Rosses: Ein weißer Turban, reich mit Gold gestickt, bedeckte das

Haupt; der Rock und die weiten Beinkleider waren von brennendem Rot, ein gekrümmtes Schwert mit reichem Griff hing an seiner Seite. Er hatte den Turban tief ins Gesicht gedrückt; dies und die schwarzen Augen, die unter buschigen Brauen hervorblitzten, der lange Bart, der unter der gebogenen Nase herabhing, gaben ihm ein wildes, kühnes Aussehen.

Als der Reiter ungefähr auf fünfzig Schritt dem Vortrab der Karawane nahe war, spornte er sein Pferd und war in wenigen Augenblicken bei der Spitze des Zuges angelangt. Es war ein so ungewöhnliches Ereignis, einen einzelnen Reiter durch die Wüste ziehen zu sehen, dass die Wächter des Zuges, einen Überfall befürchtend, ihm ihre Lanzen entgegenstreckten. »Was wollt ihr?«, rief der Reiter, als er sich so kriegerisch empfangen sah. »Glaubt ihr, ein einzelner Mann werde eure Karawane angreifen?« Beschämt schwangen die Wächter ihre Lanzen wieder auf, ihr Anführer aber ritt an den Fremden heran und fragte nach seinem Begehr. »Wer ist der Herr der Karawane?«, fragte der Reiter. »Sie gehört nicht einem Herrn«, antwortete der Gefragte, »sondern es sind mehrere Kaufleute, die von Mekka in ihre Heimat ziehen und die wir durch die Wüste geleiten, weil oft allerlei Gesindel die Reisenden beunruhigt.« – »So führt mich zu den Kaufleuten!«, begehrte der Fremde. »Das kann jetzt nicht geschehen«, antwortete der Führer, »weil wir ohne Aufenthalt weiterziehen müssen und die Kaufleute wenigstens eine Viertelstunde weiter hinten sind; wollt Ihr aber mit mir weiterreiten, bis wir lagern, um Mittagsruhe zu halten, so werde ich Eurem Wunsch willfahren.« Der Fremde sagte hierauf nichts; er zog eine lange Pfeife, die er am Sattel festgebunden hatte, hervor und fing an, in großen Zügen zu rauchen, indem er neben dem Anführer des Vortrabs weiterritt. Der wusste nicht, was er von dem Fremden halten sollte; er wagte es nicht, ihn geradezu nach seinem Namen zu fragen, und so geschickt er auch ein Gespräch anzuknüpfen suchte, der Fremde hatte auf das: ›Ihr raucht da einen guten Tabak‹, oder ›Euer Rapp hat einen braven Schritt‹ immer nur mit einem kurzen ›Ja, ja!‹ geantwortet. Endlich waren sie auf dem Platz angekommen, wo man Mittagsruhe halten wollte. Der Anführer hatte seine Leute als Wachen ausgestellt, er selbst wartete mit dem Fremden, um die Karawane herankommen zu lassen. Dreißig Kamele, schwer beladen, zogen vorüber, von bewaffneten Führern geleitet. Nach diesen kamen auf schönen Pferden die fünf Kaufleute, denen die Karawane gehörte. Die meisten waren Männer in vorgerücktem Alter, ernst und gesetzt aussehend; nur einer schien viel jünger als die Übrigen, sowie auch froher und lebhafter. Eine große Anzahl Kamele und Packpferde schloss den Zug.

Man hatte Zelte aufgeschlagen und die Kamele und Pferde ringsherum gestellt. In der Mitte war ein großes Zelt von blauem Seidenzeug. Dorthin führte der Anführer der Wache den Fremden. Als sie durch den Vorhang des Zeltes getreten waren, sahen sie die fünf Kaufleute auf goldgewirkten Polstern sitzen; schwarze Sklaven reichten ihnen Speisen und Getränke. »Wen bringt Ihr uns da?«, rief der junge Kaufmann dem Führer zu. Ehe der noch antworten konnte, sprach der Fremde: »Ich heiße Selim und bin aus Bagdad; auf einer Reise nach Mekka wurde ich von einer Räuberhorde gefangen und habe mich vor drei Tagen heimlich aus der Gefangenschaft befreit. Der große Prophet ließ mich die Glocken eurer Karawane in weiter Ferne hören, und so kam ich bei euch an. Erlaubet mir, dass ich in eurer Gesellschaft reise, ihr werdet euren Schutz keinem Unwürdigen schenken. Sobald ihr nach Bagdad kommt, werde ich eure Güte reichlich belohnen, denn ich bin der Neffe des Großwesirs.« Der älteste der Kaufleute nahm das Wort. »Selim«, sprach er, »sei willkommen in unserem Schatten! Es macht uns Freude, dir beizustehen; vor allem aber setze dich und iss und trinke mit uns!«

Selim dankte und nahm die Einladung an. Nach dem Essen räumten die Sklaven die Geschirre weg und brachten lange Pfeifen und türkischen Sorbett. Die Kaufleute saßen lange schweigend, indem sie die bläulichen Rauchwolken vor sich hin bliesen und zusahen, wie sie sich ringelten und verzogen und schließlich in die Luft verschwebten. Der junge Kaufmann brach endlich das Stillschweigen. »So sitzen wir seit drei Tagen«, sprach er, »zu Pferd und bei der Rast, ohne uns durch etwas die Zeit zu vertreiben. Ich habe gewaltige Langeweile, denn ich bin gewohnt, nach Tisch Tänzer zu sehen oder Gesang und Musik zu hören. Wisst ihr gar nichts, meine Freunde, das uns die Zeit vertreibt?« Die vier älteren Kaufleute rauchten fort und schienen ernsthaft nachzusinnen; der Fremde aber sprach: »Wenn es mir erlaubt ist, will ich euch einen Vorschlag machen. Ich meine, auf jedem Lagerplatz könnte einer von uns den anderen etwas erzählen. Dies könnte uns schon die Zeit vertreiben.«

»Selim, du hast gut gesprochen«, sagte Achmed, der älteste der Kaufleute, »lasst uns den Vorschlag annehmen!«

»Es freut mich, wenn er euch behagt«, sprach Selim, »damit ihr aber seht, dass ich nichts Unbilliges verlange, so will ich den Anfang machen.«

Vergnügt rückten die fünf Kaufleute näher zusammen und ließen den Fremden in ihrer Mitte sitzen. Die Sklaven schenkten die Becher wieder voll, stopften die Pfeifen ihrer Herren frisch und brachten glühende Kohlen zum Anzünden. Selim erfrischte seine Stimme mit einem tüchtigen Zuge Sorbett, strich den langen Bart über dem Mund weg und begann zu erzählen:

Die Geschichte von Kalif Storch

Der Kalif Chasid zu Bagdad saß einmal an einem schönen Nachmittag behaglich auf seinem Sofa; er hatte ein wenig geschlafen, denn es war ein heißer Tag, und er sah nun nach seinem Schläfchen recht heiter aus. Er rauchte aus einer langen Pfeife von Rosenholz, trank hie und da ein wenig Kaffee, den ihm ein Sklave einschenkte, und strich sich allemal vergnügt den Bart, wenn es ihm geschmeckt hatte. Kurz, man sah dem Kalifen an, dass es ihm recht wohl war. Um diese Stunde konnte man gar gut mit ihm reden, weil er da immer recht mild und leutselig war; deswegen besuchte ihn auch sein Großwesir Mansor alle Tage um diese Zeit. An diesem Nachmittag nun kam er auch, sah aber sehr nachdenklich aus, ganz gegen seine Gewohnheit. Der Kalif nahm die Pfeife ein wenig aus dem Mund und sprach: »Warum machst du ein so nachdenkliches Gesicht, Großwesir?«

Der Großwesir schlug die Arme kreuzweis über die Brust, verneigte sich vor seinem Herrn und antwortete: »Herr, ob ich ein nachdenkliches Gesicht mache, weiß ich nicht; aber da unten am Schloss steht ein Krämer, der hat so schöne Sachen, dass es mich ärgert, nicht viel überflüssiges Geld zu haben.«

Der Kalif, der seinem Großwesir schon lange gern eine Freude gemacht hätte, schickte seinen schwarzen Sklaven hinunter, um den Krämer heraufzuholen. Bald kam der Sklave mit ihm zurück. Es war ein kleiner, dicker Mann, schwarzbraun im Gesicht und in zerlumptem Anzug. Er trug einen Kasten, in dem er allerhand Waren hatte, Perlen und Ringe, reich beschlagene Pistolen, Becher und Kämme. Der Kalif und sein Großwesir musterten alles durch, und der Kalif kaufte endlich für sich und Mansor schöne Pistolen, für die Frau des Wesirs aber einen Kamm. Als der Krämer seinen Kasten schon wieder zumachen wollte, sah der Kalif eine kleine Schublade und fragte, ob darin auch noch Waren seien. Der Krämer zog die Schublade heraus und zeigte eine Dose mit schwärzlichem Pulver und ein Papier mit sonderbarer Schrift, die weder der Kalif noch Mansor lesen konnten. »Ich bekam einmal diese zwei Stücke von einem Kaufmann, der sie in Mekka auf der Straße fand«, sagte der Krämer, »ich weiß nicht, was sie enthalten; Euch stehen sie um geringen Preis zu Dienst, ich kann doch nichts damit anfangen.« Der Kalif, der in seiner Bibliothek gerne alte Manuskripte hatte, wenn er sie auch nicht lesen konnte, kaufte Schrift und Dose und entließ den Krämer. Der Kalif aber dachte, er möchte gerne wissen, was die Schrift enthalte, und fragte den Wesir, ob er jemanden kenne, der sie entziffern könnte. »Gnädigster Herr und Gebieter«, antwortete der, »an der großen Moschee wohnt ein Mann, er heißt Selim der Gelehrte; der versteht alle Sprachen; lass ihn kommen, vielleicht kennt er diese geheimnisvollen Schriftzüge!«

Der Gelehrte war bald herbeigeholt. »Selim«, sprach der Kalif zu ihm, »Selim, man sagt, du seiest sehr klug; guck einmal ein wenig in diese Schrift, ob du sie lesen kannst! Kannst du sie lesen, so bekommst du ein neues Festkleid von mir, kannst du es nicht, so bekommst du zwölf Backenstreiche und fünfundzwanzig auf die Fußsohlen, weil man dich dann ohne Grund Selim den Gelehrten nennt.« Selim verneigte sich und sprach: »Dein Wille geschehe, o Herr!« Lange betrachtete er die Schrift, plötzlich aber rief er aus: »Das ist Lateinisch, o Herr, oder ich lasse mich hängen.«

»Sag, was drinsteht«, befahl der Kalif, »wenn es Lateinisch ist!«

Selim fing an zu übersetzen: »Mensch, der du dieses findest, preise Allah für seine Gnade! Wer von dem Pulver in dieser Dose schnupft und dazu spricht: ›Mutabor‹, der kann sich in jedes Tier verwandeln und versteht auch die Sprache der Tiere. Will er wieder in seine menschliche Gestalt zurückkehren, so neige er sich dreimal gen Osten und spreche wieder jenes Wort. Aber hüte dich, wenn du verwandelt bist, dass du nicht lachest, sonst verschwindet das Zauberwort sogleich gänzlich aus deinem Gedächtnis, und du bleibst für immer ein Tier.«

Als Selim der Gelehrte also gelesen hatte, war der Kalif über die Maßen vergnügt. Er ließ den Gelehrten schwören, niemandem etwas von dem Geheimnis zu sagen, schenkte ihm ein schönes Kleid und entließ ihn. Zu seinem Großwesir aber sagte er: »Das heiß ich gut einkaufen, Mansor! Wie freue ich mich darauf, ein Tier zu sein! Morgen

früh kommst du zu mir. Wir gehen dann miteinander aufs Feld, schnupfen eine Kleinigkeit aus meiner Dose und belauschen dann, was in der Luft und im Wasser, im Wald und auf dem Feld gesprochen wird.«

Kaum hatte am andern Morgen der Kalif Chasid gefrühstückt und sich angekleidet, als schon der Großwesir erschien, um ihn auf dem Spaziergang zu begleiten. Der Kalif steckte die Dose mit dem Zauberpulver in den Gürtel, und nachdem er seinem Gefolge befohlen, zurückzubleiben, machte er sich mit dem Großwesir ganz allein auf den Weg. Sie gingen zuerst durch die weiten Gärten des Kalifen, spähten aber vergebens nach etwas Lebendigem, um ihr Kunststück zu versuchen. Der Wesir schlug endlich vor, weiter hinaus an einen Teich zu gehen, wo er schon oft viele Tiere, namentlich Störche, gesehen habe, die durch ihr gravitätisches Wesen und ihr Geklapper immer seine Aufmerksamkeit erregt hätten.

Der Kalif billigte den Vorschlag seines Wesirs und ging mit ihm dem Teich zu. Als sie dort angekommen waren, sahen sie einen Storch ernsthaft auf und ab gehen, Frösche suchend und hie und da etwas vor sich hin klappernd. Zugleich sahen sie auch weit oben in der Luft einen andern Storch dieser Gegend zuschweben.

»Ich wette meinen Bart, gnädigster Herr«, sagte der Großwesir, »diese zwei Langbeine werden jetzt ein schönes Gespräch miteinander führen. Wie wäre es, wenn wir Störche würden?«

»Wohl gesprochen!«, antwortete der Kalif. »Aber vorher wollen wir noch einmal nachsehen, wie man wieder Mensch wird. – Richtig! Dreimal gen Osten geneigt und ›Mutabor‹ gesagt, so bin ich wieder Kalif und du Wesir. Aber nur ums Himmels willen nicht gelacht, sonst sind wir verloren!«

Während der Kalif also sprach, sah er den andern Storch über ihrem Haupte schweben und langsam sich zur Erde niederlassen. Schnell zog er die Dose aus dem Gürtel, nahm eine gute Prise, bot sie dem Großwesir dar, der gleichfalls schnupfte, und beide riefen: »Mutabor!«

Da schrumpften ihre Beine ein und wurden dünn und rot, die schönen gelben und roten Pantoffeln des Kalifen und seines Begleiters wurden unförmliche Storchfüße, die Arme wurden zu Flügeln, der Hals fuhr aus den Achseln und ward eine Elle lang, der Bart war verschwunden, und den Körper bedeckten weiche Federn.

»Ihr habt einen hübschen Schnabel, Herr Großwesir«, sprach nach langem Erstaunen der Kalif. »Beim Barte des Propheten, so etwas habe ich in meinem Leben noch nicht gesehen.«

»Danke untertänigst«, erwiderte der Großwesir, indem er sich bückte; »aber wenn ich es wagen darf, möchte ich behaupten, Eure Hoheit sehen als Storch beinahe noch hübscher aus denn als Kalif. Aber kommt, wenn es Euch gefällig ist, dass wir unsere Kameraden dort belauschen und erfahren, ob wir wirklich Storchisch können!«

Indem war der andere Storch auf der Erde angekommen. Er putzte sich mit dem Schnabel die Füße, legte seine Federn zurecht und ging auf den ersten Storch zu. Die beiden neuen Störche aber beeilten sich, in ihre Nähe zu kommen, und vernahmen zu ihrem Erstaunen folgendes Gespräch: »Guten Morgen, Frau Langbein, so früh schon auf der Wiese?«

»Schönen Dank, liebe Klapperschnabel! Ich habe mir ein kleines Frühstück geholt. Ist Euch vielleicht ein Viertelchen Eidechs gefällig oder ein Froschschenkelein?«

»Danke gehorsamst; habe heute gar keinen Appetit. Ich komme auch wegen etwas ganz anderem auf die Wiese. Ich soll heute vor den Gästen meines Vaters tanzen, und da will ich mich im Stillen ein wenig üben.«

Zugleich schritt die junge Störchin mit wunderlichen Bewegungen durch das Feld. Der Kalif und Mansor sahen ihr verwundert nach. Als sie aber in malerischer Stellung auf einem Fuß stand und mit den Flügeln anmutig dazu wedelte, da konnten sich die beiden nicht mehr halten; ein unaufhaltsames Gelächter brach aus ihren Schnäbeln hervor, von dem sie sich erst nach langer Zeit erholten. Der Kalif fasste sich zuerst wieder. »Das war einmal ein Spaß«, rief er, »der nicht mit Gold zu bezahlen ist. Schade, dass die dummen Tiere durch unser Gelächter sich haben verscheuchen lassen, sonst hätten sie gewiss auch noch gesungen!«

Aber jetzt fiel es dem Großwesir ein, dass das Lachen während der Verwandlung verboten war. Er teilte seine Angst deswegen dem Kalifen mit. »Potz Mekka und Medina! Das wäre ein schlechter Spaß, wenn ich ein Storch bleiben müsste! Besinne dich doch auf das dumme Wort, ich bringe es nicht heraus!«

»Dreimal gen Osten müssen wir uns bücken und dazu sprechen: Mu– Mu– Mu–«

Sie stellten sich gen Osten und bückten sich in einem fort, dass ihre Schnäbel beinahe die Erde berührten. Aber o Jammer, das Zauberwort war ihnen entfallen, und sooft sich auch der Kalif bückte, so sehnlich auch sein Wesir ›Mu– Mu–‹ dazu rief, jede Erinnerung daran war verschwunden, und der arme Chasid und sein Wesir waren und blieben Störche.

Traurig wandelten die Verzauberten durch die Felder, sie wussten gar nicht, was sie in ihrem Elend anfangen sollten. Aus ihrer Storchenhaut konnten sie nicht heraus, in die Stadt zurück konnten sie auch nicht, um sich zu erkennen zu geben, denn wer hätte einem Storch geglaubt, dass er ein Kalif sei, und wenn man es auch geglaubt hätte, würden die Einwohner von Bagdad einen Storch zum Kalifen gewollt haben?

So schlichen sie mehrere Tage umher und ernährten sich kümmerlich von Feldfrüchten, die sie aber wegen ihrer langen Schnäbel nicht gut verspeisen konnten. Auf Eidechsen und Frösche hatten sie keinen Appetit, denn sie befürchteten, mit solchen Leckerbissen sich den Magen zu verderben. Ihr einziges Vergnügen in dieser traurigen Lage war, dass sie fliegen konnten, und so flogen sie oft auf die Dächer von Bagdad, um zu sehen, was in der Stadt vorging.

In den ersten Tagen bemerkten sie große Unruhe und Trauer in den Straßen. Als sie aber ungefähr am vierten Tage nach ihrer Verzauberung auf dem Palaste des Kalifen saßen, da sahen sie unten in den Straßen einen prächtigen Aufzug. Trommeln und Pfeifen ertönten, ein Mann in einem goldgestickten Scharlachmantel ritt auf einem geschmückten Pferd, umgeben von glänzenden Dienern. Halb Bagdad sprang ihm nach, und alle schrien: »Heil Mizra, dem Herrscher von Bagdad!« Da sahen die beiden Störche auf dem Dache des Palastes einander an, und der Kalif Chasid sprach: »Ahnst du jetzt, warum ich verzaubert bin, Großwesir? Dieser Mizra ist der Sohn meines Todfeindes, des mächtigen Zauberers Kaschnur, der mir in einer bösen Stunde Rache schwur. Kein anderer als er verkaufte uns das Verwandlungspulver. Aber noch gebe ich die Hoffnung nicht auf. Komm mit mir, du treuer Gefährte meines Elends, wir wollen zum Grab des Propheten wandern, vielleicht, dass an heiliger Stätte der Zauber gelöst wird!«

Sie erhoben sich vom Dach des Palastes und flogen der Gegend von Medina zu.

Mit dem Fliegen wollte es aber gar nicht gut gehen, denn die beiden Störche hatten noch wenig Übung. »O Herr«, ächzte nach ein paar Stunden der Großwesir, »ich halte es mit Eurer Erlaubnis nicht mehr lange aus, Ihr fliegt gar zu schnell! Auch ist es schon Abend, und wir täten wohl, ein Unterkommen für die Nacht zu suchen.«

Chasid gab der Bitte seines Dieners Gehör, und da er unten im Tal eine Ruine erblickte, die ein Obdach zu gewähren schien, so flogen sie dahin. Der Ort, wo sie sich diese Nacht niedergelassen hatten, schien ehemals ein Schloss gewesen zu sein. Schöne Säulen ragten unter den Trümmern hervor; mehrere Gemächer, die noch ziemlich erhalten

waren, zeugten von der ehemaligen Pracht des Hauses. Chasid und sein Begleiter gingen in den Gängen umher, um sich ein trockenes Plätzchen zu suchen. Plötzlich blieb Storch Mansor stehen. »Herr und Gebieter«, flüsterte er leise, »wenn es nur nicht töricht für einen Groß-wesir, noch mehr aber für einen Storch wäre, sich vor Gespenstern zu fürchten! Mir ist ganz unheimlich zumut, denn hierneben hat es ganz vernehmlich geseufzt und gestöhnt.« Der Kalif blieb nun auch stehen und hörte ganz deutlich ein leises Weinen, das eher einem Menschen als einem Tiere anzugehören schien. Voll Erwartung wollte er der Gegend zugehen, woher die Klagetöne kamen; der Wesir aber packte ihn mit dem Schnabel am Flügel und bat ihn flehentlich, sich nicht in neue unbekannte Gefahren zu stürzen. Doch vergebens! Der Kalif, dem auch unter dem Storchenflügel ein tapferes Herz schlug, riss sich mit Verlust einiger Federn los und eilte in einen finstern Gang. Bald war er an einer Tür angelangt, die nur angelehnt schien und woraus er deutliche Seufzer und ein leises Geheul vernahm. Er stieß mit dem Schnabel die Tür auf, blieb aber überrascht auf der Schwelle stehen. In dem verfallenen Gemach, das nur durch ein kleines Gitterfenster spärlich erleuchtet war, sah er eine große Nachteule am Boden sitzen. Dicke Tränen rollten ihr aus den großen runden Augen, und mit heiserer Stimme stieß sie ihre Klagen aus dem krummen Schnabel hervor. Als sie aber den Kalifen und seinen Wesir, der indessen auch herbeigeschlichen war, erblickte, erhob sie ein lautes Freudengeschrei. Zierlich wischte sie mit dem braun gefleckten Flügel die Träne aus dem Auge, und zu dem großen Erstaunen der beiden rief sie in gutem menschlichem Arabisch: »Willkommen, ihr Störche, ihr seid mir ein gutes Zeichen meiner Errettung, denn durch Störche werde mir ein großes Glück kommen, ist mir einst vorausgesagt worden!«
Als sich der Kalif von seinem Erstaunen erholt hatte, bückte er sich mit seinem langen Hals, brachte seine dünnen Füße in zierliche Stellung und sprach: »Nachteule! Deinen Worten nach darf ich glauben, eine Leidensgefährtin an dir zu sehen. Aber ach, deine Hoffnung, dass durch uns deine Rettung kommen werde, ist vergeblich. Du wirst unsere Hilflosigkeit selbst erkennen, wenn du unsere Geschichte hörst.« Die Nachteule bat ihn zu sprechen; der Kalif hub an und erzählte, was wir bereits wissen.

Als der Kalif der Eule seine Geschichte vorgetragen hatte, dankte sie ihm und sagte: »Vernimm auch meine Geschichte und höre, wie ich nicht weniger unglücklich bin als du! Mein Vater ist der König von Indien, ich, seine einzige unglückliche Tochter, heiße Lusa. Jener Zauberer Kaschnur, der euch verzauberte, hat auch mich ins Unglück gestürzt. Er kam eines Tages zu meinem Vater und begehrte mich zur Frau für seinen Sohn Mizra. Mein Vater aber, der ein hitziger Mann ist, ließ ihn die Treppe hinunterwerfen. Der Elende wusste sich unter einer anderen Gestalt wieder in meine Nähe zu schleichen, und als ich einst in meinem Garten Erfrischungen zu mir nehmen wollte, brachte er mir, als Sklave verkleidet, einen Trank bei, der mich in diese abscheuliche Gestalt verwandelte. Als ich vor Schrecken ohnmächtig wurde, brachte er mich hierher und rief mir mit schrecklicher Stimme in die Ohren: ›Da sollst du bleiben, von den Tieren gehasst, bis an dein Ende oder bis einer aus freiem Willen dich, selbst in dieser Gestalt, zur Gattin begehrt. So räche ich mich an dir und deinem stolzen Vater.‹

Seitdem sind viele Monate verflossen. Einsam und traurig lebe ich als Einsiedlerin in diesem Gemäuer, fern von der Welt, selbst den Tieren ein Gräuel. Die schöne Natur ist vor mir verschlossen, denn ich bin blind am Tage, und nur wenn der Mond sein bleiches Licht über diese Ruine ausgießt, fällt der verhüllende Schleier von meinem Blick.«

Die Eule hatte geendet und wischte sich mit dem Flügel wieder die Augen aus, denn die Erzählung ihrer Leiden hatte ihr Tränen entlockt.

Der Kalif war bei der Erzählung der Prinzessin in tiefes Nachdenken versunken. »Wenn mich nicht alles täuscht«, bemerkte er, »so besteht zwischen meinem und deinem Unglück ein geheimer Zusammenhang; aber wo finde ich den Schlüssel zu diesem Rätsel?« Die Eule antwortete ihm: »O Herr, auch mir ahnet dies; denn es ist mir einst in meiner frühesten Jugend von einer weisen Frau vorhergesagt worden, dass ein Storch mir ein großes Glück bringen werde. Ich wüsste vielleicht, wie wir uns retten könnten.« Der Kalif war sehr erstaunt und fragte, auf welchem Wege sie meine. »Der Zauberer, der uns beide unglücklich gemacht hat«, sagte sie, »kommt alle Monate einmal in diese Ruinen. Nicht weit von diesem Gemach ist ein Saal. Dort pflegt er dann mit vielen Genossen zu schmausen. Schon oft habe ich sie dort belauscht. Sie erzählen einander dann ihre schändlichen Werke, vielleicht, dass er dabei das Zauberwort, das ihr vergessen habt, ausspricht.«

»O teuerste Prinzessin«, rief der Kalif, »sag an, wann kommt er, und wo ist der Saal?«

Die Eule schwieg einen Augenblick und sprach dann: »Nehmet es nicht ungütig, aber versteht mich bitte recht, meine Herren, nur unter einer Bedingung kann ich euren Wunsch erfüllen.«

»Sprich aus! Sprich aus!«, schrie Chasid. »Befiehl, es ist mir jede recht!«

»Ich möchte nämlich gerne zugleich auch frei sein; dies kann aber nur geschehen, wenn einer von euch mir seine Hand reicht.«

Die Störche schienen über den Antrag etwas betroffen zu sein, und der Kalif winkte seinem Diener, mit ihm ein wenig hinauszugehen.

»Großwesir«, sprach vor der Tür der Kalif, »das ist ein dummer Handel, aber Ihr könntet sie schon nehmen.«

»So?«, antwortete dieser. »Dass mir meine Frau, wenn ich nach Haus komme, die Augen auskratzt? Auch bin ich ein alter Mann, und Ihr seid noch jung und unverheiratet und könntet eher einer jungen schönen Prinzessin die Hand geben.«

»Das ist es eben«, seufzte der Kalif, indem er traurig die Flügel hängen ließ, »wer sagt dir denn, dass sie jung und schön ist? Das heißt die Katze im Sack kaufen!«

Sie redeten einander gegenseitig noch lange zu, endlich aber, als der Kalif sah, dass sein Wesir lieber Storch bleiben als die Eule heiraten wollte, entschloss er sich, die Bedingung selbst zu erfüllen. Die Eule war hocherfreut. Sie gestand ihnen, dass sie zu keiner bessern Zeit hätten kommen können, weil wahrscheinlich in dieser Nacht die Zauberer sich versammeln würden.

Sie verließ mit den Störchen das Gemach, um sie in jenen Saal zu führen. Lange gingen sie in einem finstern Gang hin; endlich strahlte ihnen aus einer halb verfallenen Mauer ein heller Schein entgegen. Als sie dort angelangt waren, riet ihnen die Eule, sich ganz ruhig zu verhalten. Sie konnten von der Lücke, an der sie standen, einen großen Saal übersehen. Er war ringsum mit Säulen geschmückt und prachtvoll verziert. Viele farbige Lampen ersetzten das Licht des Tages. In der Mitte des Saales stand ein runder Tisch, mit vielen und ausgesuchten Speisen beladen. Rings um den Tisch zog sich ein Sofa, auf dem acht Männer saßen. In einem dieser Männer erkannten die Störche jenen Krämer wieder, der ihnen das Zauberpulver verkauft hatte. Sein Nachbar forderte ihn auf, ihnen seine neuesten Taten zu berichten. Er erzählte unter andern auch die Geschichte des Kalifen und seines Wesirs.

»Was für ein Wort hast du ihnen denn aufgegeben?«, fragte ihn ein anderer Zauberer. »Ein recht schweres lateinisches, es heißt Mutabor.«

Als die Störche an ihrer Mauerlücke dieses hörten, waren sie vor Freude beinahe außer sich. Sie liefen auf ihren großen Füßen so schnell dem Tor der Ruine zu, dass die Eule kaum folgen konnte. Dort sprach der Kalif gerührt zu der Eule: »Retterin meines Lebens und des Lebens meines Freundes, nimm zum ewigen Dank für das, was du an uns getan, mich zum Gemahl an!« Dann aber wandte er sich nach Osten. Dreimal bückten die Störche ihre langen Hälse der Sonne entgegen, die soeben hinter dem Gebirge heraufstieg; »Mutabor!«, riefen sie, und im Nu waren sie verwandelt, und in der hohen Freude des neu geschenkten Lebens lagen Herr und Diener lachend und weinend einander in den Armen. Wer beschreibt aber ihr Erstaunen, als sie sich umsahen? Eine schöne Dame, herrlich geschmückt, stand vor ihnen. Lächelnd gab sie dem Kalifen die Hand. »Erkennt Ihr Eure Nachteule nicht mehr?«, sagte sie. Sie war es; der Kalif war von ihrer Schönheit und Anmut so entzückt, dass er ausrief, es sei sein größtes Glück, dass er Storch geworden sei.

Die drei zogen nun miteinander auf Bagdad zu. Der Kalif fand in seinen Kleidern nicht nur die Dose mit Zauberpulver, sondern auch seinen Geldbeutel. Er kaufte daher im nächsten Dorfe, was zu ihrer Reise nötig war, und so kamen sie bald an die Tore von Bagdad. Dort aber erregte die Ankunft des Kalifen großes Erstaunen. Man hatte ihn für tot erklärt, und das Volk war daher hocherfreut, seinen geliebten Herrscher wiederzuhaben.

Umso mehr aber entbrannte der Hass gegen den Betrüger Mizra. Das Volk zog in den Palast und nahm den alten Zauberer und seinen Sohn gefangen. Den Alten schickte der Kalif in dasselbe Gemach der Ruine, das die Prinzessin als Eule bewohnt hatte, und ließ ihn dort aufhängen. Dem Sohn aber, der nichts von den Künsten des Vaters verstand, ließ der Kalif die Wahl, ob er sterben oder schnupfen wolle. Als er das Letztere wählte, bot ihm der Großwesir die Dose. Eine tüchtige Prise, und das Zauberwort des Kalifen verwandelte ihn in einen Storch. Der Kalif ließ ihn in einen eisernen Käfig sperren, den man in seinem Garten aufstellte.

Lange und vergnügt lebte Kalif Chasid mit seiner Frau, der Prinzessin; seine vergnügtesten Stunden waren immer die, wenn ihn der Großwesir nachmittags besuchte; da sprachen sie dann oft von ihrem Storchenabenteuer, und wenn der Kalif recht heiter war, ließ er sich herab, den Großwesir nachzuahmen, wie er als Storch ausgesehen hatte. Er stieg dann ernsthaft mit steifen Füßen im Zimmer auf und ab, klapperte, wedelte mit den Armen wie mit Flügeln und zeigte, wie jener sich vergeblich nach Osten geneigt und Mu Mu dazu gerufen habe. Für die Frau Kalifin und ihre Kinder war diese Vorstellung allemal eine große Freude; wenn aber der Kalif gar zu lange klapperte und nickte und Mu– Mu– schrie, dann drohte ihm lächelnd der Wesir: Er wollte das, was vor der Türe der Prinzessin Nachteule verhandelt worden sei, der Frau Kalifin mitteilen.

* * *

Als Selim seine Geschichte geendet hatte, bezeigten sich die Kaufleute sehr zufrieden damit. »Wahrhaftig, der Nachmittag ist uns vergangen, ohne dass wir merkten, wie!«, sagte einer von ihnen, indem er die Decke des Zeltes zurückschlug. »Der Abendwind weht kühl, wir könnten noch eine gute Strecke Weges zurücklegen.« Seine Gefährten waren damit einverstanden, die Zelte wurden abgebrochen, und die Karawane machte sich in der nämlichen Ordnung, in der sie herange-zogen war, auf den Weg.

Sie ritten beinahe die ganze Nacht hindurch, denn es war schwül am Tag, die Nacht aber war erquicklich und sternhell. Endlich kamen sie an einen bequemen Lagerplatz, schlugen die Zelte auf und legten sich zur Ruhe. Für den Fremden sorgten die Kaufleute, wie wenn er ihr wertester Gastfreund wäre. Der eine gab ihm Polster, der andere De-cken, ein Dritter gab ihm Sklaven, kurz, er wurde so gut bedient, als ob er zu Hause wäre. Die heißeren Stunden des Tages waren schon heraufgekommen, als sie sich wieder erhoben, und sie beschlossen einmütig, hier den Abend abzuwarten.

Nachdem sie miteinander gespeist hatten, rückten sie wieder näher zusammen, und der junge Kaufmann wandte sich an den ältesten und sprach: »Selim hat uns gestern einen vergnügten Nachmittag bereitet; wie wäre es, Achmed, wenn Ihr uns auch etwas erzähltet, sei es nun aus Eurem langen Leben, das wohl viele Abenteuer aufzuweisen hat, oder sei es auch ein hübsches Märchen?« Achmed schwieg auf diese Anrede eine Zeit lang, wie wenn er mit sich im Zweifel wäre, ob er dies oder jenes sagen sollte oder nicht; endlich begann er: »Liebe Freunde! Ihr habt euch auf dieser unserer Reise als treue Gesellen er-wiesen, und auch Selim verdient mein Vertrauen; daher will ich euch etwas aus meinem Leben mitteilen, das ich sonst ungern und nicht je-dem erzähle.«

Die Geschichte von dem Gespensterschiff

Mein Vater hatte einen kleinen Laden in Balsora. Er war weder arm noch reich und einer von jenen Leuten, die nicht gerne etwas wagen, aus Furcht, das Wenige zu verlieren, das sie haben. Er erzog mich schlicht und recht und brachte es bald so weit, dass ich ihm an die Hand gehen konnte. Gerade als ich achtzehn Jahre alt war und er eben die erste größere Handelsunternehmung machte, starb er, wahrscheinlich aus Gram, tausend Goldstücke dem Meere anvertraut zu haben. Ich musste ihn bald wegen seines Todes glücklich preisen, denn wenige Wochen hernach lief die Nachricht ein, dass das Schiff, dem mein Vater seine Güter mitgegeben hatte, gesunken sei. Meinen jugendlichen Mut konnte aber dieser Unfall nicht beugen. Ich machte alles, was mein Vater hinterlassen hatte, vollends zu Geld und zog aus, um in der Fremde mein Glück zu versuchen, nur von einem alten Diener meines Vaters begleitet, der sich aus alter Anhänglichkeit nicht von mir und meinem Schicksal trennen wollte.

Im Hafen von Balsora schifften wir uns mit günstigem Winde ein. Das Schiff, auf dem ich mich eingemietet hatte, fuhr nach Indien. Wir waren schon fünfzehn Tage auf der gewöhnlichen Straße gefahren, als uns der Kapitän einen Sturm verkündete. Er machte ein bedenkliches Gesicht, denn es schien, er kenne in dieser Gegend das Fahrwasser nicht genug, um einem Sturm mit Ruhe begegnen zu können. Er ließ alle Segel einziehen, und wir trieben ganz langsam dahin. Die Nacht war hell und kalt angebrochen, und der Kapitän glaubte schon, sich in den Anzeichen des Sturmes getäuscht zu haben. Auf einmal schwebte ein Schiff, das wir vorher nicht gesehen hatten, dicht an dem unsrigen vorbei. Wildes Jauchzen und Geschrei erschollen von dem Verdeck herauf, worüber ich mich zu dieser angstvollen Stunde vor einem Sturm nicht wenig wunderte. Aber der Kapitän an meiner Seite wurde blass. »Mein Schiff ist verloren«, rief er, »dort segelt der Tod!« Ehe ich ihn noch über diesen sonderbaren Ausruf befragen konnte, stürz-

ten schon heulend und schreiend die Matrosen herbei. »Habt ihr ihn gesehen?«, schrien sie. »Jetzt ist's mit uns vorbei!«

Der Kapitän ließ Trostsprüche aus dem Koran vorlesen und setzte sich selbst ans Steuerruder. Vergebens! Zusehends brauste der Sturm auf, und ehe eine Stunde verging, krachte das Schiff und blieb festgefahren sitzen. Die Boote wurden ausgesetzt, und kaum hatten sich die letzten Matrosen gerettet, so versank das Schiff vor unseren Augen, und als ein Bettler fuhr ich in die See hinaus. Aber der Jammer hatte noch kein Ende. Fürchterlicher tobte der Sturm, das Boot war nicht mehr zu regieren. Ich hatte meinen alten Diener fest umschlungen, und wir versprachen uns, nie voneinander zu weichen. Endlich brach der Tag an. Aber mit dem ersten Anblick der Morgenröte fasste der Wind unser Boot und stürzte es um. Ich habe keinen meiner Schiffsleute mehr gesehen. Der Sturz hatte mich betäubt; und als ich aufwachte, befand ich mich in den Armen meines alten treuen Dieners, der sich auf das umgeschlagene Boot gerettet und mich nachgezogen hatte. Der Sturm hatte sich gelegt. Von unserem Schiff war nichts mehr zu sehen, wohl aber entdeckten wir nicht weit von uns ein anderes, auf das die Wellen uns hintrieben. Als wir näher hinzukamen, erkannte ich es als dasselbe, das in der Nacht an uns vorbeigefahren und den Kapitän so sehr in Schrecken versetzt hatte. Ich empfand ein sonderbares Grauen vor diesem Schiffe. Die Äußerung des Kapitäns, die sich so furchtbar bestätigt hatte, das öde Aussehen des Fahrzeuges, auf dem sich, so nahe wir auch herankamen, so laut wir schrien, niemand zeigte, erschreckten mich. Doch es war dies unser einziges Rettungsmittel, darum priesen wir den Propheten, der uns so wundervoll erhalten hatte.

Am Vorderteil des Schiffes hing ein langes Tau herab. Mit Händen und Füßen ruderten wir darauf zu, um es zu erfassen. Endlich glückte es. Laut erhob ich meine Stimme, aber immer noch blieb es still auf dem Schiff. Da klommen wir an dem Tau hinauf, ich als der Jüngere voran. Aber Entsetzen, welches Schauspiel stellte sich meinen Augen dar, als ich das Verdeck betrat! Der Boden war von Blut gerötet, zwanzig bis dreißig Leichname in türkischen Kleidern lagen auf den Planken, am mittleren Mastbaum stand ein Mann, reich gekleidet, den Säbel in der Hand, aber das Gesicht war blass und verzerrt. Durch die

Stirn ging ein großer Nagel, der ihn an den Mastbaum heftete; auch er war tot. Schrecken fesselte meine Schritte, ich wagte kaum zu atmen. Endlich war mein Begleiter heraufgekommen. Auch ihn erschütterte der Anblick des Verdecks, das gar nichts Lebendiges, sondern nur so viele schreckliche Leichname zeigte. Wir wagten es endlich, nachdem wir in der Seelenangst zum Propheten gefleht hatten, weiter vorzuschreiten. Bei jedem Schritte sahen wir uns um, ob nicht etwas Neues, noch Schrecklicheres sich zeigte. Aber alles blieb, wie es war. Weit und breit nichts Lebendiges als wir und das Weltmeer. Nicht einmal laut zu sprechen wagten wir, aus Furcht, der tote, am Mast angespießte Capitano möchte seine starren Augen nach uns hindrehen oder einer der Getöteten könnte seinen Kopf umwenden. Endlich waren wir bis an eine Treppe gekommen, die in den Schiffsraum führte. Unwillkürlich machten wir dort Halt und sahen einander an, denn keiner wagte es recht, seine Gedanken zu äußern.

»O Herr«, sprach mein treuer Diener, »hier ist etwas Schreckliches geschehen. Doch wenn auch das Schiff da unten voll von Mördern steckt, so will ich mich ihnen lieber auf Gnade und Ungnade ergeben, als längere Zeit unter diesen Toten zubringen.« Ich dachte wie er, wir fassten ein Herz und stiegen voll Erwartung hinunter. Totenstille war aber auch hier, und nur unsere Schritte hallten auf der Treppe. Wir standen an der Türe der Kajüte. Ich legte mein Ohr an die Tür und lauschte; es war nichts zu hören. Ich machte auf. Das Gemach bot einen unordentlichen Anblick dar. Kleider, Waffen und anderes Gerät lagen bunt durcheinander. Nichts war in Ordnung. Die Mannschaft oder wenigstens der Capitano musste vor kurzem gezecht haben, denn es lag alles noch umher. Wir gingen weiter von Raum zu Raum, von Gemach zu Gemach, überall fanden wir herrliche Vorräte an Seide, Perlen, Zucker und so weiter. Ich war vor Freude über diesen Anblick außer mir, denn da niemand auf dem Schiff war, glaubte ich alles mir aneignen zu dürfen. Ibrahim aber machte mich aufmerksam darauf, dass wir wahrscheinlich noch sehr weit vom Land seien, wohin wir allein und ohne menschliche Hilfe nicht kommen könnten.

Wir labten uns an den Speisen und Getränken, die wir in reichlichem Maß vorfanden, und stiegen endlich wieder aufs Verdeck. Hier schauderte uns immer die Haut ob dem schrecklichen Anblick der

Leichen. Wir beschlossen, uns davon zu befreien und sie über Bord zu werfen. Aber wie schauerlich ward uns zumut, als wir fanden, dass sich keiner aus seiner Lage bewegen ließ. Wie fest gebannt lagen sie am Boden, und man hätte die Bretter des Verdecks ausheben müssen, um sie zu entfernen, und dazu gebrach es uns an Werkzeugen. Auch der Capitano ließ sich nicht von seinem Mast losmachen, nicht einmal seinen Säbel konnten wir der starren Hand entwinden.

Wir brachten den Tag in trauriger Betrachtung unserer Lage zu, und als es Nacht zu werden anfing, erlaubte ich dem alten Ibrahim, sich schlafen zu legen, ich selbst wollte auf dem Verdeck wachen, um nach Rettung auszuspähen. Als aber der Mond heraufkam und ich nach den Gestirnen berechnete, dass es wohl die elfte Stunde sei, überfiel mich ein so unwiderstehlicher Schlaf, dass ich unwillkürlich hinter ein Fass, das auf dem Verdeck stand, zurückfiel. Doch war es mehr Betäubung als Schlaf, denn ich hörte deutlich die See an der Seite des Schiffes anschlagen und die Segel im Winde knarren und pfeifen. Auf einmal glaubte ich Stimmen und Männertritte auf dem Verdeck zu hören. Ich wollte mich aufrichten, um danach zu schauen. Aber eine unsichtbare Gewalt hielt meine Glieder gefesselt, nicht einmal die Augen konnte ich aufschlagen. Immer deutlicher wurden die Stimmen, es war mir, als wenn ein fröhliches Schiffsvolk sich auf dem Verdeck umhertriebe. Mitunter glaubte ich die kräftige Stimme eines Befehlenden zu hören, auch hörte ich Taue und Segel deutlich auf und ab ziehen. Nach und nach schwanden mir die Sinne, ich verfiel in einen tieferen Schlaf, in dem ich nur noch ein Geräusch von Waffen zu hören glaubte, und erwachte erst, als die Sonne schon hoch stand und mir aufs Gesicht brannte. Verwundert schaute ich mich um, Sturm, Schiff, die Toten und was ich in der Nacht gehört hatte, kamen mir wie ein Traum vor; aber als ich aufblickte, fand ich alles wie gestern. Unbeweglich lagen die Leichname, unbeweglich war der Capitano an den Mastbaum geheftet. Ich lachte über meinen Traum und stand auf, um meinen Alten zu suchen.

Er saß ganz nachdenklich in der Kajüte. »O Herr«, rief er aus, als ich zu ihm hineintrat, »ich wollte lieber im tiefsten Grunde des Meeres liegen, als in diesem verhexten Schiff noch eine Nacht zuzubringen.« Ich fragte ihn nach der Ursache seines Kummers, und er antwortete mir: »Als ich einige Stunden geschlafen hatte, wachte ich auf und vernahm, wie man über meinem Haupte hin und her lief. Ich dachte zuerst, Ihr wäret es, aber es waren wenigstens zwanzig, die oben umherliefen; auch hörte ich rufen und schreien. Endlich kamen schwere Tritte die Treppe herab. Da wusste ich nichts mehr von mir, nur hie und da kehrte auf einige Augenblicke meine Besinnung zurück, und da sah ich dann denselben Mann, der oben am Mast angenagelt ist, an jenem Tisch dort sitzen, singend und trinkend; aber der, der in einem roten Scharlachkleid nicht weit von ihm am Boden liegt, saß neben ihm und half ihm trinken.« Also erzählte mir mein alter Diener.

Ihr könnt es mir glauben, meine Freunde, dass mir gar nicht wohl zumut war, denn es war keine Täuschung, ich hatte ja auch die Toten nur zu gut gehört. In solcher Gesellschaft zu bleiben war mir gräulich. Mein Ibrahim versank in tiefes Nachdenken. »Jetzt hab ich's!«, rief er endlich aus; es fiel ihm nämlich ein Sprüchlein ein, das ihn sein Großvater, ein erfahrener, weit gereister Mann, gelehrt hatte und das gegen jeden Geister- und Zauberspuk helfen sollte; auch behauptete er, jenen unnatürlichen Schlaf, der uns befiel, in der nächsten Nacht verhindern zu können, wenn wir nämlich recht fleißig Sprüche aus dem Koran beteten. Der Vorschlag des alten Mannes gefiel mir.

In banger Erwartung sahen wir die Nacht herankommen. Neben der Kajüte war ein kleines Kämmerchen, dorthin beschlossen wir uns zurückzuziehen. Wir bohrten mehrere Löcher in die Tür, hinlänglich groß, um durch sie die ganze Kajüte zu überschauen; dann verschlossen wir die Tür, so gut es ging, von innen, und Ibrahim schrieb den Namen des Propheten in alle vier Ecken. So erwarteten wir die Schrecken der Nacht. Es mochte wieder ungefähr elf Uhr sein, als ich anfing, gewaltig schläfrig zu werden. Mein Gefährte riet mir daher, einige Sprüche des Korans zu beten, was mir auch half. Mit einem Mal schien es oben lebendig zu werden, die Taue knarrten, Schritte gingen über das Verdeck, und mehrere Stimmen waren deutlich zu unterscheiden. Einige Minuten hatten wir so in gespannter Erwartung gesessen, da hörten wir etwas die Treppe der Kajüte herabkommen. Als dies der Alte vernahm, fing er an, den Spruch, den ihn sein Großvater gegen Spuk und Zauberei gelehrt hatte, herzusagen:

»Kommt ihr herab aus der Luft,
Steigt ihr aus tiefem Meer,
Schlieft ihr in dunkler Gruft,
Stammt ihr vom Feuer her:
Allah ist euer Herr und Meister,
Ihm sind gehorsam alle Geister.«

Ich muss gestehen, ich glaubte gar nicht recht an diesen Spruch, und mir stieg das Haar zu Berg, als die Tür aufflog. Herein trat jener große, stattliche Mann, den ich am Mastbaum angenagelt gesehen hatte. Der Nagel ging ihm auch jetzt mitten durchs Hirn, das Schwert aber hatte er in die Scheide gesteckt. Hinter ihm trat noch ein anderer herein, weniger kostbar gekleidet; auch ihn hatte ich oben liegen sehen. Der Capitano, denn dies war er unverkennbar, hatte ein bleiches Gesicht, einen großen, schwarzen Bart, wild rollende Augen, mit denen er sich im ganzen Gemach umsah.

Ich konnte ihn ganz deutlich sehen, als er an unserer Tür vorüberging; er aber schien gar nicht auf die Tür zu achten, die uns verbarg. Beide setzten sich an den Tisch, der in der Mitte der Kajüte stand, und sprachen laut und fast schreiend miteinander in einer uns unbekannten Sprache. Sie wurden immer lauter und eifriger, bis endlich der Capitano mit geballter Faust auf den Tisch schlug, dass das Zimmer dröhnte. Mit wildem Gelächter sprang der andere auf und winkte dem Capitano, ihm zu folgen. Der Capitano stand auf, riss seinen Säbel aus der Scheide, und beide verließen das Gemach. Wir atmeten freier, als sie fort waren, aber unsere Angst hatte noch lange kein Ende. Immer lauter und lauter ward es auf dem Verdeck. Man hörte eilends hin und her laufen und schreien, lachen und heulen. Endlich ging ein wahrhaft höllischer Lärm los, so dass wir glaubten, das Verdeck mit allen Segeln komme zu uns herab, Waffengeklirr und Geschrei – auf einmal aber tiefe Stille. Als wir es nach vielen Stunden wagten, hinaufzugehen, trafen wir alles wie sonst; nicht einer lag anders als früher, alle waren steif wie Holz.

So waren wir mehrere Tage auf dem Schiffe; es fuhr immer nach Osten, in der Richtung, wo nach meiner Berechnung Land liegen musste; aber wenn es auch bei Tag viele Meilen zurückgelegt hatte, bei Nacht schien es immer wieder zurückzukehren, denn wir befanden uns immer wieder am nämlichen Fleck, wenn die Sonne aufging. Wir konnten uns dies nicht anders erklären, als dass die Toten jede Nacht mit vollem Wind zurücksegelten. Um nun dies zu verhüten, zogen wir, ehe es Nacht wurde, alle Segel ein und wandten dasselbe Mittel an wie bei der Tür in der Kajüte; wir schrieben den Namen des Propheten auf Pergament und auch das Sprüchlein des Großvaters dazu und banden es um die eingezogenen Segel. Ängstlich warteten wir in unserem Kämmerchen den Erfolg ab. Der Spuk schien diesmal noch ärger zu toben, aber am andern Morgen waren die Segel noch aufgerollt, wie wir sie verlassen hatten. Wir spannten den Tag über nur so viele Segel auf, als nötig waren, das Schiff sanft fortzutreiben, und so legten wir in fünf Tagen eine gute Strecke zurück.

Endlich, am Morgen des sechsten Tages, entdeckten wir in geringer Ferne Land, und wir dankten Allah und seinem Propheten für unsere wunderbare Rettung. Diesen Tag und die folgende Nacht trieben wir an einer Küste hin, und am siebten Morgen glaubten wir in geringer Entfernung eine Stadt zu entdecken. Wir ließen mit vieler Mühe einen Anker in die See, der alsobald Grund fasste, setzten ein kleines Boot, das auf dem Verdeck stand, aus und ruderten mit aller Macht der Stadt zu. Nach einer halben Stunde liefen wir in einen Fluss ein, der sich in die See ergoss, und stiegen ans Ufer.

Im Stadttor erkundigten wir uns, wie die Stadt heiße, und erfuhren, dass es eine indische Stadt sei, nicht weit von der Gegend, wohin ich zuerst zu reisen willens war. Wir begaben uns in eine Karawanserei und erfrischten uns von unserer abenteuerlichen Reise. Ich forschte daselbst auch nach einem weisen und verständigen Mann, wobei ich dem Wirt zu verstehen gab, dass ich einen solchen haben möchte, der sich ein wenig auf Zauberei verstehe. Er führte mich in eine abgelegene Straße an ein unscheinbares Haus, pochte an, und man ließ mich eintreten mit der Weisung, ich solle nur nach Muley fragen. In dem Hause kam mir ein altes Männlein mit grauem Bart und langer Nase entgegen und fragte nach meinem Begehr. Ich sagte ihm, ich suche den weisen Muley, und er antwortete mir, er sei es selbst. Ich fragte ihn nun um Rat, was ich mit den Toten machen solle und wie ich es angreifen müsse, um sie aus dem Schiff zu bringen. Er antwortete mir,

die Leute des Schiffes seien wahrscheinlich wegen irgendeines Frevels
auf das Meer verzaubert; er glaube,
der Zauber werde sich lösen, wenn
man sie ans Land bringe; dies könne
aber nur geschehen, wenn man die
Bretter, auf denen sie liegen, losmache. Mir gehöre von Gott und Rechts
wegen das Schiff samt allen Gütern,
weil ich es gleichsam gefunden habe;
doch solle ich alles sehr geheim halten
und ihm ein kleines Geschenk von
meinem Überfluss machen, er wolle
dafür mit seinen Sklaven mir behilflich sein, die Toten wegzuschaffen. Ich
versprach, ihn reichlich zu belohnen,
und wir machten uns mit fünf Sklaven, die mit Sägen und Beilen verse-

hen waren, auf den Weg. Unterwegs konnte der Zauberer Muley unsern glücklichen Einfall, die Segel mit den Sprüchen des Korans zu
umwinden, nicht genug loben. Er sagte, es sei dies das einzige Mittel
gewesen, uns zu retten.

Es war noch ziemlich früh am Tage, als wir beim Schiffe ankamen.
Wir machten uns alle sogleich ans Werk, und in einer Stunde lagen
schon vier von der ehemaligen Besatzung in dem Nachen. Einige der
Sklaven mussten sie ans Land rudern, um sie dort zu verscharren. Sie
erzählten, als sie zurückkamen, die Toten hätten ihnen die Mühe des
Begrabens erspart, sie seien, sowie man sie auf die Erde gelegt habe, in
Staub zerfallen. Wir fuhren fort, die Toten abzusägen, und vor Abend
waren alle ans Land gebracht. Es war endlich keiner mehr an Bord als
der, welcher am Mast angenagelt war. Vergebens suchten wir den
Nagel aus dem Holz zu ziehen, keine Gewalt vermochte ihn auch nur
ein Haar breit zu verrücken. Ich wusste nicht, was anzufangen war,
man konnte doch nicht den Mastbaum abhauen, um ihn ans Land zu
führen. Doch aus dieser Verlegenheit half Muley. Er ließ schnell einen
Sklaven ans Land rudern, um einen Topf mit Erde zu bringen. Als der

herbeigeholt war, sprach der Zauberer geheimnisvolle Worte darüber aus und schüttete die Erde auf das Haupt des Toten. Sogleich schlug dieser die Augen auf, holte tief Atem, und die Wunde des Nagels in seiner Stirn fing an zu bluten. Wir zogen den Nagel jetzt leicht heraus, und der Verwundete fiel einem Sklaven in die Arme.

»Wer hat mich hierher geführt?«, fragte er, nachdem er sich ein wenig erholt zu haben schien. Muley zeigte auf mich, und ich trat zu ihm. »Dank dir, unbekannter Fremdling, du hast mich von langen Qualen errettet! Seit fünfzig Jahren schifft mein Leib durch diese Wogen, und mein Geist war verdammt, jede Nacht in ihn zurückzukehren. Aber jetzt hat mein Haupt die Erde berührt, und ich kann entsühnt zu meinen Vätern gehen.« Ich bat ihn, uns doch zu sagen, wie er zu diesem schrecklichen Zustand gekommen sei, und er sprach: »Vor fünfzig Jahren war ich ein mächtiger, angesehener Mann und wohnte in Algier; die Sucht nach Gewinn trieb mich, ein Schiff auszurüsten und Seeraub zu treiben. Ich hatte dieses Geschäft schon einige Zeit fortgeführt, da nahm ich einmal auf Zante einen Derwisch an Bord, der umsonst reisen wollte. Ich und meine Gesellen waren rohe Leute und achteten nicht auf die Heiligkeit des Mannes, vielmehr trieb ich mein Gespött mit ihm. Als er aber einst in heiligem Eifer mir meinen sündigen Lebenswandel verwiesen hatte, übermannte mich nachts in meiner Kajüte, als ich mit meinem Steuermann viel getrunken hatte, der Zorn. Wütend über das, was der Derwisch gesagt hatte und was ich mir von keinem Sultan hätte sagen lassen, stürzte ich aufs Verdeck und stieß ihm meinen Dolch in die Brust. Sterbend verwünschte er mich und meine Mannschaft, nicht sterben und nicht leben zu können, bis wir unser Haupt auf die Erde legten. Der Derwisch starb, und wir warfen ihn in die See und verlachten seine Drohungen; aber noch in derselben Nacht erfüllten sich seine Worte. Ein Teil meiner Mannschaft empörte sich gegen mich. Mit fürchterlicher Wut wurde gestritten, bis meine Anhänger unterlagen und ich an den Mast genagelt wurde. Aber auch die Empörer erlagen ihren Wunden, und bald war mein Schiff nur ein großes Grab. Auch mir brachen die Augen, mein Atem hielt an, und ich meinte zu sterben. Aber es war nur eine Erstarrung, die mich gefesselt hielt; in der nächsten Nacht, zur nämlichen Stunde, da wir den Derwisch in die See geworfen, erwachte ich mit all meinen Genossen; das Leben war zurückgekehrt, aber wir konnten nichts anderes tun und sprechen, als was wir in jener Nacht gesprochen und getan hatten. So segeln wir seit fünfzig Jahren, konnten nicht leben, nicht sterben; denn wie konnten wir das Land erreichen? In toller Freude segelten wir allemal mit vollen Segeln in den Sturm, weil wir hofften, endlich an einer Klippe zu zerschellen und das müde Haupt auf dem Grunde des Meeres zur Ruhe zu legen. Es ist uns nicht gelungen. Jetzt aber werde ich sterben. Noch einmal meinen Dank, unbekannter Retter! Wenn Schätze dich lohnen können, so nimm mein Schiff als Zeichen meiner Dankbarkeit!«

Der Capitano ließ sein Haupt sinken, als er gesprochen hatte, und verschied. Sogleich zerfiel er auch wie seine Gefährten in Staub. Wir sammelten diesen in ein Kästchen und begruben ihn auf dem Lande. Aus der Stadt nahm ich Arbeiter, die mir mein Schiff in guten Zustand setzten. Nachdem ich die Waren, die ich an Bord hatte, gegen andere mit großem Gewinn eingetauscht hatte, mietete ich Matrosen, beschenkte meinen Freund Muley reichlich und schiffte mich nach meinem Vaterlande ein. Ich machte aber einen Umweg, indem ich an vielen Inseln und Reichen landete und meine Waren zu Markt brachte. Der Prophet segnete mein Unternehmen. Nach dreiviertel Jahren lief ich, noch einmal so reich, als mich der sterbende Capitano gemacht hatte, in Balsora ein. Meine Mitbürger waren erstaunt über meine Reichtümer und mein Glück und glaubten nicht anders, als dass ich das Diamantental des berühmten Reisenden Sindbad gefunden habe. Ich ließ sie bei ihrem Glauben. Von nun an mussten die jungen Leute aus Balsora, wenn sie kaum achtzehn Jahre alt waren, in die Welt hinaus, um gleich mir ihr Glück zu suchen. Ich aber lebte ruhig und in Frieden, und alle fünf Jahre machte ich eine Reise nach Mekka, um dem Herrn an heiliger Stätte für seinen Segen zu danken und für den Capitano und seine Leute zu bitten, dass er sie in sein Paradies aufnehme.

* * *

Die Reise der Karawane war den andern Tag ohne Hindernis weiter-
gegangen, und als man sich auf dem Lagerplatz erholt hatte, begann
Selim der Fremde, zu Muley, dem jüngsten der Kaufleute, also zu
sprechen: »Ihr seid zwar der Jüngste von uns, doch seid Ihr immer
fröhlich und wisst für uns gewiss irgendeinen guten Schwank. Ti-
schet ihn auf, dass er uns erquicke nach der Hitze des Tages!«

»Wohl möchte ich euch etwas erzählen«, antwortete Muley, »das
euch Spaß machen könnte, doch der Jugend ziemt Bescheidenheit in
allen Dingen; darum müssen meine älteren Reisegefährten den Vor-
rang haben. Zaleukos ist immer so ernst und verschlossen; sollte er
uns nicht erzählen, was sein Leben so ernst machte? Vielleicht, dass
wir seinen Kummer, wenn er solchen hat, lindern können, denn gerne
dienen wir dem Bruder, wenn er auch andern Glaubens ist.«

Der Aufgerufene war ein griechischer Kaufmann, ein Mann in mittleren Jahren, schön und kräftig, aber sehr ernst. Ob er gleich ein Un-
gläubiger – kein Muselmann – war, so liebten ihn doch seine Reisegefährten, denn er hatte ihnen durch sein ganzes Wesen Achtung und
Zutrauen eingeflößt. Er hatte übrigens nur eine Hand, und einige seiner Gefährten vermuteten, dass vielleicht dieser Verlust ihn so ernst
stimme.

Zaleukos antwortete auf die zutrauliche Frage Muleys: »Ich bin sehr
geehrt durch euer Zutrauen; Kummer habe ich nicht, wenigstens keinen, von dem ihr, auch mit dem besten Willen, mir abhelfen könntet.
Doch weil Muley mir meinen Ernst vorzuwerfen scheint, so will ich
euch einiges erzählen, was mich rechtfertigen soll, wenn ich ernster
bin als andere Leute. Ihr sehet, dass ich meine linke Hand verloren
habe. Sie fehlt mir nicht von Geburt an, sondern ich habe sie in den
schrecklichsten Tagen meines Lebens eingebüßt. Ob ich die Schuld
daran trage, ob ich unrecht tue, seit jenen Tagen ernster, als es meine
Lage mit sich bringt, zu sein, möget ihr beurteilen, wenn ihr meine
Geschichte vernommen habt.«

Die Geschichte von der abgehauenen Hand

Ich bin in Konstantinopel geboren; mein Vater war ein hoher Beamter, Dragoman bei der Pforte, und trieb nebenbei einen ziemlich einträglichen Handel mit wohlriechenden Essenzen und seidenen Stoffen. Er gab mir eine gute Erziehung, indem er mich teils selbst unterrichtete, teils von einem unserer Priester mir Unterricht geben ließ. Er hatte anfangs den Plan, dass ich seinen Laden einmal übernehmen solle; da ich aber größere Fähigkeiten zeigte, als er erwartet hatte, bestimmte er mich auf das Anraten seiner Freunde zum Arzt, weil ein Arzt, wenn er etwas mehr gelernt hat als die gewöhnlichen Marktschreier, in Konstantinopel sein Glück machen kann. Es kamen viele Franken in unser Haus, und einer davon überredete meinen Vater, mich in sein Vaterland, nach der Stadt Paris, reisen zu lassen, wo man das ärztliche Wissen unentgeltlich und am besten erwerben könne. Er selbst aber wolle mich, wenn er zurückreise, umsonst mitnehmen. Mein Vater, der in seiner Jugend auch gereist war, schlug ein, und der Franke sagte mir, ich könne mich in drei Monaten bereithalten. Ich war außer mir vor Freude, fremde Länder zu sehen, und konnte den Augenblick nicht erwarten, wo wir uns einschiffen würden. Der Franke hatte endlich seine Geschäfte abgemacht und sich zur Reise bereitet; am Vorabend der Reise führte mich mein Vater in sein Schlafkämmerlein. Dort sah ich schöne Kleider und Waffen auf dem Tische liegen. Was meine Blicke aber noch mehr anzog, war ein großer Haufen Gold, denn ich hatte noch nie so viel beieinander gesehen.

Mein Vater umarmte mich und sagte: »Sieh, mein Sohn, ich habe dir Kleider zu der Reise besorgt. Jene Waffen sind dein; es sind die nämlichen, die mir dein Großvater umhing, als ich in die Fremde auszog. Ich weiß, du kannst sie führen; gebrauche sie aber nur, wenn du angegriffen wirst, dann aber schlage auch tüchtig drauf! Mein Vermögen ist nicht groß: Ich habe es in drei Teile geteilt, einer ist dein, einer sei mein Unterhalt und Notpfennig, der dritte aber sei mir ein heiliges, unantastbares Gut, er diene dir in der Stunde der Not!« So sprach mein alter Vater, und Tränen hingen ihm im Auge, vielleicht aus Ahnung, denn ich habe ihn nie wiedergesehen.

Die Reise ging gut vonstatten; wir waren bald im Lande der Franken angelangt, und sechs Tagereisen hernach kamen wir in die große Stadt Paris. Hier mietete mir mein fränkischer Freund ein Zimmer und riet mir, mein Geld, das in allem zweitausend Taler betrug, vorsichtig anzuwenden. Ich lebte drei Jahre in dieser Stadt und lernte, was ein tüchtiger Arzt wissen muss; ich müsste aber lügen, wenn ich sagte, dass ich gerne dort gewesen sei, denn die Sitten dieses Volkes gefielen mir nicht; auch hatte ich nur wenige gute Freunde dort, diese aber waren edle junge Männer.

Die Sehnsucht nach der Heimat wurde endlich mächtig in mir; in der ganzen Zeit hatte ich nichts von meinem Vater gehört, und ich ergriff daher eine günstige Gelegenheit, nach Hause zu kommen. Es ging nämlich eine Gesandtschaft aus Frankenland nach der Hohen Pforte. Ich verdingte mich als Wundarzt in das Gefolge des Gesandten und kam glücklich wieder nach Stambul. Das Haus meines Vaters aber fand ich verschlossen, und die Nachbarn erstaunten, als sie mich sahen, und sagten mir, mein Vater sei vor zwei Monaten gestorben. Jener Priester, der mich in meiner Jugend unterrichtet hatte, brachte mir den Schlüssel; ganz allein zog ich in das verödete Haus. Ich fand noch alles, wie es mein Vater verlassen hatte, nur das Gold, das er mir zu hinterlassen versprach, fehlte. Ich fragte den Priester darüber, und dieser verneigte sich und sprach: »Euer Vater ist als ein heiliger Mann gestorben, denn er hat sein Gold der Kirche vermacht.« Dies war und blieb mir unbegreiflich, doch was wollte ich machen? Ich hatte keinen Zeugen gegen den Priester und musste froh sein, dass er nicht auch das Haus und die Waren meines Vaters als Vermächtnis angesehen hatte. Dies war das erste Unglück, das mich traf. Von jetzt an aber kam es Schlag auf Schlag. Mein Ruf als Arzt wollte sich gar nicht ausbreiten, weil ich mich schämte, den Marktschreier zu machen, und überall fehlte mir die Empfehlung meines Vaters, der mich bei den Reichsten und Vornehmsten eingeführt hätte, die jetzt nicht mehr an den armen Zaleukos dachten. Auch die Waren meines Vaters fanden keinen Abgang, denn die Kunden hatten sich nach seinem Tode verlaufen, und neue bekommt man nur langsam. Als ich einst trostlos über meine Lage nachdachte, fiel mir ein, dass ich oft in Franken Männer meines Volkes gesehen hatte, die das Land durchzogen und ihre Waren auf den Märkten der Städte auslegten; ich erinnerte mich, dass man ihnen gerne abkaufte, weil sie aus der Fremde kamen, und daß man bei solchem Handel das Hundertfache erwerben könne. Sogleich war auch mein Entschluss gefasst. Ich verkaufte mein väterliches Haus, gab einen Teil des gelösten Geldes einem bewährten Freund zum Aufbewahren, von dem übrigen aber kaufte ich, was man in Franken selten hat, als da sind: Schals, seidene Zeuge, Salben und Öle, mietete einen Platz auf einem Schiff und trat so meine zweite Reise nach Frankenland an. Es schien, als ob das Glück, sobald ich die Schlösser der Dardanellen im Rücken hatte, mir wieder günstig geworden sei. Unsere Fahrt war kurz und glücklich. Ich durchzog die großen und kleinen Städte der Franken und fand überall willige Käufer meiner Waren. Mein Freund in Stambul sandte mir immer wieder frische Vorräte, und ich wurde von Tag zu Tag wohlhabender. Als ich endlich so viel erspart hatte, dass ich glaubte, ein größeres Unternehmen wagen zu können, zog ich mit meinen Waren nach Italien. Etwas muss ich aber noch gestehen, was mir auch nicht wenig Geld einbrachte, ich nahm auch meine Arzneikunst zu Hilfe. Wenn ich in eine Stadt kam, ließ ich durch Zettel verkünden, dass ein griechischer Arzt da sei, der schon viele geheilt habe; und wahrlich, mein Balsam und meine Arzneien haben mir manche Zechine eingebracht. So war ich endlich nach der Stadt Florenz in Italien gekommen. Ich nahm mir vor, längere Zeit in dieser Stadt zu bleiben, teils, weil sie mir so wohl gefiel, teils auch, weil ich mich von den Strapazen meines Umherziehens erholen wollte. Ich mietete mir ein Gewölbe in dem Stadtviertel St. Croce und nicht weit davon in einem Wirtshaus ein paar schöne Zimmer, die auf einen

Altan führten. Sogleich ließ ich auch meine Zettel umhertragen, die mich als Arzt und Kaufmann ankündigten. Ich hatte kaum mein Gewölbe eröffnet, so strömten auch die Käufer herzu, und obgleich ich ein wenig hohe Preise hatte, so verkaufte ich doch mehr als andere, weil ich gefällig und freundlich gegen meine Kunden war. Ich hatte schon vier Tage vergnügt in Florenz verlebt, als ich eines Abends, da ich schon mein Gewölbe schließen und nur die Vorräte in meinen Salbenbüchsen gewohnheitsgemäß noch einmal mustern wollte, in einer kleinen Büchse einen Zettel fand, den ich meiner Erinnerung nach nicht hineingetan hatte. Ich entfaltete ihn und fand darin eine Einladung, diese Nacht Punkt zwölf Uhr auf der Brücke, die man Ponte vecchio heißt, mich einzufinden. Ich sann lange darüber nach, wer es wohl sein könnte, der mich dorthin einlud; da ich aber keine Seele in Florenz kannte, dachte ich, man werde mich vielleicht heimlich zu irgendeinem Kranken führen wollen, was schon öfter geschehen war. Ich beschloss also hinzugehen, doch hing ich zur Vorsicht den Säbel um, den mir einst mein Vater geschenkt hatte.

Als es stark gegen Mitternacht ging, machte ich mich auf den Weg und kam bald auf den Ponte vecchio. Ich fand die Brücke verlassen und öde und beschloss zu warten, bis der erscheinen würde, der mich rief. Es war eine kalte Nacht; der Mond schien hell, und ich schaute hinab in die Wellen des Arno, die weithin im Mondlicht schimmerten. Auf den Kirchen der Stadt schlug es jetzt zwölf Uhr; ich richtete mich auf, und vor mir stand ein großer Mann, ganz in einen roten Mantel gehüllt, dessen einen Zipfel er vor das Gesicht hielt.

Ich war anfangs etwas erschrocken, weil er so plötzlich vor mir stand, fasste mich aber sogleich wieder und sprach: »Wenn Ihr mich hierher bestellt habt, so sagt an, was steht zu Eurem Befehl?« Der Rotmantel wandte sich um und sagte langsam: »Folge!« Da ward mir's doch etwas unheimlich zumut, mit diesem Unbekannten allein zu gehen; ich blieb stehen und sprach: »Nicht also, lieber Herr! Wollet mir vorerst sagen, wohin! Auch könnt Ihr mir Euer Gesicht ein wenig zeigen, dass ich sehe, ob Ihr Gutes mit mir vorhabt.« Der Rote aber schien sich nicht darum zu kümmern. »Wenn du nicht willst, Zaleukos, so bleibe!«, antwortete er und ging weiter. Da entbrannte mein Zorn. »Meinet Ihr«, rief ich aus, »ein Mann wie ich lasse sich von jedem Narren foppen und ich würde in dieser kalten Nacht umsonst gewartet haben?« In drei Sprüngen hatte ich ihn erreicht, packte ihn an seinem Mantel und schrie noch lauter, indem ich die andere Hand an den Säbel legte; aber der Mantel blieb mir in der Hand, und der Unbekannte war um die nächste Ecke verschwunden. Mein Zorn legte sich nach und nach, ich hatte doch den Mantel, und dieser sollte mir schon den Schlüssel zu diesem wunderlichen Abenteuer geben. Ich hing ihn um und ging weiter nach Hause. Als ich noch kaum hundert Schritte davon entfernt war, streifte jemand dicht an mir vorüber und flüsterte in fränkischer Sprache: »Nehmt Euch in Acht, Graf, heute Nacht ist nichts zu machen!« Ehe ich mich aber umsehen konnte, war dieser Jemand schon vorbei, und ich sah nur noch einen Schatten an den Häusern hinschweben. Dass dieser Zuruf den Eigentümer des Mantels und nicht mich anging, sah ich ein, doch warf er kein Licht in die dunkle Sache. Am andern Morgen überlegte ich, was zu tun sei. Zuerst war ich gesonnen, den Mantel ausrufen zu lassen, als hätte ich ihn gefunden, doch da konnte der Unbekannte ihn durch einen Dritten abholen lassen, und ich hätte dann keinen Aufschluss gehabt. Ich besah, indem ich so nachdachte, den Mantel näher. Er war von schwerem genuesischem Samt, purpurrot, mit astrachanischem Pelz verbrämt und reich mit Gold bestickt. Der prachtvolle Anblick des Mantels brachte mich auf einen Gedanken, den ich auszuführen beschloss. Ich trug ihn in mein Gewölbe und legte ihn zum Verkauf aus, setzte aber auf ihn einen so hohen Preis, dass ich gewiss war, keinen Käufer zu finden. Mein Zweck dabei war, jeden, der nach dem Pelz fragen würde, scharf ins Auge zu fassen; denn die Gestalt des Unbekannten, die sich mir nach Verlust des Mantels, wenn auch nur flüchtig, doch bestimmt gezeigt, wollte ich aus Tausenden erkennen. Es fanden sich viele Kauflustige für den Mantel, dessen außerordentliche Schönheit aller Augen auf sich zog, aber keiner glich entfernt dem Unbekannten, keiner wollte den hohen Preis von zweihundert Zechinen dafür bezahlen. Auffallend war mir dabei, dass, wenn ich einen oder den andern fragte, ob denn sonst kein solcher Mantel in Florenz sei, alle mit Nein antworteten und versicherten, solch eine kostbare und geschmackvolle Arbeit nie gesehen zu haben.

Es wollte schon Abend werden, da kam endlich ein junger Mann, der

schon oft bei mir gewesen war und auch heute viel auf den Mantel geboten hatte, warf einen Beutel Zechinen auf den Tisch und rief: »Bei
Gott, Zaleukos, ich muss deinen Mantel haben, und sollte ich zum
Bettler darüber werden!« Zugleich begann er, seine Goldstücke aufzuzählen. Ich kam in große Not; ich hatte den Mantel nur ausgehängt,
um vielleicht die Blicke meines Unbekannten darauf zu ziehen, und
jetzt kam ein junger Tor, um den ungeheuren Preis zu zahlen. Doch
was blieb mir übrig? Ich gab nach, denn es tat mir auf der andern Seite
der Gedanke wohl, für mein nächtliches Abenteuer so schön entschädigt zu werden. Der Jüngling hing sich den Mantel um und ging; er
kehrte aber auf der Schwelle wieder um, indem er ein Papier, das am
Mantel befestigt war, losmachte, mir zuwarf und sagte: »Hier, Zaleukos, hängt etwas, das wohl nicht zu dem Mantel gehört.« Gleichgültig
nahm ich den Zettel, aber siehe da, dort stand geschrieben: »Bringe
heute Nacht um die bewusste Stunde den Mantel auf den Ponte vecchio! Vierhundert Zechinen warten deiner.« Ich stand wie niederge-
donnert. So hatte ich also mein Glück selbst verscherzt und meinen
Zweck gänzlich verfehlt! Doch ich besann mich nicht lange, raffte die
zweihundert Zechinen zusammen, sprang dem, der den Mantel gekauft hatte, nach und sprach: »Nehmt Eure Zechinen wieder, guter
Freund, und lasst mir den Mantel, ich kann ihn unmöglich hergeben.«
Dieser hielt die Sache am Anfang für Spaß, als er aber merkte, dass es
Ernst war, geriet er in Zorn über meine Forderung, schalt mich einen
Narren, und so kam es endlich zu Schlägen. Doch ich war so glücklich, im Handgemenge ihm den Mantel zu entreißen, und wollte
schon davoneilen, als der junge Mann die Polizei zu Hilfe rief und
mich mit sich vor Gericht zog. Der Richter war sehr erstaunt über die
Anklage und sprach meinem Gegner den Mantel zu. Ich aber bot dem
Jüngling zwanzig, fünfzig, achtzig, ja hundert Zechinen über seine
zweihundert, wenn er mir den Mantel ließ. Was meine Bitten nicht
vermochten, bewirkte mein Gold. Er nahm meine guten Zechinen, ich
aber zog mit dem Mantel triumphierend ab und musste mir gefallen
lassen, dass man mich in ganz Florenz für einen Wahnsinnigen hielt.
Doch die Meinung der Leute war mir gleichgültig, ich wusste es ja
besser als sie, dass ich an dem Handel noch gewann.
Mit Ungeduld erwartete ich die Nacht. Um dieselbe Zeit wie gestern

ging ich, den Mantel unter dem Arm, auf den Ponte vecchio. Mit dem letzten Glockenschlag kam die Gestalt aus der Nacht heraus auf mich zu. Es war unverkennbar der Mann von gestern. »Hast du den Mantel?«, wurde ich gefragt. »Ja, Herr«, antwortete ich, »aber er kostete mich bare hundert Zechinen.«

»Ich weiß es«, entgegnete jener. »Schau auf, hier sind vierhundert.« Er trat mit mir an das breite Geländer der Brücke und zahlte die Goldstücke hin. Vierhundert waren es; prächtig blitzten sie im Mondschein, ihr Glanz erfreute mein Herz. Ach, es ahnte nicht, dass es seine letzte Freude sein werde. Ich steckte mein Geld in die Tasche und wollte mir nun auch den gütigen Unbekannten recht betrachten; aber er hatte eine Maske vor dem Gesicht, aus der mich dunkle Augen furchtbar anblitzten. »Ich danke Euch, Herr, für Eure Güte«, sprach ich zu ihm, »was verlangt Ihr jetzt von mir? Das sage ich Euch aber vorher, dass es nichts Unrechtes sein darf.« – »Unnötige Sorge«, antwortete er, indem er den Mantel um die Schultern legte, »ich bedarf Eurer Hilfe als Arzt, doch nicht für einen Lebenden, sondern für einen Toten.«

»Wie kann das sein?«, rief ich voll Verwunderung.

»Ich kam mit meiner Schwester aus fernen Landen«, erzählte er und winkte mir zugleich, ihm zu folgen; »ich wohnte hier mit ihr bei einem Freund meines Hauses. Meine Schwester starb gestern schnell an einer Krankheit, und die Verwandten wollen sie morgen begraben. Nach einer alten Sitte unserer Familie sollen alle in der Gruft der Väter ruhen; viele, die in fremden Landen starben, ruhen dennoch dort einbalsamiert. Meinen Verwandten gönne ich nun ihren Körper, meinem Vater aber muss ich wenigstens den Kopf seiner Tochter bringen, damit er sie noch einmal sehe.« Diese Sitte, die Köpfe geliebter Anverwandten abzuschneiden, kam mir zwar etwas schrecklich vor, doch wagte ich nichts dagegen einzuwenden, aus Furcht, den Unbekannten zu beleidigen. Ich sagte ihm daher, dass ich mit dem Einbalsamieren der Toten wohl vertraut sei, und bat ihn, mich zu der Verstorbenen zu führen. Doch konnte ich mich nicht enthalten zu fragen, warum denn dies alles so geheimnisvoll und in der Nacht geschehen müsse? Er antwortete mir, dass seine Verwandten, die sein Vorhaben für grausam halten, ihn bei Tage abhalten würden; sei aber nur erst einmal der Kopf abgenommen, so könnten sie nur noch wenig dazu

sagen; er hätte mir zwar den Kopf bringen können, aber ein natürliches Gefühl halte ihn ab, ihn selbst abzunehmen.

Wir waren indes bis an ein großes, prachtvolles Haus gekommen. Mein Begleiter zeigte es mir als das Ziel unseres nächtlichen Spazierganges. Wir gingen an dem Haupttor des Hauses vorbei, traten in eine kleine Pforte, die der Unbekannte sorgfältig hinter sich zumachte, und stiegen nun im Finstern eine enge Wendeltreppe hinan. Sie führte in einen spärlich erleuchteten Gang, aus dem wir in ein Zimmer gelangten, das eine an der Decke befestigte Lampe erleuchtete.

In diesem Gemach stand ein Bett, in dem der Leichnam lag. Der Unbekannte wandte sein Gesicht ab und schien Tränen verbergen zu wollen. Er deutete nach dem Bett, befahl mir, mein Geschäft gut und schnell zu verrichten, und ging wieder zur Tür hinaus.

Ich packte meine Messer, die ich als Arzt immer bei mir führte, aus und näherte mich dem Bett. Nur der Kopf war von der Leiche sichtbar, aber dieser war so schön, dass mich unwillkürlich das innigste Mitleid ergriff. In langen Flechten hing das dunkle Haar herab, das Gesicht war bleich, die Augen waren geschlossen. Ich machte zuerst einen Einschnitt in die Haut, nach der Weise der Ärzte, wenn sie ein Glied abschneiden. Sodann nahm ich mein schärfstes Messer und schnitt mit einem Zug die Kehle durch. Aber welcher Schrecken! Die Tote schlug die Augen auf, schloss sie aber gleich wieder, und in einem tiefen Seufzer schien sie jetzt erst ihr Leben auszuhauchen. Zugleich schoss mir ein Strahl heißen Blutes aus der Wunde entgegen. Ich überzeugte mich, dass erst ich die Arme getötet hatte. Denn dass sie tot sei, war kein Zweifel, da es von dieser Wunde keine Rettung gab. Ich stand einige Minuten in banger Beklommenheit über dem, was geschehen war. Hatte der Rotmantel mich betrogen, oder war die Schwester vielleicht nur scheintot gewesen? Das Letztere schien mir wahrscheinlicher. Ich durfte dem Bruder der Verstorbenen nicht sagen, dass vielleicht ein weniger rascher Schnitt sie erweckt hätte, ohne sie zu töten, darum wollte ich den Kopf vollends ablösen; aber noch einmal stöhnte die Sterbende, streckte sich in schmerzhafter Bewegung aus und starb. Da übermannte mich der Schrecken, und ich stürzte schaudernd aus dem Gemach. Aber draußen im Gang war es finster, denn die Lampe war verlöscht; keine Spur von meinem Be-

gleiter war zu entdecken, und ich musste auf ungefähr mich im Finstern an der Wand fortbewegen, um an die Wendeltreppe zu gelangen.
Ich fand sie endlich und kam halb fallend, halb gleitend hinab. Auch
unten war kein Mensch. Die Tür fand ich nur angelehnt, und ich atmete freier, als ich auf der Straße war, denn in dem Hause war mir
ganz unheimlich geworden. Vom Schrecken gespornt, rannte ich in
meine Wohnung und begrub mich in die Polster meines Lagers, um
das Schreckliche zu vergessen, das ich getan hatte. Aber der Schlaf
floh mich, und erst der Morgen ermahnte mich wieder, mich zu fassen. Es war mir wahrscheinlich, dass der Mann, der mich zu dieser
verruchten Tat, wie sie mir jetzt erschien, verführt hatte, mich nicht
angeben würde. Ich entschloss mich gleich, in mein Gewölbe an mein
Geschäft zu gehen und womöglich eine sorglose Miene anzunehmen.
Aber ach, ein neuer Umstand, den ich jetzt erst bemerkte, vermehrte
noch meinen Kummer. Meine Mütze und mein Gürtel wie auch mein
Messer fehlten mir, und ich war ungewiss, ob ich sie im Zimmer der
Getöteten gelassen oder erst auf meiner Flucht verloren hatte. Leider

schien das Erste wahrscheinlicher, und man konnte mich also als Mörder entdecken.

Ich öffnete zur gewöhnlichen Zeit mein Gewölbe. Mein Nachbar trat zu mir her, wie er alle Morgen zu tun pflegte, denn er war ein gesprächiger Mann. »Ei, was sagt Ihr zu der schrecklichen Geschichte«, hub er an, »die heute Nacht vorgefallen ist?« Ich tat, als ob ich nichts wüsste. »Wie, solltet Ihr nicht wissen, von was die ganze Stadt erfüllt ist? Nicht wissen, dass die schönste Blume von Florenz, Bianca, die Tochter des Gouverneurs, in dieser Nacht ermordet wurde? Ach, ich sah sie gestern noch so heiter durch die Straßen fahren mit ihrem Bräutigam, denn heute hätten sie Hochzeit gehabt.« Jedes Wort des Nachbars war mir ein Stich ins Herz. Und wie oft kehrte meine Marter wieder, denn jeder meiner Kunden erzählte mir die Geschichte, einer immer schrecklicher als der andere, und doch konnte keiner so Schreckliches sagen, als ich selbst gesehen hatte. Um Mittag ungefähr trat ein Mann vom Gericht in mein Gewölbe und bat mich, die Leute zu entfernen. »Signor Zaleukos«, sprach er, indem er die Sachen, die ich vermisst hatte, hervorzog, »gehört Euch das?« Ich besann mich, ob ich sie nicht gänzlich ableugnen sollte, aber als ich durch die halb geöffnete Tür meinen Wirt und mehrere Bekannte, die wohl gegen mich zeugen konnten, erblickte, beschloss ich, die Sache nicht noch durch eine Lüge zu verschlimmern, und bekannte mich zu den vorgezeigten Dingen. Der Gerichtsmann bat mich, ihm zu folgen, und führte mich in ein großes Gebäude, das ich bald als das Gefängnis erkannte. Dort wies er mir bis auf weiteres ein Gemach an.

Meine Lage war schrecklich, als ich so in der Einsamkeit darüber nachdachte. Der Gedanke, gemordet zu haben, wenn auch ohne Willen, kehrte immer wieder. Auch konnte ich mir nicht verhehlen, dass der Glanz des Goldes meine Sinne gefangen gehalten hatte, sonst hätte ich nicht blindlings in die Falle gehen können. Zwei Stunden nach meiner Verhaftung wurde ich aus meinem Gemach geführt. Mehrere Treppen ging es hinab, dann kam ich in einen großen Saal. Um einen langen, schwarz behängten Tisch saßen dort zwölf Männer, meistens Greise. An den Seiten des Saales zogen sich Bänke herab, angefüllt mit den Vornehmsten von Florenz. Auf den Galerien, die in der Höhe angebracht waren, standen dicht gedrängt die Zuschauer. Als ich vor den schwarzen Tisch getreten war, erhob sich ein Mann mit finsterer, trauriger Miene. Er war der Gouverneur. Er sprach zu den Versammelten, dass er als Vater in dieser Sache nicht richten könne und dass er seine Stelle für diesmal an den ältesten der Senatoren abtrete. Der älteste der Senatoren war ein Greis von wenigstens neunzig Jahren. Er stand gebückt, und seine Schläfen waren mit dünnem weißem Haar umhängt, aber feurig brannten noch seine Augen, und seine Stimme war stark und sicher. Er hub an, mich zu fragen, ob ich den Mord gestehe. Ich bat ihn um Gehör und erzählte unerschrocken und mit vernehmlicher Stimme, was ich getan und was ich wusste. Ich bemerkte, dass der Gouverneur während meiner Erzählung bald blass, bald rot wurde, und als ich geschlossen, fuhr er wütend auf. »Wie, Elender«, rief er mir zu, »so willst du ein Verbrechen, das du aus Habgier begangen, noch einem andern aufbürden?« Der Senator verwies ihm seine Unterbrechung, da er sich freiwillig seines Rechtes begeben habe; auch sei es gar nicht so erwiesen, dass ich aus Habgier gefrevelt, denn nach seiner eigenen Aussage sei ja der Getöteten nichts gestohlen worden. Ja, er ging noch weiter. Er erklärte dem Gouverneur, dass er über das frühere Leben seiner Tochter Rechenschaft geben müsse. Denn nur so könne man schließen, ob ich die Wahrheit gesagt habe oder nicht. Zugleich hub er für heute das Gericht auf, um sich, wie er sagte, aus den Papieren der Verstorbenen, die ihm der Gouverneur übergeben werde, Rat zu holen. Ich wurde wieder in mein Gefängnis zurückgeführt, wo ich einen traurigen Tag verlebte, immer mit dem heißen Wunsch beschäftigt, dass man doch irgendeine Verbindung zwischen der Toten und dem Rotmantel entdecken möchte. Voll Hoffnung trat ich den andern Tag in den Gerichtssaal. Es lagen mehrere Briefe auf dem Tisch. Der alte Senator fragte mich, ob sie meine Handschrift seien. Ich sah sie an und fand, dass sie von derselben Hand sein müssten wie jene beiden Zettel, die ich erhalten hatte. Ich äußerte dies den Senatoren, aber man schien nicht darauf zu achten und antwortete, dass ich beides geschrieben haben könne und müsse, denn der Namenszug unter den Briefen sei unverkennbar ein Z, der Anfangsbuchstabe meines Namens. Die Briefe aber enthielten Drohungen an die Verstorbene und Warnungen vor der Hochzeit, die sie zu vollziehen im Begriff war.

Der Gouverneur schien sonderbare Aufschlüsse in Hinsicht auf meine Person gegeben zu haben, denn man behandelte mich an diesem Tage misstrauischer und strenger. Ich berief mich zu meiner Rechtfertigung auf meine Papiere, die sich in meinem Zimmer finden müssten, aber man sagte mir, man habe nachgesucht und nichts gefunden. So schwand mir am Schlusse dieses Gerichtstages alle Hoffnung, und als ich am dritten Tag wieder in den Saal geführt wurde, las man mir das Urteil vor, dass ich, eines vorsätzlichen Mordes überwiesen, zum Tode verurteilt sei.

Dahin also war es mit mir gekommen. Verlassen von allem, was mir auf Erden noch teuer war, fern von meiner Heimat, sollte ich unschuldig in der Blüte meiner Jahre durch das Beil sterben!

Ich saß am Abend dieses schrecklichen Tages, der über mein Schicksal entschieden hatte, in meinem einsamen Kerker. Meine Hoffnungen waren dahin, meine Gedanken ernsthaft auf den Tod gerichtet, da tat sich die Tür meines Gefängnisses auf, und ein Mann trat herein, der mich lange schweigend betrachtete. »So finde ich dich wieder, Zaleukos?«, sagte er. Ich hatte ihn bei dem matten Schein meiner Lampe nicht erkannt, aber der Klang seiner Stimme erweckte alte Erinnerungen in mir. Es war Valetty, einer jener wenigen Freunde, die ich in der Stadt Paris während meiner Studien gefunden hatte. Er sagte, dass er zufällig nach Florenz gekommen sei, wo sein Vater als angesehener Mann wohne; er habe von meiner Geschichte gehört und sei gekommen, um mich noch einmal zu sehen und von mir selbst zu erfahren, wie ich so schwere Schuld hätte auf mich laden können. Ich erzählte ihm die ganze Geschichte. Er schien darüber sehr verwundert und beschwor mich, ihm, meinem einzigen Freunde, alles zu sagen, um nicht mit einer Lüge von hinnen zu gehen. Ich schwor ihm mit dem teuersten Eid, dass ich wahr gesprochen und dass keine andere Schuld mich drücke, als dass ich, von dem Glanze des Goldes geblendet, das Unwahrscheinliche der Erzählung des Unbekannten nicht erkannt habe. »So hast du Bianca nicht gekannt?«, fragte jener. Ich beteuerte ihm, sie nie gesehen zu haben. Valetty erzählte mir nun, dass ein tiefes Geheimnis auf der Tat liege, dass der Gouverneur meine Verurteilung sehr hastig betrieben habe, und es sei nun ein Gerücht unter die Leute gekommen, dass ich Bianca längst gekannt und aus

Rache über ihre Heirat mit einem andern sie ermordet habe. Ich bemerkte ihm, dass dies alles ganz auf den Rotmantel passe, dass ich aber seine Teilnahme an der Tat mit nichts beweisen könne. Valetty umarmte mich weinend und versprach mir, alles zu tun, um wenigstens mein Leben zu retten. Ich hatte wenig Hoffnung, doch wusste ich, dass Valetty ein weiser und der Gesetze kundiger Mann sei und dass er alles tun werde, mich zu retten.

Zwei Tage lang war ich in Ungewissheit; endlich erschien Valetty. »Ich bringe dir Trost, wenn auch einen schmerzlichen. Du wirst leben und frei sein, aber mit Verlust einer Hand.« Gerührt dankte ich meinem Freund für mein Leben. Er sagte mir, dass der Gouverneur unerbittlich gewesen sei, die Sache noch einmal untersuchen zu

lassen, dass er aber endlich, um nicht ungerecht zu erscheinen, einge-
willigt habe, wenn man in den Büchern der florentinischen Geschichte
einen ähnlichen Fall finde, so solle meine Strafe sich nach der Strafe,
die dort ausgesprochen sei, richten. Er und sein Vater hätten nun Tag
und Nacht in den alten Büchern gelesen und endlich einen dem meinigen ganz ähnlichen Fall gefunden. Dort laute die Strafe: Es soll ihm die
linke Hand abgehauen, seine Güter eingezogen, er selbst auf ewig verbannt werden. So laute jetzt auch meine Strafe, und ich solle mich vor-
bereiten auf die schmerzhafte Stunde, die meiner warte. Ich will euch
nicht diese schreckliche Stunde vor Augen führen, in der ich auf offenem Markt meine Hand auf den Block legte und mein eigenes Blut in
weitem Bogen mich überströmte!

Valetty nahm mich in sein Haus auf, bis ich genesen war; dann versah
er mich edelmütig mit Reisegeld, denn alles, was ich mir so mühsam
erworben, war eine Beute des Gerichts geworden. Ich reiste von Florenz nach Sizilien und von da mit dem ersten Schiff, das ich fand,
nach Konstantinopel. Meine Hoffnung war auf die Summe gerichtet,
die ich meinem Freund übergeben hatte; auch bat ich ihn, bei ihm
wohnen zu dürfen. Aber wie erstaunte ich, als dieser mich fragte, warum ich denn nicht mein Haus beziehe. Er sagte mir, dass ein fremder
Mann unter meinem Namen ein Haus in dem Quartier der Griechen
gekauft habe, der Fremde habe auch den Nachbarn gesagt, dass ich
bald selbst kommen werde. Ich ging sogleich mit meinem Freunde
hin und wurde von allen meinen alten Bekannten freudig empfangen.
Ein alter Kaufmann gab mir einen Brief, den der Mann, der für mich
gekauft hatte, hier gelassen habe.

Ich las: »Zaleukos! Zwei Hände stehen bereit, rastlos zu schaffen, dass
du nicht fühlest den Verlust der einen. Das Haus, das du siehst, und
alles, was darin ist, ist dein, und alle Jahre wird man dir so viel geben,
dass du zu den Reichen deines Volkes gehören wirst. Mögest du dem
verzeihen, der unglücklicher ist als du!« Ich konnte ahnen, wer es geschrieben, und der Kaufmann sagte mir auf meine Frage, es sei ein
Mann gewesen, den er für einen Franken gehalten; er habe einen roten Mantel getragen. Ich wusste genug, um mir zu gestehen, dass der
Unbekannte doch nicht ganz von aller edlen Gesinnung verlassen
sein müsse. In meinem neuen Haus fand ich alles aufs Beste eingerich-

tet, auch ein Gewölbe mit Waren, schöner, als ich sie je gehabt. Zehn Jahre sind seitdem verstrichen; mehr aus alter Gewohnheit, als weil ich es nötig habe, setze ich meine Handelsreisen fort, doch habe ich jenes Land, in dem ich so unglücklich wurde, nie mehr gesehen. Jedes Jahr erhielt ich seitdem tausend Goldstücke; aber wenn es mir auch Freude macht, jenen Unglücklichen edel zu wissen, so kann er mir doch den Kummer meiner Seele nicht abkaufen, denn ewig lebt in mir das grauenvolle Bild der ermordeten Bianca.

*   *   *

Zaleukos, der griechische Kaufmann, hatte seine Geschichte geendigt. Mit großer Teilnahme hatten ihm die Übrigen zugehört, besonders der Fremde schien sehr davon ergriffen zu sein; er hatte einige Mal tief geseufzt, und Muley schien es sogar, als habe er Tränen in den Augen gehabt. Sie besprachen sich noch lange Zeit über das Erlebnis.

»Und hasst Ihr den Unbekannten nicht, der Euch so schnöde um ein so edles Glied Eures Körpers, der selbst Euer Leben in Gefahr brachte?«, fragte der Fremde.

»Wohl gab es in früherer Zeit Stunden«, antwortete der Grieche, »in denen mein Herz ihn vor Gott angeklagt, dass er diesen Kummer über mich gebracht und mein Leben vergiftet habe, aber ich fand Trost in dem Glauben meiner Väter, und dieser befiehlt mir, meine Feinde zu lieben; auch ist er wohl noch unglücklicher als ich.«

»Ihr seid ein edler Mann!«, rief der Fremde und drückte gerührt dem Griechen die Hand.

Der Anführer der Wache unterbrach sie aber in ihrem Gespräch. Er trat mit besorgter Miene in das Zelt und berichtete, dass man sich nicht der Ruhe überlassen dürfe, denn hier sei die Stelle, wo gewöhnlich die Karawanen angegriffen würden, auch glaubten seine Wachen, in der Entfernung mehrere Reiter zu sehen.

Die Kaufleute waren sehr bestürzt über diese Nachricht; Selim, der Fremde, aber wunderte sich über die Bestürzung und meinte, sie seien so gut geschützt, dass sie einen Trupp räuberischer Araber nicht zu fürchten brauchten.

»Ja, Herr«, entgegnete ihm der Anführer der Wache, »wenn es nur solches Gesindel wäre, könnte man sich ohne Sorge zur Ruhe legen, aber seit einiger Zeit zeigt sich der furchtbare Orbasan wieder, und da gilt es, auf seiner Hut zu sein.«

Der Fremde fragte, wer denn dieser Orbasan sei, und Achmed, der alte Kaufmann, antwortete ihm: »Es gehen unter dem Volk allerlei Sagen um über diesen wunderbaren Mann. Die einen halten ihn für ein übermenschliches Wesen, weil er oft gegen fünf bis sechs Männer allein einen Kampf besteht, andere halten ihn für einen tapferen Franken, den das Unglück in diese Gegend verschlagen habe; von allem aber ist nur so viel gewiss, dass er ein verruchter Räuber und Dieb ist.«

»Das könnt Ihr aber doch nicht behaupten«, entgegnete ihm Lezah, einer der Kaufleute. »Wenn er auch ein Räuber ist, so ist er doch ein edler Mann, und als solcher hat er sich an meinem Bruder erwiesen, wie ich Euch erzählen könnte. Er hat seinen ganzen Stamm zu geordneten Menschen gemacht, und solange er die Wüste durchstreift, darf kein anderer Stamm es wagen, sich sehen zu lassen. Auch raubt er nicht wie andere, sondern er erhebt nur ein Schutzgeld von den Karawanen, und wer ihm dieses willig bezahlt, der zieht ungefährdet weiter, denn Orbasan ist der Herr der Wüste.«

Also sprachen unter sich die Reisenden im Zelte; die Wachen aber, die um den Lagerplatz ausgestellt waren, begannen unruhig zu werden. Ein ziemlich bedeutender Haufe bewaffneter Reiter zeigte sich in der Entfernung einer halben Stunde; sie schienen gerade auf das Lager zuzukommen. Einer der Männer von der Wache ging daher in das Zelt, um zu verkünden, dass sie wahrscheinlich angegriffen würden. Die Kaufleute berieten sich untereinander, was zu tun sei, ob man ihnen entgegengehen oder den Angriff abwarten solle. Achmed und die zwei älteren Kaufleute wollten das Letztere, der feurige Muley aber und Zaleukos verlangten das Erstere und riefen den Fremden zu ihrem Beistand auf. Dieser zog ruhig ein kleines blaues Tuch mit roten Sternen aus seinem Gürtel hervor, band es an eine Lanze und befahl einem der Sklaven, es auf das Zelt zu stecken; er setze sein Leben zum Pfand, sagte er, die Reiter würden, wenn sie dieses Zeichen sähen, ruhig vorüberziehen. Muley glaubte nicht an den Erfolg, der Sklave aber steckte die Lanze auf das Zelt. Inzwischen hatten alle, die im Lager waren, zu den Waffen gegriffen und sahen in gespannter Erwartung den Reitern entgegen. Doch diese schienen das Zeichen auf dem Zelt erblickt zu haben, sie bogen plötzlich von ihrer Richtung auf das Lager ab und zogen in einem großen Bogen seitlich vorbei.

Verwundert sahen die Reisenden einige Augenblicke bald auf die Reiter, bald auf den Fremden. Der stand ganz gleichgültig, wie wenn nichts vorgefallen wäre, vor dem Zelt und blickte über die Ebene hin. Endlich brach Muley das Stillschweigen. »Wer bist du, mächtiger Fremdling«, rief er aus, »der du die wilden Horden der Wüste durch einen Wink bezähmest?« – »Ihr schlagt meine Kunst höher an, als sie ist«, antwortete Selim. »Ich habe mich mit diesem Zeichen versehen, als ich der Gefangenschaft entfloh; was es zu bedeuten hat, weiß ich selbst nicht, nur so viel weiß ich, dass, wer mit diesem Zeichen reist, unter mächtigem Schutz steht.«

Die Kaufleute dankten dem Fremden und nannten ihn ihren Erretter. Wirklich war auch die Anzahl der Reiter so groß gewesen, dass die Karawane wohl nicht lange hätte Widerstand leisten können.

Mit leichterem Herzen begab man sich jetzt zur Ruhe, und als die Sonne zu sinken begann und der Abendwind über die Sandebene hinstrich, brach man auf und zog weiter.

Am nächsten Tage lagerte man ungefähr nur noch eine Tagereise von dem Ausgang der Wüste entfernt. Als sich die Reisenden wieder in dem großen Zelt versammelt hatten, nahm Lezah, der Kaufmann, das Wort: »Ich habe euch gestern gesagt, dass der gefürchtete Orbasan eine edler Mann sei; erlaubt mir, dass ich es euch heute durch die Erzählung des Schicksals meines Bruders beweise! – Mein Vater war Kadi in Acara; er hatte drei Kinder, ich war der Älteste, ein Bruder und eine Schwester waren bei weitem jünger als ich. Als ich zwanzig Jahre alt war, rief mich ein Bruder meines Vaters zu sich. Er setzte mich zum Erben seiner Güter ein mit der Bedingung, dass ich bis zu seinem Tode bei ihm bliebe. Aber er erreichte ein hohes Alter, so dass ich erst vor zwei Jahren in meine Heimat zurückkehrte und nichts davon wusste, welch schreckliches Schicksal indessen mein Haus betroffen und wie gütig Allah es gewendet hatte.«

Die Errettung Fatmes

Mein Bruder Mustapha und meine Schwester Fatme waren beinahe im gleichen Alter. Jener hatte höchstens zwei Jahre voraus. Sie liebten einander innig und taten alles, was unserm kränklichen Vater die Last seines Alters erleichtern konnte. An Fatmes sechzehntem Geburtstag veranstaltete der Bruder ein Fest. Er ließ ihre Gespielinnen einladen, setzte ihnen in dem Garten des Vaters ausgesuchte Speisen vor, und als es Abend wurde, lud er sie ein, auf einer Barke, die er gemietet und festlich geschmückt hatte, ein wenig hinaus auf die See zu fahren. Fatme und ihre Gespielinnen willigten mit Freuden ein, denn der Abend war schön, und die Stadt gewährte besonders abends, von dem Meere aus betrachtet, einen herrlichen Anblick. Den Mädchen gefiel es so gut auf der Barke, dass sie meinen Bruder bewogen, immer weiter auf die See hinauszufahren. Mustapha gab aber nur ungern nach, weil sich vor einigen Tagen ein Korsar hatte sehen lassen. Nicht weit von der Stadt zieht sich ein Vorgebirge in das Meer. Dorthin wollten die Mädchen noch, um von da die Sonne in das Meer sinken zu sehen. Als sie um das Vorgebirge herumruderten, sahen sie in geringer Entfernung eine Barke, die mit Bewaffneten besetzt war. Nichts Gutes ahnend, befahl mein Bruder den Ruderern, sein Schiff zu drehen und dem Lande zuzurudern. Wirklich schien sich auch seine Besorgnis zu bestätigen, denn jene Barke kam der meines Bruders schnell nach, überholte sie, da sie mehr Ruder hatte, und hielt sich immer zwischen dem Land und unserer Barke. Als die Mädchen die Gefahr erkannten, in der sie schwebten, sprangen sie auf und schrien und klagten. Umsonst suchte Mustapha sie zu beruhigen, umsonst stellte er ihnen vor, ruhig zu bleiben, weil sie durch ihr Hinundherrennen die Barke in Gefahr brächten umzuschlagen. Es half nichts, und da sie sich endlich bei Annäherung des anderen Bootes alle auf die hintere Seite der Barke stürzten, schlug sie um. Indessen aber hatte man vom Land aus die Bewegungen des fremden Bootes beobachtet, und da man schon seit einiger Zeit Besorgnisse wegen der Korsaren hegte, hatte dieses Boot

Verdacht erregt, und mehrere Barken stießen vom Lande, um der unsrigen beizustehen. Aber sie kamen nur noch zur rechten Zeit, um die Untersinkenden aufzunehmen. In der Verwirrung war das feindliche Boot entwischt, auf den beiden Barken aber, welche die Geretteten aufgenommen hatten, war man ungewiss, ob alle gerettet seien. Man näherte sich gegenseitig, und ach, es fand sich, dass meine Schwester und eine ihrer Gespielinnen fehlten; zugleich entdeckte man aber einen Fremden, den niemand kannte, in einer der Barken. Auf die Drohungen Mustaphas gestand er, dass er zu dem feindlichen Schiff, das zwei Meilen ostwärts vor Anker liege, gehöre und dass ihn seine Gefährten auf ihrer eiligen Flucht im Stich gelassen hätten, während er im Begriff gewesen sei, die Mädchen auffischen zu helfen; auch sagte er aus, dass er gesehen habe, wie man zwei von ihnen in das Schiff zog.

Der Schmerz meines alten Vaters war grenzenlos, aber auch Mustapha war bis zum Tode betrübt; denn nicht nur, dass seine geliebte Schwester verloren war und dass er sich anklagte, an ihrem Unglück schuld zu sein – jene Freundin Fatmes, die ihr Unglück teilte, war von ihren Eltern ihm zur Gattin zugesagt gewesen, und nur unserm Vater hatte er es noch nicht zu gestehen gewagt, weil ihre Eltern arm und von geringer Abkunft waren. Mein Vater war ein strenger Mann. Als sein Schmerz sich ein wenig gelegt hatte, ließ er Mustapha vor sich kommen und sprach zu ihm: »Deine Torheit hat mir den Trost meines Alters und die Freude meiner Augen geraubt. Geh hin, ich verbanne dich auf ewig von meinem Angesicht, ich fluche dir und deinen Nachkommen, und nur wenn du mir Fatme wiederbringst, soll dein Haupt frei sein von dem Fluche des Vaters!«

Dies hatte mein armer Bruder nicht erwartet; schon vorher war er entschlossen gewesen, seine Schwester und ihre Freundin zu suchen. Er wollte sich nur noch den Segen des Vaters dazu erbitten, und jetzt schickte dieser ihn mit dem Fluch beladen in die Welt. Aber hatte ihn jener Jammer vorher gebeugt, so stählte jetzt die Fülle des Unglücks, das er nicht verdient hatte, seinen Mut.

Er ging zu dem gefangenen Seeräuber, befragte ihn, wohin die Fahrt seines Schiffes gehe, und erfuhr, dass die Korsaren Sklavenhandel trieben und gewöhnlich in Balsora großen Markt hielten.

Als er wieder nach Hause kam, um sich zur Reise anzuschicken, schien sich der Zorn des Vaters ein wenig gelegt zu haben, denn er sandte ihm einen Beutel mit Gold zur Unterstützung auf der Reise. Mustapha aber nahm weinend von den Eltern Zoraidens, so hieß seine geraubte Braut, Abschied und machte sich auf den Weg nach Balsora.

Mustapha machte die Reise zu Land, weil von unserer kleinen Stadt aus gerade kein Schiff nach Balsora ging. Er musste daher sehr anstrengende Tagreisen machen, um nicht zu lange nach den Seeräubern nach Balsora zu kommen. Doch da er ein gutes Ross und kein Gepäck hatte, konnte er hoffen, diese Stadt am Ende des sechsten Tages zu erreichen. Aber am Abend des vierten Tages, als er ganz allein seines Weges ritt, fielen ihn plötzlich drei Männer an. Da er merkte, dass sie gut bewaffnet und stark waren und dass es mehr auf sein Geld und sein Ross als auf sein Leben abgesehen war, so rief er ihnen zu, dass er sich ihnen ergeben wolle. Sie stiegen von ihren Pferden ab und banden ihm die Füße unter dem Bauch seines Tieres zusammen, ihn selber aber nahmen sie in die Mitte und trabten, indem einer den Zügel seines Pferdes ergriff, schnell mit ihm davon, ohne jedoch ein Wort zu sprechen.

Mustapha gab sich einer dumpfen Verzweiflung hin; der Fluch seines Vaters schien schon jetzt an dem Unglücklichen in Erfüllung zu gehen, und wie konnte er hoffen, seine Schwester und Zoraiden zu retten, wenn er, aller Mittel beraubt, nur sein ärmliches Leben zu ihrer Befreiung aufwenden konnte? Mustapha und seine stummen Begleiter mochten wohl eine Stunde geritten sein, als sie in ein kleines Seitental einbogen. Das Tälchen war von hohen Bäumen eingefasst, ein weicher, dunkelgrüner Rasen, ein Bach, der schnell durch seine Mitte hinrollte, luden zur Ruhe ein. Wirklich sah er auch fünfzehn bis zwanzig Zelte dort aufgeschlagen; an den Pflöcken der Zelte waren Kamele und schöne Pferde angebunden, aus einem der Zelte hervor tönte die lustige Weise einer Zither und zweier schöner Männerstimmen. Meinem Bruder schien es, als ob Leute, die ein so fröhliches Lagerplätzchen sich erwählt hatten, nichts Böses gegen ihn im Sinne haben könnten, und er folgte also ohne Bangigkeit dem Ruf seiner Führer, die, als sie seine Bande gelöst hatten, ihm winkten abzusteigen. Man führte ihn in ein Zelt, das größer als die übrigen und im Innern hübsch, fast zierlich aufgeputzt war. Prächtige, goldgestickte Polster, gewirkte Fußteppiche, übergoldete Rauchpfannen hätten anderswo Reichtum und Wohlwollen verraten, hier verrieten sie nur kühnen Raub. Auf einem der Polster saß ein alter, kleiner Mann; sein Gesicht war hässlich, seine Haut schwarzbraun und glänzend, und ein widriger Zug von tückischer Schlauheit um Augen und Mund machte seinen Anblick unangenehm. Obgleich sich dieser Mann einiges Ansehen zu geben suchte, so merkte doch Mustapha bald, dass nicht für ihn das Zelt so reich geschmückt sei, und die Unterredung seiner Führer schien seine Bemerkung zu bestätigen. »Wo ist der Starke?«, fragten sie den Kleinen. »Er ist auf der kleinen Jagd«, antwortete jener, »er hat mir aufgetragen, seine Stelle zu versehen.«

»Das hat er nicht gescheit gemacht«, entgegnete einer der Räuber, »denn es muss sich bald entscheiden, ob dieser Hund sterben oder zahlen soll, und das weiß der Starke besser als du.«

Der kleine Mann erhob sich im Gefühl seiner Würde, streckte sich lang aus, um mit der Spitze seiner Hand das Ohr seines Gegners zu erreichen, denn er schien Lust zu haben, sich durch einen Schlag zu rächen; als er aber sah, dass seine Bemühung fruchtlos sei, fing er an zu schimpfen, dass das Zelt von ihrem Streit erdröhnte. Und wahrlich, die andern blieben ihm nichts schuldig. Da tat sich auf einmal die Tür des Zeltes auf, und herein trat ein hoher, stattlicher Mann, jung und schön wie ein Perserprinz; seine Kleidung und seine Waffen waren, außer einem reich besetzten Dolch und einem glänzenden Säbel, gering und einfach, aber sein ernstes Auge, sein ganzer Anstand geboten Achtung, ohne Furcht einzuflößen.

»Wer ist's, der es wagt, in meinem Zelte Streit zu beginnen?«, rief er den Erschrockenen zu. Eine Zeit lang herrschte tiefe Stille. Endlich erzählte einer von denen, die Mustapha hergebracht hatten, wie es gegangen sei. Da schien sich das Gesicht des ›Starken‹, wie sie ihn nannten, vor Zorn zu röten. »Wann hätte ich dich je an meine Stelle gesetzt, Hassan?«, schrie er mit furchtbarer Stimme dem Kleinen zu. Dieser zog sich vor Furcht in sich selbst zusammen, dass er noch viel kleiner aussah als zuvor, und schlich sich der Zelttür zu. Ein hinlänglicher Tritt des Starken machte, dass er in einem großen, sonderbaren Sprung hinausflog.

Als der Kleine verschwunden war, führten die drei Männer Mustapha vor den Herrn des Zeltes, der sich indes auf die Polster gelegt hatte. »Hier bringen wir den, welchen du uns zu fangen befohlen hast.« Jener blickte den Gefangenen lange an und sprach sodann: »Bassa von Sulieika! Dein eigenes Gewissen wird dir sagen, warum du vor Orbasan stehst.« Als mein Bruder dies hörte, warf er sich vor jenem nieder und antwortete: »Oh, Herr, du scheinst im Irrtum zu sein, ich

bin ein armer Unglücklicher, aber nicht der Bassa, den du suchst!«
Alle im Zelt waren über diese Rede erstaunt. Der Herr des Zeltes aber
sprach: »Es kann dir wenig helfen, dich zu verstellen, denn ich will dir
Leute vorführen, die dich wohl kennen.« Er befahl Zuleima vorzuführen. Man brachte ein altes Weib in das Zelt, das auf die Frage, ob sie in
meinem Bruder nicht den Bassa von Sulieika erkenne, antwortete:
»Jawohl, und ich schwöre es beim Grab des Propheten, es ist der Bassa
und kein anderer.« – »Siehst du, Erbärmlicher, wie deine List zu Wasser geworden ist?«, begann zürnend der Starke. »Du bist mir zu elend,
als dass ich meinen guten Dolch mit deinem Blut besudeln sollte, aber
an den Schweif meines Rosses will ich dich binden, morgen, wenn die
Sonne aufgeht, und durch die Wälder mit dir jagen, bis sie scheidet
hinter die Hügel von Sulieika!« Da sank meinem armen Bruder der
Mut. »Das ist der Fluch meines harten Vaters, der mich zum schmachvollen Tode treibt«, rief er weinend, »und auch du bist verloren, süße
Schwester, auch du, Zoraide!« – »Deine Verstellung hilft dir nichts«,
sprach einer der Räuber, indem er ihm die Hände auf den Rücken
band. »Mach, dass du aus dem Zelte kommst, denn der Starke beißt

sich in die Lippen und blickt nach seinem Dolch! Wenn du noch eine Nacht leben willst, so komm!«

Als die Räuber gerade meinen Bruder aus dem Zelte führen wollten, begegneten sie drei andern, die einen Gefangenen vor sich her trieben. Sie traten mit ihm ein. »Hier bringen wir den Bassa, wie du uns befohlen hast«, sprachen sie und führten den Gefangenen vor das Polster des Starken. Als der Gefangene dorthin geführt wurde, hatte mein Bruder Gelegenheit, ihn zu betrachten; und ihm selbst fiel die Ähnlichkeit auf, die dieser Mann mit ihm hatte, nur war er dunkler im Gesicht und hatte einen schwärzeren Bart. Der Starke schien sehr erstaunt über das Erscheinen des zweiten Gefangenen. »Wer von euch ist denn der Rechte?«, sprach er, indem er bald meinen Bruder, bald den anderen Mann ansah. »Wenn du den Bassa von Sulieika meinst«, antwortete in stolzem Ton der Gefangene, »der bin ich!« Der Starke sah ihn lange mit seinem ernsten, furchtbaren Blicke an, dann winkte er schweigend, den Bassa wegzuführen. Als dies geschehen war, ging er auf meinen Bruder zu, zerschnitt seine Bande mit dem Dolch und winkte ihm, sich zu ihm aufs Polster zu setzen. »Es tut mir Leid, Fremdling«, sagte er, »dass ich dich für jenes Ungeheuer hielt; schreibe es aber einer sonderbaren Fügung des Himmels zu, dass du gerade in der Stunde, welche dem Untergang jenes Verruchten geweiht war, in die Hände meiner Brüder fielst.« Mein Bruder bat ihn um die einzige Gunst, ihn gleich wieder weiterreisen zu lassen, weil jeder Aufschub ihm verderblich werden könne. Der Starke erkundigte sich nach seinen eiligen Geschäften, und als ihm Mustapha alles erzählt hatte, überredete ihn jener, diese Nacht in seinem Zelt zu bleiben, er und sein Ross würden der Ruhe bedürfen; den folgenden Tag aber wolle er ihm einen Weg zeigen, der ihn in anderthalb Tagen nach Balsora bringe. Mein Bruder schlug ein, wurde trefflich bewirtet und schlief sanft bis zum Morgen im Zelt des Räubers.

Als er aufgewacht war, sah er sich ganz allein; vor dem Vorhang hörte er mehrere Stimmen zusammen sprechen, die dem Herrn des Zeltes und dem kleinen, schwarzbraunen Mann anzugehören schienen. Er lauschte ein wenig und vernahm zu seinem Schrecken, dass der Kleine dringend den andern aufforderte, den Fremden zu töten, weil er, wenn er freigelassen würde, sie alle verraten könne.

Mustapha merkte gleich, dass der Kleine ihm gram sei, weil er die Veranlassung gewesen, dass er gestern so übel behandelt worden war. Der Starke schien sich einige Augenblicke zu besinnen. »Nein«, sprach er, »er ist mein Gastfreund, und das Gastrecht ist mir heilig, auch sieht er mir nicht so aus, als ob er uns verraten wolle.«

Als er so gesprochen, schlug er den Vorhang zurück und trat ein. »Friede sei mit dir, Mustapha!«, sprach er. »Lass uns den Morgentrunk kosten, und rüste dich dann zum Aufbruch!« Er reichte meinem Bruder einen Becher Sorbett, und als sie getrunken hatten, zäumten sie die Pferde auf, und wahrlich, mit leichterem Herzen, als er gekommen war, schwang sich Mustapha aufs Pferd. Sie hatten bald die Zelte im Rücken und schlugen dann einen breiten Pfad ein, der in den Wald führte. Der Starke erzählte meinem Bruder, dass jener Bassa, den sie auf der Jagd gefangen hätten, ihnen versprochen habe, sie ungefährdet in seinem Gebiete zu dulden; vor einigen Wochen aber habe er einen ihrer tapfersten Männer aufgefangen und nach den schrecklichsten Martern gehängt. Er habe ihm nun lange auflauern lassen, und heute noch müsse er sterben. Mustapha wagte es nicht, etwas dagegen einzuwenden, denn er war froh, selbst mit heiler Haut davongekommen zu sein.

Am Ausgang des Waldes hielt der Starke sein Pferd an, beschrieb meinem Bruder den Weg, bot ihm die Hand zum Abschied und sprach: »Mustapha, du bist auf sonderbare Weise der Gastfreund des Räubers Orbasan geworden; ich will dich nicht auffordern, nicht zu verraten, was du gesehen und gehört hast. Du hast ungerechterweise Todesangst ausgestanden, und ich bin dir Vergütung schuldig. Nimm diesen Dolch zum Andenken, und wenn du Hilfe brauchst, so sende ihn mir zu, und ich will eilen, dir beizustehen! Diesen Beutel aber kannst du vielleicht zu deiner Reise brauchen.« Mein Bruder dankte ihm für seinen Edelmut, er nahm den Dolch, den Beutel aber schlug er aus. Doch Orbasan drückte ihm noch einmal die Hand, ließ den Beutel auf die Erde fallen und sprengte mit Sturmeseile in den Wald. Als Mustapha sah, dass er ihn doch nicht mehr werde einholen können, stieg er ab, um den Beutel aufzuheben, und erschrak über seines Gastfreundes Großmut, denn der Beutel enthielt eine Menge Goldes. Er dankte Allah, empfahl ihm den edlen Räuber in seine Gnade und zog dann heiteren Mutes weiter auf seinem Wege nach Balsora.

Lezah schwieg und sah Achmed, den alten Kaufmann, fragend an. »Nein, wenn es so ist«, sprach dieser, »so verbessere ich gern mein Urteil über Orbasan, denn wahrlich, an deinem Bruder hat er gut gehandelt.«

»Er hat getan wie ein braver Muselmann«, rief Muley; »aber ich hoffe, du hast deine Geschichte damit nicht geschlossen, denn wie mir dünkt, sind wir alle begierig, weiter zu hören, wie es deinem Bruder erging und ob er Fatme, deine Schwester, und die schöne Zoraide befreit hat.«

»Wenn ich euch nicht damit langweile, erzähle ich gerne weiter«, entgegnete Lezah, »denn die Geschichte meines Bruders ist allerdings abenteuerlich.«

Am Mittag des siebenten Tages nach seiner Abreise zog Mustapha in die Tore von Balsora ein. Sobald er in einer Karawanserei abgestiegen war, fragte er, wann der Sklavenmarkt, der alljährlich hier abgehalten werde, anfange. Aber er erhielt die Schreckensantwort, dass er zwei Tage zu spät komme. Man bedauerte seine Verspätung und erzählte ihm, dass er viel verloren habe, denn noch am letzten Tage des Marktes seien zwei Sklavinnen angekommen, von so hoher Schönheit, dass sie die Augen aller Käufer auf sich gezogen hätten. Man habe sich ordentlich um sie gerissen und geschlagen, und sie seien freilich auch zu einem so hohen Preis verkauft worden, dass ihn nur ihr jetziger Herr habe bezahlen können. Mustapha erkundigte sich näher nach diesen beiden, und es blieb ihm kein Zweifel, dass es die Unglücklichen seien, die er suche. Auch erfuhr er, dass der Mann, der sie beide gekauft habe, vierzig Stunden von Balsora entfernt wohne und Thiuli-Kos heiße, ein vornehmer, reicher, aber schon ältlicher Mann, der früher Kapudan-Bassa des Großherrn gewesen, sich jetzt aber mit seinen gesammelten Reichtümern zur Ruhe gesetzt habe.

Mustapha wollte sich gleich wieder zu Pferde setzen, um dem Thiuli-Kos, der kaum einen Tag Vorsprung haben konnte, nachzueilen. Als er aber bedachte, dass er als einzelner Mann dem mächtigen Reisenden doch nichts anhaben, noch weniger ihm seine Beute abjagen konnte, sann er auf einen andern Plan und hatte ihn auch bald gefunden. Die Verwechslung mit dem Bassa von Sulieika, die ihm beinahe so gefährlich geworden wäre, brachte ihn auf den Gedanken, unter diesem Namen in das Haus des Thiuli-Kos zu gehen und so einen Versuch zur Rettung der beiden unglücklichen Mädchen zu wagen. Er mietete daher einige Diener und Pferde, wobei ihm Orbasans Geld trefflich zustatten kam, schaffte sich und seinen Dienern prächtige Kleider an und machte sich auf den Weg nach dem Schlosse Thiulis. Nach fünf Tagen war er in die Nähe dieses Schlosses gekommen. Es lag in einer schönen Ebene und war rings von hohen Mauern umschlossen, die nur ganz wenig von den Gebäuden überragt wurden. Als Mustapha dort angekommen war, färbte er Haar und Bart schwarz, sein Gesicht aber bestrich er mit dem Saft einer Pflanze, der ihm eine bräunliche Farbe gab, ganz wie sie jener Bassa gehabt hatte. Er schickte hierauf einen seiner Diener in das Schloss und ließ im Namen des Bassa von Sulieika um ein Nachtlager bitten. Der Diener kam bald wieder und mit ihm vier schön gekleidete Sklaven, die Mustaphas Pferd am Zügel nahmen und in den Schlosshof führten. Dort halfen sie ihm selbst vom Pferd, und vier andere geleiteten ihn eine breite Marmortreppe hinauf zum Thiuli.

Dieser, ein alter lustiger Geselle, empfing meinen Bruder ehrerbietig und ließ ihm das Beste, was sein Koch zu bereiten konnte, vorsetzen. Nach Tisch brachte Mustapha das Gespräch nach und nach auf die neuen Sklavinnen, und Thiuli rühmte ihre Schönheit und beklagte nur, dass sie immer so traurig seien, doch er glaubte, dieses würde sich bald geben. Mein Bruder war sehr vergnügt über diesen Empfang und legte sich mit den schönsten Hoffnungen zur Ruhe nieder.

Er mochte ungefähr eine Stunde geschlafen haben, da weckte ihn der Schein einer Lampe, der blendend auf sein Auge fiel. Als er sich aufrichtete, glaubte er noch zu träumen, denn vor ihm stand jener kleine schwarzbraune Kerl aus Orbasans Zelt, eine Lampe in der Hand, sein breites Maul zu einem widrigen Lächeln verzogen. Mustapha zwickte sich in den Arm, zupfte sich an der Nase, um sich zu überzeugen, ob er denn wache, aber die Erscheinung blieb wie zuvor. »Was willst du an meinem Bette?«, rief Mustapha, als er sich von seinem Erstaunen erholt hatte. »Bemüht Euch doch nicht so, Herr!«, sprach der Kleine. »Ich habe wohl erraten, weswegen Ihr hierher gekommen seid. Auch war mir Euer wertes Gesicht noch erinnerlich, doch wahrlich, wenn ich nicht den Bassa mit eigener Hand hätte erhängen helfen, so hättet Ihr mich vielleicht getäuscht. Jetzt aber bin ich da, um eine Frage zu stellen.«

»Vor allem sage, wie du hierher kommst!«, entgegnete ihm Mustapha voll Wut, dass er erkannt war. »Das will ich Euch sagen«, antwortete jener; »ich konnte mich mit dem Starken nicht länger vertragen, deswegen floh ich; aber du, Mustapha, warst eigentlich die Ursache unseres Streites, und dafür musst du mir deine Schwester zur Frau geben, und ich will euch zur Flucht behilflich sein; gibst du sie nicht, so gehe ich zu meinem neuen Herrn und erzähle ihm etwas von dem neuen Bassa.«

Mustapha war vor Schrecken und Wut außer sich. Jetzt, wo er sich am sicheren Ziel seiner Wünsche glaubte, sollte dieser Elende kommen und sie vereiteln? Es gab nur ein Mittel, das seinen Plan retten konnte. Er musste das kleine Ungetüm töten. Mit einem Sprung fuhr er daher aus dem Bett auf den Kleinen zu, doch dieser, der so etwas geahnt haben mochte, ließ die Lampe fallen, dass sie erlosch, und entsprang im Dunkeln, indem er mörderisch um Hilfe schrie.

Jetzt war guter Rat teuer. Die Mädchen musste er für den Augenblick aufgeben und nur an die eigene Rettung denken; daher ging er ans Fenster, um zu sehen, ob er nicht entspringen könnte. Es war ziemlich tief bis zum Boden, und auf der andern Seite stand eine hohe Mauer, die zu übersteigen war. Noch stand er sinnend; da hörte er viele Stimmen sich seinem Zimmer nähern. Schon waren sie an der Tür; da fasste er verzweiflungsvoll seinen Dolch und seine Kleider und schwang sich zum Fenster hinaus. Der Fall war hart, aber er fühlte, dass er kein Glied gebrochen hatte, drum sprang er auf und lief der Mauer zu, die den Hof umschloss, stieg zum Erstaunen seiner Verfolger hinauf und befand sich bald im Freien. Er floh, bis er an einen kleinen Wald kam, wo er sich erschöpft niederwarf. Hier überlegte er, was zu tun sei. Seine Pferde und seine Diener hatte er müssen im Stiche lassen, aber sein Geld, das er in dem Gürtel trug, hatte er gerettet. Sein erfinderischer Kopf zeigte ihm bald einen andern Weg zur Rettung. Er ging in dem Wald weiter, bis er an ein Dorf kam, wo er um geringen Preis ein Pferd kaufte, das ihn in kurzem in eine Stadt trug. Dort forschte er nach einem Arzt, und man riet ihm einen alten, erfahrenen Mann. Diesen bewog er durch einige Goldstücke, dass er ihm eine Arznei überließ, die einen todähnlichen Schlaf herbeiführte, der durch ein anderes Mittel augenblicklich wieder beseitigt werden konnte. Als er im Besitz dieses Mittels war, kaufte er sich einen langen falschen Bart, einen schwarzen Talar und allerlei Büchsen und Kolben, so dass er füglich einen reisenden Arzt vorstellen konnte, lud seine Sachen auf einen Esel und reiste in das Schloss des Thiuli-Kos zurück. Er durfte gewiss sein, diesmal nicht erkannt zu werden, denn der Bart entstellte ihn so, dass er sich selbst kaum mehr kannte. Bei Thiuli angekommen, ließ er sich als der Arzt Chakamankabudibaba anmelden; und wie er es gedacht hatte, geschah es: Der prachtvolle Name empfahl ihn bei dem alten Narren ungemein, so dass er ihn gleich zur Tafel einlud. Chakamankabudibaba erschien vor Thiuli, und als sie sich kaum eine Stunde besprochen hatten, beschloss der Alte, alle seine Sklavinnen der Kur des weisen Arztes zu unterwerfen. Dieser konnte seine Freude kaum verbergen, dass er jetzt seine geliebte Schwester wiedersehen solle, und folgte mit klopfendem Herzen Thiuli, der ihn ins Serail führte. Sie waren in ein Zimmer gekommen, das schön ausgeschmückt war, worin sich aber niemand befand. »Chambaba oder wie du heißt, lieber Arzt«, sprach Thiuli-Kos, »betrachte einmal jenes Loch dort in der Mauer! Dort wird jede meiner Sklavinnen einen Arm herausstrecken, und du kannst dann untersuchen, ob der Puls krank oder gesund ist.« Mustapha mochte einwenden, was er wollte, zu sehen bekam er sie nicht; doch willigte Thiuli ein, dass er ihm allemal sagen wolle, wie sie sich sonst gewöhnlich befänden. Thiuli zog nun einen langen Zettel aus dem Gürtel und begann mit lauter Stimme seine Sklavinnen einzeln beim Namen zu rufen, worauf allemal eine Hand aus der Mauer kam und der Arzt den Puls untersuchte. Sechs waren schon abgelesen und sämtlich für gesund erklärt, da las Thiuli als die siebente ›Fatme‹ ab, und eine kleine weiße Hand schlüpfte aus der Mauer. Zitternd vor Freude ergriff Mustapha diese Hand und erklärte sie mit wichtiger Miene für besonders krank. Thiuli war sehr besorgt und befahl seinem weisen Chakamankabudibaba, schnell eine Arznei für sie zu bereiten. Der Arzt ging hinaus und schrieb auf einen kleinen Zettel: »Fatme, ich will dich retten, wenn du dich entschließen kannst, eine Arznei zu nehmen, die dich auf zwei Tage tot macht; doch ich besitze das Mittel, dich wieder zum Leben zu bringen. Willst du mir vertrauen, so sage nur, dieser Trank habe dir nicht geholfen, und es wird ein Zeichen sein, dass du einwilligst.«

Bald kam er in das Zimmer zurück, wo Thiuli seiner harrte. Er brachte ein unschädliches Tränklein mit, fühlte der kranken Fatme noch einmal den Puls und schob ihr zugleich den Zettel unter ihr Armband, das Tränklein aber reichte er ihr durch die Öffnung in der Mauer. Thiuli schien in großen Sorgen wegen Fatme zu sein und schob die Untersuchung der Übrigen bis auf eine gelegenere Zeit auf. Als er mit Mustapha das Zimmer verlassen hatte, sprach er in traurigem Tone: »Chadibaba, sage aufrichtig, was hältst du von Fatmes Krankheit?« Chakamankabudibaba antwortete mit einem tiefen Seufzer: »Ach, Herr, möge der Prophet dir Trost verleihen! Sie hat ein schleichendes Fieber, das ihr wohl den Garaus machen kann.« Da entbrannte der Zorn Thiulis: »Was sagst du, verfluchter Hund von einem Arzt? Sie, für die ich zweitausend Goldstücke gab, soll mir sterben wie eine Kuh? Wisse, wenn du sie nicht rettest, so hau ich dir den Kopf ab!« Da merkte mein Bruder, dass er einen dummen Streich gemacht habe, und gab Thiuli wieder Hoffnung. Als sie noch so sprachen, kam ein schwarzer Sklave aus dem Serail, dem Arzt zu sagen, dass das Tränklein nicht geholfen habe. »Biete deine ganze Kunst auf, Chakamdababelda oder wie du dich schreibst, ich zahl dir, was du willst!«, schrie Thiuli-Kos, fast heulend vor Angst, so vieles Gold zu verlieren. »Ich will ihr ein Säftlein geben, das sie von aller Not befreit«, antwortete der Arzt. »Ja, ja, gib ihr ein Säftlein!«, schluchzte der alte Thiuli. Frohen Mutes ging Mustapha, seinen Schlaftrunk zu holen, und als er ihn dem schwarzen Sklaven gegeben und gezeigt hatte, wie viel man auf einmal nehmen müsse, ging er zu Thiuli und sagte, er müsse noch einige heilsame Kräuter am See holen, und eilte zum Tor hinaus. An dem See, der nicht weit von dem Schloss entfernt war, zog er seine falschen Kleider aus und warf sie ins Wasser, dass sie lustig umherschwammen; er selbst aber verbarg sich im Gesträuch, wartete die Nacht ab und schlich sich dann zu dem Begräbnisplatz an dem Schlosse Thiulis.

Als Mustapha kaum eine Stunde lang fort sein mochte, brachte man Thiuli die Nachricht, dass seine Sklavin Fatme im Sterben liege. Er schickte hinaus an den See, um schnell den Arzt zu holen. Aber bald kehrten seine Boten allein zurück und erzählten ihm, dass der arme Arzt ins Wasser gefallen und ertrunken sei; seinen schwarzen Talar sehe man im See schwimmen, und hie und da gucke auch sein stattlicher Bart aus den Wellen hervor. Als Thiuli keine Rettung mehr sah, verwünschte er sich und die ganze Welt, raufte sich den Bart und rannte mit dem Kopf gegen die Mauer. Aber alles dies konnte nichts helfen, denn Fatme gab bald unter den Händen der übrigen Weiber den Geist auf. Als Thiuli die Nachricht ihres Todes hörte, befahl er, schnell einen Sarg zu machen, denn er konnte keinen Toten im Hause leiden, und ließ den Leichnam in das Begräbnishaus tragen. Die Träger brachten den Sarg dorthin, setzten ihn schnell nieder und entflohen, denn sie hatten unter den übrigen Särgen Stöhnen und Seufzer gehört.

Mustapha, der sich hinter den Särgen verborgen und von dort aus die

Träger des Sarges in die Flucht gejagt hatte, kam hervor und zündete eine Lampe an, die er zu diesem Zweck mitgebracht hatte. Dann zog er ein Glas hervor, das die erweckende Arznei enthielt, und hob den Deckel von Fatmes Sarg. Aber welches Entsetzen befiel ihn, als sich ihm beim Schein der Lampe ganz fremde Züge zeigten! Weder seine Schwester noch Zoraide, sondern eine ganz andere lag in dem Sarg. Er brauchte lange, um sich bei diesem neuen Schlag des Schicksals zu fassen; endlich überwog doch Mitleid seinen Zorn. Er öffnete sein Glas und flößte ihr die Arznei ein. Sie atmete, sie schlug die Augen auf und schien sich lange zu besinnen, wo sie sei. Endlich erinnerte sie sich des Vorgefallenen, sie stand auf aus dem Sarg und stürzte zu Mustaphas Füßen. »Wie kann ich dir danken, gütiges Wesen«, rief sie aus, »dass du mich aus meiner schrecklichen Gefangenschaft befreitest!« Mustapha unterbrach ihre Danksagungen mit der Frage, wie es denn geschehen sei, dass sie und nicht Fatme, seine Schwester, gerettet worden sei. Jene sah ihn staunend an. Jetzt wird mir meine Rettung erst klar, die mir vorher unbegreiflich war«, antwortete sie, »wisse, man hieß mich in jenem Schlosse Fatme, und mir hast du deinen Zettel und den Rettungstrank gegeben.« Mein Bruder forderte die Gerettete auf, ihm von seiner Schwester und Zoraiden Nachricht zu geben, und erfuhr, dass sie sich im Schloss befänden, aber nach der Gewohnheit Thiulis andere Namen bekommen hätten; sie hießen jetzt Mirza und Nurmahal.

Als Fatme, die gerettete Sklavin, sah, dass mein Bruder durch diesen Fehlgriff so niedergeschlagen sei, sprach sie ihm Mut zu und versprach ihm zu sagen, wie er jene beiden Mädchen dennoch retten könne. Aufgeweckt durch diesen Gedanken, schöpfte Mustapha von neuem Hoffnung; er bat sie, ihm dieses Mittel zu nennen, und sie sprach: »Ich bin zwar erst seit fünf Monaten die Sklavin Thiulis, doch habe ich gleich von Anfang an auf Rettung gesonnen; aber für mich allein war es zu schwer. In dem innern Hof des Schlosses wirst du einen Brunnen bemerkt haben, der aus zehn Röhren Wasser speit; dieser Brunnen fiel mir auf. Ich erinnerte mich, in dem Hause meines Vaters einen ähnlichen gesehen zu haben, dessen Wasser durch eine geräumige Wasserleitung herbeiströmt. Um nun zu erfahren, ob dieser Brunnen auch so gebaut sei, rühmte ich eines Tages vor Thiuli seine

Pracht und fragte nach seinem Baumeister. ›Ich selbst habe ihn gebaut‹, antwortete er, ›und das, was du hier siehst, ist noch das Geringste; aber das Wasser dazu kommt wenigstens tausend Schritte
weit von einem Bach her und geht durch eine gewölbte Wasserleitung, die wenigstens mannshoch ist; und alles dies habe ich selbst an-
gegeben.‹ Als ich dies gehört hatte, wünschte ich mir oft, nur auf einen Augenblick die Stärke eines Mannes zu haben, um einen Stein an
der Seite des Brunnens ausheben zu können; dann könnte ich fliehen,
wohin ich wollte. Die Wasserleitung nun will ich dir zeigen; durch sie
kannst du nachts in das Schloss gelangen und die beiden Mädchen befreien. Aber du musst wenigstens noch zwei Männer bei dir haben,
um die Sklaven, die das Serail bei Nacht bewachen, zu überwältigen.«
So sprach sie. Mein Bruder Mustapha, obgleich schon zweimal in seinen Hoffnungen getäuscht, fasste noch einmal Mut und hoffte, mit
Allahs Hilfe den Plan der Sklavin auszuführen. Er versprach ihr, für
ihre Reise in die Heimat zu sorgen, wenn sie ihm behilflich sein wollte, ins Schloss zu gelangen. Aber ein Gedanke machte ihm noch Sorge,
nämlich der, woher er zwei oder drei treue Gehilfen bekommen könnte. Da fiel ihm Orbasans Dolch ein und das Versprechen, das ihm jener gegeben hatte, ihm, wo er seiner bedürfe, zu Hilfe zu eilen, und er
machte sich daher mit Fatme auf, um den Räuber zu suchen.
In der nämlichen Stadt, wo er sich zum Arzte umgewandelt hatte,
kaufte er für sein letztes Geld ein Ross und mietete Fatme bei einer armen Frau in der Vorstadt ein. Er selbst aber eilte dem Gebirge zu, wo
er Orbasan zum ersten Mal getroffen hatte, und gelangte in drei Tagen dahin. Er fand bald wieder jene Zelte und trat unverhofft vor Orbasan, der ihn freundlich bewillkommnete. Er erzählte ihm seine
misslungenen Versuche, wobei sich der ernsthafte Orbasan nicht enthalten konnte, hie und da ein wenig zu lachen, besonders, wenn er
sich den Arzt Chakamankabudibaba vorstellte. Über die Verräterei
des Kleinen aber war er wütend; er schwur, ihn mit eigener Hand auf-
zuhängen, wo er ihn finde. Meinem Bruder aber versprach er, sogleich zur Hilfe bereit zu sein, wenn er sich von der Reise gestärkt haben würde. Mustapha blieb daher diese Nacht wieder in Orbasans
Zelt; mit dem ersten Frührot aber brachen sie auf, und Orbasan nahm
drei seiner tapfersten Männer, wohl beritten und bewaffnet, mit sich.

Sie ritten stark zu und kamen nach zwei Tagen in die kleine Stadt, wo
Mustapha die gerettete Fatme zurückgelassen hatte. Von da aus reis-
ten sie mit dieser weiter bis zu dem kleinen Wald, aus dem man das
Schloss Thiulis in geringer Entfernung sehen konnte; dort lagerten sie
sich, um die Nacht abzuwarten. Sobald es dunkel wurde, schlichen
sie sich, von Fatme geführt, an den Bach, wo die Wasserleitung anfing, und fanden sie bald. Sie ließen Fatme und einen Diener mit den
Rossen zurück und schickten sich an hinabzusteigen. Ehe das geschah, wiederholte ihnen Fatme noch einmal alles genau, nämlich,
dass sie durch den Brunnen in den inneren Schlosshof kämen, dort
seien rechts und links in der Ecke zwei Türme, in der sechsten Tür,
vom Turme rechts gerechnet, befänden sich Fatme und Zoraide, bewacht von zwei schwarzen Sklaven. Mit Waffen und Brecheisen wohl
versehen, stiegen Mustapha, Orbasan und zwei andere Männer hinab; sie sanken zwar bis an den Gürtel ins Wasser, aber nichtsdestoweniger gingen sie rüstig vorwärts. Nach einer halben Stunde kamen
sie an den Brunnen selbst und setzten sogleich ihre Brecheisen an. Die
Mauer war dick und fest, aber den vereinten Kräften der vier Männer
konnte sie nicht lange widerstehen; bald hatten sie eine Öffnung gebrochen, groß genug, um bequem durchschlüpfen zu können.
Orbasan schlüpfte zuerst durch und half den andern nach. Als sie alle
im Hof waren, betrachteten sie die Seite des Schlosses, die vor ihnen
lag, um die beschriebene Tür zu erforschen. Aber sie waren nicht ei-

nig, welche es sei, denn als sie von dem rechten Turm zum linken
zählten, fanden sie eine Tür, die zugemauert war, und wussten nun
nicht, ob Fatme diese übersprungen oder mitgezählt habe. Aber Orbasan besann sich nicht lange. »Mein gutes Schwert wird mir jede Tür
öffnen!«, rief er aus, ging auf die sechste Tür zu, und die andern
folgten ihm. Sie öffneten die Tür und fanden sechs schwarze Sklaven
auf dem Boden liegend und schlafend; sie wollten schon wieder leise
sich zurückziehen, weil sie sahen, dass sie die rechte Tür verfehlt hatten, als eine Gestalt in der Ecke sich aufrichtete und mit wohl bekannter Stimme um Hilfe rief. Es war der Kleine aus Orbasans Lager. Aber
ehe noch die Schwarzen recht wussten, wie ihnen geschah, stürzte Orbasan auf den Kleinen zu, riss seinen Gürtel entzwei, verstopfte ihm
den Mund und band ihm die Hände auf den Rücken; dann wandte er
sich an die Sklaven, wovon schon einige von Mustapha und den zwei
andern halb gebunden waren, und half sie vollends überwältigen.
Man setzte den Sklaven den Dolch auf die Brust und fragte sie, wo
Nurmahal und Mirza seien, und sie gestanden, dass sie im Gemach
nebenan wären. Mustapha stürzte in dieses Gemach und fand Fatme
und Zoraiden, die der Lärm erweckt hatte. Schnell rafften sie ihren
Schmuck und ihre Kleider zusammen und folgten Mustapha; die beiden Räuber schlugen indes Orbasan vor zu plündern, was man fände,
doch dieser verbot es ihnen und sprach: »Man soll nicht von Orbasan
sagen können, dass er nachts in die Häuser steigt, um Geld zu stehlen.« Mustapha und die Geretteten schlüpften schnell in die Wasserleitung, wohin ihnen Orbasan sogleich zu folgen versprach. Als jene
in die Wasserleitung hinabgestiegen waren, nahmen Orbasan und einer der Räuber den Kleinen und führten ihn hinaus in den Hof; dort
banden sie ihm eine seidene Schnur, die sie deshalb mitgenommen
hatten, um den Hals und hingen ihn an der höchsten Spitze des Brunnens auf. Nachdem sie so den Verrat des Elenden bestraft hatten, stiegen sie selbst auch hinab in die Wasserleitung und folgten Mustapha.
Mit Tränen dankten die beiden ihrem edelmütigen Retter Orbasan;
doch dieser trieb sie eilends zur Flucht an, denn es war sehr wahrscheinlich, dass Thiuli-Kos sie nach allen Seiten verfolgen ließ. Mit tiefer Rührung trennten sich am andern Tag Mustapha und seine Geretteten von Orbasan. Wahrlich, sie werden ihn nie vergessen. Fatme

aber, die befreite Sklavin, ging verkleidet nach Balsora, um sich dort in ihre Heimat einzuschiffen.

Nach einer kurzen und vergnügten Reise kamen die meinigen in die Heimat. Meinen alten Vater tötete beinahe die Freude des Wiedersehens; am zweiten Tag nach ihrer Ankunft veranstaltete er ein großes Fest, an dem die ganze Stadt teilnahm. Vor einer Versammlung von Verwandten und Freunden musste mein Bruder seine Geschichte erzählen, und einstimmig priesen sie ihn und den edlen Räuber.

Als mein Bruder geendet hatte, stand mein Vater auf und führte ihm Zoraiden zu. »So löse ich denn«, sprach er mit feierlicher Stimme, »den Fluch von deinem Haupte; nimm diese hin als die Belohnung, die du dir durch deinen rastlosen Eifer erkämpft hast; nimm meinen väterlichen Segen, und möge es unserer Stadt nie an Männern fehlen, die an brüderlicher Liebe, an Klugheit und Eifer dir gleichen!«

* * *

Die Karawane hatte das Ende der Wüste erreicht, und fröhlich begrüßten die Reisenden die grünen Matten und die dicht belaubten Bäume, deren lieblichen Anblick sie viele Tage entbehrt hatten. In einem schönen Tale lag eine Karawanserei, die sie sich zum Nachtlager wählten, und obgleich sie wenig Bequemlichkeit und Erfrischung darbot, so war doch die ganze Gesellschaft heiterer und zutraulicher als je, denn der Gedanke, den Gefahren und Beschwerlichkeiten, die eine Reise durch die Wüste mit sich bringt, entronnen zu sein, hatte alle Herzen geöffnet und die Gemüter zu Scherz und Kurzweil gestimmt. Muley, der junge, lustige Kaufmann, tanzte einen komischen Tanz und sang Lieder dazu, die selbst dem ernsten Griechen Zaleukos ein Lächeln entlockten. Aber nicht genug, dass er seine Gefährten durch Tanz und Spiel erheitert hatte, er gab ihnen auch noch die Geschichte zum Besten, die er ihnen versprochen hatte, und hub, als er von seinen Luftsprüngen sich erholt hatte, also zu erzählen an:

Die Geschichte von dem kleinen Muck

In Nicea, meiner lieben Vaterstadt, wohnte ein Mann, den man den kleinen Muck hieß. Ich kann mich seiner, obgleich ich damals noch sehr jung war, noch recht wohl erinnern, besonders weil ich einmal von meinem Vater seinetwegen halb tot geprügelt wurde. Der kleine Muck war nämlich schon ein alter Geselle, als ich ihn kannte, doch war er nur drei bis vier Schuh hoch, dabei hatte er eine sonderbare Gestalt, denn sein Leib, so klein und zierlich er war, musste einen Kopf tragen, viel größer und dicker als der Kopf anderer Leute. Er wohnte ganz allein in einem großen Haus und kochte sich sogar selbst. Auch hätte man in der Stadt nicht gewusst, ob er lebe oder gestorben sei – denn er ging alle vier Wochen nur einmal aus –, wenn nicht um die Mittagsstunde ein mächtiger Dampf aus dem Hause aufgestiegen wäre. Auch sah man ihn oft abends auf seinem Dache auf und ab gehen; von der Straße aus glaubte man aber, nur sein großer Kopf allein laufe auf dem Dache umher. Ich und meine Kameraden waren böse Buben, die jedermann gerne neckten und belachten. Daher war es uns allemal ein Festtag, wenn der kleine Muck ausging. Wir versammelten uns an dem bestimmten Tage vor seinem Haus und warteten, bis er herauskam; wenn dann die Tür aufging und zuerst der große Kopf mit dem noch größeren Turban herausguckte, wenn dann das übrige Körperlein nachfolgte, angetan mit einem abgeschabten Mäntelein, weiten Beinkleidern und einem breiten Gürtel, an dem ein langer Dolch hing, so lang, dass man nicht wusste, ob Muck an dem Dolch oder der Dolch an Muck stak, wenn er so heraustrat, dann ertönte die Luft von unserm Freudengeschrei, wir warfen unsere Mützen in die Höhe und tanzten wie toll um ihn her. Der kleine Muck aber grüßte uns mit ernsthaftem Kopfnicken und ging mit langsamen Schritten die Straße hinab; dabei schlurfte er mit den Füßen, denn er hatte große, weite Pantoffeln an, wie ich sie sonst nie gesehen. Wir Knaben liefen hinter ihm her und schrien immer: »Kleiner Muck, kleiner Muck!« Auch hatten wir ein lustiges Verslein, das wir ihm zu Ehren hie und da sangen; es hieß:

Kleiner Muck, kleiner Muck,
Wohnst in einem großen Haus.
Gehst nur all' vier Wochen aus,
Bist ein braver kleiner Zwerg,
Hast ein Köpflein wie ein Berg;
Schau dich einmal um und guck,
Lauf und fang uns, kleiner Muck!

So hatten wir schon oft unsere Kurzweil getrieben, und zu meiner
Schande muss ich es gestehen, ich trieb's am ärgsten, denn ich zupfte
ihn oft am Mäntelein, und einmal trat ich ihm auch von hinten auf die
großen Pantoffeln, dass er hinfiel. Dies kam mir nun höchst komisch
vor, aber das Lachen verging mir, als ich den kleinen Muck auf meines Vaters Haus zugehen sah. Er ging richtig hinein und blieb einige
Zeit dort. Ich versteckte mich an der Haustür und sah den Muck wieder herauskommen, von meinem Vater begleitet, der ihn ehrerbietig
an der Hand hielt und an der Tür unter vielen Bücklingen sich von
ihm verabschiedete. Mir war gar nicht wohl zumute, ich blieb daher
lange in meinem Versteck; endlich aber trieb mich der Hunger, den
ich ärger fürchtete als Schläge, heraus. Demütig und mit gesenktem
Kopf trat ich vor meinen Vater.

»Du hast, wie ich höre, den guten Muck beschimpft?«, sagte er in sehr ernstem Tone. »Ich will dir die Geschichte dieses Muck erzählen, und du wirst ihn gewiss nicht mehr auslachen; vor- und nachher aber bekommst du das Gewöhnliche.« Das Gewöhnliche aber waren fünfundzwanzig Hiebe, die er nur allzu richtig aufzuzählen pflegte. Er nahm daher sein langes Pfeifenrohr, schraubte die Bernsteinspitze ab und bearbeitete mich ärger als je zuvor.

Als die fünfundzwanzig voll waren, befahl er mir aufzumerken und erzählte mir von dem kleinen Muck:

Der Vater des kleinen Muck, der eigentlich Mukrah heißt, war ein angesehener, aber armer Mann hier in Nicea. Er lebte beinahe so einsiedlerisch wie jetzt sein Sohn. Diesen konnte er nicht gut leiden, weil er sich seiner Zwerggestalt schämte, und ließ ihn daher auch in Unwissenheit aufwachsen. Der kleine Muck war noch in seinem sechzehnten Jahr ein lustiges Kind, und der Vater, ein ernster Mann, tadelte ihn immer, dass er, der schon längst die Kinderschuhe vertreten haben sollte, noch so dumm und läppisch sei.

Der Alte aber tat einmal einen bösen Fall, an dem er starb, und den kleinen Muck ließ er arm und unwissend zurück. Die harten Verwandten, denen der Verstorbene mehr schuldig war, als er bezahlen konnte, jagten den armen Kleinen aus dem Hause und rieten ihm, in die Welt hinauszugehen und sein Glück zu suchen. Der kleine Muck antwortete, er sei schon reisefertig, bat sich aber nur noch den Anzug seines Vaters aus, und der wurde ihm auch bewilligt. Sein Vater war ein großer, starker Mann gewesen, daher passten die Kleider nicht. Muck aber wusste bald Rat; er schnitt ab, was zu lang war, und zog dann die Kleider an. Er schien aber vergessen zu haben, dass er auch in der Weite davon abschneiden müsse, daher sein sonderbarer Anzug, wie er noch heute zu sehen ist; der große Turban, der breite Gürtel, die weiten Hosen, das blaue Mäntelein, alles dies sind Erbstücke seines Vaters, die er seitdem getragen hat, den langen Damaszenerdolch seines Vaters aber steckte er in den Gürtel, ergriff ein Stöcklein und wanderte zum Tor hinaus. Fröhlich wanderte er den ganzen Tag, denn er war ja ausgezogen, um sein Glück zu suchen; wenn er einen Scherben auf der Erde im Sonnenschein glänzen sah, so steckte er ihn gewiss zu sich, im Glauben, dass er sich in den schönsten Diamant verwandeln werde; sah er in der Ferne die Kuppel einer Moschee wie Feuer strahlen, sah er einen See wie einen Spiegel blinken, so eilte er voll Freude darauf zu; denn er dachte, in einem Zauberland angekommen zu sein. Aber ach, jene Trugbilder verschwanden in der Nähe, und nur allzu bald erinnerten ihn seine Müdigkeit und sein vor Hunger knurrender Magen daran, dass er noch im Lande der Sterblichen sich befinde.

So war er zwei Tage gereist unter Hunger und Kummer und zweifelte daran, sein Glück zu finden; die Früchte des Feldes waren seine einzige Nahrung, die harte Erde bildete sein Nachtlager. Am Morgen des dritten Tages erblickte er von einer Anhöhe eine große Stadt. Hell leuchtete der Halbmond auf ihren Zinnen, bunte Fahnen schimmerten auf den Dächern und schienen den kleinen Muck zu sich heranzuwinken. Überrascht stand er stille und betrachtete Stadt und Gegend. »Ja, dort wird Klein-Muck sein Glück finden«, sprach er zu sich und machte trotz seiner Müdigkeit einen Luftsprung, »dort oder nirgends.« Er raffte alle seine Kräfte zusammen und schritt auf die Stadt zu. Aber obgleich sie ganz nahe schien, konnte er sie doch erst gegen Mittag erreichen, denn seine kleinen Glieder versagten ihm beinahe gänzlich ihren Dienst, und er musste sich oft in den Schatten einer Palme setzen, um auszuruhen. Endlich war er am Tor angelangt. Er legte sein Mäntelein zurecht, band den Turban schöner um, zog den Gürtel noch breiter an und steckte den langen Dolch tiefer; dann wischte er den Staub von den Schuhen, ergriff sein Stöcklein und ging mutig zum Tor hinein. Er hatte einige Straßen durchwandert, aber nirgends öffnete sich ihm eine Tür, nirgends rief man, wie er sich vorgestellt hatte: ›Kleiner Muck, komm herein und iss und trink und lass deine Füßlein ausruhen!‹ Er schaute gerade auch wieder recht sehnsüchtig an einem großen, schönen Haus hinauf, da öffnete sich ein Fenster, eine alte Frau schaute heraus und rief mit singender Stimme:

>*»Herbei, herbei,*
>*Gekocht ist der Brei,*
>*Den Tisch ließ ich decken;*
>*Drum lasst es euch schmecken!*
>*Ihr Nachbarn herbei,*
>*Gekocht ist der Brei.«*

Die Tür des Hauses öffnete sich, und Muck sah viele Hunde und Katzen hineingehen. Er stand einige Augenblicke im Zweifel, ob er der Einladung folgen sollte; endlich aber fasste er sich ein Herz und ging in das Haus hinein. Vor ihm her gingen ein paar junge Kätzlein, und er beschloss, ihnen zu folgen, weil sie vielleicht die Küche besser wüssten als er.

Als Muck die Treppe hinaufgestiegen war, begegnete er jener alten Frau, die zum Fenster herausgeschaut hatte. Sie sah ihn mürrisch an und fragte nach seinem Begehr. »Du hast ja jedermann zu deinem Brei eingeladen«, antwortete der kleine Muck, »und weil ich gar so hungrig bin, bin ich auch gekommen.« Die Alte lachte und sprach: »Woher kommst du denn, wunderlicher Gesell? Die ganze Stadt weiß, daß ich für niemand koche als für meine lieben Katzen, und hie und da lade ich ihnen Gesellschaft aus der Nachbarschaft ein, wie du siehst.« Der kleine Muck erzählte der alten Frau, wie es ihm nach seines Vaters Tod so hart ergangen sei, und bat sie, ihn heute mit ihren Katzen speisen zu lassen. Die Frau, der die treuherzige Erzählung des Kleinen wohl gefiel, erlaubte ihm, ihr Gast zu sein, und gab ihm reichlich zu essen und zu trinken. Als er gesättigt und gestärkt war, betrachtete ihn die Frau lange und sagte dann: »Kleiner Muck, bleibe bei mir in meinem Dienste! Du hast geringe Mühe und sollst gut gehalten sein.« Der kleine Muck, dem der Katzenbrei geschmeckt hatte, willigte ein und wurde also der Bediente der Frau Ahavzi. Er hatte einen leichten, aber sonderbaren Dienst. Frau Ahavzi hatte nämlich zwei Kater und vier Katzen, diesen musste der kleine Muck alle Morgen den Pelz kämmen und sie mit köstlichen Salben einreiben; wenn die Frau ausging, musste er auf die Katzen Acht geben, wenn sie aßen, musste er ihnen die Schüsseln vorlegen, und nachts musste er sie auf seidene Polster legen und sie mit samtenen Decken einhüllen. Auch waren noch einige kleine Hunde im Haus, die er bedienen musste, doch wurden mit diesen nicht so viele Umstände gemacht wie mit den Katzen, die Frau Ahavzi wie ihre eigenen Kinder hielt. Übrigens führte Muck ein so einsames Leben wie in seines Vaters Haus, denn außer der Frau sah er den ganzen Tag nur Hunde und Katzen. Eine Zeit lang ging es dem kleinen Muck ganz gut, er hatte immer zu essen und wenig zu arbeiten, und die alte Frau schien recht zufrieden mit ihm zu sein; aber nach und nach wurden die Katzen unartig: Wenn die Alte ausgegangen war, sprangen sie wie besessen in den Zimmern umher, warfen alles durcheinander und zerbrachen manches schöne Geschirr, das ihnen im Wege stand. Sobald sie aber die Frau die Treppe heraufkommen hörten, verkrochen sie sich auf ihre Polster und wedelten ihr mit den Schwänzen entgegen, wie wenn nichts geschehen wäre. Die Frau Ahavzi geriet dann in Zorn, wenn sie ihre Zimmer so verwüstet sah, und schob alles auf Muck; er mochte seine Unschuld beteuern, wie er wollte, sie glaubte ihren Katzen, die so unschuldig aussahen, mehr als ihrem Diener.

Der kleine Muck war sehr traurig, dass er also auch hier sein Glück nicht gefunden hatte, und beschloss bei sich, den Dienst der Frau Ahavzi zu verlassen. Da er aber auf seiner ersten Reise erfahren hatte, wie schlecht man ohne Geld lebt, so beschloss er, sich den Lohn, den ihm seine Gebieterin immer versprochen, aber nie gegeben hatte, auf irgendeine Art zu verschaffen.

Es befand sich in dem Hause der Frau Ahavzi ein Zimmer, das immer verschlossen war und dessen Inneres er nie gesehen hatte. Doch hatte er die Frau oft darin rumoren gehört, und er hätte für sein Leben gern gewusst, was sie dort versteckt habe. Als er nun an sein Reisegeld dachte, fiel ihm ein, dass dort die Schätze der Frau versteckt sein könnten. Aber immer war die Tür fest verschlossen, und er konnte daher den Schätzen nie beikommen.

Eines Morgens, als die Frau Ahavzi ausgegangen war, zupfte ihn eines der Hündlein, das von der Frau immer sehr stiefmütterlich behandelt wurde, dessen Gunst er sich aber durch allerlei Liebesdienste in hohem Grade erworben hatte, an seinen Beinkleidern und gebärdete sich dabei, wie wenn Muck ihm folgen sollte. Muck, der gerne mit dem Hündchen spielte, folgte ihm, und siehe da, das Hündchen führte ihn in die Schlafkammer der Frau Ahavzi und vor eine kleine Tür, die er nie zuvor dort bemerkt hatte. Die Tür war halb offen. Das Hündlein ging hinein, Muck folgte ihm, und wie freudig war er überrascht, als er sah, dass er sich in dem Gemach befand, das schon lange das Ziel seiner Wünsche war. Er spähte überall umher, ob er kein Geld finden könnte, fand aber nichts. Nur alte Kleider und wunderlich geformte Geschirre standen umher. Eines dieser Geschirre zog seine besondere Aufmerksamkeit auf sich. Es war von Kristall, und schöne Figuren waren darauf ausgeschnitten. Er hob es auf und drehte es nach allen Seiten. Aber, o Schrecken! Er hatte nicht bemerkt, dass es einen Deckel hatte, der nur leicht darauf hingesetzt war. Der Deckel fiel herab und zerbrach in tausend Stücke.

Lange stand der kleine Muck vor Schrecken leblos. Jetzt war sein Schicksal entschieden; jetzt musste er entfliehen, sonst schlug ihn die Alte tot. Sogleich war auch seine Reise beschlossen, und nur noch einmal wollte er sich umschauen, ob er nichts von den Habseligkeiten der Frau Ahavzi zu seinem Marsch brauchen könnte. Da fielen ihm ein Paar mächtige große Pantoffeln ins Auge, sie waren zwar nicht schön, aber seine eigenen konnten keine Reise mehr mitmachen; auch zogen ihn jene wegen ihrer Größe an, denn hatte er diese am Fuß, so mussten ihm hoffentlich alle Leute ansehen, dass er die Kinderschuhe vertreten habe. Er zog also schnell seine Töffelein aus und fuhr in die großen hinein. Ein Spazierstöcklein mit einem schön geschnittenen Löwenkopf schien ihm auch hier allzu müßig in der Ecke zu stehen, er nahm es also mit und eilte zum Zimmer hinaus. Schnell ging er jetzt auf seine Kammer, zog sein Mäntelein an, setzte den väterlichen Turban auf, steckte den Dolch in den Gürtel und lief, so schnell ihn seine Füße trugen, zum Haus und zur Stadt hinaus. Vor der Stadt lief er aus Angst vor der Alten immer weiter fort, bis er vor Müdigkeit beinahe nicht mehr konnte. So schnell war er in seinem ganzen Leben nicht gegangen, ja es schien ihm, als könne er gar nicht aufhören zu rennen, denn eine unsichtbare Gewalt schien ihn fortzureißen. Endlich bemerkte er, dass es mit den Pantoffeln eine eigene Bewandtnis haben müsse, denn sie schossen immer fort und führten ihn mit sich. Er versuchte auf allerlei Weise stillzustehen, aber es wollte nicht gelingen; da rief er in der höchsten Not, wie man den Pferden zuruft, sich selbst zu: »Oh – oh, halt, oh!« Da hielten die Pantoffeln, und Muck warf sich erschöpft auf die Erde nieder.

Die Pantoffeln freuten ihn ungemein. So hatte er sich denn doch durch seine Dienste etwas erworben, das ihm in der Welt, auf seinem Weg, das Glück zu suchen, forthelfen konnte. Er schlief trotz seiner Freude vor Erschöpfung ein, denn das Körperlein des kleinen Muck, das einen so schweren Kopf zu tragen hatte, konnte nicht viel aushalten. Im Traum erschien ihm das Hündlein, das ihm im Hause der Frau Ahavzi zu den Pantoffeln verholfen hatte, und sprach zu ihm: »Lieber Muck, du verstehst den Gebrauch der Pantoffeln noch nicht recht; merke dir: Wenn du dich in ihnen dreimal auf dem Absatz herumdrehst, so kannst du hinfliegen, wohin du nur willst; und mit dem Stöcklein kannst du Schätze finden, denn wo Gold vergraben ist, da wird es dreimal auf die Erde schlagen, bei Silber zweimal.« So träumte der kleine Muck. Als er aufwachte, dachte er über den wunderbaren Traum nach und beschloss, alsbald einen Versuch zu machen. Er zog die Pantoffeln an, hob einen Fuß auf und begann sich auf dem Absatz umzudrehen. Wer es aber jemals versucht hat, in einem ungeheuer weiten Pantoffel dieses Kunststück dreimal hintereinander zu machen, der wird sich nicht wundern, wenn es dem kleinen Muck nicht gleich glückte, besonders wenn man bedenkt, dass ihn sein schwerer Kopf bald auf diese, bald auf jene Seite hinüberzog.

Der arme Kleine fiel einige Mal tüchtig auf die Nase, doch ließ er sich nicht abschrecken, den Versuch zu wiederholen, und endlich glückte es. Wie ein Rad fuhr er auf seinem Absatz herum, wünschte sich in die nächste große Stadt, und – die Pantoffeln ruderten hinauf in die Lüfte, liefen mit Windeseile durch die Wolken, und ehe sich der kleine Muck noch besinnen konnte, wie ihm geschah, befand er sich schon auf einem großen Marktplatz, wo viele Buden aufgeschlagen waren und unzählige Menschen geschäftig auf und ab liefen. Er ging unter den Leuten hin und her, hielt es aber für ratsamer, sich in eine einsamere Straße zu begeben, denn auf dem Markt trat ihm bald einer auf die

Pantoffeln, dass er beinahe umfiel, bald stieß er mit seinem weit hinausstehenden Dolch einen oder den andern an, dass er mit Mühe den Schlägen entging.

Der kleine Muck bedachte nun ernstlich, was er wohl anfangen könnte, um sich ein Stück Geld zu verdienen. Er hatte zwar ein Stäblein, das ihm verborgene Schätze anzeigte, aber wo sollte er gleich einen Platz finden, wo Gold oder Silber vergraben wäre? Auch hätte er sich zur Not für Geld sehen lassen können, aber dazu war er doch zu stolz. Endlich fiel ihm die Schnelligkeit seiner Füße ein. ›Vielleicht‹, dachte er, ›können mir meine Pantoffeln Unterhalt gewähren‹, und er beschloss, sich als Schnellläufer zu verdingen. Da er aber hoffen durfte, dass der König dieser Stadt solche Dienste am besten bezahle, so erfragte er den Palast. Unter dem Tore des Palastes stand eine Wache, die ihn fragte, was er hier zu suchen habe. Auf seine Antwort, dass er einen Dienst suche, wies man ihn zum Aufseher der Sklaven. Ihm trug er sein Anliegen vor und bat, ihm einen Dienst unter den königlichen Boten zu besorgen. Der Aufseher maß ihn mit seinen Augen vom Kopf bis zu den Füßen und sprach: »Wie, mit deinen Füßlein, die kaum eine Spanne lang sind, willst du königlicher Schnellläufer werden? Mach dich weg, ich bin nicht dazu da, mit jedem Narren Kurzweil zu treiben.« Der kleine Muck versicherte ihm aber, dass es ihm vollkommen ernst sei mit dem Antrag und dass er es mit dem Schnellsten auf eine Wette ankommen lassen wolle. Dem Aufseher kam die Sache lächerlich vor. Er befahl ihm, sich bis auf den Abend zu einem Wettlauf bereitzuhalten, führte ihn in die Küche und sorgte dafür, dass ihm gehörig Speise und Trank gereicht wurden. Er selbst begab sich zum König und erzählte ihm von dem kleinen Menschen und seinem Anerbieten. Der König war ein lustiger Herr, daher gefiel es ihm wohl, dass der Aufseher der Sklaven den kleinen Muck zu einem Spaß behalten habe. Er befahl ihm, auf einer großen Wiese hinter dem Schloss Anstalten zu treffen, dass das Wettlaufen mit Bequemlichkeit von seinem ganzen Hofstaat könnte gesehen werden, und ordnete nochmals an, große Sorgfalt für den Zwerg zu haben. Der König erzählte seinen Prinzen und Prinzessinnen, was sie diesen Abend für ein Schauspiel haben würden. Diese erzählten es wieder ihren Dienern, und als der Abend herankam, war man in gespannter Erwartung. Alles strömte hinaus auf die Wiese, wo Gerüste aufgeschlagen waren, um den großsprecherischen Zwerg laufen zu sehen.

Als der König und seine Söhne und Töchter auf dem Gerüst Platz genommen hatten, trat der kleine Muck heraus auf die Wiese und machte vor den hohen Herrschaften eine überaus zierliche Verbeugung. Ein allgemeines Freudengeschrei ertönte, als man des Kleinen ansichtig wurde; eine solche Figur hatte man dort noch nie gesehen. Das Körperlein mit dem mächtigen Kopf, das Mäntelein und die weiten Beinkleider, der lange Dolch in dem breiten Gürtel, die kleinen Füßlein in den weiten Pantoffeln – nein, es war zu drollig anzusehen, als dass man nicht hätte laut lachen sollen. Der kleine Muck ließ sich aber durch das Gelächter nicht irremachen. Er stellte sich stolz, auf sein Stöcklein gestützt, hin und erwartete seinen Gegner. Der Aufseher der Sklaven hatte nach Mucks eigenem Wunsche den besten Läufer ausgesucht. Der trat nun heraus, stellte sich neben den Kleinen, und beide harrten auf das Zeichen. Da winkte Prinzessin Amarza, wie es ausgemacht war, mit ihrem Schleier, und wie zwei Pfeile, auf dasselbe Ziel abgeschossen, flogen die beiden Wettläufer über die Wiese hin. Anfangs hatte Mucks Gegner einen bedeutenden Vorsprung, aber dieser jagte ihm auf seinem Pantoffelfuhrwerk nach, holte ihn ein, überfing ihn und stand längst am Ziele, als jener noch, nach Luft schnappend, daherlief. Verwunderung und Staunen fesselten einige Augenblicke die Zuschauer; als aber der König zuerst in die Hände klatschte, da jauchzte die Menge, und alle riefen: »Hoch lebe der kleine Muck, der Sieger im Wettlauf!«

Man hatte indes den kleinen Muck herbeigebracht; er warf sich vor dem König nieder und sprach: »Großmächtiger König, ich habe dir hier nur eine kleine Probe meiner Kunst gegeben. Wolle nun gestatten, dass man mir eine Stelle unter deinen Läufern gebe!« Der König aber antwortete ihm: »Nein, du sollst mein Leibläufer und immer um meine Person sein, lieber Muck. Jährlich sollst du hundert Goldstücke erhalten als Lohn, und an der Tafel meiner ersten Diener sollst du speisen.«

So glaubte denn Muck, endlich das Glück gefunden zu haben, das er so lange suchte, und war fröhlich und wohlgemut in seinem Herzen. Auch erfreute er sich der besonderen Gnade des Königs, denn dieser gebrauchte ihn zu seinen schnellsten und geheimsten Sendungen, die der kleine Muck dann mit der größten Genauigkeit und mit unbegreiflicher Schnelle besorgte.

Aber die übrigen Diener des Königs waren ihm gar nicht zugetan, weil sie sich ungern durch einen Zwerg, der nichts verstand, als schnell zu laufen, in der Gunst des Herrn zurückgesetzt sahen. Sie veranstalteten daher manche Verschwörung gegen ihn, um ihn zu stürzen, aber alle scheiterten an dem großen Zutrauen, das der König in seinen geheimen Oberleibläufer – denn zu dieser Würde hatte er es in so kurzer Zeit gebracht – setzte.

Muck, dem diese Bewegungen gegen ihn nicht entgingen, sann nicht auf Rache, dazu hatte er ein zu gutes Herz, nein, auf Mittel dachte er, sich bei seinen Feinden notwendig und beliebt zu machen. Da fiel ihm sein Stäblein, das er in seinem Glück außer Acht gelassen hatte, ein; wenn er Schätze finde, dachte er, würden ihm die Herren schon geneigter werden. Er hatte schon oft gehört, dass der Vater des jetzigen Königs viele seiner Schätze vergraben habe, als der Feind sein Land überfallen; man sagte auch, er sei darüber gestorben, ohne dass er sein Geheimnis habe seinem Sohn mitteilen können. Von nun an nahm Muck immer sein Stöcklein mit, in der Hoffnung, einmal an einem Ort vorüberzugehen, wo das Geld des alten Königs vergraben sei. Eines Abends führte ihn der Zufall in einen entlegenen Teil des Schlossgartens, den er wenig besuchte, und plötzlich fühlte er das Stöcklein in seiner Hand zucken, dreimal schlug es gegen den Boden. Nun wusste er schon, was dies zu bedeuten hatte. Er zog daher seinen Dolch heraus, machte ein Zeichen in die umstehenden Bäume und schlich sich wieder ins Schloss; dort verschaffte er sich einen Spaten und wartete die Nacht zu seinem Unternehmen ab.

Das Schatzgraben selbst machte übrigens dem kleinen Muck mehr zu schaffen, als er geglaubt hatte. Seine Arme waren gar zu schwach, sein Spaten aber groß und schwer; und er mochte wohl schon zwei Stunden gearbeitet haben, ehe er ein paar Fuß tief gegraben hatte. Endlich stieß er auf etwas Hartes, das wie Eisen klang. Er grub jetzt emsiger, und bald hatte er einen großen eisernen Deckel zutage gefördert. Er stieg in die Grube hinein, um nachzuspähen, was wohl der Deckel bedeckt haben könnte, und fand richtig einen großen Topf, mit Goldstücken angefüllt. Aber seine schwachen Kräfte reichten nicht hin, den Topf zu heben, daher steckte er in seine Beinkleider und seinen Gürtel, soviel er zu tragen vermochte, und auch sein Mäntelein füllte er damit, bedeckte das Übrige wieder sorgfältig und trat den Rückweg an. Aber wenn er die Pantoffeln nicht an den Füßen gehabt hätte, er wäre nicht vom Fleck gekommen, so zog ihn die Last des Goldes nieder. Doch unbemerkt kam er auf sein Zimmer und verwahrte dort sein Gold unter den Polstern seines Sofas.

Als der kleine Muck sich im Besitz so vielen Goldes sah, glaubte er, das Blatt werde sich jetzt wenden und er werde sich unter seinen Feinden am Hofe viele Gönner und Anhänger erwerben. Aber schon daran konnte man erkennen, dass der gute Muck keine gar zu sorgfältige Erziehung genossen haben musste, sonst hätte er sich wohl nicht einbilden können, durch Gold wahre Freunde zu gewinnen. Ach, dass er damals seine Pantoffeln geschmiert und sich mit seinem Mäntelein voll Gold aus dem Staube gemacht hätte!

Das Gold, das der kleine Muck von jetzt an mit vollen Händen austeilte, erweckte den Neid der übrigen Hofbedienten. Der Küchenmeister Ahuli sagte: »Er ist ein Falschmünzer.« Der Sklavenaufseher Achmed sagte: »Er hat's dem König abgeschwatzt.« Archaz, der Schatzmeister aber, sein ärgster Feind, der selbst hie und da einen Griff in des Königs Kasse tun mochte, sagte geradezu: »Er hat's gestohlen.« Um nun

ihrer Sache gewiss zu sein, verabredeten sie sich, und der Obermundschenk Korchuz stellte sich eines Tages vor den Augen des Königs
recht traurig und niedergeschlagen. Er machte seine traurigen Gebärden so auffallend, dass ihn der König fragte, was ihm fehle. »Ach!«,
antwortete er, »ich bin traurig, dass ich die Gnade meines Herrn verloren habe.« – »Was fabelst du, Freund Korchuz?«, entgegnete ihm
der König. »Seit wann hätte ich die Sonne meiner Gnade nicht über
dich leuchten lassen?« Der Obermundschenk antwortete ihm, dass er
ja den geheimen Oberleibläufer mit Gold belade, seinen armen treuen
Dienern aber nichts gebe.

Der König war sehr erstaunt über diese Nachricht, ließ sich die Gold-
austeilungen des kleinen Muck erzählen, und die Verschworenen
brachten ihm leicht den Verdacht bei, dass Muck auf irgendeine Art
das Geld aus der Schatzkammer gestohlen habe. Sehr lieb war diese
Wendung der Sache dem Schatzmeister, der ohnehin nicht gerne Rechenschaft ablegte. Der König gab daher den Befehl, heimlich auf alle
Schritte des kleinen Muck Acht zu geben, um ihn womöglich auf der
Tat zu ertappen. Als nun in der Nacht, die auf diesen Unglücks-
tag folgte, der kleine Muck, da er durch seine Freigebigkeit seine Kasse sehr erschöpft sah, den Spaten nahm und in den Schlossgarten
schlich, um dort von seinem geheimen Schätze neuen Vorrat zu holen, folgten ihm von weitem die Wachen, von dem Küchenmeister
Ahuli und Archaz, dem Schatzmeister, angeführt, und in dem Augenblick, da er das Gold aus dem Topf in sein Mäntelein legen wollte, fielen sie über ihn her, banden ihn und führten ihn sogleich vor den König. Dieser, den ohnehin die Unterbrechung seines Schlafes mürrisch
gemacht hatte, empfing seinen armen geheimen Oberleibläufer sehr
ungnädig und stellte sogleich das Verhör über ihn an. Man hatte den
Topf vollends aus der Erde gegraben und mit dem Spaten und mit
dem Mäntelein voll Gold vor die Füße des Königs gesetzt. Der Schatzmeister sagte aus, dass er mit seinen Wachen den Muck überrascht
habe, wie er diesen Topf mit Gold gerade in die Erde gegraben habe.

Der König befragte hierauf den Angeklagten, ob es wahr sei und woher er das Gold, das er vergraben, bekommen habe?

Der kleine Muck, im Gefühle seiner Unschuld, sagte aus, dass er diesen Topf im Garten entdeckt habe, dass er ihn habe nicht ein-, sondern

ausgraben wollen. Alle Anwesenden lachten laut über diese Entschuldigung, der König aber, aufs Höchste erzürnt über diese vermeintliche Frechheit des Kleinen, rief aus: »Wie, Elender, du willst
deinen König so dumm und schändlich belügen, nachdem du ihn bestohlen hast? Schatzmeister Archaz, ich fordere dich auf zu sagen, ob
du diese Summe Goldes für die nämliche erkennst, die in meinem
Schatze fehlt?«

Der Schatzmeister antwortete, er sei seiner Sache ganz gewiss, so viel
und noch mehr fehle seit einiger Zeit in dem kaiserlichen Schatz, und
er könnte einen Eid darauf ablegen, dass dies das Gestohlene sei.

Da befahl der König, den kleinen Muck in enge Ketten zu legen und in
den Turm zu führen, dem Schatzmeister aber übergab er das Gold,
um es wieder in den Schatz zu tragen. Vergnügt über den glücklichen
Ausgang der Sache, zog dieser ab und zählte zu Hause die blinkenden
Goldstücke; aber das hat dieser schlechte Mann niemals angezeigt,
dass unten in dem Topf ein Zettel lag, der sagte: ›Der Feind hat
mein Land überschwemmt, daher verberge ich hier einen Teil meiner
Schätze; wer ihn auch finden mag, den treffe der Fluch seines Königs,
wenn er ihn nicht sogleich meinem Sohne ausliefert.

König Sadi.‹

Der kleine Muck stellte in seinem Kerker traurige Betrachtungen an.
Er wusste, dass auf Diebstahl an königlichen Sachen der Tod gesetzt
war, und doch mochte er das Geheimnis mit dem Stäbchen dem Könige nicht verraten, weil er mit Recht fürchtete, dieses Zauberstäbchens
und seiner Pantoffeln beraubt zu werden. Seine Pantoffeln konnten
ihm leider auch keine Hilfe bringen, denn da er in engen Ketten an die
Mauer geschlossen war, konnte er, sosehr er sich quälte, sich nicht auf
dem Absatz umdrehen. Als ihm aber am andern Tage sein Tod ange-
kündigt wurde, da dachte er doch, es sei besser, ohne das Zauberstäb-
chen zu leben, als mit ihm zu sterben; er ließ den König um ein gehei-
mes Gehör bitten und entdeckte ihm das Geheimnis. Der König maß
anfangs seinem Geständnis keinen Glauben bei; aber der kleine Muck
versprach eine Probe, wenn ihm der König zugestünde, dass er nicht
getötet werden solle. Der König gab ihm sein Wort darauf und ließ,
von Muck ungesehen, einiges Gold in die Erde graben und befahl diesem, mit seinem Stäbchen zu suchen. In wenigen Augenblicken hatte

er es gefunden, denn das Stäbchen schlug deutlich dreimal auf die Erde. Da merkte der König, dass ihn sein Schatzmeister betrogen hatte, und sandte ihm, wie es im Morgenlande gebräuchlich ist, eine seidene Schnur, damit er sich selbst erdrossle. Zum kleinen Muck aber sprach er:»Ich habe dir zwar dein Leben versprochen, aber es scheint mir, als ob du nicht nur allein dieses Geheimnis mit dem Stäbchen besitzest; darum bleibst du in ewiger Gefangenschaft, wenn du nicht gestehst, was für eine Bewandtnis es mit deinem Schnelllaufen hatte.« Der kleine Muck, dem die einzige Nacht im Turm alle Lust zu längerer Gefangenschaft genommen hatte, bekannte, dass seine ganze Kunst in den Pantoffeln liege, doch lehrte er den König nicht das Geheimnis von dem dreimaligen Umdrehen auf dem Absatz. Der König schlüpfte selbst in die Pantoffeln, um die Probe zu machen, und jagte wie unsinnig im Garten umher; oft wollte er anhalten, aber er wusste nicht, wie man die Pantoffeln zum Stehen brachte, und Muck, der sich diese kleine Rache nicht versagen konnte, ließ ihn laufen, bis er ohnmächtig auf die Erde niederfiel.

Als der König wieder zur Besinnung zurückgekehrt war, war er schrecklich aufgebracht über den kleinen Muck, der ihn so ganz außer Atem hatte laufen lassen.»Ich habe dir mein Wort gegeben, dir Freiheit und Leben zu schenken, aber innerhalb zwölf Stunden musst du mein Land verlassen, sonst lasse ich dich aufknüpfen.« Die Pantoffeln und das Stäbchen aber ließ er in seine Schatzkammer legen.

So arm wie je wanderte der kleine Muck zum Land hinaus, seine Torheit verwünschend, die ihm vorgespiegelt hatte, er könne eine bedeutende Rolle am Hofe spielen. Das Land, aus dem er verjagt wurde, war zum Glück nicht groß, daher war er schon nach acht Stunden an der Grenze, obgleich ihm das Gehen, da er an seine lieben Pantoffeln gewöhnt war, sehr sauer ankam.

Als er über die Grenze war, verließ er die gewöhnliche Straße, um die dichteste Einöde der Wälder aufzusuchen und dort nur sich selbst zu leben, denn er war allen Menschen gram. In einem Walde traf er auf einen Platz, der ihm zu dem Entschluss, den er gefasst hatte, ganz tauglich schien. Ein klarer Bach, von großen, schattigen Feigenbäumen umgeben, ein weicher Rasen luden ihn ein; hier warf er sich nieder mit dem Entschluss, keine Speise mehr zu sich zu nehmen, sondern den

Tod zu erwarten. Über traurigen Todesbetrachtungen schlief er ein; als er aber wieder aufwachte und der Hunger ihn zu quälen anfing, bedachte er doch, dass der Hungertod eine gefährliche Sache sei; und er sah sich um, ob er nirgends etwas zu essen bekommen könnte.

Köstliche reife Feigen hingen an dem Baume, unter welchem er geschlafen hatte; er stieg hinauf, um sich einige zu pflücken, ließ es sich trefflich schmecken und ging dann hinunter an den Bach, um seinen Durst zu löschen. Aber wie groß war sein Schrecken, als ihm das Wasser seinen Kopf mit zwei gewaltigen Ohren und einer dicken, langen Nase geschmückt zeigte! Bestürzt griff er mit den Händen nach den Ohren, und wirklich, sie waren über eine halbe Elle lang. »Ich verdiene Eselsohren«, rief er aus, »denn ich habe mein Glück wie ein Esel mit Füßen getreten.«

Er wanderte unter den Bäumen umher, und als er wieder Hunger fühlte, musste er noch einmal zu den Feigen seine Zuflucht nehmen, denn sonst fand er nichts Essbares an den Bäumen. Als ihm über der zweiten Portion Feigen einfiel, ob wohl seine Ohren nicht unter seinem großen Turban Platz hätten, damit er doch nicht gar zu lächerlich aussähe, fühlte er, dass seine Ohren verschwunden seien. Er lief gleich an den Bach zurück, um sich davon zu überzeugen, und wirklich, es war so, seine Ohren hatten ihre vorige Gestalt, seine lange, unförmliche Nase hatte er nicht mehr. Jetzt merkte er, wie dies gekommen war: Von dem ersten Feigenbaum hatte er die lange Nase und die Ohren bekommen, der zweite hatte ihn geheilt. Freudig erkannte er, dass sein gütiges Geschick ihm noch einmal die Mittel an die Hand gebe, glücklich zu sein. Er pflückte daher von jedem Baum, soviel er tragen konnte, und ging in das Land zurück, das er vor kurzem verlassen hatte. Dort machte er sich in dem ersten Städtchen durch andere Kleider ganz unkenntlich, ging dann weiter auf die Stadt zu, die jener König bewohnte, und kam auch bald dort an.

Es war gerade zu einer Jahreszeit, wo reife Früchte noch ziemlich selten waren; der kleine Muck setzte sich daher unter das Tor des Palastes, denn ihm war von früherer Zeit her wohl bekannt, dass hier solche Seltenheiten von dem Küchenmeister für die königliche Tafel eingekauft wurden. Muck hatte noch nicht lange gesessen, als er den Küchenmeister über den Hof herüberschreiten sah. Er musterte die

Waren der Verkäufer, die sich am Tore des Palastes eingefunden hatten, endlich fiel sein Blick auch auf Mucks Körbchen. »Ah, ein seltener Bissen«, sagte er, »der Ihrer Majestät gewiss behagen wird. Was willst du für den ganzen Korb?« Der kleine Muck bestimmte einen mäßigen Preis, und sie waren bald des Handels einig. Der Küchenmeister übergab den Korb einem Sklaven und ging weiter. Der kleine Muck machte sich einstweilen aus dem Staub, weil er fürchtete, wenn sich das Unglück an den Köpfen des Hofes zeige, möchte man ihn als Verkäufer aufsuchen und bestrafen.

Der König war über Tisch sehr heiter gestimmt und sagte seinem Küchenmeister ein Mal über das andere Lobsprüche wegen seiner guten Küche und der Sorgfalt, mit der er immer das Seltenste für ihn aussuche. Der Küchenmeister; der wohl wusste, welchen Leckerbissen er noch im Hintergrunde habe, schmunzelte freundlich und ließ nur einzelne Worte fallen: »Es ist noch nicht aller Tage Abend«, oder: »Ende gut, alles gut«, so dass die Prinzessinnen sehr neugierig wurden, was er wohl noch bringen werde. Als er nun die schönen, einladenden Feigen auftischen ließ, da entfloh ein allgemeines »Ah!« dem Munde der Anwesenden. »Wie reif, wie appetitlich!«, rief der König. »Küchenmeister, du bist ein ganzer Kerl und verdienst unsere ganz besondere Gnade!« Also sprechend, teilte der König, der mit solchen Leckerbissen sehr sparsam zu sein pflegte, mit eigener Hand die Feigen an seiner Tafel aus. Jeder Prinz und jede Prinzessin bekamen zwei, die Hofdamen und die Wesire und Agas eine, die Übrigen aber stellte er vor sich hin und begann mit fröhlichem Gesicht und mit großem Behagen sie zu verschlingen.

»Aber lieber Gott, wie siehst du so wunderlich aus, Vater?«, rief auf einmal die Prinzessin Amarza. Alle sahen den König erstaunt an; ungeheure Ohren hingen ihm am Kopf, eine lange Nase zog sich über sein Kinn herunter. Auch sich selbst betrachteten sie untereinander mit Staunen und Schrecken; alle waren mehr oder minder mit dem sonderbaren Kopfputz geschmückt.

Man denke sich den Schrecken des Hofes! Es wurde sogleich nach allen Ärzten der Stadt geschickt, sie kamen haufenweise, verordneten Pillen und Mixturen, aber die Ohren und die Nasen blieben. Man operierte einen der Prinzen, aber die Ohren wuchsen nach.

Muck hatte die ganze Geschichte in seinem Versteck, wohin er sich
zurückgezogen hatte, gehört und erkannt, dass es jetzt Zeit sei zu handeln. Er hatte sich schon vorher von dem aus den Feigen gelösten
Geld einen Anzug verschafft, der ihn als Gelehrten darstellen konnte;
ein langer Bart von Ziegenhaaren vollendete die Täuschung. Mit einem Säckchen voll Feigen wanderte er in den Palast des Königs und
bot als fremder Arzt seine Hilfe an. Man war anfangs sehr ungläubig,
als aber der kleine Muck einem der Prinzen eine Feige zu essen gab
und Ohren und Nase dadurch in den alten Zustand zurückbrachte, da
wollte alles von dem fremden Arzte geheilt sein. Der König nahm ihn
schweigend bei der Hand und führte ihn in sein Gemach; dort schloss
er eine Tür zur Schatzkammer auf und winkte Muck, ihm zu folgen.
»Hier sind meine Schätze«, sprach der König. »Wähle dir, was es auch
sei, es soll dir gewährt werden, wenn du mich von diesem schmachvollen Übel befreist!« Das war süße Musik in des kleinen Mucks Oh-

ren; er hatte gleich beim Eintritt seine Pantoffeln auf dem Boden stehen sehen, gleich daneben lag auch sein Stäbchen. Er ging nun umher in dem Saal, wie wenn er die Schätze des Königs bewundern wollte; kaum aber war er an seine Pantoffeln gekommen, so schlüpfte er eilends hinein, ergriff sein Stäbchen, riss seinen falschen Bart herab und zeigte dem erstaunten König das wohl bekannte Gesicht seines verstoßenen Muck. »Treuloser König«, sprach er, »der du treue Dienste mit Undank lohnst, nimm als wohlverdiente Strafe die Missgestalt, die du trägst! Die Ohren lass ich dir zurück, damit sie dich täglich erinnern an den kleinen Muck.« Als er so gesprochen hatte, drehte er sich schnell auf dem Absatz herum, wünschte sich weit hinweg, und ehe noch der König um Hilfe rufen konnte, war der kleine Muck geflohen. Seitdem lebt er hier in großem Wohlstand, aber einsam, denn er verachtet die Menschen. Er ist durch Erfahrung ein weiser Mann geworden, der, wenn auch sein Äußeres etwas Auffallendes haben mag, mehr deine Bewunderung als deinen Spott verdient.

So erzählte mir mein Vater. Ich bezeugte ihm meine Reue über mein rohes Betragen gegen den guten kleinen Mann, und mein Vater schenkte mir die andere Hälfte der Strafe, die er mir zugedacht hatte. Ich erzählte meinen Kameraden die wunderbaren Schicksale des Kleinen, und wir gewannen ihn so lieb, dass ihn keiner mehr hänselte. Im Gegenteil, wir ehrten ihn, solange er lebte, und haben uns vor ihm immer so tief gebückt wie vor Kadi und Mufti.

* * *

Die Reisenden beschlossen, einen Rasttag in dieser Karawanserei zu halten, um sich und die Tiere zur weiteren Reise zu stärken. Die gestrige Fröhlichkeit ging auch auf diesen Tag über, und sie ergötzten sich mit allerlei Spielen. Nach dem Essen riefen sie dem fünften Kaufmann, Ali Sizah, zu, auch seine Schuldigkeit gleich den Übrigen zu tun und eine Geschichte zu erzählen. Er antwortete, sein Leben sei zu arm an auffallenden Begebenheiten, als dass er ihnen etwas davon mitteilen möchte, daher wolle er ihnen etwas anderes erzählen, nämlich:

Das Märchen vom falschen Prinzen

Es war einmal ein ehrsamer Schneidergeselle namens Labakan, der bei einem geschickten Meister in Alessandria sein Handwerk lernte. Man konnte nicht sagen, dass Labakan ungeschickt mit der Nadel war, im Gegenteil, er konnte recht feine Arbeit machen. Auch tat man ihm unrecht, wenn man ihn geradezu faul schalt. Aber ganz richtig war es doch nicht mit dem Gesellen, denn er konnte oft stundenlang in einem fort nähen, dass ihm die Nadel in der Hand glühend ward und der Faden rauchte; da gab es dann ein Stück von ihm, wie es kein anderer fertig brachte. Ein andermal aber, und dies geschah leider öfters, saß er in tiefen Gedanken, sah mit starren Augen vor sich hin und hatte dabei in Gesicht und Wesen etwas so Eigenes, dass sein Meister und die übrigen Gesellen von diesem Zustande nie anders sprachen als: ›Labakan hat wieder sein vornehmes Gesicht.‹

Am Freitag, wenn andere Leute vom Gebet ruhig nach Haus an ihre Arbeit gingen, trat Labakan in einem schönen Kleid, das er sich mit vieler Mühe zusammengespart hatte, aus der Moschee, schritt langsam und stolz über die Plätze und durch die Straßen der Stadt, und wenn ihm einer seiner Kameraden ein: ›Friede sei mit dir!‹ oder: ›Wie geht es, Freund Labakan?‹ bot, so winkte er gnädig mit der Hand oder nickte, wenn es hoch kam, vornehm mit dem Kopf. Wenn dann sein Meister im Spaß zu ihm sagte: ›An dir ist ein Prinz verloren gegangen, Labakan‹, so freute er sich darüber und antwortete: ›Habt Ihr das auch bemerkt?‹ oder: ›Ich habe es schon lange gedacht!‹

So trieb es der ehrsame Schneidergeselle Labakan schon eine geraume Zeit, sein Meister aber duldete seine Narrheit, weil er sonst ein guter Mensch und geschickter Arbeiter war. Eines Tages schickte Selim, der Bruder des Sultans, der gerade durch Alessandria reiste, ein Festkleid, um einiges daran verändern zu lassen, das Labakan erhielt, weil er die feinste Arbeit machte. Als abends der Meister und die Gesellen sich hinwegbegeben hatten, um nach des Tages Last sich zu erholen, trieb eine unwiderstehliche Sehnsucht Labakan wieder in die

Werkstätte zurück, wo das Kleid des kaiserlichen Bruders hing. Er stand lange sinnend davor, bald den Glanz der Stickerei, bald die schillernden Farben des Samtes und der Seide bewundernd. Er konnte nicht anders, er musste es anziehen, und siehe da, es passte ihm so trefflich, als wäre es für ihn gemacht worden. »Bin ich nicht so gut ein Prinz wie einer sonst?«, fragte er sich, während er im Zimmer auf und ab schritt. »Hat nicht der Meister selbst schon gesagt, dass ich zum Prinzen geboren sei?« Mit dem Kleide schien der Geselle eine ganz königliche Gesinnung angezogen zu haben; er konnte sich nichts anderes denken, als er sei ein unbekannter Königssohn, und als solcher beschloss er, in die Welt zu reisen und einen Ort zu verlassen, wo die Leute bisher so töricht gewesen waren, unter der Hülle seines niederen Standes nicht seine angeborene Würde zu erkennen. Das prachtvolle Kleid schien ihm von einer gütigen Fee geschickt; er hütete sich daher wohl, ein so teures Geschenk zu verschmähen, steckte seine geringe Barschaft zu sich und wanderte, begünstigt vom Dunkel der Nacht, aus Alessandrias Toren.

Der neue Prinz erregte überall auf seiner Wanderschaft Verwunderung, denn das prachtvolle Kleid und sein ernstes, majestätisches Wesen wollten gar nicht für einen Fußgänger passen. Wenn man ihn darüber befragte, pflegte er mit geheimnisvoller Miene zu antworten, dass das seine eigenen Ursachen habe. Als er aber merkte, dass er sich durch seine Fußwanderungen lächerlich machte, kaufte er um geringen Preis ein altes Ross, das sehr für ihn passte. Es brachte ihn mit seiner gesetzten Ruhe und Sanftmut nie in Verlegenheit, denn sich als geschickter Reiter zeigen zu müssen war gar nicht seine Sache.

Eines Tages, als er Schritt für Schritt auf seinem Murva, so hatte er sein Ross genannt, seiner Straße zog, schloss sich ein Reiter an ihn an und bat ihn, in seiner Gesellschaft reiten zu dürfen, weil ihm der Weg viel kürzer werde im Gespräch mit einem andern. Der Reiter war ein fröhlicher junger Mann, schön und angenehm im Umgang. Er hatte mit Labakan bald ein Gespräch angeknüpft über woher und wohin, und es traf sich, dass auch er wie der Schneidergeselle ohne Plan in die Welt hinauszog. Er sagte, er heiße Omar, sei der Neffe Elfi Beis, des unglücklichen Bassas von Kairo, und reise nun umher, um einen Auftrag, den ihm sein Oheim auf dem Sterbebette erteilt habe, auszurichten. Labakan ließ sich nicht so offenherzig über seine Verhältnisse aus, er gab ihm zu verstehen, dass er von hoher Abkunft sei und zu seinem Vergnügen reise.

Die beiden jungen Herren fanden Gefallen aneinander und zogen weiter. Am zweiten Tage ihrer gemeinschaftlichen Reise fragte Labakan seinen Gefährten Omar nach den Aufträgen, die er zu besorgen habe, und erfuhr zu seinem Erstaunen Folgendes: Elfi Bei, der Bassa von Kairo, hatte Omar seit seiner frühen Kindheit erzogen, und dieser hatte seine Eltern nie gekannt. Als nun Elfi Bei von seinen Feinden überfallen worden war und nach drei unglücklichen Schlachten tödlich verwundet fliehen musste, entdeckte er seinem Zögling, dass er nicht sein Neffe sei, sondern der Sohn eines mächtigen Herrschers, der aus Furcht vor den Prophezeiungen seiner Sterndeuter den jungen Prinzen von seinem Hofe entfernt habe mit dem Schwur, ihn erst an seinem zweiundzwanzigsten Geburtstage wiedersehen zu wollen. Elfi Bei habe ihm den Namen seines Vaters nicht genannt, sondern ihm aufs Bestimmteste aufgetragen, am vierten Tage des kommenden Monats Ramadan, an welchem Tage er zweiundzwanzig Jahre alt werde, sich an der berühmten Säule El-Serujah, vier Tagereisen östlich von Alessandria, einzufinden; dort solle er den Männern, die an der Säule stehen würden, einen Dolch, den er ihm gab, überreichen mit den Worten: ›Hier bin ich, den ihr suchet!‹ Wenn sie antworteten: ›Gelobt sei der Prophet, der dich erhielt‹, so solle er ihnen folgen, sie würden ihn zu seinem Vater führen.

Der Schneidergeselle Labakan war sehr erstaunt über diese Mitteilung; er betrachtete von jetzt an den Prinzen Omar mit neidischen Augen, erzürnt darüber, dass das Schicksal jenem, obgleich er schon als der Neffe eines mächtigen Bassa galt, noch die Würde eines Fürstensohns verliehen, ihm aber, den es mit allem, was einem Prinzen Not tut, ausgerüstet, gleichsam zum Hohn eine dunkle Geburt und einen gewöhnlichen Lebensweg verliehen habe. Er stellte Vergleiche zwischen sich und dem Prinzen an. Er musste sich gestehen, der andere sei ein Mann von sehr vorteilhafter Gesichtsbildung; schöne, lebhafte Augen, eine kühn gebogene Nase, ein sanftes, zuvorkommendes Benehmen, kurz, alle Vorzüge des Äußeren, die jemand empfehlen können, waren ihm eigen. Aber so viel Vorzüge er auch an seinem Begleiter fand, so bildete er sich doch ein, dass ein Labakan dem fürstlichen Vater wohl noch willkommener sein dürfte als der wirkliche Prinz.

Diese Betrachtungen verfolgten Labakan den ganzen Tag, mit ihnen schlief er im nächsten Nachtlager ein; aber als er morgens aufwachte und sein Blick auf den neben ihm liegenden Omar fiel, der so ruhig schlafen und von seinem gewissen Glücke träumen konnte, da erwachte in ihm der Gedanke, durch List oder Gewalt zu erreichen, was ihm das ungünstige Schicksal versagt hatte. Der Dolch, das Erkennungszeichen des heimkehrenden Prinzen, stak in dem Gürtel des Schlafenden; leise zog er ihn hervor, um ihn in die Brust des Eigentümers zu stoßen. Doch vor dem Gedanken des Mordes entsetzte sich die friedfertige Seele des Gesellen, er begnügte sich, die Waffe zu sich zu stecken und das schnellere Pferd des Prinzen für sich aufzuzäumen. Ehe Omar aufwachte und sich aller Hoffnungen beraubt sah, hatte sein treuloser Gefährte schon einen Vorsprung von mehreren Meilen.

Es war gerade der erste Tag des heiligen Monats Ramadan, an dem Labakan den Raub an dem Prinzen beging, und er hatte also noch vier Tage, um zu der Säule El-Serujah, die ihm wohl bekannt war, zu gelangen. Obgleich die Gegend, in der sich diese Säule befand, höchstens noch zwei Tagesreisen entfernt sein konnte, so beeilte er sich doch hinzukommen, weil er immer fürchtete, von dem wahren Prinzen eingeholt zu werden.

Am Ende des zweiten Tages erblickte Labakan die Säule El-Serujah. Sie stand auf einer kleinen Anhöhe in einer weiten Ebene und konnte auf zwei bis drei Stunden gesehen werden. Labakans Herz pochte lauter bei diesem Anblick. Obgleich er die letzten zwei Tage hindurch Zeit genug gehabt, über die Rolle, die er zu spielen hatte, nachzudenken, so machte ihn doch das böse Gewissen etwas ängstlich. Aber der Gedanke, dass er zum Prinzen geboren sei, stärkte ihn wieder, so dass er getrösteter seinem Ziele entgegenritt. Die Gegend um die Säule El-Serujah war unbewohnt und öde, und der neue Prinz wäre wegen seines Unterhalts etwas in Verlegenheit gekommen, wenn er sich nicht mit Mundvorrat auf mehrere Tage versehen hätte. Er lagerte sich also neben seinem Pferde unter einigen Palmen und erwartete dort sein ferneres Schicksal.

Gegen die Mitte des anderen Tages sah er einen großen Zug von Pferden und Kamelen über die Ebene her auf die Säule El-Serujah zukommen. Der Zug hielt am Fuße des Hügels, auf dem die Säule stand, man schlug prachtvolle Zelte auf, und das Ganze sah aus wie der Reisezug eines reichen Bassas oder Scheiks. Labakan ahnte, dass die vielen Leute, die er sah, sich seinetwegen hierher bemüht hatten, und hätte ihnen gerne schon heute ihren künftigen Gebieter gezeigt, aber er mäßigte seine Begierde, als Prinz aufzutreten, da ja doch der nächste Morgen seine kühnsten Wünsche vollkommen befriedigen musste.

Die Morgensonne weckte den überglücklichen Schneider zu dem wichtigsten Augenblick seines Lebens, der ihn aus einem niedrigen Los an die Seite eines fürstlichen Vaters erheben sollte. Zwar fiel ihm, als er sein Pferd aufzäumte, um zu der Säule hinzureiten, wohl auch das Unrechtmäßige seines Schrittes ein, zwar führten ihm seine Gedanken den Schmerz des in seinen schönen Hoffnungen betrogenen Fürstensohnes vor, aber der Würfel war geworfen, Labakan konnte nicht mehr ungeschehen machen, was geschehen war, und seine Eigenliebe flüsterte ihm zu, dass er stattlich genug aussehe, um sich dem mächtigen König als Sohn vorzustellen. Ermutigt durch

diesen Gedanken, schwang er sich auf sein Ross, nahm alle seine
Tapferkeit zusammen, um es in einen ordentlichen Galopp zu bringen, und in weniger als einer Viertelstunde war er am Fuße des Hügels angelangt. Er stieg von seinem Pferd ab und band es an eine
Staude, deren mehrere an dem Hügel wuchsen, hierauf zog er den
Dolch des Prinzen Omar hervor und stieg den Hügel hinan. Am Fuß
der Säule standen sechs Männer um einen Greis von hohem, königli-
chem Ansehen; ein prachtvoller Kaftan von Goldstoff, mit einem
weißen Kaschmirschal umgürtet, der weiße, mit blitzenden Edelstei-
nen geschmückte Turban bezeichneten ihn als einen Mann von
Reichtum und Würde.

Auf ihn ging Labakan zu, neigte sich tief vor ihm und sprach, indem
er ihm den Dolch darreichte: »Hier bin ich, den Ihr suchet.«

»Gelobt sei der Prophet, der dich erhielt!«, antwortete der Greis mit
Freudentränen. »Umarme deinen alten Vater, mein Sohn Omar!« Der
gute Schneider war sehr gerührt durch diese feierlichen Worte und
sank mit einem Gemisch von Freude und Scham in die Arme des alten
Fürsten.

Aber nur einen Augenblick sollte er ungetrübt die Wonne seines neu-
en Standes genießen. Als er sich aus den Armen des fürstlichen Grei-
ses aufrichtete, sah er einen Reiter über die Ebene her auf den Hügel
zueilen. Der Reiter und sein Ross gewährten einen sonderbaren Anblick; das Ross schien aus Eigensinn oder Müdigkeit nicht vorwärts
zu wollen; in einem stolpernden Gang, der weder Schritt noch Trab
war, zog es daher; der Reiter aber trieb es mit Händen und Füßen zu
schnellerem Laufe an. Nur zu bald erkannte Labakan sein Ross Murva und den echten Prinzen Omar; aber der böse Geist der Lüge war

einmal in ihn gefahren, und er beschloss, wie es auch kommen möge, mit eiserner Stirne seine angemaßten Rechte zu behaupten.

Schon aus der Ferne hatte man den Reiter winken sehen; jetzt war er trotz des schlechten Trabs des Rosses Murva am Fuße des Hügels angekommen, sprang vom Pferd und stürzte den Hügel hinan. »Haltet ein«, rief er, »wer Ihr auch sein möget, haltet ein und lasset Euch nicht von dem schändlichsten Betrüger täuschen! Ich heiße Omar, und kein Sterblicher wage es, meinen Namen zu missbrauchen!«

Auf den Gesichtern der Umstehenden malte sich tiefes Erstaunen über diese Wendung der Dinge; besonders schien der Greis sehr betroffen, indem er bald den einen, bald den andern fragend ansah. Labakan aber sprach mit mühsam errungener Ruhe: »Gnädigster Herr und Vater, lasst Euch nicht irremachen durch diesen Menschen da! Er ist, soviel ich weiß, ein wahnsinniger Schneidergeselle aus Alessandria, Labakan geheißen, der mehr unser Mitleid als unseren Zorn verdient.«

Diese Worte brachten den Prinzen bis zur Raserei. Schäumend vor Wut wollte er auf Labakan eindringen, aber die Umstehenden warfen sich dazwischen und hielten ihn fest, und der Fürst sprach: »Wahrhaftig, mein lieber Sohn, der arme Mensch ist verrückt; man binde ihn und setze ihn auf eines unserer Dromedare, vielleicht, dass wir dem Unglücklichen Hilfe schaffen können.«

Die Wut des Prinzen hatte sich gelegt, weinend rief er dem Fürsten zu: »Mein Herz sagt mir, dass Ihr mein Vater seid, bei dem Andenken meiner Mutter beschwöre ich Euch, hört mich an!«

»Ei, Gott bewahre uns!«, antwortete dieser. »Er fängt schon wieder an, irre zu reden; wie doch der Mensch auf so tolle Gedanken kommen kann!« Damit ergriff er Labakans Arm und ließ sich von ihm den Hügel hinuntergeleiten. Sie setzten sich beide auf schöne, mit reichen Decken behängte Pferde und ritten an der Spitze des Zuges über die Ebene hin. Dem unglücklichen Prinzen aber fesselte man die Hände und band ihn auf einem Dromedar fest, und zwei Reiter waren ihm immer zur Seite, die ein wachsames Auge auf jede seiner Bewegungen hatten.

Der fürstliche Greis war Saaud, der Sultan der Wechabiten. Er hatte lange ohne Kinder gelebt, endlich wurde ihm ein Prinz geboren, nach dem er sich so lange gesehnt hatte. Aber die Sterndeuter, die er um das Schicksal des Knaben befragte, taten den Ausspruch, dass er ›bis ins zweiundzwanzigste Jahr in Gefahr stehe, von einem Feinde verdrängt zu werden‹. Deswegen, um recht sicherzugehen, hatte der Sultan den Prinzen seinem alten erprobten Freunde Elfi Bei zur Erziehung gegeben und zweiundzwanzig schmerzliche Jahre auf seinen Anblick geharrt.

Das hatte der Sultan seinem vermeintlichen Sohne erzählt und sich außerordentlich zufrieden mit seiner Gestalt und seinem würdevollen Benehmen gezeigt.

Als sie in das Land des Sultans kamen, wurden sie überall von den Einwohnern mit Freudengeschrei empfangen, denn das Gerücht von der Ankunft des Prinzen hatte sich wie ein Lauffeuer durch alle Städte und Dörfer verbreitet. Auf den Straßen, durch die sie zogen, waren Bogen von Blumen und Zweigen errichtet, glänzende Teppiche von allen Farben schmückten die Häuser, und das Volk pries laut Gott und seinen Propheten, der ihnen einen so schönen Prinzen gesandt habe. Alles dies erfüllte das stolze Herz des Schneiders mit Wonne; desto unglücklicher musste sich aber der echte Omar fühlen, der, noch immer gefesselt, in stiller Verzweiflung dem Zuge folgte. Niemand kümmerte sich um ihn bei dem allgemeinen Jubel, der doch ihm galt. Den Namen Omar riefen tausend und wieder tausend Stimmen, aber ihn, der diesen Namen mit Recht trug, ihn beachtete keiner; höchstens fragte einer oder der andere, wen man denn so festgebunden mit fortführe, und schrecklich tönte in das Ohr des Prinzen die Antwort seiner Begleiter, es sei ein wahnsinniger Schneider.

Der Zug war endlich in die Hauptstadt des Sultans gekommen, wo alles noch glänzender zu ihrem Empfang bereitet war als in den übrigen Städten. Die Sultanin, eine ältliche, ehrwürdige Frau, erwartete sie mit ihrem ganzen Hofstaat in dem prachtvollen Saale des Schlosses. Der Boden dieses Saales war mit einem ungeheuren Teppich bedeckt, die Wände waren mit hellblauem Tuch geschmückt, das mit goldenen Quasten und Schnüren an großen silbernen Haken hing.

Es war schon dunkel, als der Zug anlangte, daher waren im Saale viele kugelrunde farbige Lampen angezündet, deren Licht die Nacht zum Tage machte. Am klarsten und vielfarbigsten strahlten sie im Hintergrunde des Saales, wo die Sultanin auf einem Throne saß. Der Thron stand auf vier Stufen, er war von lauterem Gold und mit großen Amethysten ausgelegt. Die vier vornehmsten Emire hielten einen Baldachin von roter Seide über dem Haupte der Sultanin, und der Scheich von Medina fächelte ihr mit einer Windfuchtel von Pfauenfedern Kühlung zu.

So erwartete die Sultanin ihren Gemahl und ihren Sohn; auch sie hatte ihn seit seiner Geburt nicht mehr gesehen, aber bedeutsame Träume hatten ihr den Ersehnten gezeigt, dass sie ihn aus Tausenden erkennen wollte. Jetzt hörte man das Geräusch des nahenden Zuges, Trompeten und Trommeln mischten sich in das Zujauchzen der Menge, der Hufschlag der Rosse tönte im Hofe des Palastes, näher und näher rauschten die Schritte der Kommenden, die Türen des Saales flogen auf, und durch die Reihe der niederfallenden Diener eilte der Sultan an der Hand seines Sohnes vor den Thron der Mutter.

»Hier«, sprach er, »bringe ich dir den, nach welchem du dich so lange gesehnt hast.«

Die Sultanin aber fiel ihm in die Rede. »Das ist mein Sohn nicht!«, rief sie aus. »Das sind nicht die Züge, die mir der Prophet im Traume gezeigt hat!« Gerade als ihr der Sultan ihren Aberglauben verweisen wollte, sprang die Tür des Saales auf, Prinz Omar stürzte herein, verfolgt von seinen Wächtern, denen er sich mit Anstrengung aller seiner Kraft entrissen hatte; er warf sich atemlos vor dem Throne nieder: »Hier will ich sterben, lass mich töten, grausamer

Vater, denn diese Schmach dulde ich nicht länger!« Alles war bestürzt über diese Reden, man drängte sich um den Unglücklichen
her, und schon wollten ihn die herbeieilenden Wachen ergreifen und
ihm wieder seine Bande anlegen, als die Sultanin, die in sprachlosem
Erstaunen dieses alles mit angesehen hatte, vom Throne aufsprang.
»Haltet ein!«, rief sie. »Dieser und kein anderer ist der Rechte, dieser
ist's, den meine Augen nie gesehen und den mein Herz doch gekannt
hat!«

Die Wächter hatten unwillkürlich von Omar abgelassen, aber der Sultan, entflammt von wütendem Zorn, rief ihnen zu, den Wahnsinnigen
zu binden. »Ich habe hier zu entscheiden«, sprach er mit gebietender
Stimme, »und hier richtet man nicht nach den Träumen der Weiber,
sondern nach gewissen untrüglichen Zeichen; dieser hier« – er zeigte
auf Labakan – »ist mein Sohn, denn er hat mir das Wahrzeichen meines Freundes Elfi, den Dolch, gebracht.«

»Gestohlen hat er ihn«, schrie Omar, »mein argloses Vertrauen hat er
zum Verrat missbraucht!« Der Sultan aber hörte nicht auf die Stimme
seines Sohnes, denn er war in allen Dingen gewohnt, eigensinnig nur
seinem Urteil zu folgen; daher ließ er den unglücklichen Omar mit
Gewalt aus dem Saale schleppen. Er selbst begab sich mit Labakan in
sein Gemach, voll Wut über die Sultanin, seine Gemahlin, mit der er
doch seit fünfundzwanzig Jahren in Frieden gelebt hatte.

Die Sultanin war voll Kummer über diese Begebenheiten; sie war
vollkommen überzeugt, dass ein Betrüger sich des Herzens des Sultans bemächtigt hatte, denn jenen Unglücklichen hatten ihr so viele
bedeutsame Träume als ihren Sohn gezeigt.

Als sich ihr Schmerz ein wenig gelegt hatte, sann sie auf Mittel,
um ihren Gemahl von seinem Unrecht zu überzeugen. Es war dies
allerdings schwierig, denn jener, der sich für ihren Sohn aus-
gab, hatte das Erkennungszeichen, den Dolch, überreicht und hatte
auch, wie sie erfuhr, so viel von Omars früherem Leben von diesem
selbst sich erzählen lassen, dass er seine Rolle, ohne sich zu verraten,
spielte.

Sie berief die Männer zu sich, die den Sultan zu der Säule El-Seruiah
begleitet hatten, um sich alles genau erzählen zu lassen, und hielt
dann mit ihren vertrautesten Sklavinnen Rat. Sie wählten und ver-

warfen dies und jenes Mittel; endlich sprach Melechsalah, eine alte, kluge Tscherkessin:»Wenn ich recht gehört habe, verehrte Gebieterin, so nannte der Überbringer des Dolches den, welchen du für deinen Sohn hältst, Labakan, einen verwirrten Schneider?«

»Ja, so ist es«, antwortete die Sultanin, »aber was willst du damit?«

»Was meint Ihr«, fuhr jene fort, »wenn dieser Betrüger Eurem Sohn seinen eigenen Namen angeheftet hätte? Und wenn dies ist, so gibt es ein herrliches Mittel, den Betrüger zu fangen, das ich Euch ganz im Geheimen sagen will.« Die Sultanin bot ihrer Sklavin das Ohr, und diese flüsterte ihr einen Rat zu, der ihr zu behagen schien, denn sie schickte sich an, sogleich zum Sultan zu gehen.

Die Sultanin war eine kluge Frau, die wohl die schwachen Seiten des Sultans kannte und sie zu benützen verstand. Sie schien daher ihm nachgeben und den Sohn anerkennen zu wollen und bat sich nur eine Bedingung aus. Der Sultan, dem sein Aufbrausen gegen seine Frau Leid tat, gestand die Bedingung zu, und sie sprach:»Ich möchte gerne den beiden eine Probe ihrer Geschicklichkeit auferlegen; eine andere würde sie vielleicht reiten, fechten und Speere werfen lassen, aber das sind Sachen, die ein jeder kann; nein, ich will ihnen etwas geben, wozu Scharfsinn gehört. Es soll nämlich jeder von ihnen einen Kaftan und ein Paar Beinkleider verfertigen, und da wollen wir einmal sehen, wer die schönsten macht.«

Der Sultan lachte und sprach:»Ei, da hast du ja etwas recht Kluges ausgesonnen. Mein Sohn sollte mit deinem wahnsinnigen Schneider wetteifern, wer den besten Kaftan macht! Nein, das ist nichts.«

Die Sultanin aber berief sich darauf, dass er ihr die Bedingung im Voraus zugesagt habe, und der Sultan, der ein Mann von Wort war, gab endlich nach, obgleich er schwur, wenn der wahnsinnige Schneider seinen Kaftan auch noch so schön mache, könne er ihn doch nicht für seinen Sohn erkennen.

Der Sultan ging selbst zu seinem vermeintlichen Sohn und bat ihn, sich in die Grillen seiner Mutter zu schicken, die nun einmal durchaus einen Kaftan von seiner Hand zu sehen wünsche. Dem guten Labakan lachte das Herz vor Wonne. ›Wenn es nur an dem fehlt‹, dachte er bei sich, ›da soll die Frau Sultanin bald Freude an mir erleben.‹

Man hatte zwei Zimmer eingerichtet, eines für den Prinzen, das andere für den Schneider; dort sollten sie ihre Kunst erproben, und man hatte jedem nur ein hinlängliches Stück Seidenzeug, Schere, Nadel und Faden gegeben.

Der Sultan war sehr begierig, was für ein Ding von Kaftan wohl sein Sohn zutage fördern werde; aber auch der Sultanin pochte unruhig das Herz, ob ihre List wohl gelingen würde oder nicht. Man hatte den beiden zwei Tage zu ihrem Geschäft ausgesetzt; am dritten Tag ließ der Sultan seine Gemahlin rufen, und als sie erschienen war, schickte er in jene zwei Zimmer, um die beiden Kaftane und ihre Verfertiger holen zu lassen. Triumphierend trat Labakan ein und breitete seinen Kaftan vor den erstaunten Blicken des Sultans aus. »Sieh her, Vater«, sprach er, »sieh her, verehrte Mutter, ob dies nicht ein Meisterstück von einem Kaftan ist! Da lass ich es mit dem geschicktesten Hofschneider auf eine Wette ankommen, ob er einen solchen herausbringt.«

Die Sultanin lächelte und wandte sich zu Omar: »Und was hast du herausgebracht, mein Sohn?« Unwillig warf dieser den Seidenstoff und die Schere auf den Boden. »Man hat mich gelehrt, ein Ross zu bändigen und einen Säbel zu schwingen, und meine Lanze trifft auf sechzig Gänge ihr Ziel – aber die Künste der Nadel sind mir fremd; sie wären auch unwürdig für einen Zögling Elfi Beis, des Beherrschers von Kairo.«

»O du echter Sohn meines Herrn!«, rief die Sultanin. »Ach, dass ich dich umarmen, dich Sohn nennen dürfte! Verzeiht, mein Gemahl und Gebieter«, sprach sie dann, indem sie sich zum Sultan wandte, »dass ich diese List gegen Euch gebraucht habe! Seht Ihr jetzt noch nicht ein, wer Prinz und wer Schneider ist? Fürwahr, der Kaftan ist köstlich, den Euer Herr Sohn gemacht hat, und ich möchte ihn gern fragen, bei welchem Meister er gelernt hat.«

Der Sultan saß in tiefen Gedanken, misstrauisch bald seine Frau, bald Labakan anschauend, der umsonst sein Erröten und seine Bestürzung, dass er sich so dumm verraten habe, zu bekämpfen suchte. »Auch dieser Beweis genügt nicht«, sprach er. »Aber ich weiß ein Mittel zu erfahren, ob ich betrogen bin oder nicht.«

Er befahl sein schnellstes Pferd vorzuführen, schwang sich auf und ritt in einen Wald, der nicht weit vor der Stadt begann. Dort wohnte einer alten Sage nach eine gütige Fee, Adolzaide geheißen, welche oft schon den Königen seines Stammes in der Stunde der Not mit ihrem Rat beigestanden hatte; dorthin eilte der Sultan.

In der Mitte des Waldes war ein freier Platz, von hohen Zedern umgeben. Dort wohnte der Sage nach die Fee, und selten betrat ein Sterblicher diesen Platz, denn eine gewisse Scheu davor hatte sich aus alten Zeiten vom Vater auf den Sohn vererbt.

Als der Sultan dort angekommen war, stieg er ab, band sein Pferd an einen Baum, stellte sich in die Mitte des Platzes und sprach mit lauter Stimme:»Wenn es wahr ist, dass du meinen Vätern gütigen Rat erteiltest in der Stunde der Not, so verschmähe nicht die Bitte ihres Enkels und rate mir, wo menschlicher Verstand zu kurzsichtig ist!«

Er hatte kaum die letzten Worte gesprochen, als sich eine der Zedern öffnete und eine verschleierte Frau in langen weißen Gewändern hervortrat.»Ich weiß, warum du zu mir kommst, Sultan Saaud; dein Wille ist redlich, darum soll dir auch meine Hilfe zuteil werden. Nimm diese zwei Kästchen! Lass jene beiden, die deine Söhne sein wollen, wählen! Ich weiß, dass der echte das rechte nicht verfehlen wird.«

So sprach die Verschleierte und reichte ihm zwei Kästchen von Elfenbein, reich mit Gold und Perlen verziert; auf den Deckeln, die der Sultan vergebens zu öffnen versuchte, standen Inschriften von eingesetzten Diamanten.

Der Sultan besann sich, als er nach Hause ritt, hin und her, was wohl in den Kästchen sein könnte, die er mit aller Mühe nicht zu öffnen vermochte. Auch die Aufschrift gab ihm kein Licht in der Sache, denn auf dem einen stand: Ehre und Ruhm, auf dem andern: Glück und Reichtum. Der Sultan dachte bei sich, da würde auch ihm die Wahl schwer werden unter diesen beiden Dingen, die gleich anziehend, gleich lockend seien.

Als er in seinen Palast zurückgekommen war, ließ er die Sultanin rufen und teilte ihr den Ausspruch der Fee mit. Eine wunderbare Hoffnung erfüllte sie, es werde der, zu dem ihr Herz sie hinzog, seine königliche Abkunft durch die rechte Wahl beweisen.

Vor dem Throne des Sultans wurden zwei Tische aufgestellt; auf sie setzte der Sultan mit eigener Hand die beiden Kästchen, bestieg dann den Thron und winkte einem seiner Sklaven, die Pforte des Saales zu öffnen. Eine glänzende Versammlung von Bassas und Emiren des Reiches, die der Sultan berufen hatte, strömte durch die geöffnete Pforte. Sie ließen sich auf prachtvollen Polstern nieder, die an der Wand aufgestellt waren.

Als sie sich alle niedergelassen hatten, winkte der König zum zweiten Mal, und Labakan wurde herbeigeführt. Mit stolzem Schritte ging er durch den Saal, warf sich vor dem Throne nieder und sprach: »Was befiehlt mein Herr und Vater?«

Der Sultan erhob sich auf seinem Thron und sprach: »Mein Sohn! Es sind Zweifel an der Echtheit deiner Ansprüche auf diesen Namen erhoben worden; eines jener Kästchen enthält die Bestätigung deiner echten Geburt; wähle! Ich zweifle nicht, du wirst das rechte treffen!«

Labakan erhob sich und trat vor die Kästchen; er erwog lange, was er wählen sollte, endlich sprach er: »Verehrter Vater, was kann es Höheres geben als das Glück, dein Sohn zu sein, was Edleres, als den Reichtum deiner Gnade? Ich wähle das Kästchen, das die Aufschrift ›Glück und Reichtum‹ zeigt.«

»Wir werden nachher erfahren, ob du recht gewählt hast; einstweilen setze dich dort auf das Polster zum Bassa von Medina!«, sagte der Sultan und winkte seinen Sklaven.

Omar wurde herbeigeführt; sein Blick war düster, seine Miene traurig, und sein Anblick erregte allgemeine Teilnahme unter den Anwesenden. Er warf sich vor dem Throne nieder und fragte nach dem Willen des Sultans.

Der Sultan deutete ihm an, dass er eines der Kästchen zu wählen habe; er stand auf und trat vor die Tische.

Er las aufmerksam beide Inschriften und sprach: »Die letzten Tage haben mir gezeigt, wie unsicher das Glück, wie vergänglich der Reichtum ist; sie haben mich aber gelehrt, dass ein unzerstörbares Gut in der Brust des Tapferen wohnt, die Ehre, und dass der leuchtende Stern des Ruhmes nicht mit dem Glück zugleich vergeht. Und sollte ich einer Krone entsagen, der Würfel ist gefallen: Ehre und Ruhm, ich wähle euch!«

Er setzte seine Hand auf das Kästchen, das er erwählt hatte; aber der Sultan befahl ihm innezuhalten, er winkte Labakan, gleichfalls vor seinen Tisch zu treten, und auch dieser legte seine Hand auf sein Kästchen.

Der Sultan ließ sich ein Becken mit Wasser von dem heiligen Brunnen Zemzem in Mekka bringen, wusch seine Hände zum Gebet, wandte sein Gesicht nach Osten, warf sich nieder und betete: »Gott meiner Väter! Der du seit Jahrhunderten unsern Stamm rein und unverfälscht bewahrtest, gib nicht zu, dass ein Unwürdiger den Namen der Abassiden schände, sei mit deinem Schutze meinem echten Söhne nahe in dieser Stunde der Prüfung!«

Der Sultan erhob sich und bestieg seinen Thron wieder; allgemeine Erwartung fesselte die Anwesenden, man wagte kaum zu atmen, man hätte ein Mäuschen im Saal laufen hören können, so still und gespannt waren alle; die hintersten machten lange Hälse, um über die vordern sehen zu können. Jetzt sprach der Sultan: »Öffnet die Kästchen!«, und diese, die vorher keine Gewalt zu öffnen vermochte, sprangen von selbst auf.

In dem Kästchen, das Omar gewählt hatte, lagen auf einem samtnen Kissen eine kleine goldene Krone und ein Zepter, in Labakans Kästchen – eine große Nadel und ein wenig Zwirn. Der Sultan befahl den beiden, ihre Kästchen vor ihn zu bringen. Er nahm das Krönchen von dem Kissen in seine Hand, und wie er es nahm – wunderbar war es anzusehen –, wurde es größer und größer, bis es die Größe einer rechten Krone erreicht hatte. Er setzte die Krone seinem Sohn Omar, der vor ihm kniete, auf das Haupt, küsste ihn auf die Stirn und hieß ihn zu seiner Rechten sich niedersetzen. Zu Labakan aber wandte er sich und sprach: »Es ist ein altes Sprichwort: Der Schuster bleibe bei seinem Leisten! Es scheint, als solltest du bei der Nadel bleiben. Zwar hast du meine Gnade nicht verdient, aber es hat jemand für dich gebetet, dem ich heute nichts abschlagen kann; drum schenke ich dir dein armseliges Leben. Wenn ich dir einen guten Rat geben darf, so beeile dich, dass du aus meinem Land kommst!«

Beschämt, vernichtet, wie er war, vermochte der arme Schneidergeselle nichts zu erwidern; er warf sich vor dem Prinzen nieder, und Tränen drangen ihm aus den Augen. »Könnt Ihr mir vergeben, Prinz?«, sagte er.

»Treue gegen den Freund, Großmut gegen den Feind ist des Abassiden Stolz«, antwortete der Prinz, indem er ihn aufhob; »gehe hin in Frieden!« – »O du mein echter Sohn!«, rief gerührt der alte Sultan und sank an die Brust des echten Prinzen. Die Emire und Bassas und alle Großen des Reiches standen auf von ihren Sitzen und riefen: »Heil dem neuen Königssohn«, und unter dem allgemeinen Jubel schlich sich Labakan, sein Kästchen unter dem Arm, aus dem Saal.

Er ging hinunter in die Ställe des Sultans, zäumte sein Ross Murva auf und ritt zum Tore hinaus, Alessandria zu. Sein ganzes Prinzenleben kam ihm wie ein Traum vor, und nur das prachtvolle Kästchen, reich mit Perlen und Diamanten geschmückt, erinnerte ihn, dass er doch nicht geträumt hatte.

Als er endlich wieder nach Alessandria kam, ritt er vor das Haus seines alten Meisters, stieg ab, band sein Rösslein an die Tür und trat in die Werkstatt. Der Meister, der ihn nicht gleich kannte, machte ein großes Wesen und fragte, was ihm zu Diensten stehe. Als er aber den Gast näher ansah und seinen alten Labakan erkannte, rief er seine Gesellen und Lehrlinge herbei, und alle stürzten sich wie wütend auf den armen Labakan, der keines solchen Empfangs gewärtig war, stießen und schlugen ihn mit Bügeleisen und Ellenmaß, stachen ihn mit Nadeln und zwickten ihn mit scharfen Scheren, bis er erschöpft auf einen Haufen alter Kleider niedersank.

Als er nun so dalag, hielt ihm der Meister eine Strafrede über das gestohlene Kleid. Vergebens versicherte Labakan, dass er nur deswegen wiedergekommen sei, um ihm alles zu ersetzen, vergebens bot er ihm den dreifachen Schadenersatz; der Meister und seine Gesellen fielen wieder über ihn her, schlugen ihn weidlich und warfen ihn zur Tür hinaus. Zerbläut und zerfetzt stieg er auf das Ross Murva und ritt in eine Karawanserei. Dort legte er sein müdes, zerschlagenes Haupt nieder und stellte Betrachtungen an über die Leiden der Erde, über das so oft verkannte Verdienst und über die Nichtigkeit und Flüchtigkeit aller Güter. Er schlief mit dem Entschluss ein, aller Größe zu entsagen und ein ehrsamer Bürger zu werden.

Am andern Tag gereute ihn sein Entschluss nicht, denn die schweren Hände des Meisters und seiner Gesellen schienen alle Hoheit aus ihm herausgeprügelt zu haben.

Er verkaufte zu einem hohen Preis sein Kästchen an einen Juwelenhändler, kaufte sich ein Haus und richtete sich eine Werkstatt zu seinem Gewerbe ein. Als er alles gut eingerichtet und auch ein Schild mit der Aufschrift: ›Labakan, Kleidermacher‹ vor sein Fenster gehängt hatte, setzte er sich und begann mit jener Nadel und dem Zwirn, die er in dem Kästchen gefunden, den Rock zu flicken, den ihm sein Meister so grausam zerfetzt hatte. Er wurde von seinem Geschäft abgerufen, und als er sich wieder an die Arbeit setzen wollte, welch sonderbarer Anblick bot sich ihm dar! Die Nadel nähte emsig fort, ohne von jemand geführt zu werden, sie machte feine, zierliche Stiche, wie sie selbst Labakan in seinen kunstreichsten Augenblicken nicht gemacht hatte. Wahrlich, auch das geringste Geschenk einer gütigen Fee ist nützlich und von großem Wert! Noch einen andern Wert hatte aber dies Geschenk; nämlich das Stückchen Zwirn ging nie aus, die Nadel mochte so fleißig sein, wie sie wollte.

Labakan bekam viele Kunden und war bald der berühmteste Schneider weit und breit; er schnitt die Gewänder zu und machte den ersten Stich mit der Nadel daran, und flugs arbeitete diese weiter ohne Unterlass, bis das Gewand fertig war. Meister Labakan hatte bald die ganze Stadt zu Kunden, denn er arbeitete schön und außerordentlich billig, und nur über eines schüttelten die Leute von Alessandria den Kopf, nämlich, dass er ganz ohne Gesellen und bei verschlossenen Türen arbeite.

So war der Spruch des Kästchens, Glück und Reichtum verheißend, in Erfüllung gegangen; Glück und Reichtum begleiteten, wenn auch in bescheidenem Maße, die Schritte des guten Schneiders, und wenn er von dem Ruhm des jungen Sultans Omar, der in aller Munde lebte, hörte, wenn er hörte, dass dieser Tapfere der Stolz und die Liebe seines Volkes und der Schrecken seiner Feinde sei, da dachte der ehemalige Prinz bei sich: ›Es ist doch besser, dass ich ein Schneider geblieben bin, denn um die Ehre und den Ruhm ist es eine gar gefährliche Sache.‹ So lebte Labakan zufrieden mit sich, geachtet von seinen Mitbürgern, und wenn die Nadel indes nicht ihre Kraft verlor, so näht sie noch jetzt mit dem ewigen Zwirn der gütigen Fee Adolzaide.

*   *   *

Mit Sonnenuntergang brach die Karawane auf und gelangte bald nach Birket el Had oder dem Pilgrimsbrunnen, von wo es nur noch drei Stunden Weges nach Kairo waren. Man hatte um diese Zeit die Karawane erwartet, und bald hatten die Kaufleute die Freude, ihre Freunde aus Kairo ihnen entgegenkommen zu sehen. Sie zogen in die Stadt durch das Tor Bebel Falch, denn es wird für eine glückliche Vorbedeutung gehalten, durch dieses Tor einzuziehen, wenn man von Mekka kommt, weil der Prophet hier hindurchgegangen ist.

Auf dem Markt verabschiedeten sich die vier türkischen Kaufleute von dem Fremden und dem griechischen Kaufmann Zaleukos und gingen mit ihren Freunden nach Haus. Zaleukos zeigte dem Fremden eine gute Karawanserei und lud ihn ein, mit ihm das Mittagsmahl zu nehmen. Der Fremde sagte zu und versprach zu erscheinen, wenn er sich umgekleidet habe.

Der Grieche hatte alle Anstalten getroffen, den Fremden, den er auf der Reise lieb gewonnen hatte, gut zu bewirten, und als die Speisen und Getränke in gehöriger Ordnung aufgestellt waren, setzte er sich, seinen Gast zu erwarten.

Langsam und schweren Schrittes hörte er ihn den Gang, der zu seinem Gemach führte, heraufkommen. Er erhob sich, um ihm freundlich entgegenzugehen und ihn an der Schwelle zu bewillkommnen; aber voll Entsetzen fuhr er zurück, als er die Tür öffnete, denn jener schreckliche Rotmantel, mit dem er einst auf dem Ponte vecchio in Florenz zusammengetroffen war, trat ihm entgegen. Er warf noch einen Blick auf ihn, es war keine Täuschung; die hohe, gebietende Gestalt, die Maske, aus der ihn die dunklen Augen anblitzten, der rote Mantel mit der goldenen Stickerei waren ihm nur allzu gut bekannt aus den schrecklichsten Stunden seines Lebens.

Widerstreitende Gefühle wogten in Zaleukos' Brust; er hatte sich mit diesem Bild seiner Erinnerung längst ausgesöhnt und ihm vergeben, und doch riss sein Anblick alle seine Wunden wieder auf; alle jene qualvollen Stunden der Todesangst, jener Gram, der die Blüte seines Lebens vergiftete, zogen im Flug eines Augenblicks an seiner Seele vorüber.

»Was willst du, Schrecklicher?«, rief der Grieche aus, als die Erscheinung noch immer regungslos auf der Schwelle stand. »Weiche schnell von hinnen, dass ich dir nicht fluche!«

»Zaleukos!«, sprach eine bekannte Stimme unter der Larve hervor. »Zaleukos, so empfängst du deinen Gastfreund?« Der Sprechende nahm die Larve ab, schlug den Mantel zurück; es war Selim, der Fremde.

Aber Zaleukos schien noch nicht beruhigt; ihm graute vor dem Fremden, denn nur zu deutlich hatte er in ihm den Unbekannten vom Ponte vecchio erkannt. Aber die alte Gewohnheit der Gastfreundschaft siegte; er winkte schweigend dem Fremden, sich mit ihm zum Mahl zu setzen.

»Ich errate deine Gedanken«, nahm dieser das Wort, als sie sich gesetzt hatten; »deine Augen sehen fragend auf mich. Ich hätte schweigen und mich deinen Blicken nie mehr zeigen können, aber ich bin dir Rechenschaft schuldig, und darum wagte ich es auch auf die Gefahr hin, dass du mir fluchtest, vor dir in meiner alten Gestalt zu erscheinen. Du sagtest einst zu mir: ›Der Glaube meiner Väter befiehlt mir, ihn zu lieben, auch ist er wohl unglücklicher als ich‹; glaube dieses, mein Freund, und höre meine Rechtfertigung!

Ich muss weit ausholen, um mich dir ganz verständlich zu machen. Ich wurde in Alessandria als Sohn christlicher Eltern geboren. Mein Vater, der jüngere Sohn eines alten berühmten französischen Hauses, war Konsul seines Landes in Alessandria. Ich wurde von meinem zehnten Jahr an in Frankreich bei einem Bruder meiner Mutter erzogen und verließ erst einige Jahre nach dem Ausbruch der Revolution mein Vaterland, um mit meinem Oheim, der in dem Lande seiner Ahnen nicht mehr sicher war, über dem Meere bei meinen Eltern eine Zuflucht zu suchen. Voll Hoffnung, die Ruhe und den Frieden, die uns das empörte Volk der Franzosen entrissen, im elterlichen Hause wiederzufinden, landeten wir. Aber ach, ich fand nicht alles in meines Vaters Hause, wie es sein sollte; die äußeren Stürme der bewegten Zeit waren zwar noch nicht bis hierher gelangt, desto unerwarteter hatte das Unglück mein Haus im innersten Herzen heimgesucht. Mein Bruder, ein junger, hoffnungsvoller Mann, erster Sekretär meines Vaters, hatte sich erst vor kurzem mit einem jungen Mädchen, der Tochter eines florentinischen Edelmannes, der in unserer Nachbarschaft wohnte, verheiratet; zwei Tage vor unserer Ankunft war diese auf einmal verschwunden, ohne dass weder unsere Familie noch ihr Vater die geringste Spur von ihr auffinden konnten. Man glaubte endlich, sie habe sich auf einem Spaziergang zu weit gewagt und sei in Räuberhände gefallen. Beinahe tröstlicher wäre dieser Gedanke für meinen armen Bruder gewesen als die Wahrheit, die uns nur zu bald kund wurde. Die Treulose war mit einem jungen Neapolitaner, den sie im Hause ihres Vaters kennen gelernt hatte, geflohen. Mein Bruder, aufs Äußerste empört über diesen Schritt, bot alles auf, die Schuldige zur Strafe zu ziehen, doch vergebens; seine Nachprüfungen, die in Neapel und Florenz Aufsehen erregt hatten, dienten nur dazu, sein und unser aller Unglück zu vollenden. Der florentinische Edelmann reiste in sein Vaterland zurück, zwar mit dem Vorgeben, meinem Bruder Recht zu verschaffen, in der Tat aber, um uns zu verderben. Er schlug in Florenz alle jene Untersuchungen, die mein Bruder angeknüpft hatte, nieder und wusste seinen Einfluss, den er auf alle Art sich verschafft hatte, so gut zu benützen, dass mein Vater und mein Bruder, ihrer Regierung verdächtig gemacht, mit Hilfe schändlichster Mittel gefangen, nach Frankreich geführt und dort vom Beil des Henkers getötet wurden. Meine arme Mutter verfiel in Wahnsinn, und erst nach zehn langen Monaten erlöste sie der Tod von ihrem schrecklichen Zustand, der aber in den letzten Tagen zu vollem, klarem Bewusstsein geworden war. So stand ich jetzt ganz allein in der Welt, und nur ein Gedanke beschäftigte meine Seele, nur ein Gedanke ließ mich meine Trauer vergessen: Es war jene mächtige Flamme, die meine Mutter in ihrer letzten Stunde in mir angefacht hatte.

In den letzten Stunden war, wie ich dir sagte, ihr Bewusstsein zurückgekehrt; sie ließ mich rufen und sprach mit Ruhe von unserm Schicksal und ihrem Ende. Dann ließ sie alle aus dem Zimmer gehen, richtete sich mit feierlicher Miene von ihrem ärmlichen Lager auf und sagte, ich könne mir ihren Segen erwerben, wenn ich schwörte, etwas auszuführen, das sie mir auftragen würde. Ergriffen von den Worten der sterbenden Mutter, gelobte ich mit einem Eide zu tun, was sie mir sagen werde. Sie brach nun in Verwünschungen gegen den Florentiner und seine Tochter aus und legte mir mit den fürchterlichsten Drohungen ihres Fluches auf, mein unglückliches Haus an ihm zu rächen. Sie starb in meinen Armen. Jener Gedanke der Rache hatte schon lange in meiner Seele geschlummert; jetzt erwachte er mit aller Macht. Ich sammelte den Rest meines väterlichen Vermögens und schwur mir, alles an meine Rache zu setzen oder selbst mit unterzugehen.

Bald war ich in Florenz, wo ich mich so geheim wie möglich aufhielt; mein Plan war um vieles erschwert worden durch die Lage, in der sich meine Feinde befanden. Der alte Florentiner war Gouverneur geworden und hatte so alle Mittel in der Hand, sobald er das Geringste ahnte, mich zu verderben. Ein Zufall kam mir zu Hilfe. Eines Abends sah ich einen Menschen in bekannter Livree durch die Straßen gehen; sein unsicherer Gang, sein finsterer Blick und das halblaut ausgestoßene ›Santo Sacramento‹ und ›Maledetto diavolo‹ ließen mich den alten Pietro, einen Diener des Florentiners, den ich schon in Alessandria gekannt hatte, erkennen. Ich war nicht im Zweifel, dass er über seinen Herrn in Zorn geraten sei, und beschloss, seine Stimmung auszunützen. Er schien sehr überrascht, mich hier zu sehen, klagte mir sein Leiden, dass er seinem Herrn, seit er Gouverneur geworden, nichts mehr recht machen könne; und mein Gold, unterstützt von seinem Zorn, brachte ihn bald auf meine Seite. Das Schwierigste war jetzt beseitigt; ich hatte einen Mann in meinem Solde, der mir zu jeder Stunde die Tür meines Feindes öffnete, und nun reifte mein Racheplan immer schneller heran. Das Leben des alten Florentiners schien mir ein zu geringes Gewicht dem Untergang meines Hauses gegenüber zu haben. Sein Liebstes musste er gemordet sehen, und dies war Bianca, seine Tochter. Hatte ja sie so schändlich an meinem Bruder gefrevelt, war ja doch sie die Hauptursache unseres Unglücks. Ganz erwünscht kam sogar meinem rachedürstenden Herzen die Nachricht, dass gerade in dieser Zeit Bianca zum zweiten Mal sich vermählen wollte; es war beschlossen, sie musste sterben. Aber mir selbst graute vor der Tat, und auch Pietro traute ich zu wenig Kraft zu; darum spähten wir umher nach einem Mann, der das Geschäft vollbringen könnte. Unter den Florentinern wagte ich keinen zu dingen, denn gegen den Gouverneur würde keiner so etwas unternommen haben. Da fiel Pietro der Plan ein, den ich nachher ausgeführt habe; zugleich schlug er dich als Fremden und Arzt als den Tauglichsten vor. Den Verlauf der Sache kennst du. Nur an deiner übergroßen Vorsicht und Ehrlichkeit schien mein Unternehmen zu scheitern. Daher der Zufall mit dem Mantel.

Pietro öffnete uns das Pförtchen an dem Palaste des Gouverneurs, er hätte uns auch ebenso heimlich wieder hinausgeleitet, wenn wir nicht – durch den Anblick, der sich uns durch die Türspalte darbot, erschreckt – entflohen wären. Von Schrecken und Reue gejagt, war ich über zweihundert Schritte fortgerannt, bis ich auf den Stufen einer Kirche niedersank. Dort erst sammelte ich mich wieder, und mein erster Gedanke warst du und dein furchtbares Schicksal, wenn man dich in dem Hause fände.

Ich schlich an den Palast, aber weder von Pietro noch von dir konnte ich eine Spur entdecken. Das Pförtchen war offen; so konnte ich wenigstens hoffen, dass du die Gelegenheit zur Flucht benützt haben könntest. Als der Tag anbrach, ließen mich die Angst vor der Entdeckung und ein unabweisbares Gefühl von Reue nicht mehr in den Mauern von Florenz verweilen. Ich eilte nach Rom. Aber denke dir meine Bestürzung, als man dort nach einigen Tagen überall diese Geschichte erzählte mit dem Beisatz, man habe den Mörder, einen griechischen Arzt, gefangen. Ich kehrte in banger Besorgnis nach Florenz zurück; denn schien mir meine Rache schon vorher zu stark, so verfluchte ich sie jetzt, weil sie mir durch dein Leben allzu teuer erkauft war. Ich kam an demselben Tage an, der dich der Hand beraubte. Ich schweige von dem, was ich fühlte, als ich dich das Schafott besteigen und so heldenmütig leiden sah. Aber damals, als dein Blut in Strömen aufspritzte, war der Entschluss fest in mir, dir deine übrigen Lebenstage zu versüßen. Was weiter geschehen ist, weißt du; nur so viel bleibt mir noch zu sagen übrig, warum ich diese Reise mit dir machte. Als eine schwere Last drückte mich der Gedanke, dass du mir noch immer nicht vergeben habest; darum entschloss ich mich, viele Tage mit dir zu leben und dir endlich Rechenschaft abzulegen von dem, was ich dir angetan habe.«

Schweigend hatte der Grieche seinen Gast angehört; mit sanftem Blick bot er ihm, als er geendet hatte, seine Rechte. »Ich wusste wohl, dass du unglücklicher sein müsstest als ich, denn jene grausame Tat wird wie eine dunkle Wolke ewig deine Tage verfinstern. Ich vergebe dir von Herzen, aber erlaube mir noch eine Frage: Wie kommst du unter dieser Gestalt in die Wüste? Was fingst du an, nachdem du mir in Konstantinopel das Haus gekauft hattest?«

»Ich ging nach Alessandria zurück«, antwortete der Gefragte. »Hass gegen alle Menschen tobte in meiner Brust, brennender Hass besonders gegen jene Nationen, die man die gebildeten nennt. Glaube mir, unter meinen Moslemiten war mir wohler! Kaum war ich einige Monate in Alessandria, als jene Landung meiner Landsleute erfolgte. Ich sah in ihnen nur die Henker meines Vaters und meines Bruders; darum sammelte ich einige gleich gesinnte junge Leute meiner Bekanntschaft und schloss mich jenen tapfern Mamelucken an, die so oft der Schrecken des französischen Heeres wurden. Als der Feldzug beendigt war, konnte ich mich nicht entschließen, zu den Künsten des Friedens zurückzukehren. Ich lebte mit einer Anzahl gleich denkender Freunde ein unstetes, flüchtiges, dem Kampf und der Jagd geweihtes Leben; ich bin zufrieden unter diesen Leuten, die mich wie einen Fürsten ehren, denn wenn meine Asiaten auch nicht so gebildet sind wie eure Europäer, so sind sie doch weit entfernt von Neid und Verleumdung, von Selbstsucht und Ehrgeiz.«

Zaleukos dankte dem Fremden für seine Mitteilung, aber er verbarg ihm nicht, dass er es für seinen Stand, für seine Bildung angemessener fände, wenn er in europäischen Ländern wirken würde. Er fasste seine Hand und bat ihn, mit ihm zu ziehen, bei ihm zu leben und zu sterben.

Gerührt sah ihn der Gastfreund an. »Daraus erkenne ich«, sagte er, »dass du mir ganz vergeben hast, dass du mich liebst. Nimm meinen innigsten Dank dafür!« Er sprang auf und stand in seiner ganzen Größe vor dem Griechen, dem vor dem kriegerischen Anstand, den dunkel blitzenden Augen, der tiefen, geheimnisvollen Stimme seines Gastes beinahe graute. »Dein Vorschlag ist schön«, sprach jener weiter, »er möchte für jeden andern lockend sein, ich – kann ihn nicht benützen. Schon steht mein Ross gesattelt, schon erwarten mich meine Diener; lebe wohl, Zaleukos!«

Die Freunde, die das Schicksal so wunderbar zusammengeführt, umarmten sich zum Abschied. »Und wie nenne ich dich? Wie heißt mein Gastfreund, der auf ewig in meinem Gedächtnis leben wird?«, fragte der Grieche.

Der Fremde sah ihn lange an, drückte ihm noch einmal die Hand und sprach: »Man nennt mich den Herrn der Wüste; ich bin der Räuber Orbasan.«

Der Scheik von Alessandria und seine Sklaven

Der Scheik von Alessandria, Ali Banu, war ein sonderbarer Mann. Wenn er morgens durch die Straßen der Stadt ging, angetan mit einem aus den köstlichsten Kaschmiren gewundenen Turban, mit dem Festkleide und dem reichen Gürtel, der fünfzig Kamele wert war, wenn er einherging, langsamen, gravitätischen Schrittes, seine Stirne in finstere Falten gelegt, seine Augenbrauen zusammengezogen, die Augen niedergeschlagen und alle fünf Schritte gedankenvoll seinen langen schwarzen Bart streichelnd, wenn er so hinging nach der Moschee, um, wie es seine Würde forderte, den Gläubigen Vorlesungen über den Koran zu halten, da blieben die Leute auf der Straße stehen, schauten ihm nach und sprachen zueinander: »Er ist doch ein schöner, stattlicher Mann«, – »und reich, ein reicher Herr«, setzte wohl ein anderer hinzu, »sehr reich; hat er nicht ein Schloss am Hafen von Stambul? Hat er nicht Güter und Felder und viele tausend Stück Vieh und viele Sklaven?« – »Ja«, sprach ein Dritter, »und der Tatar, der letzthin von Stambul her vom Großherrn selbst, den der Prophet segnen möge, ihm Botschaft brachte, der sagte mir, dass unser Scheik sehr in Ansehen stehe beim Reis-Efendi, beim Kapidschi-Baschi, bei allen, ja beim Sultan selbst.« – »Ja«, rief ein Vierter, »seine Schritte sind gesegnet. Er ist ein reicher, vornehmer Herr, aber – aber – ihr wisst, was ich meine!« – »Ja, ja!«, murmelten die andern dazwischen, »es ist schon wahr, er hat auch sein Teil zu tragen, möchten nicht mit ihm tauschen; ist ein reicher, vornehmer Herr, aber, aber –!«
Ali Banu hatte ein herrliches Haus auf dem schönsten Platz von Alessandria. Vor dem Hause war eine weite Terrasse, mit Marmor ummauert, beschattet von Palmbäumen. Dort saß er oft abends und rauchte seine Wasserpfeife. In ehrerbietiger Entfernung harrten dann

zwölf reich gekleidete Sklaven seines Winkes; der eine trug seinen
Betel, der andere hielt seinen Sonnenschirm, ein dritter hatte Gefäße
von gediegenem Golde mit köstlichem Sorbett angefüllt, ein vierter
trug einen Wedel von Pfauenfedern, um die Fliegen aus der Nähe des
Herrn zu verscheuchen, andere waren Sänger und trugen Lauten und
Blasinstrumente, um ihn mit Musik zu ergötzen, wenn er es verlangte, und der gelehrteste von allen trug mehrere Rollen, um ihm vorzu-
lesen. Aber sie harrten vergeblich auf seinen Wink, er verlangte nicht
Musik noch Gesang, er wollte keine Sprüche oder Gedichte weiser
Dichter der Vorzeit hören, er wollte keinen Sorbett zu sich nehmen
noch Betel kauen, ja selbst der mit dem Fächer aus Pfauenfedern hatte
vergebliche Arbeit, denn der Herr bemerkte es nicht, wenn ihn eine
Fliege summend umschwärmte. Da blieben oft die Vorübergehenden
stehen, staunten über die Pracht des Hauses, über die reich gekleide-
ten Sklaven und über die Bequemlichkeiten, womit alles versehen
war; aber wenn sie dann den Scheik ansahen, wie er so ernst und düster unter den Palmen saß, sein Auge nirgends hinwandte als auf die

bläulichen Wölkchen seiner Wasserpfeife, da schüttelten sie die Köpfe und sprachen:

»Wahrlich, der reiche Mann ist ein armer Mann. Er, der viel hat, ist ärmer als der, der nichts hat. Denn der Prophet hat ihm den Verstand nicht gegeben, es zu genießen.«

So sprachen die Leute, lachten über ihn und gingen weiter.

Eines Abends, als der Scheik wiederum vor der Tür seines Hauses unter den Palmen saß, umgeben von allem Glanz der Erde, und traurig und einsam seine Wasserpfeife rauchte, standen nicht ferne davon einige junge Leute, betrachteten ihn und lachten.

»Wahrlich«, sprach der eine, »das ist ein törichter Mann, der Scheik Ali Banu. Hätte ich seine Schätze, ich wollte sie anders anwenden. Alle Tage wollte ich herrlich und in Freuden leben. Meine Freunde müssten bei mir speisen in den großen Gemächern des Hauses, und Jubel und Lachen müssten diese traurigen Hallen füllen.«

»Ja«, erwiderte ein anderer, »das wäre nicht so übel, aber viele Freunde zehren ein Gut auf, und wäre es so groß wie das des Sultans, den der Prophet segne. Säße ich abends so unter den Palmen auf dem schönen Platze hier, da müssten mir die Sklaven dort singen und musizieren, meine Tänzer müssten kommen und tanzen und springen und allerlei wunderliche Stücke aufführen. Dazu rauchte ich recht vornehm die Wasserpfeife, ließe mir den köstlichen Sorbett reichen und ergötzte mich an all diesem wie ein König von Bagdad.«

»Der Scheik«, sprach ein Dritter dieser jungen Leute, der ein Schreiber war, »der Scheik soll ein gelehrter und weiser Mann sein, und wirklich, seine Vorlesungen über den Koran zeugen von Belesenheit in allen Dichtern und Schriften der Weisheit. Aber ist auch sein Leben so eingerichtet, wie es einem vernünftigen Mann geziemt? Dort steht ein Sklave mit einem ganzen Arm voll Rollen; ich gäbe mein Festkleid dafür, nur eine davon lesen zu dürfen, denn es sind gewiss seltene Sachen. Aber er? Er sitzt und raucht und lässt Bücher – Bücher sein. Wäre ich der Scheik Ali Banu, der Kerl müsste mir vorlesen, bis er keinen Atem mehr hätte oder bis die Nacht heraufkäme. Und auch dann noch müsste er mir lesen, bis ich entschlummert wäre.«

»Ha, ihr wisst mir recht, wie man sich ein köstliches Leben einrichtet!«, lachte der Vierte. »Essen und trinken, singen und tanzen, Sprüche lesen und Gedichte hören von armseligen Dichtern! Nein, ich würde es ganz anders machen. Er hat die herrlichsten Pferde und Kamele und Geld die Menge. Da würde ich an seiner Stelle reisen, reisen bis an der Welt Ende, und selbst zu den Moskowitern, selbst zu den Franken. Kein Weg wäre mir zu weit, um die Herrlichkeiten der Welt zu sehen. So würde ich tun, wäre ich jener Mann dort.«

»Die Jugend ist eine schöne Zeit, in der man fröhlich ist«, sprach ein alter Mann von unscheinbarem Aussehen, der neben ihnen stand und ihre Reden gehört hatte. »Aber erlaubet mir, dass ich es sage, die Jugend ist auch töricht und schwatzt hie und da in den Tag hinein, ohne zu wissen, was sie tut.«

»Was wollt Ihr damit sagen, Alter?«, fragten verwundert die jungen Leute. »Meinet Ihr uns damit? Was geht es Euch an, dass wir die Lebensart des Scheiks tadeln?«

»Wenn einer etwas besser weiß als der andere, so berichtige er den Irrtum. So will es der Prophet«, erwiderte der alte Mann. »Der

Scheik, es ist wahr, ist gesegnet mit Schätzen und hat alles, wonach das Herz verlangt, aber er hat Ursache, ernst und traurig zu sein. Meinet ihr, er sei immer so gewesen? Nein, ich habe ihn vor fünfzehn Jahren gesehen, da war er munter und rüstig wie die Gazelle, lebte fröhlich und genoss sein Leben. Damals hatte er einen Sohn, die Freude seiner Tage, schön und gebildet, und wer ihn sah und sprechen hörte, musste den Scheik beneiden um diesen Schatz, denn er war erst zehn Jahre alt, und doch war er schon so gelehrt wie ein anderer kaum im achtzehnten.«

»Und er ist ihm gestorben? Der arme Scheik!«, rief der junge Schreiber.

»Es wäre tröstlich für ihn zu wissen, dass er heimgegangen sei in die Wohnungen des Propheten, wo er besser leben würde als hier in Alessandria. Aber das, was er erfahren musste, ist viel schlimmer. Es war damals die Zeit, wo die Franken wie hungrige Wölfe herüberkamen in unser Land und Krieg mit uns führten. Sie hatten Alessandria überwältigt und zogen von da aus weiter und immer weiter und bekriegten die Mamelucken. Der Scheik war ein kluger Mann und wusste sich gut mit ihnen zu vertragen. Aber sei es, weil sie lüstern waren nach seinen Schätzen, sei es, weil er sich seiner gläubigen Brüder annahm, ich weiß es nicht genau; kurz, sie kamen eines Tages in sein Haus und beschuldigten ihn, die Mamelucken heimlich mit Waffen, Pferden und Lebensmitteln unterstützt zu haben. Er mochte seine Unschuld beweisen, wie er wollte, es half nichts, denn die Franken sind ein rohes, hartherziges Volk, wenn es darauf ankommt, Geld zu erpressen. Sie nahmen also seinen jungen Sohn, Kairam geheißen, als Geisel mit in ihr Lager. Der Scheik bot ihnen viel Geld für ihn, aber sie gaben ihn nicht los und wollten den Vater zu noch höherem Gebot drängen. Da kam ihnen auf einmal von ihrem Bassa, oder was er war, der Befehl, sich einzuschiffen. Niemand in Alessandria wusste ein Wort davon, und – plötzlich waren sie auf der hohen See, und den kleinen Kairam, Ali Banus Sohn, schleppten sie wohl mit sich, denn man hat nie wieder etwas von ihm gehört.«

»Oh, der arme Mann, wie hat ihn doch Allah geschlagen!«, riefen einmütig die jungen Leute und schauten mitleidig hin nach dem Scheik, der, umgeben von Herrlichkeit, trauernd und einsam unter den Palmen saß.

»Sein Weib, das er sehr geliebt hat, starb ihm aus Kummer um ihren Sohn. Er selbst kaufte sich ein Schiff, rüstete es aus und bewog den fränkischen Arzt, der dort unten am Brunnen wohnt, mit ihm nach Frankistan zu reisen, um den verlorenen Sohn aufzusuchen. Sie schifften sich ein, waren lange Zeit auf dem Meere und kamen endlich in das Land jener Giaurs, jener Ungläubigen, die in Alessandria gewesen waren. Aber dort soll es gerade schrecklich zugegangen sein. Sie hatten ihren Sultan umgebracht, und die Bassas und die Reichen und Armen schlugen einander die Köpfe ab, und es war keine Ordnung im Lande. Vergeblich suchten sie in jeder Stadt nach dem kleinen Kairam, niemand wollte von ihm wissen, und der fränkische Doktor riet endlich dem Scheik, sich einzuschiffen, weil sie sonst wohl selbst um ihre Köpfe kommen könnten.

So kamen sie wieder zurück, und seit seiner Ankunft hat der Scheik gelebt wie an diesem Tage, denn er trauert um seinen Sohn, und er hat Recht. Muss er nicht, wenn er isst und trinkt, denken: ›Jetzt muss vielleicht mein armer Kairam hungern und dürsten‹? Und wenn er sich bekleidet mit reichen Schals und Festkleidern, wie es sein Amt und seine Würde wollen, muss er nicht denken: ›Jetzt hat er wohl nichts, womit er seine Blöße deckt‹? Und wenn er umgeben ist von Sängern und Tänzern und Vorlesern, seinen Sklaven, denkt er da nicht: ›Jetzt muss wohl mein armer Sohn seinem fränkischen Gebieter Sprünge vormachen und musizieren, wie er es haben will‹? Und was ihm den größten Kummer macht – er glaubt, der kleine Kairam werde, so weit vom Lande seiner Väter und mitten unter Ungläubigen, die seiner spotten, abtrünnig werden vom Glauben seiner Väter und er werde ihn einst nicht umarmen können in den Gärten des Paradieses!

Darum ist er auch so mild gegen seine Sklaven und gibt große Summen an die Armen; denn er denkt, Allah werde es vergelten und das Herz seiner fränkischen Herren rühren, dass sie seinen Sohn mild behandeln. Auch gibt er jedes Mal, wenn der Tag kommt, an dem ihm sein Sohn entrissen wurde, zwölf Sklaven frei.«

»Davon habe ich auch schon gehört«, entgegnete der Schreiber. »Man führt noch mehr wunderliche Reden. Von seinem Sohn wurde dabei nichts erwähnt, wohl aber sagt man, er sei ein sonderbarer Mann und ganz besonders erpicht auf Erzählungen. Da soll er jedes Jahr unter seinen Sklaven einen Wettstreit anstellen, und wer am besten erzählt, den gibt er frei.«

»Verlasst euch nicht auf das Gerede der Leute!«, sagte der alte Mann. »Es ist so, wie ich es sage, und ich weiß es genau; möglich ist, dass er sich an diesem schweren Tage aufheitern will und sich Geschichten erzählen lässt; doch gibt er sie frei um seines Sohnes willen. Aber der Abend wird kühl, und ich muss weitergehen. Salem aleikum, Friede sei mit euch, ihr jungen Herren, und denket in Zukunft besser von dem guten Scheik!«

Die jungen Leute dankten dem Alten für seine Nachrichten, schauten noch einmal nach dem trauernden Vater und gingen die Straße hinab, indem sie zueinander sprachen: »Ich möchte doch nicht der Scheik Ali Banu sein.«

Nicht lange Zeit nachdem diese jungen Leute mit dem alten Mann über den Scheik Ali Banu gesprochen hatten, traf es sich, dass sie um die Zeit des Morgengebets wieder diese Straße gingen. Da fiel ihnen der alte Mann und seine Erzählung ein. Sie beklagten den Scheik und blickten nach seinem Hause. Aber wie staunten sie, als sie dort alles aufs Herrlichste ausgeschmückt fanden! Von dem Dache, wo geputzte Sklavinnen spazieren gingen, wehten Wimpel und Fahnen, die Halle des Hauses war mit köstlichen Teppichen belegt, Seidenstoff schloss sich an diese an, der über die breiten Stufen der Treppe gelegt war, und selbst auf der Straße war noch schönes feines Tuch ausgebreitet, wovon sich mancher ein Stück wünschen mochte zu einem Festkleid oder zu einer Decke für die Füße.

»Ei, wie hat sich doch der Scheik geändert in den wenigen Tagen!«, sprach der junge Schreiber. »Will er ein Fest geben? Will er seine Sänger und Tänzer anstrengen? Seht nur diese Teppiche! Hat sie einer so schön in ganz Alessandria? Und dieses Tuch auf dem Boden, wahrlich, es ist schade dafür!«

»Weißt du, was ich denke?«, sprach ein anderer. »Er empfängt sicherlich einen hohen Gast; denn das sind Vorbereitungen, wie man sie macht, wenn ein Beherrscher großer Länder oder ein Efendi des Großherrn ein Haus mit seinem Besuche segnet. Wer mag wohl heute hierher kommen?«

»Siehe da, geht dort unten nicht unser Alter von letzthin? Ei, der weiß ja alles und muss auch darüber Aufschluss geben können. Heda! Alter Herr! Wollt Ihr nicht ein wenig zu uns treten?« So riefen sie. Der alte Mann bemerkte ihre Winke und kam zu ihnen, denn er erkannte sie als die jungen Leute, mit denen er vor einigen Tagen gesprochen hatte. Sie machten ihn aufmerksam auf die Zurüstungen im Hause des Scheiks und fragten ihn, ob er nicht wisse, welch hoher Gast wohl erwartet werde.

»Ihr glaubt wohl«, erwiderte er, »Ali Banu feiere ein großes Freudenfest oder der Besuch eines großen Mannes beehre sein Haus? Dem ist nicht so; aber heute ist der zwölfte Tag des Monats Ramadan, und an diesem Tage wurde sein Sohn ins Lager geführt.«

»Aber beim Barte des Propheten!«, rief einer der jungen Leute. »Das sieht ja alles aus wie Hochzeit und Festlichkeiten, und doch ist es sein berühmter Trauertag; wie reimt Ihr das zusammen? Gesteht, der Scheik ist denn doch etwas zerrüttet im Verstand?«

»Urteilt Ihr noch immer so schnell, mein junger Freund?«, fragte der Alte lächelnd. »Auch diesmal war Euer Pfeil wohl spitz und scharf, die Sehne Eures Bogens straff angezogen, und doch habt Ihr weitab vom Ziele geschossen. Wisset, dass heute der Scheik seinen Sohn erwartet!«

»So ist er gefunden?«, riefen die Jünglinge und freuten sich.

»Nein, und er wird sich wohl noch lange nicht finden; aber wisst: Vor acht oder zehn Jahren, als der Scheik auch einmal mit Trauern und Klagen diesen Tag beging, auch Sklaven freigab und viele Arme speiste und tränkte, da traf es sich, dass er auch einem Derwisch, der müde und matt im Schatten jenes Hauses lag, Speise und Trank reichen ließ. Der Derwisch war ein heiliger Mann, erfahren in Prophezeiungen und im Sterndeuten. Der trat, als er gestärkt war durch die milde Hand des Scheiks, zu ihm und sprach: ›Ich kenne die Ursache deines Kummers; ist nicht heute der zwölfte Ramadan, und hast du nicht an diesem Tage deinen Sohn verloren? Aber sei getrost, dieser Tag der Trauer wird dir zum Festtag werden, denn wisse, an diesem Tage wird einst dein Sohn zurückkehren.‹ So sprach der Derwisch. Es wäre Sünde für jeden Muselmann, an der Rede eines solchen Mannes zu zweifeln. Der Gram Alis wurde zwar darum nicht gemildert, aber doch harrt er an diesem Tage immer auf die Rückkehr seines Sohnes und schmückt sein Haus und seine Halle und die Treppen, als könne der so heiß Ersehnte zu jeder Stunde anlangen.«

»Wunderbar!«, erwiderte der Schreiber. »Ich möchte doch sehen, wie alles so herrlich bereitet ist, wie er selbst in dieser Herrlichkeit trauert, und hauptsächlich möchte ich zuhören, wie er sich von seinen Sklaven erzählen lässt.«

»Nichts leichter als dies«, antwortete der Alte. »Der Aufseher der Sklaven jenes Hauses ist seit langen Jahren mein Freund und gönnt mir an diesem Tage immer ein Plätzchen in dem Saal, wo man unter der Menge der Diener und Freunde des Scheiks den Einzelnen nicht bemerkt. Ich will mit ihm reden, dass er euch einlässt; ihr seid ja nur vier, und da kann es schon gehen. Kommt um die neunte Stunde auf diesen Platz, und ich will euch Antwort geben!«

So sprach der Alte; die jungen Leute dankten ihm und entfernten sich voll Begierde zu sehen, wie sich dies alles begeben würde.

Sie kamen zur bestimmten Stunde auf den Platz vor dem Hause des Scheiks und trafen da den Alten, der ihnen sagte, dass der Aufseher der Sklaven erlaubt habe, sie einzuführen. Er ging voran, doch nicht durch die reich geschmückten Treppen und Tore, sondern durch ein Seitenpförtchen, das er sorgfältig wieder verschloss. Dann führte er sie durch mehrere Gänge, bis sie in den großen Saal kamen. Hier war ein gewaltiges Gedränge von allen Seiten; da waren reich gekleidete Männer, angesehene Herren der Stadt und Freunde des Scheiks, die gekommen waren, ihn in seinem Schmerz zu trösten. Da waren Sklaven aller Art und aller Nationen. Aber alle sahen kummervoll aus, denn sie liebten ihren Herrn und trauerten mit ihm. Am Ende des Saales, auf einem reichen Diwan, saßen die vornehmsten Freunde Alis und wurden von den Sklaven bedient. Neben ihnen auf dem Boden saß der Scheik, denn die Trauer um seinen Sohn erlaubte ihm nicht, auf dem Teppich der Freude zu sitzen. Er hatte sein Haupt in die Hand gestützt und schien wenig auf die Tröstungen zu hören, die ihm seine Freunde zuflüsterten. Ihm gegenüber saßen einige alte und junge Männer in Sklaventracht. Der Alte belehrte seine jungen Freunde, dass dies die Sklaven seien, die Ali Banu an diesem Tage freigebe. Es waren unter ihnen auch einige Franken, und der Alte machte besonders auf einen von ihnen aufmerksam, der von ausgezeichneter Schönheit und noch sehr jung war. Der Scheik hatte ihn erst einige Tage zuvor einem Sklavenhändler von Tunis um eine große Summe abgekauft und gab ihn dennoch jetzt schon frei, weil er glaubte, je mehr Franken er in ihr Vaterland zurückschicke, desto früher werde der Prophet seinen Sohn erlösen.

Nachdem man überall Erfrischungen umhergereicht hatte, gab der Scheik dem Aufseher der Sklaven ein Zeichen. Dieser stand auf, und es ward tiefe Stille im Saal. Er trat vor die Sklaven, die freigelassen werden sollten, und sprach mit vernehmlicher Stimme: »Ihr Männer, die ihr heute frei sein werdet durch die Gnade meines Herrn Ali Banu, des Scheiks von Alessandria, tut nun, wie es Sitte ist an diesem Tag in seinem Hause, und hebt an zu erzählen!« Sie flüsterten untereinander. Dann nahm ein alter Sklave das Wort und begann:

Der Zwerg Nase

Es ist gewiss unrecht zu glauben, dass es nur zu Zeiten Harun Al-
Raschids, des Beherrschers von Bagdad, Feen und Zauberer gegeben
habe, oder gar zu behaupten, alle Berichte vom Treiben der Geister,
die man von den Erzählern auf den Märkten der Stadt hört, seien unwahr. Noch heute gibt es Feen, und es ist nicht so lange her, dass ich
selbst Zeuge einer Begebenheit war, wo offenbar die Genien im Spiel
waren, wie ich heute berichten werde.

In einer bedeutenden Stadt meines lieben Vaterlandes Deutschland
lebte vor vielen Jahren schlicht und recht ein Schuster mit seiner Frau.
Er saß bei Tag an der Ecke der Straße, flickte Schuhe und Pantoffeln
und machte wohl auch neue, wenn ihm einer welche anvertrauen
mochte; doch musste er dann das Leder erst einkaufen, denn er war
arm und hatte keine Vorräte. Seine Frau verkaufte Gemüse und
Früchte, die sie in einem kleinen Gärtchen vor dem Tore pflanzte, und
viele Leute kauften gerne bei ihr, weil sie ordentlich und sauber gekleidet war und ihr Gemüse auf gefällige Art auszubreiten und zu legen wusste.

Die beiden Leutchen hatten einen schönen Knaben, angenehm von
Gesicht, wohl gestaltet und für das Alter von zwölf Jahren schon
ziemlich groß. Er pflegte gewöhnlich bei der Mutter auf dem Gemüse-
markt zu sitzen, und den Weibern oder Köchen, die viel bei der Schustersfrau eingekauft hatten, trug er wohl auch einen Teil der Früchte
nach Hause. Selten kam er von einem solchen Gang zurück ohne eine
schöne Blume oder ein Stückchen Geld oder Kuchen, denn die Herrschaften dieser Köche sahen den schönen Knaben gern und beschenk-
ten ihn immer reichlich.

Eines Tages saß die Frau des Schusters wieder wie gewöhnlich auf
dem Markte; sie hatte vor sich einige Körbe mit Kohl und anderem
Gemüse, allerlei Kräuter und Sämereien, auch in einem kleinen Körbchen frühe Birnen, Äpfel und Aprikosen. Der kleine Jakob, so hieß der
Knabe, saß neben ihr und rief mit heller Stimme die Waren aus: »Hier-

her, ihr Herren! Seht, welch schöner Kohl, wie wohlriechend diese Kräuter! Frühe Birnen, ihr Frauen, frühe Äpfel und Aprikosen, wer kauft? Meine Mutter gibt es wohlfeil.« So rief der Knabe. Da kam ein altes Weib über den Markt her; sie sah etwas zerrissen und zerlumpt aus, hatte ein kleines, spitzes Gesicht, vom Alter ganz eingefurcht, rote Augen und eine lange, gebogene Nase, die sich gegen das Kinn hinabstreckte. Sie ging an einem langen Stock, und doch konnte man nicht sagen, wie sie ging, denn sie hinkte und rutschte und wankte, es war, als habe sie Räder an den Beinen, könne jeden Augenblick umkippen und mit der spitzigen Nase aufs Pflaster fallen.

Die Frau des Schusters betrachtete das Weib aufmerksam. Es waren jetzt doch schon sechzehn Jahre, dass sie täglich auf dem Markt saß, und nie hatte sie diese sonderbare Gestalt bemerkt. Aber sie erschrak unwillkürlich, als die Alte auf sie zuhinkte und an ihren Körben stillstand.

»Seid Ihr Hanne, die Gemüsehändlerin?«, fragte das alte Weib mit unangenehmer, krächzender Stimme, indem es beständig den Kopf hin- und herschüttelte.

»Ja, die bin ich«, antwortete die Schustersfrau, »ist Euch etwas gefällig?«

»Wollen sehen, wollen sehen! Kräutlein schauen, Kräutlein schauen, ob du hast, was ich brauche«, antwortete die Alte, beugte sich nieder vor den Körben und fuhr mit dunkelbraunen, hässlichen Händen in den Kräuterkorb hinein, packte die Kräutlein, die so schön und zierlich ausgebreitet waren, mit langen Spinnenfingern, hob sie dann eines um das andere hinauf an die lange Nase und beroch sie hin und her. Der Frau des Schusters wollte es fast das Herz abdrücken, wie sie das alte Weib mit ihren seltenen Kräutern hantieren sah, aber sie wagte nichts zu sagen, denn es war das Recht des Käufers, die Ware zu prüfen, und überdies empfand sie ein sonderbares Grauen vor dem Weibe. Als die Alte den ganzen Korb durchgemustert hatte, murmelte sie: »Schlechtes Zeug, schlechtes Kraut, nichts von allem, was ich will; war viel besser vor fünfzig Jahren; schlechtes Zeug, schlechtes Zeug!«

Solche Reden verdrossen nun den kleinen Jakob. »Hör mal«, rief er unmutig; »erst fährst du mit deinen garstigen braunen Fingern in die schönen Kräuter hinein und drückst sie zusammen, dann hältst du sie an deine lange Nase, dass sie niemand mehr mag, und jetzt schimpfst du noch unsere Ware schlechtes Zeug! Aber der Koch des Herzogs kauft doch alles bei uns!«

Das alte Weib schielte den mutigen Knaben an, lachte widerlich und sprach mit heiserer Stimme: »Söhnchen, Söhnchen! Also gefällt dir meine Nase, meine schöne, lange Nase? Sollst auch eine haben, mitten im Gesicht, bis übers Kinn herab.« Während sie so sprach, rutschte sie an den andern Korb, in dem Kohl ausgelegt war. Sie nahm die herrlichsten weißen Kohlhäupter in die Hand, drückte sie zusammen, dass sie ächzten, warf sie dann wieder unordentlich in den Korb und sprach auch hier: »Schlechte Ware, schlechter Kohl!«

»Wackle nur nicht so garstig mit dem Kopf hin und her!«, rief der Kleine ängstlich. »Dein Hals ist ja so dünn wie ein Kohlstängel; der könnte leicht abbrechen, und dann fiele dein Kopf hinein in den Korb; wer wollte dann noch kaufen?«

»Gefallen sie dir nicht, die dünnen Hälse?«, murmelte die Alte lachend. »Sollst gar keinen haben, Kopf muss in den Schultern stecken, dass er nicht herabfällt vom kleinen Körperlein!«

»Schwatzt nicht so unnützes Zeug mit dem Kleinen!«, sagte endlich die Frau des Schusters im Unmut über das lange Prüfen, Mustern und Beriechen. »Wenn Ihr etwas kaufen wollt, so sputet Euch! Ihr verscheucht mir ja die anderen Kunden.«

»Gut, es sei, wie du sagst«, rief die Alte mit grimmigem Blick, »ich will dir diese sechs Kohlhäupter abkaufen; aber siehe, ich muss mich auf den Stab stützen und kann nichts tragen, erlaube deinem Söhnlein, dass es mir die Waren nach Hause bringt, ich will es dafür belohnen.«

Der Kleine wollte nicht mitgehen und weinte, denn ihm graute vor der hässlichen Frau; aber die Mutter befahl es ihm ernstlich, weil sie es doch für unrecht hielt, der alten, schwächlichen Frau die Last allein aufzubürden. Halb weinend tat er, wie sie befohlen, raffte die Kohlhäupter in einen Korb zusammen und folgte dem alten Weib über den Markt hin.

Es ging nicht sehr schnell bei ihr, und sie brauchte beinahe drei Viertelstunden, bis sie in einen ganz entlegenen Teil der Stadt kam und endlich vor einem kleinen, baufälligen Hause stillhielt. Dort zog sie einen alten, rostigen Haken aus der Tasche, fuhr damit geschickt in

ein kleines Loch in der Tür, und plötzlich sprang diese krachend auf. Aber wie war der kleine Jakob überrascht, als er eintrat! Das Innere des Hauses war prachtvoll ausgeschmückt, von Marmor waren Decken und Wände, die Gerätschaften vom schönsten Ebenholz, mit Gold und geschliffenen Steinen eingelegt, der Boden war von Glas und so glatt, dass der Kleine einige Mal ausglitt und hinfiel. Die Alte zog ein silbernes Pfeifchen aus der Tasche und pfiff eine Weise darauf, die gellend durch das Haus tönte. Da kamen sogleich einige Meerschweinchen die Treppe herab; es war aber ganz sonderbar, dass sie aufrecht auf zwei Beinen gingen, Nussschalen statt Schuhen an den Pfoten trugen, menschliche Kleider angelegt und sogar Hüte nach der neuesten Mode auf die Köpfe gesetzt hatten. »Wo habt ihr meine Pantoffeln, schlechtes Gesindel!«, rief die Alte und schlug mit dem Stock nach ihnen, dass sie jammernd in die Höhe sprangen. »Wie lange soll ich noch so dastehen?«

Sie sprangen schnell die Treppe hinauf und kamen wieder mit einem Paar Schalen von Kokosnuss, mit Leder gefüttert, die sie der Alten geschickt an die Füße steckten. Jetzt war alles Hinken und Rutschen vorbei. Sie warf den Stab von sich und glitt mit großer Schnelligkeit über den Glasboden hin, indem sie den Jungen an der Hand mit fortzog. Endlich hielt sie in einem Zimmer still, das, mit allerlei Gerätschaften ausgeputzt, beinahe einer Küche glich, obgleich die Tische von Mahagoniholz und die Sofas, mit reichen Teppichen behängt, mehr zu einem Prunkgemach passten. »Setz dich!«, sagte die Alte recht freundlich, indem sie ihn in die Ecke eines Sofas drückte und einen Tisch also vor ihn hinstellte, dass er nicht mehr hervorkommen konnte. »Setz dich, du hast gar schwer zu tragen gehabt; die Menschenköpfe sind nicht so leicht – nicht so leicht.«

»Aber Frau, was sprecht Ihr so wunderlich?«, sagte der Kleine. »Müde bin ich zwar, aber es waren ja Kohlköpfe.«

»Ei, das weißt du falsch!«, lachte das Weib, hob den Deckel des Korbes auf und brachte einen Menschenkopf hervor, den sie am Schopf gefasst hatte. Der Kleine war vor Schrecken außer sich; er konnte nicht fassen, wie dies alles zuging. Aber er dachte an seine Mutter; wenn jemand von diesen Menschenköpfen etwas erfahren würde, da würde man gewiss seine Mutter dafür anklagen.

»Muss dir nun auch etwas geben zum Lohn, weil du so artig bist«, murmelte die Alte. »Gedulde dich nur ein Weilchen, will dir ein Süppchen einbrocken, an das du dein Leben lang denken wirst!« So sprach sie und pfiff wieder. Da kamen zuerst viele Meerschweinchen in menschlichen Kleidern; sie hatten Küchenschürzen umgebunden und im Gürtel Rührlöffel und Vorlegemesser; nach diesen kamen eine Menge Eichhörnchen hereingehüpft, sie hatten weite türkische Beinkleider an, gingen aufrecht, und auf dem Kopf trugen sie grüne Mützchen von Samt. Sie schienen die Küchenjungen zu sein, denn sie kletterten mit großer Geschwindigkeit an den Wänden hinauf und brachten Pfannen und Schüsseln, Eier und Butter, Kräuter und Mehl herab und trugen alles zum Herd; dort aber fuhr die alte Frau mit ihren Pantoffeln von Kokosschalen beständig hin und her, und der Kleine sah, dass sie es sich recht angelegen sein lasse, ihm etwas Gutes zu kochen. Jetzt knisterte das Feuer höher empor, jetzt rauchte und sott es in der Pfanne, ein angenehmer Geruch verbreitete sich im Zimmer; die Alte aber rannte auf und ab, die Eichhörn-

chen und Meerschweinchen ihr nach, und sooft sie am Herde vorbei-
kam, guckte sie mit ihrer langen Nase in den Topf. Endlich fing es an
zu sprudeln und zu zischen, Dampf stieg aus dem Topf hervor, und
der Schaum floss herab ins Feuer. Da nahm sie den Topf weg, goss die
Speise in eine silberne Schale und setzte sie dem kleinen Jakob vor.
»So, Söhnchen, so«, sprach sie, »iss nur dieses Süppchen, dann hast
du alles, was dir an mir so gefiel! Sollst auch ein geschickter Koch werden, dass du doch etwas bist, aber ein Kräutlein sollst du nimmer finden; warum hat es deine Mutter nicht in ihrem Korbe gehabt?« Der
Kleine verstand nicht recht, was sie sprach, desto aufmerksamer aß er
die Suppe, die ihm ganz trefflich schmeckte. Seine Mutter hatte ihm
manch schmackhaftes Gericht bereitet, aber so gut hatte ihm noch
nichts geschmeckt. Der Duft von feinen Kräutern und Gewürzen stieg
aus der Suppe auf, dabei war sie süß und säuerlich zugleich und sehr
stark. Während er noch die letzten Tropfen der köstlichen Speise aus-
löffelte, zündeten die Meerschweinchen arabischen Weihrauch an,
der in bläulichen Wolken durch das Zimmer schwebte; dichter und
immer dichter wurden diese Wolken und sanken herab. Der Geruch
wirkte betäubend auf den Kleinen; er mochte sich zurufen, sooft er
wollte, dass er zu seiner Mutter zurückkehren müsse – wenn er sich
ermannte, sank er immer wieder von neuem in den Schlummer zurück und schlief endlich wirklich auf dem Sofa des alten Weibes ein.
Sonderbare Träume kamen über ihn. Es war ihm, als ziehe ihm die
Alte seine Kleider aus und umhülle ihn dafür mit einem Eichhörn-
chenbalg. Jetzt konnte er Sprünge machen und klettern wie ein Eichhörnchen; er ging mit den übrigen Eichhörnchen und Meerschweinchen, die sehr artige, gesittete Leute waren, um und versah mit ihnen
den Dienst bei der alten Frau. Zuerst wurde er nur zu den Arbeiten eines Schuhputzers gebraucht, das heißt, er musste die Kokosschalen,
welche die Frau statt der Pantoffeln trug, mit Öl salben und durch
Reiben glänzend machen. Da er nun in seines Vaters Hause zu ähnlichen Geschäften oft angehalten worden war, so ging es ihm flink von
der Hand. Etwa nach einem Jahre, träumte er weiter, wurde er zu fei-
neren Geschäften gebraucht; er musste nämlich mit noch einigen
Eichhörnchen Sonnenstäubchen fangen und, wenn sie genug hatten,
sie durch das feinste Haarsieb sieben. Die Frau hielt nämlich die Son-

nenstäubchen für das Allerfeinste, und weil sie nicht gut beißen konnte, denn sie hatte keinen Zahn mehr, so ließ sie ihr Brot aus Sonnenstäubchen zubereiten.

Wiederum nach einem Jahr wurde er zu den Dienern versetzt, die das Trinkwasser für die Alte sammelten. Man denke nicht, dass sie sich hierzu etwa einen Brunnen hatte graben lassen oder ein Fass in den Hof stellte, um das Regenwasser darin aufzufangen; da ging es viel feiner zu. Die Eichhörnchen, und Jakob mit ihnen, mussten mit Haselnussschalen den Tau aus den Rosen schöpfen, und das war das Trinkwasser der Alten. Da sie nun viel trank, so hatten die Wasserträger schwere Arbeit. Nach einem Jahre wurde er zum innern Dienst des Hauses bestellt; er hatte nämlich das Amt, die Böden rein zu machen; da nun diese von Glas waren, worin man jeden Hauch sah, war es keine geringe Arbeit. Sie mussten sie bürsten und ein altes Tuch an die Füße schnallen und auf diesem mit viel Geschick im Zimmer umherfahren. Im vierten Jahre ward er endlich zur Küche versetzt. Es war dies ein Ehrenamt, zu dem man nur nach langer Prüfung gelangen konnte. Jakob diente dort vom Küchenjungen aufwärts bis zum ersten Pastetenmacher und erreichte eine so ungemeine Geschicklichkeit und Erfahrung in allem, was die Küche betrifft, dass er sich oft über sich selbst wundern musste. Die schwierigsten Sachen, Pasteten von zweihunderterlei Essenzen, Kräutersuppen, von allen Kräutlein der Erde zusammengesetzt, alles verstand er schnell und gut zuzubereiten.

So waren etwa sieben Jahre im Dienste des alten Weibes vergangen, da befahl sie ihm eines Tages, indem sie die Kokosschuhe auszog, Korb und Krückstock zur Hand nahm, um auszugehen, er solle ein Hühnlein rupfen, mit Kräutern füllen und es schön bräunlich und gelb rösten, bis sie wiederkäme. Er tat dies nach den Regeln der Kunst. Er drehte dem Hühnlein den Kragen um, brühte es in heißem Wasser, zog ihm geschickt die Federn aus, schabte ihm nachher die Haut, dass sie glatt und fein wurde, und nahm ihm die Eingeweide heraus. Sodann fing er an, die Kräuter zu sammeln, womit er das Hühnlein füllen sollte. In der Kräuterkammer gewahrte er aber diesmal ein Wandschränkchen, dessen Tür halb geöffnet war und das er sonst nie bemerkt hatte. Er ging neugierig näher, um zu sehen, was es enthalte, und siehe da, es standen viele Körbchen darin, von denen ein starker, angenehmer Geruch ausging. Er öffnete eines dieser Körbchen und fand darin Kräutlein von ganz besonderer Gestalt und Farbe. Die Stängel und Blätter waren blaugrün und trugen oben eine kleine Blume von brennendem Rot, mit Gelb verbrämt. Er betrachtete sinnend diese Blume, beroch sie, und sie strömte denselben starken Geruch aus, von dem einst jene Suppe, die ihm die Alte gekocht, geduftet hatte. Aber so stark war der Geruch, dass er zu niesen anfing, immer heftiger niesen musste und – am Ende niesend erwachte.

Da lag er auf dem Sofa des alten Weibes und blickte verwundert umher. »Nein, wie man aber so lebhaft träumen kann!«, sprach er zu sich. »Hätte ich jetzt doch schwören wollen, dass ich ein schnödes Eichhörnchen, ein Kamerad von Meerschweinchen und anderem Getier, dabei aber ein großer Koch geworden sei. Wie wird die Mutter lachen, wenn ich ihr alles erzähle! Aber wird sie nicht auch schelten, dass ich in einem fremden Hause einschlafe, statt ihr zu helfen auf dem Markte?« Mit diesem Gedanken raffte er sich auf, um hinwegzugehen. Noch waren seine Glieder vom Schlafe ganz steif, besonders sein Nacken, denn er konnte den Kopf nicht recht hin und her bewegen; er musste auch selbst über sich lächeln, dass er so schlaftrunken war, denn alle Augenblicke, ehe er es sich versah, stieß er mit der Nase an einen Schrank oder an die Wand oder schlug sie, wenn er sich schnell umwandte, an einen Türpfosten. Die Eichhörnchen und Meerschweinchen liefen winselnd um ihn her, als wollten sie ihn begleiten; er lud sie auch wirklich ein, als er auf der Schwelle war, denn es waren niedliche Tierchen; aber sie fuhren auf ihren Nussschalen schnell ins Haus zurück, und er hörte sie nur noch in der Ferne heulen.

Es war ein winkliger Teil der Stadt, wohin ihn die Alte geführt hatte, und er konnte sich kaum aus den engen Gassen herausfinden; auch war dort ein großes Gedränge, denn es musste sich, wie ihm dünkte, gerade in der Nähe ein Zwerg sehen lassen. Überall hörte er rufen: »Ei, seht den hässlichen Zwerg! Wo kommt der Zwerg her? Ei, was hat er doch für eine lange Nase, und wie ihm der Kopf in den Schultern steckt, und die braunen, hässlichen Hände!« Zu einer andern Zeit wäre er wohl auch nachgelaufen, denn er sah für sein Leben gern Riesen oder Zwerge oder seltsame fremde Trachten, aber so musste er sich sputen, um zur Mutter zu kommen.

Es war ihm ganz ängstlich zumute, als er auf den Markt kam. Die Mutter saß noch da und hatte noch ziemlich viel Früchte im Korb, lange konnte er also nicht geschlafen haben, aber doch kam es ihm von weitem schon vor, als sei sie sehr traurig; denn sie rief die Vorübergehenden nicht an einzukaufen, sondern hatte den Kopf in die Hand gestützt, und als er näher kam, glaubte er auch, sie sei bleicher als sonst. Er zauderte, was er tun sollte; endlich fasste er sich ein Herz, schlich sich hinter sie hin, legte traulich seine Hand auf ihren Arm und sprach: »Mütterchen, was fehlt dir? Bist du böse auf mich?«

Die Frau wandte sich nach ihm um, fuhr aber mit einem Schrei des Entsetzens zurück.

»Was willst du von mir, hässlicher Zwerg?«, rief sie. »Fort, fort! Ich kann dergleichen Possenspiele nicht leiden.«

»Aber Mutter, was hast du denn?«, fragte Jakob ganz erschrocken; »dir ist gewiss nicht wohl; warum willst du denn deinen Jungen fortjagen?«

»Ich habe dir schon gesagt, gehe deines Weges!«, entgegnete Frau Hanne zürnend. »Bei mir verdienst du kein Geld durch deine Gaukeleien, hässliche Missgeburt.«

›Sie ist wirklich verrückt geworden‹, dachte der Kleine bekümmert, ›was fange ich nur an, um sie nach Haus zu bringen?‹

»Lieb Mütterchen, so sei doch vernünftig, sieh mich doch nur recht an, ich bin ja dein Sohn, dein Jakob!«

»Nein, jetzt wird mir der Spaß zu unverschämt!«, rief Hanne ihrer Nachbarin zu. »Seht nur den hässlichen Zwerg da, da steht er und vertreibt mir gewiss alle Käufer, und mit meinem Unglück wagt er zu spotten und spricht zu mir: ›Ich bin ja dein Sohn, dein Jakob‹, der Unverschämte!«

Da erhoben sich die Nachbarinnen und fingen an zu schimpfen, so arg sie konnten – und Marktweiber, wisst ihr wohl, verstehen es! –, und schalten ihn, dass er des Unglückes der armen Hanne spotte, der vor sieben Jahren ihr bildschöner Knabe gestohlen worden sei, und drohten insgesamt, über ihn herzufallen und ihn zu zerkratzen, wenn er nicht alsobald ginge.

Der arme Jakob wusste nicht, was er von dem allem denken sollte. War er doch, wie er glaubte, heute früh wie gewöhnlich mit der Mutter auf den Markt gegangen, hatte ihr geholfen, die Früchte aufzustellen, war nachher mit dem alten Weib in ihr Haus gekommen, hatte ein Süppchen verzehrt, ein kleines Schläfchen gemacht und war jetzt wieder da; und doch sprachen die Mutter und die Nachbarinnen von sieben Jahren! Und sie nannten ihn einen garstigen Zwerg! Was war denn nun mit ihm vorgegangen? – Als er sah, dass die Mutter gar nichts mehr von ihm wissen wollte, traten ihm die Tränen in die Augen, und er ging trauernd die Straße hinab nach der Bude, wo sein Vater den Tag über Schuhe flickte. ›Ich will doch sehen‹, dachte er bei sich, ›ob er mich auch nicht kennen will; unter die Tür will ich mich stellen und mit ihm sprechen.‹ Als er an der Bude des Schusters angekommen war, stellte er sich unter die Tür und schaute hinein. Der Meister war so emsig mit seiner Arbeit beschäftigt, dass er ihn gar nicht sah; als er aber einmal zufällig einen Blick herüberwarf, ließ er Schuhe, Draht und Pfriem auf die Erde fallen und rief mit Entsetzen: »Um Gottes willen, was ist das – was ist das?«

»Guten Abend, Meister!«, sprach der Kleine, indem er vollends in den Laden trat. »Wie geht es Euch?«

»Schlecht, schlecht, kleiner Herr!«, antwortete der Vater zu Jakobs großer Verwunderung, denn er schien ihn auch nicht zu kennen. »Das Geschäft will mir nicht mehr von der Hand. Bin so allein und werde jetzt alt, und doch ist mir ein Geselle zu teuer.«

»Aber habt Ihr denn kein Söhnlein, das Euch nach und nach an die Hand gehen könnte bei der Arbeit?«, forschte der Kleine weiter.

»Ich hatte einen, der hieß Jakob und müsste jetzt ein schlanker, gewandter Bursche von zwanzig Jahren sein, der mir tüchtig unter die Arme greifen könnte. Ha, das müsste ein Leben sein. Schon als er zwölf Jahre alt war, zeigte er sich so anstellig und geschickt und verstand schon manches vom Handwerk, und hübsch und angenehm war er auch; der hätte mir eine Kundschaft hergelockt, dass ich bald nicht mehr geflickt, sondern nichts als Neues geliefert hätte! Aber so geht's in der Welt!«

»Wo ist denn aber Euer Sohn?«, fragte Jakob mit zitternder Stimme seinen Vater.

»Das weiß Gott«, antwortete er; »vor sieben Jahren, ja, so lange ist's jetzt her, wurde er uns vom Markt weggestohlen.«

»Vor sieben Jahren?«, rief Jakob mit Entsetzen.

»Ja, kleiner Herr, vor sieben Jahren; ich weiß noch wie heute, wie mein Weib nach Hause kam, heulend und schreiend, das Kind sei den ganzen Tag nicht zurückgekommen, sie habe überall geforscht und gesucht und es nicht gefunden. Ich habe es immer gedacht und gesagt, dass es so kommen würde; der Jakob war ein schönes Kind, das muss man sagen; da war nun meine Frau stolz auf ihn und sah es gerne, wenn ihn die Leute lobten, und schickte ihn oft mit Gemüse und dergleichen in vornehme Häuser. Das war schon recht; er wurde allemal reichlich beschenkt. ›Aber‹, sagte ich, ›gib Acht, die Stadt ist groß. Viele schlechte Leute wohnen da, gib mir auf den Jakob Acht!‹ Und so war es, wie ich sagte. Kommt einmal ein altes, hässliches Weib auf den Markt, feilscht um Früchte und Gemüse und kauft am Ende so viel, dass sie es nicht selbst tragen kann. Mein Weib, die mitleidige Seele, gibt ihr den Jungen mit und – hat ihn von Stund an nicht mehr gesehen.«

»Und das ist jetzt sieben Jahre her, sagt Ihr?«

»Sieben Jahre wird es im Frühling. Wir ließen ihn ausrufen, wir gingen von Haus zu Haus und fragten; manche hatten den hübschen Jungen gekannt und lieb gewonnen und suchten jetzt mit uns, alles vergeblich. Die Frau, die das Gemüse gekauft hatte, wollte niemand kennen; aber ein steinaltes Weib, das schon neunzig Jahre gelebt hatte, sagte, es könne wohl die böse Fee Kräuterweis gewesen sein, die alle fünfzig Jahre einmal in die Stadt komme, um sich allerlei einzukaufen.«

So sprach Jakobs Vater, klopfte dabei seine Schuhe und zog den Draht mit beiden Fäusten weit hinaus. Dem Kleinen aber wurde es nach und nach klar, was mit ihm vorgegangen, dass er nämlich nicht geträumt, sondern dass er sieben Jahre bei der bösen Fee als Eichhörnchen gedient habe. Zorn und Gram erfüllten sein Herz so sehr, dass es beinahe zerspringen wollte. Sieben Jahre seiner Jugend hatte ihm die Alte gestohlen, und was hatte er für Ersatz dafür? Dass er Pantoffeln von Kokosnüssen blank putzen, dass er ein Zimmer mit gläsernem Fußboden rein machen konnte? Dass er von den Meerschweinchen alle Geheimnisse der Küche gelernt hatte? Er stand eine gute Weile so da und dachte über sein Schicksal nach, da fragte ihn endlich sein Vater: »Ist Euch vielleicht etwas von meiner Arbeit gefällig, junger Herr? Etwa ein Paar neue Pantoffel oder«, setzte er lächelnd hinzu, »vielleicht ein Futteral für Eure Nase?«

»Was wollt Ihr nur mit meiner Nase?«, fragte Jakob. »Warum sollte ich denn ein Futteral dazu brauchen?«

»Nun«, entgegnete der Schuster, »jeder nach seinem Geschmack; aber das muss ich Euch sagen, hätte ich diese schreckliche Nase, ein Futteral ließ ich mir darüber machen von rosafarbigem Glanzleder. Schaut, da habe ich ein schönes Stückchen zur Hand; freilich würde man eine Elle wenigstens dazu brauchen. Aber wie gut wäret Ihr verwahrt, kleiner Herr; so, weiß ich gewiss, stoßt Ihr Euch an jedem Türpfosten, an jedem Wagen, dem Ihr ausweichen wollt.«

Der Kleine stand stumm vor Schrecken; er betastete seine Nase, sie war dick und wohl zwei Hände lang! So hatte also die Alte auch seine Gestalt verwandelt; darum kannte ihn also die Mutter nicht, darum schalt man ihn einen hässlichen Zwerg! »Meister«, sprach er halb weinend zu dem Schuster, »habt Ihr keinen Spiegel bei der Hand, worin ich mich beschauen könnte?«

»Junger Herr«, erwiderte der Vater mit Ernst, »Ihr habt nicht gerade eine Gestalt empfangen, die Euch eitel machen könnte, und Ihr habt

nicht Ursache, alle Stunden in den Spiegel zu gucken. Gewöhnt es Euch ab, es ist besonders bei Euch eine lächerliche Gewohnheit.«
»Ach, so lasst mich doch in den Spiegel schauen«, rief der Kleine, »gewiss, es ist nicht aus Eitelkeit!«
»Lasst mich in Ruhe, ich hab keinen; meine Frau hat ein Spiegelchen, ich weiß aber nicht, wo. Müsst Ihr aber durchaus in den Spiegel gucken, nun, über der Straße hier wohnt Urban, der Barbier, der hat einen Spiegel, zweimal so groß wie Euer Kopf; guckt dort hinein, und indessen guten Morgen!«
Mit diesen Worten schob ihn der Vater ganz gelinde zur Bude hinaus, schloss die Tür hinter ihm zu und setzte sich wieder zur Arbeit. Der Kleine ging sehr niedergeschlagen über die Straße zu Urban, dem Barbier, den er noch aus früheren Zeiten gut kannte. »Guten Morgen, Urban«, sprach er zu ihm, »ich komme, Euch um eine Gefälligkeit zu bitten; seid so gut und lasst mich ein wenig in Euren Spiegel schauen!«
»Mit Vergnügen, dort steht er«, rief der Barbier lachend, und seine Kunden, denen er den Bart scheren sollte, lachten mit. »Ihr seid ein hübsches Bürschchen, schlank und fein, ein Hälschen wie ein Schwan, Händchen wie eine Königin und ein Stumpfnäschen, man kann es nicht schöner sehen. Ein wenig eitel seid Ihr darauf, das ist wahr; aber beschaut Euch immer, man soll nicht von mir sagen, ich habe Euch aus Neid nicht in meinen Spiegel schauen lassen!«
So sprach der Barbier, und wieherndes Gelächter füllte die Baderstube. Der Kleine aber war indes vor den Spiegel getreten und hatte sich beschaut. Tränen traten ihm in die Augen. »Ja, so konntest du freilich deinen Jungen nicht wiedererkennen, liebe Mutter«, sprach er zu sich, »so war er nicht anzuschauen in den Tagen der Freude, wo du gerne mit ihm prangtest vor den Leuten!« Seine Augen waren klein geworden wie die der Schweine, seine Nase war ungeheuer und hing über Mund und Kinn herunter, der Hals schien gänzlich weggenommen worden zu sein, denn sein Kopf stak tief in den Schultern, und nur mit den größten Schmerzen konnte er ihn nach rechts und links bewegen. Sein Körper war noch so klein wie vor sieben Jahren, aber wenn andere vom zwölften bis ins zwanzigste Jahr in die Höhe wachsen, so hatte er sich nur der Breite nach ausgedehnt. Rücken und Brust waren weit ausgebogen und anzusehen wie ein kleiner, prall gefüllter Sack. Der

dicke Oberleib saß auf kleinen, schwachen Beinchen, die dieser Last nicht gewachsen schienen, aber umso länger waren die Arme, die ihm am Leib herabhingen. Sie waren so lang wie die Arme eines wohl gewachsenen Mannes, seine Hände waren grob und braungelb, seine Finger lang und spinnenartig, und wenn er sie recht ausstreckte, konnte er damit auf den Boden reichen, ohne dass er sich bückte. So sah er aus, der kleine Jakob, zum missgestalteten Zwerg war er geworden.

Jetzt gedachte er auch jenes Morgens, an dem das alte Weib an die Körbe seiner Mutter getreten war. Alles, was er damals an ihr getadelt hatte, die lange Nase, die hässlichen Finger, alles hatte sie ihm angetan, und nur den langen, zitternden Hals hatte sie gänzlich weggelassen.

»Nun, habt Ihr Euch jetzt genug beschaut, mein Prinz?«, sagte der Barbier, indem er zu ihm trat und ihn lachend betrachtete. »Wahrlich, wenn man sich dergleichen träumen lassen wollte, so komisch könnte es einem im Traume nicht vorkommen. Doch ich will Euch einen Vorschlag machen, kleiner Mann. Mein Barbierzimmer ist zwar sehr besucht, aber doch seit neuerer Zeit nicht so, wie ich wünsche. Das kommt daher, weil mein Nachbar, der Barbier Schaum, irgendwo einen Riesen aufgefunden hat, der ihm die Kunden ins Haus lockt. Nun, ein Riese zu werden ist gerade keine Kunst, aber so ein Männchen wie Ihr, ja, das ist schon ein ander Ding. Tretet bei mir in Dienste, kleiner Mann! Ihr sollt Wohnung, Essen, Trinken, Kleider, alles sollt Ihr haben; dafür stellt Ihr Euch morgens unter meine Tür und ladet die Leute ein hereinzukommen. Ihr schlagt den Seifenschaum, reicht den Kunden das Handtuch, und seid versichert, wir stehen uns beide gut dabei; ich bekomme mehr Kunden als jener mit dem Riesen, und jeder gibt Euch noch ein Trinkgeld.«

Der Kleine war in seinem Innern empört über den Vorschlag, als Lockvogel für einen Barbier zu dienen. Aber musste er sich nicht diesen Schimpf geduldig gefallen lassen? Er sagte daher dem Barbier ganz ruhig, dass er nicht Zeit habe zu dergleichen Diensten, und ging weiter.

Hatte das böse alte Weib seine Gestalt verändert, so hatte sie doch seinem Geist nichts anhaben können, das fühlte er wohl; denn er dachte

und fühlte nicht mehr, wie er vor sieben Jahren getan, nein, er glaubte in diesem Zeitraum weiser, verständiger geworden zu sein. Er trauerte nicht um seine verlorene Schönheit, nicht über diese hässliche Gestalt, sondern nur darüber, dass er wie ein Hund von der Tür seines Vaters gejagt wurde. Darum beschloss er, noch einen Versuch bei seiner Mutter zu machen.

Er trat zu ihr auf den Markt und bat sie, ihm ruhig zuzuhören. Er erinnerte sie an jenen Tag, an dem er mit dem alten Weib gegangen, er erinnerte sie an alle einzelnen Vorfälle seiner Kindheit, erzählte ihr dann, wie er sieben Jahre als Eichhörnchen gedient habe bei der Fee und wie sie ihn verwandelte, weil er sie damals getadelt. Die Frau des Schusters wusste nicht, was sie denken sollte. Alles traf zu, was er ihr von seiner Kindheit erzählte, aber wenn er davon sprach, dass er sieben Jahre lang ein Eichhörnchen gewesen sei, da antwortete sie: »Es ist unmöglich, und es gibt keine Fee!« – Und wenn sie ihn ansah, so verabscheute sie den hässlichen Zwerg und glaubte nicht, dass dies ihr Sohn sein könne. Endlich hielt sie es fürs Beste, mit ihrem Manne darüber zu sprechen. Sie raffte also ihre Körbe zusammen und hieß ihn mitgehen. So kamen sie zur Bude des Schusters.

»Sieh einmal«, sprach sie zu diesem, »der Mensch da will unser verlorener Jakob sein. Er hat mir alles erzählt, wie er uns vor sieben Jahren gestohlen wurde und wie er von einer Fee verzaubert worden sei.«

»So?«, unterbrach sie der Schuster mit Zorn. »Hat er dir das erzählt? Warte, du Range! Ich habe ihm alles gesagt, noch vor einer Stunde, und jetzt geht er hin, dich so zu foppen! Verzaubert bist du worden, mein Söhnchen? Warte doch, ich will dich wieder entzaubern.« Dabei nahm er ein Bündel Riemen, die er eben zerschnitten hatte, sprang auf den Kleinen zu und schlug ihn auf den hohen Rücken und auf die langen Arme, dass er vor Schmerz aufschrie und weinend davonlief.

In jener Stadt gab es, wie überall, wenig mitleidige Seelen, die einen Unglücklichen, der zugleich etwas Lächerliches an sich trägt, unterstützten. Daher kam es, dass der unglückliche Zwerg den ganzen Tag ohne Speise und Trank blieb und abends die Treppen einer Kirche, so hart und kalt sie waren, zum Nachtlager wählen musste.

Als ihn aber am nächsten Morgen die ersten Strahlen der Sonne erweckten, da dachte er ernstlich darüber nach, wie er sein Leben fristen könne, da ihn Vater und Mutter verstoßen hatten. Er fühlte sich zu stolz, um als Aushängeschild eines Barbiers zu dienen, er wollte sich nicht zu einem Possenreißer verdingen und sich um Geld sehen lassen; was sollte er anfangen? Da fiel ihm ein, dass er als Eichhörnchen große Fortschritte in der Kochkunst gemacht hatte; er glaubte hoffen zu dürfen, dass er es mit manchem Koch aufnehmen könne, und beschloss, seine Kunst zu benützen.

Sobald es daher lebhafter wurde auf den Straßen und der Morgen ganz heraufgekommen war, trat er seinen Weg an. Der Herzog, der Herr des Landes, war ein bekannter Schlemmer und Lecker, der eine gute Tafel liebte und seine Köche in allen Weltteilen suchte. Zu seinem Palast begab sich der Kleine. Als er an die äußerste Pforte kam, fragten die Türhüter nach seinem Begehr und hatten ihren Spott mit ihm; er aber verlangte nach dem Oberküchenmeister. Sie lachten und führten ihn durch die Vorhöfe, und wo er hinkam, blieben die Diener stehen, schauten nach ihm, lachten und schlossen sich an, so dass nach und nach ein Zug von Dienern aller Art sich die Treppe des Palastes hinaufbewegte. Die Stallknechte warfen ihre Striegel weg, die Läufer liefen, was sie konnten, die Teppichbreiter vergaßen die Teppiche auszuklopfen, alles drängte und trieb sich, es war ein Gewühl, als sei der Feind vor den Toren, und das Geschrei: »Ein Zwerg, ein Zwerg! Habt ihr den Zwerg gesehen?«, füllte die Lüfte.

Da erschien der Aufseher des Hauses mit grimmigem Gesicht in der Tür. »Um des Himmels willen, Leute, was macht ihr solchen Lärm! Wisst ihr nicht, dass der Herr noch schläft?« – »Ach, Herr!«, riefen sie, »seht Ihr denn nicht? Da bringen wir einen Zwerg, einen Zwerg, wie Ihr noch keinen gesehen habt.« Der Aufseher des Palastes zwang sich mit Mühe, nicht laut aufzulachen, als er des Kleinen ansichtig wurde, denn er fürchtete, durch Lachen seiner Würde zu schaden. Er trieb daher die Übrigen hinweg, führte den Kleinen ins Haus und fragte nach seinem Begehr. Als er hörte, Jakob wolle zum Küchenmeister, erwiderte er: »Du irrst dich, mein Söhnchen, zu mir, dem Aufseher des Hauses, willst du; du willst Leibzwerg werden beim Herzog; ist es nicht also?« »Nein, Herr!«, antwortete der Zwerg. »Ich bin ein geschickter Koch und erfahren in allerlei seltenen Speisen. Wollt mich zum Oberküchenmeister bringen, vielleicht kann er meine Kunst brauchen!«

»Jeder nach seinem Willen, kleiner Mann. Übrigens bist du doch ein unbesonnener Junge. In die Küche! Als Leibzwerg hättest du keine Arbeit gehabt und Essen und Trinken nach Herzenslust und schöne Kleider. Doch, wir wollen sehen, deine Kochkunst wird schwerlich so weit reichen, wie sie ein Mundkoch des Herrn nötig hat, und zum Küchenjungen bist du zu gut.« Bei diesen Worten nahm ihn der Aufseher des Palastes bei der Hand und führte ihn in die Gemächer des Oberküchenmeisters.

»Gnädiger Herr«, sprach dort der Zwerg und verbeugte sich so tief, dass er mit der Nase den Fußteppich berührte, »braucht Ihr keinen geschickten Koch?« Der Oberküchenmeister betrachtete ihn vom Kopf bis zu den Füßen, brach dann in lautes Lachen aus und rief: »Wie? Du ein Koch? Meinst du, unsere Herde seien so niedrig, dass du auch nur auf einen hinaufschauen könntest, wenn du dich auch auf die Zehen stellst und den Kopf recht aus den Schultern herausarbeitest? Oh, lieber Kleiner, wer dich zu mir geschickt hat, um dich als Koch zu verdingen, der hat dich zum Narren gehabt.« So lachte der Oberküchenmeister, und mit ihm lachten der Aufseher des Palastes und alle Diener, die im Zimmer waren.

Der Zwerg aber ließ sich nicht aus der Fassung bringen. »Was liegt an einem Ei oder zweien, an ein wenig Sirup und Wein, an Mehl und Gewürz in einem Hause, wo man genug davon hat?«, sagte er. »Tragt mir auf, irgendeine leckerhafte Speise zu bereiten, und schafft mir, was ich dazu brauche. Sie soll vor Euren Augen schnell bereitet sein, und Ihr sollt sagen müssen: ›Er ist ein Koch nach Regel und Recht.‹« Solche und ähnliche Reden führte der Kleine, und es war wunderlich anzuschauen, wie es dabei aus seinen kleinen Äuglein hervorblitzte, wie seine lange Nase sich hin- und herschlängelte und seine dünnen Spinnenfinger seine Rede begleiteten. »Wohlan!«, rief der Küchenmeister und nahm den Aufseher des Palastes an dem Arme. »Wohlan, es sei um des Spaßes willen; lasst uns zur Küche gehen!« Sie gingen durch mehrere Säle und Gänge und kamen endlich in die Küche. Es war dies ein großes, weitläufiges Gebäude, herrlich eingerichtet; auf zwanzig Herden brannten beständig Feuer, ein klares Wasser, das zugleich als Fischbehälter diente, floss mitten hindurch, in Schränken von Marmor und köstlichem Holz waren die Vorräte aufgestellt, die man immer zur Hand haben musste, und zur Rechten und Linken waren zehn Säle, in denen alles aufgespeichert war, was man in allen Ländern von Frankistan und selbst im Morgenlande Köstliches und Leckeres für den Gaumen erfunden hatte. Küchenbediente aller Art liefen umher und rasselten und hantierten mit Kesseln und Pfannen, mit Gabeln und Schaumlöffeln; als aber der Oberküchenmeister in die Küche eintrat, blieben sie alle regungslos stehen, und nur das Feuer hörte man noch knistern und das Bächlein rieseln.

»Was hat der Herr heute zum Frühstück befohlen?«, fragte der Meister den ersten Frühstückmacher, einen alten Koch.

»Herr, die dänische Suppe hat er geruht zu befehlen und rote Hamburger Klößchen.«

»Gut«, sprach der Küchenmeister weiter; »hast du gehört, was der Herr speisen will? Getraust du dich, diese schwierigen Speisen zu bereiten? Die Klößchen bringst du auf keinen Fall heraus, das ist ein Geheimnis.«

»Nichts leichter als dies«, erwiderte zu allgemeinem Erstaunen der Zwerg, denn er hatte diese Speisen als Eichhörnchen oft gemacht, »nichts leichter; man gebe mir zu der Suppe die und die Kräuter, dies und jenes Gewürz, Fett von einem wilden Schwein, Wurzeln und Eier; zu den Klößchen aber«, sprach er leiser, dass nur der Küchenmeister und der Frühstückmacher es hören konnten, »zu den Klößchen brauche ich viererlei Fleisch, etwas Wein, Entenschmalz, Ingwer und ein gewisses Kraut, das man Magentrost heißt.«

»Ha! Bei Sankt Benedikt! Bei welchem Zauberer hast du gelernt?«, rief der Koch mit Staunen. »Alles bis auf ein Haar hat er gesagt, und das Kräutlein Magentrost haben wir selbst nicht gewusst; ja, das muss es noch angenehmer machen. O du Wunder von einem Koch!«

»Das hätte ich nicht gedacht«, sagte der Oberküchenmeister. »Doch lassen wir ihn die Probe machen; gebt ihm die Sachen, die er verlangt, Geschirr und alles, und lasst ihn das Frühstück bereiten!«

Man tat, wie er befohlen, und rüstete alles auf dem Herde zu; aber da fand es sich, dass der Zwerg kaum mit der Nase bis an den Herd reichte. Es wurden daher ein paar Stühle zusammengesetzt und eine Marmorplatte darüber gelegt. Nun lud man den kleinen Wundermann ein, sein Kunststück zu beginnen. In einem großen Kreis standen die Köche, Küchenjungen, Diener und allerlei Volk umher. Sie sahen zu und staunten, wie ihm alles so flink und fertig von der Hand ging, wie er alles so reinlich und niedlich bereitete. Als er mit der Zubereitung fertig war, befahl er, beide Schüsseln ans Feuer zu setzen und genau so lange kochen zu lassen, bis er rufen werde; dann fing er an zu zählen: eins, zwei, drei und so fort, und gerade, als er fünfhundert gezählt hatte, rief er: »Halt!« Die Töpfe wurden weggesetzt, und der Kleine lud den Küchenmeister ein zu kosten.

Der Mundkoch ließ sich von einem Küchenjungen einen goldenen Löffel reichen, spülte ihn am Bach und überreichte ihn dem Oberküchenmeister; der trat mit feierlicher Miene an den Herd; nahm von den Speisen, kostete, drückte die Augen zu, schnalzte vor Vergnügen mit der Zunge und sprach dann: »Köstlich, bei des Herzogs Leben, köstlich! Wollt Ihr nicht auch ein Löffelchen zu Euch nehmen, Aufseher des Palastes?« Dieser verbeugte sich, nahm den Löffel, kostete und war vor Vergnügen und Lust außer sich. »Eure Kunst in Ehren, lieber Frühstückmacher, Ihr seid ein erfahrener Koch, aber so herrlich habt Ihr weder die Suppe noch die Hamburger Klöße machen können!« Auch der Koch kostete jetzt, schüttelte dann dem Zwerg ehrfurchtsvoll die Hand und sagte: »Kleiner, du bist Meister in der Kunst; ja, das Kräutlein Magentrost, das gibt allem einen ganz eigenen Reiz.«

In diesem Augenblick kam der Kammerdiener des Herzogs in die Küche und berichtete, der Herr verlange das Frühstück. Die Speisen wurden nun auf silberne Platten gelegt und dem Herzog zugeschickt; der Oberküchenmeister nahm den Kleinen in sein Zimmer und unterhielt sich mit ihm. Kaum waren sie halb so lange da, wie man ein Paternoster spricht – es ist dies das Gebet der Franken, o Herr, und dauert nicht halb so lange wie das Gebet der Gläubigen –, so kam schon ein Bote und rief den Oberküchenmeister zum Herrn. Er kleidete sich schnell in sein Festkleid und folgte dem Boten.

Der Herzog sah sehr vergnügt aus. Er hatte alles aufgezehrt, was auf den silbernen Schüsseln gewesen war, und wischte sich eben den Mund ab, als der Oberküchenmeister zu ihm eintrat. »Höre, Küchenmeister«, sprach er, »ich bin mit deinen Köchen bisher immer sehr zufrieden gewesen; aber sage mir, wer hat heute mein Frühstück bereitet? So köstlich war es nie, seit ich auf dem Thron meiner Väter sitze; sage an, wie er heißt, der Koch, dass wir ihm einige Dukaten zum Geschenk schicken!«

»Herr, das ist eine wunderbare Geschichte«, antwortete der Oberküchenmeister und erzählte, wie man ihm heute früh einen Zwerg gebracht, der durchaus Koch werden wollte, und wie sich dies alles begeben. Der Herzog verwunderte sich höchlich, ließ den Zwerg vor sich rufen und fragte ihn aus, wer er sei und woher er komme. Da konnte nun der arme Jakob freilich nicht sagen, dass er verzaubert worden sei und früher als Eichhörnchen gedient habe. Doch blieb er bei der Wahrheit, indem er erzählte, er sei jetzt ohne Vater und Mutter und habe bei einer alten Frau kochen gelernt. Der Herzog fragte nicht weiter, sondern ergötzte sich an der sonderbaren Gestalt seines neuen Kochs.

»Willst du bei mir bleiben«, sprach er, »so will ich dir jährlich fünfzig Dukaten, ein Festkleid und noch überdies zwei Paar Beinkleider reichen lassen. Dafür musst du aber täglich mein Frühstück selbst bereiten, musst angeben, wie das Mittagessen gemacht werden soll, und überhaupt dich meiner Küche annehmen. Da jeder meiner Diener sei-

nen eigenen Namen von mir empfängt, so sollst du Nase heißen und
die Würde eines Unterküchenmeisters bekleiden.«

Der Zwerg Nase fiel nieder vor dem mächtigen Herzog in Frankenland und versprach, ihm treu zu dienen.

So war nun der Kleine fürs Erste versorgt, und er machte seinem Amt
Ehre. Denn man kann sagen, dass der Herzog ein ganz anderer Mann
war, seit der Zwerg Nase sich in seinem Hause aufhielt. Sonst hatte es
ihm oft beliebt, die Schüsseln oder Platten, die man ihm auftrug, den
Köchen an den Kopf zu werfen; ja, dem Oberküchenmeister selbst
warf er im Zorn einmal einen gebackenen Kalbsfuß, der nicht weich
genug geworden war, so heftig an die Stirne, dass er umfiel und drei
Tage zu Bett liegen musste. Der Herzog suchte zwar, was er im Zorn
getan, durch einige Dukaten wieder gutzumachen, aber dennoch war
nie ein Koch ohne Zittern und Zagen mit den Speisen zu ihm gekommen. Seit der Zwerg im Hause war, schien alles wie durch Zauber

umgewandelt. Der Herr aß jetzt statt dreimal des Tages fünfmal, um sich an der Kunst seines kleinsten Dieners recht zu laben, und dennoch verzog er nie eine Miene zum Unmut, nein, er fand alles neu, trefflich, war leutselig und angenehm und wurde von Tag zu Tag fetter.

Oft ließ er mitten bei der Tafel den Küchenmeister und den Zwerg Nase rufen, setzte den einen rechts, den andern links zu sich und schob ihnen mit seinen eigenen Fingern einige Bissen der köstlichsten Speisen in den Mund, eine Gnade, die beide wohl zu schätzen wussten.

Der Zwerg war das Wunder der Stadt. Man erbat sich flehentlich Erlaubnis vom Oberküchenmeister, den Zwerg kochen zu sehen, und einige der vornehmsten Männer hatten es beim Herzog so weit gebracht, dass ihre Diener in der Küche beim Zwerg Unterrichtsstunden genießen durften. Das trug viel Geld ein, denn jeder zahlte täglich einen halben Dukaten. Um nun die übrigen Köche bei guter Laune zu erhalten und sie nicht neidisch auf sich zu machen, überließ ihnen Nase dies Geld, das die Herren für den Unterricht ihrer Köche zahlen mussten.

So lebte Nase beinahe zwei Jahre in äußerlichem Wohlleben und Ehre, und nur der Gedanke an seine Eltern betrübte ihn. So lebte er, ohne etwas Merkwürdiges zu erfahren, bis sich ein folgenschwerer Vorfall ereignete. Der Zwerg Nase war besonders geschickt und glücklich in seinen Einkäufen. Daher ging er, sooft es ihm die Zeit erlaubte, immer selbst auf den Markt, um Geflügel und Früchte einzuhandeln. Eines Morgens ging er auch auf den Gänsemarkt und forschte nach schweren, fetten Gänsen, wie sie der Herr liebte. Er war musternd schon einige Mal auf und ab gegangen. Seine Gestalt, weit entfernt, hier Lachen und Spott zu erregen, gebot Ehrfurcht, denn man erkannte ihn als den berühmten Mundkoch des Herzogs, und jede Gänsefrau fühlte sich glücklich, wenn er ihr die Nase zuwandte.

Da sah er ganz am Ende einer Reihe in einer Ecke eine Frau sitzen, die auch Gänse feilhatte, aber nicht wie die Übrigen ihre Ware anpries und nach Käufern schrie. Zu der trat er und maß und wog ihre Gänse. Sie waren, wie er sie wünschte, und er kaufte drei samt dem Käfig, lud sie auf seine breiten Schultern und trat den Rückzug an. Da kam es ihm sonderbar vor, dass nur zwei von diesen Gänsen schnatterten und schrien, wie rechte Gänse zu tun pflegen, die dritte aber ganz still und in sich gekehrt dasaß und Seufzer ausstieß und ächzte wie ein Mensch. »Die ist halb krank«, sprach er vor sich hin, »ich muss eilen, dass ich sie umbringe und zurichte.« Aber die Gans antwortete ganz deutlich und laut:

>»Stichst du mich,
So beiß ich dich.
Drückst du mir die Kehle ab,
Bring ich dich ins frühe Grab.«

Ganz erschrocken setzte der Zwerg Nase seinen Käfig nieder, und die Gans sah ihn mit schönen, klugen Augen an und seufzte. »Ei, der Tausend!«, rief Nase. »Sie kann sprechen, Jungfer Gans? Das hätte ich nicht gedacht. Na, sei Sie nur nicht ängstlich! Man weiß zu leben und wird einem so seltenen Vogel nicht zu Leibe gehen. Aber ich wollte wetten, Sie ist nicht von jeher in diesen Federn gewesen. War ich ja selbst einmal ein schnödes Eichhörnchen.«

»Du hast Recht«, erwiderte die Gans, »wenn du sagst, ich sei nicht in dieser schmachvollen Hülle geboren worden. Ach, an meiner Wiege wurde es mir nicht gesungen, dass Mimi, des großen Wetterbocks Tochter, in der Küche eines Herzogs getötet werden soll!«

»Sei Sie doch ruhig, liebe Jungfer Mimi!«, tröstete der Zwerg. »So wahr ich ein ehrlicher Kerl und Unterküchenmeister Seiner Durchlaucht bin, es soll Ihr keiner an die Kehle. Ich will Ihr in meinen eigenen Gemächern einen Stall anweisen; Futter soll Sie genug haben, und meine freie Zeit werde ich Ihrer Unterhaltung widmen. Den übrigen Küchenmenschen werde ich sagen, dass ich eine Gans mit allerlei besonderen Kräutern für den Herzog mäste, und sobald sich Gelegenheit findet, setze ich Sie in Freiheit.«

Die Gans dankte ihm mit Tränen, und der Zwerg tat, wie er versprochen hatte. Er schlachtete die zwei andern Gänse, für Mimi aber baute
er einen eigenen Stall unter dem Vorwande, sie für den Herzog ganz
besonders zuzurichten. Er gab ihr auch kein gewöhnliches Gänsefutter, sondern versah sie mit Backwerk und süßen Speisen. Sooft er freie
Zeit hatte, ging er hin, sich mit ihr zu unterhalten und sie zu trösten.
Sie erzählten sich auch gegenseitig ihre Geschichte, und Nase erfuhr
auf diesem Wege, dass die Gans eine Tochter des Zauberers Wetterbock sei, der auf der Insel Gotland lebe. Er sei in Streit geraten mit einer alten Fee, die ihn durch Ränke und List überwunden und sie aus
Rache in eine Gans verwandelt und weit hinweg bis hierher gebracht
habe. Als der Zwerg Nase ihr seine Geschichte ebenfalls erzählt hatte,
sprach sie:»Ich habe allerlei Erfahrung in diesen Sachen. Mein Vater
hat mir und meinen Schwestern einige Anleitung gegeben, soviel er
nämlich davon mitteilen durfte. Die Geschichte mit dem Streit am
Kräuterkorb, deine plötzliche Verwandlung, als du an jenem Kräutlein rochst, auch einzelne Worte der Alten, die du mir sagtest, beweisen mir, dass du durch Kräuter verzaubert bist, das heißt, wenn du
das Kraut auffindest, das sich die Fee bei deiner Verzauberung gedacht hat, so kannst du erlöst werden.« Es war dies ein geringer Trost
für den Kleinen, denn wo sollte er ein Kraut finden, das er noch gar
nicht kannte? Doch dankte er ihr und schöpfte einige Hoffnung.

Um diese Zeit bekam der Herzog Besuch von einem benachbarten
Fürsten, seinem Freunde. Er ließ daher seinen Zwerg Nase vor sich
kommen und sprach zu ihm:»Jetzt ist die Zeit gekommen, wo du zeigen musst, ob du mir treu dienst und Meister deiner Kunst bist. Dieser Fürst, der bei mir zu Besuch ist, speist bekanntlich außer mir am
besten und ist ein großer Kenner der feinen Küche. Sorge nun dafür,
dass meine Tafel täglich so besorgt werde, dass er immer mehr in Erstaunen gerät! Dabei darfst du, bei meiner Ungnade, solange er da ist,
keine Speise zweimal bringen. Dafür kannst du dir von meinem
Schatzmeister alles reichen lassen, was du nur brauchst. Und wenn
du Gold und Diamanten in Schmalz backen musst, so tue es! Ich will
lieber ein armer Mann werden als vor meinem Gast erröten!«

So sprach der Herzog, und der Zwerg verbeugte sich:»Es soll alles geschehen! Wenn es Gott gefällt, werde ich alles so machen, dass es diesem Fürsten der Feinschmecker wohl gefällt.«
Der kleine Koch suchte nun seine ganze Kunst hervor. Er schonte die
Schätze seines Herrn nicht, noch weniger aber sich selbst. Denn man
sah ihn den ganzen Tag in einer Wolke von Rauch und Feuer einge-
hüllt, und seine Stimme hallte beständig durch das Gewölbe der Küche. Denn er befahl als Herrscher den Küchenjungen und niederen
Köchen.

* * *

»Herr«, unterbrach der Sklave seine Erzählung und wandte sich an
den Scheik,»ich könnte es machen wie die Kameltreiber von Aleppo,
wenn sie in ihren Geschichten, die sie den Reisenden erzählen, die
Menschen herrlich speisen lassen. Sie führen eine ganze Stunde lang
all die Gerichte an, die aufgetragen worden sind, und erwecken dadurch große Sehnsucht und noch größeren Hunger in ihren Zuhö-
rern. Die öffnen dann ihre Vorräte und halten eine Mahlzeit, wobei sie
den Kameltreibern reichlich abgeben. Solch ein Druckmittel wende
ich nicht an.«

* * *

Der fremde Fürst war schon vierzehn Tage beim Herzog und lebte
herrlich und in Freuden. Sie speisten des Tages nicht weniger als fünfmal, und der Herzog war zufrieden mit der Kunst Nases, denn er sah
Zufriedenheit auf der Stirn seines Gastes. Am fünfzehnten Tage ließ
der Herzog den Zwerg zur Tafel rufen, stellte ihn seinem Gast vor
und fragte ihn, was er von dem Zwerg halte.
»Du bist ein wunderbarer Koch«, antwortete der fremde Fürst,»und
weißt, was anständig essen heißt. Du hast in der ganzen Zeit, die ich
hier bin, nicht eine einzige Speise wiederholt und alles trefflich bereitet. Aber sage mir doch, warum bringst du so lange nicht die Königin
der Speisen, die Pastete Souzeraine?«
Der Zwerg erschrak, denn er hatte von dieser Pastetenkönigin nie ge-

hört; doch fasste er sich und antwortete: »O Herr, noch lange, hoffte ich, sollte dein Angesicht leuchten an diesem Hoflager. Darum wartete ich mit dieser Speise, denn womit sollte dich wohl der Koch begrüßen am Tage des Scheidens als mit der Königin der Pasteten!«

»So?«, entgegnete der Herzog lachend. »Und bei mir wolltest du wohl warten bis an meinen Tod, um mich dann noch zu begrüßen? Denn auch mir hast du die Pastete noch nie vorgesetzt. Doch denke auf einen andern Scheidegruß, denn morgen musst du die Pastete auf die Tafel setzen.«

»Es sei, wie du sagst, Herr!«, antwortete der Zwerg und ging. Aber er ging nicht vergnügt, denn der Tag seiner Schande und seines Unglücks schien gekommen. Er wusste nicht, wie er die Pastete machen sollte. Er ging daher in seine Kammer und weinte über sein Schicksal. Da trat die Gans Mimi, die in seinem Gemach umhergehen durfte, zu ihm und fragte ihn nach der Ursache seines Jammers. »Stille deine Tränen!«, antwortete sie, als sie von der Pastete Souzeraine gehört hatte. »Dieses Gericht kam oft auf meines Vaters Tisch, und ich weiß ungefähr, was man dazu braucht; du nimmst dies und jenes, soundsoviel, und wenn es auch nicht durchaus alles ist, was eigentlich dazu nötig, die Herren werden keinen so feinen Geschmack haben.« So sprach Mimi. Der Zwerg sprang vor Freuden auf, segnete den Tag, an dem er die Gans gekauft hatte, und schickte sich an, die Königin der Pasteten zuzurichten. Er machte zuerst einen kleinen Versuch, und siehe, es schmeckte trefflich, und der Oberküchenmeister, dem er davon zu kosten gab, pries aufs Neue seine große Kunst.

Den andern Tag setzte er die Pastete in größerer Form auf und schickte sie, warm, wie sie aus dem Ofen kam, nachdem er sie mit Blumenkränzen geschmückt hatte, auf die Tafel. Er selbst zog sein bestes Festkleid an und ging in den Speisesaal. Als er eintrat, war der Obervorschneider gerade damit beschäftigt, die Pastete zu zerschneiden und auf einem silbernen Schäufelein dem Herzog und seinem Gaste hinzureichen. Der Herzog tat einen tüchtigen Biss hinein, schlug die Augen auf zur Decke und sprach, nachdem er geschluckt hatte: »Ah! Ah! Ah! Mit Recht nennt man dies die Königin der Pasteten; aber mein Zwerg ist auch der König aller Köche! – Nicht wahr, lieber Freund?«

Der Gast nahm einige kleine Bissen zu sich, kostete und prüfte aufmerksam und lächelte dabei höhnisch und geheimnisvoll. »Das Ding ist recht artig gemacht«, antwortete er, indem er den Teller hinwegrückte, »aber die Souzeraine ist es denn doch nicht ganz, das habe ich mir wohl gedacht.«

Da runzelte der Herzog vor Unmut die Stirne und errötete vor Beschämung. »Elender Zwerg«, rief er. »Wie wagst du es, deinem Herrn dies anzutun? Soll ich dir deinen großen Kopf abschlagen lassen zur Strafe für deine schlechte Kocherei?«

»Ach Herr! Um des Himmels willen, ich habe das Gericht doch zubereitet nach den Regeln der Kunst, es kann gewiss nichts fehlen!«, so sprach der Zwerg und zitterte.

»Es ist eine Lüge, du Bube!«, erwiderte der Herzog. »Mein Gast würde sonst nicht sagen, es fehlt etwas. Dich selbst will ich zerhacken und in einer Pastete backen lassen!«

»Habt Mitleiden!«, rief der Kleine und rutschte auf den Knien zu dem Gast, dessen Füße er umfasste. »Sagt, was fehlt an dieser Speise, dass sie Eurem Gaumen nicht zusagt? Lasst mich nicht sterben wegen einer Hand voll Fleisch und Mehl!«

»Das wird dir wenig helfen, mein lieber Nase«, antwortete der Fremde mit Lachen, »ich habe mir schon gestern gedacht, dass du diese Speise nicht machen kannst wie mein Koch. Wisse, es fehlt ein Kräutlein, das man hier zu Lande gar nicht kennt, das Kraut Niesmitlust; ohne dies bleibt die Pastete würzlos, und dein Herr wird sie nie essen wie ich.«

Da geriet der Herrscher von Frankistan in Wut. »Und doch werde ich sie essen«, rief er mit funkelnden Augen, »denn ich schwöre auf meine fürstliche Ehre: Entweder zeige ich Euch morgen die Pastete, wie Ihr sie verlanget – oder den Kopf dieses Burschen, aufgespießt auf dem Tor meines Palastes. Geh, noch einmal gebe ich dir vierundzwanzig Stunden Zeit!«

So rief der Herzog; der Zwerg aber ging wieder in sein Kämmerlein und klagte der Gans sein Schicksal, dass er sterben müsse, denn von dem Kraut habe er nie gehört. »Ist es nur dies«, sprach sie, »da kann ich dir schon helfen, denn mein Vater lehrte mich alle Kräuter kennen. Wohl wärest du vielleicht zu einer andern Zeit des Todes gewesen, aber glücklicherweise ist es gerade Neumond, und um diese Zeit blüht das Kräutlein. Doch sage an, sind alte Kastanienbäume in der Nähe des Palastes?«

»O ja«, erwiderte Nase erleichtert, »am See, zweihundert Schritt vom Haus, steht eine ganze Gruppe, doch was ist es damit?«

»Nur am Fuße alter Kastanien blüht das Kräutlein«, sagte Mimi. »Darum lass uns keine Zeit versäumen und suchen, was du brauchst! Nimm mich auf deinen Arm und setzte mich im Freien nieder! Ich will es dir suchen.«

Er tat, wie sie gesagt hatte, und ging mit ihr zur Pforte des Palastes. Dort aber streckte der Türhüter sein Gewehr vor und sprach: »Mein guter Nase, mit dir ist's vorbei, aus dem Hause darfst du nicht, ich habe den strengsten Befehl.«

»Aber in den Garten kann ich doch wohl gehen?«, erwiderte der Zwerg. »Sei so gut und schicke einen deiner Gesellen zum Aufseher des Palastes und frage, ob ich nicht in den Garten gehen und Kräuter suchen dürfe!« Der Türhüter befolgte den Wunsch, und es wurde erlaubt, denn der Garten hatte hohe Mauern, es war an kein Entkommen daraus zu denken. Als Nase mit der Gans Mimi ins Freie gekommen war, setzte er sie behutsam nieder, und sie ging schnell vor ihm her dem See zu, wo die Kastanien standen. Er folgte ihr nur mit beklommenem Herzen, denn es war ja seine letzte, einzige Hoffnung; fand sie das Kräutlein nicht, so stand sein Entschluss fest, er stürzte sich dann lieber in den See, als dass er sich köpfen ließ. Die Gans aber suchte vergebens, sie wandelte unter allen Kastanien, sie wandte mit dem Schnabel jedes Gräschen um, es wollte sich nichts zeigen, und sie fing aus Mitleid und Angst an zu weinen; denn schon wurde der Abend dunkler und die Gegenstände umher schwerer zu erkennen.

Da fielen die Blicke des Zwerges über den See hin, und plötzlich rief er: »Sieh, sieh, dort über dem See steht noch ein großer, alter Baum. Lass uns dorthin gehn und suchen, vielleicht blüht dort mein Glück!« Die Gans hüpfte und flog voran, und er lief nach, so schnell seine kleinen Beine konnten. Der Kastanienbaum warf einen großen Schatten, und es war dunkel umher, fast war nichts mehr zu erkennen; aber da blieb plötzlich die Gans stillstehen, schlug vor Freuden mit den Flügeln, fuhr dann schnell mit dem Kopf ins hohe Gras und pflückte etwas ab, das sie dem erstaunten Nase zierlich mit dem Schnabel überreichte, und sprach:»Das ist das Kräutlein, und hier wächst eine Menge davon, so dass es dir nie daran fehlen wird.«

Der Zwerg betrachtete das Kraut sinnend, und ein süßer Duft strömte ihm daraus entgegen, der ihn unwillkürlich an die Szene seiner Verwandlung erinnerte; die Stängel, die Blätter waren dunkelgrün, sie trugen eine brennend rote Blume mit gelbem Rande.

»Gelobt sei Gott«, rief er endlich aus,»welches Wunder! Ich glaube, es ist dies dasselbe Kraut, das mich aus einem Eichhörnchen in diese schändliche Gestalt umwandelte; soll ich den Versuch machen?«

»Noch nicht!«, bat die Gans.»Nimm von diesem Kraut eine Hand voll mit dir, lass uns auf dein Zimmer gehen und dein Geld und was du sonst hast zusammenraffen, und dann wollen wir die Kraft des Krautes versuchen.«

Sie taten so und gingen in seine Kammer zurück, und das Herz des Zwerges pochte hörbar vor Erwartung. Nachdem er fünfzig oder sechzig Dukaten, die er erspart, einige Kleider und Schuhe zusammen in ein Bündel geknüpft hatte, sprach er:»Wenn es Gott gefällig ist, werde ich diese Bürde loswerden«, steckte seine Nase tief in die Kräuter und sog ihren Duft ein.

Da zog und knackte es in allen seinen Gliedern, er fühlte, wie sich sein Kopf aus den Schultern hob, er schielte hinab auf seine Nase und sah sie kleiner und kleiner werden, sein Rücken und seine Brust fingen an, sich zu ebnen, und seine Beine wurden länger.

Die Gans sah mit Erstaunen diesem allem zu.»Ha, wie groß, wie schön du bist!«, rief sie.»Gott sei gedankt, es ist nichts mehr an dir von allem, was du vorher warst!« Da freute sich Jakob sehr, er faltete die Hände und betete. Aber seine Freude ließ ihn nicht vergessen, welchen Dank er der Gans Mimi schuldig sei. Zwar drängte ihn sein Herz, zu seinen Eltern zu gehen, doch besiegte er aus Dankbarkeit diesen Wunsch und sprach:»Wem anders als dir habe ich es zu danken, dass ich mir selbst wiedergeschenkt bin? Ohne dich hätte ich dieses Kraut nimmer gefunden, hätte also ewig in jener Gestalt bleiben oder vielleicht gar unter dem Beile des Henkers sterben müssen. Das will ich dir vergelten. Ich will dich zu deinem Vater bringen; er, der so

erfahren ist in jedem Zauber, wird dich leicht entzaubern können.«
Die Gans vergoss Freudentränen und nahm sein Anerbieten an. Jakob
entkam glücklich und unerkannt mit der Gans aus dem Palast und
machte sich auf den Weg nach dem Meeresstrand, Mimis Heimat zu.

Was soll ich noch weiter erzählen, dass sie ihre Reise glücklich vollen-
deten, dass Wetterbock seine Tochter entzauberte und Jakob mit Geschenken beladen entließ; dass er in seine Vaterstadt zurückkam und
dass seine Eltern in dem schönen jungen Mann mit Vergnügen ihren
verlorenen Sohn erkannten, dass er von den Geschenken, die er von
Wetterbock mitbrachte, sich einen Laden kaufte und reich und glücklich wurde!

Nur so viel will ich noch sagen, dass nach seinem Fortgehen aus dem
Palast des Herzogs große Unruhe entstand; denn als am andern Tag
der Herzog seinen Schwur erfüllen und dem Zwerg, wenn er die
Kräuter nicht gefunden hätte, den Kopf abschlagen lassen wollte, war
er nirgends zu finden; der Fürst aber behauptete, der Herzog habe ihn
heimlich entkommen lassen, um sich nicht seines besten Kochs zu berauben, und klagte ihn an, dass er wortbrüchig sei. Dadurch entstand
dann ein großer Krieg zwischen beiden Fürsten, der in der Geschichte
unter dem Namen ›Kräuterkrieg‹ wohl bekannt ist. Es wurde manche
Schlacht geschlagen, aber am Ende doch Friede gemacht, und diesen
Frieden nennt man bei uns den ›Pastetenfrieden‹, weil beim Versöh-
nungsfest durch den Koch des Fürsten die Souzeraine, die Königin
der Pasteten, zubereitet wurde, die sich der Herr Herzog trefflich
schmecken ließ.

So führen oft die kleinsten Ursachen zu großen Folgen – und dies, o
Herr, ist die Geschichte des Zwerges Nase.

* * *

So erzählte der Sklave aus Frankistan. Nachdem er geendet hatte, ließ
der Scheik Ali Banu ihm und den andern Sklaven Früchte reichen,
sich zu erfrischen, und unterhielt sich, während sie aßen, mit seinen
Freunden. Die jungen Männer, die der Alte eingeführt hatte, waren
voll Lobes über den Scheik, sein Haus und alle seine Einrichtungen.
»Wahrlich«, sprach der junge Schreiber, »es gibt keinen angenehme-

ren Zeitvertreib, als Geschichten anzuhören. Ich könnte tagelang so sitzen und zuhören, die Beine untergeschlagen, einen Arm aufs Kissen gestützt, die Stirne in die Hand gelegt und, wenn es ginge, des Scheiks große Wasserpfeife im Munde. So ungefähr stelle ich mir das Leben vor in den Gärten Mahomeds.«

»Solange ihr jung seid und arbeiten könnt«, sprach der Alte, »kann ein solch träger Wunsch nicht euer Ernst sein. Aber das gebe ich euch zu, dass ein eigener Reiz darin liegt, etwas erzählen zu hören. So alt ich bin, und ich gehe nun ins siebenundsiebzigste Jahr, soviel ich in meinem Leben schon gehört habe, so verschmähe ich es doch nicht, wenn an der Ecke ein Geschichtenerzähler sitzt und um ihn in großem Kreis die Zuhörer, mich ebenfalls hinzusetzen und zuzuhören. Man träumt sich ja in die Begebenheiten hinein, die erzählt werden, man lebt mit diesen Menschen, mit diesen wundervollen Geistern, mit Feen und dergleichen Leuten, die uns nicht alle Tage begegnen, und hat nachher, wenn man einsam ist, Stoff, sich alles zu wiederholen, wie der Wanderer, der sich gut mit Lebensmitteln versehen hat, wenn er durch die Wüste reist.«

»Ich habe nie so darüber nachgedacht«, erwiderte ein anderer der jungen Leute, »worin der Reiz solcher Geschichten eigentlich liegt. Mir geht es wie Euch. Schon als Kind konnte man mich, wenn ich ungeduldig war, durch eine Geschichte zum Schweigen bringen. Es war mir anfangs gleichgültig, wovon die Geschichten handelten, wenn nur erzählt wurde, wenn nur etwas geschah. Wie oft habe ich, ohne zu ermüden, jene Fabeln angehört, die weise Männer erfunden und in die sie einen Kern ihrer Weisheit gelegt haben, vom Fuchs und vom törichten Raben, vom Fuchs und vom Wolf, viele Dutzend Geschichten vom Löwen und den übrigen Tieren. Als ich älter wurde und mehr unter die Menschen kam, genügten mir jene kurzen Geschichten nicht mehr; sie mussten schon länger sein, mussten von Menschen und ihren wunderbaren Schicksalen handeln.«

»Ja, ich entsinne mich noch gut dieser Zeit«, unterbrach ihn einer seiner Freunde. »Du warst es, der uns diesen Drang nach Erzählungen aller Art beibrachte. Einer eurer Sklaven wusste so viel zu erzählen, wie ein Kameltreiber auf dem Weg von Mekka nach Medina spricht. Wenn er fertig war mit seiner Arbeit, musste er sich zu uns auf den

Grasboden vor dem Hause setzen. Dann baten wir so lange, bis er zu erzählen anfing, und das ging fort und fort, bis die Nacht heraufkam.«

»Und erschloss sich uns«, entgegnete der Schreiber, »da nicht ein neues, nie gekanntes Reich, das Land der Genien und Feen, ausgestattet mit allen Wundern der Pflanzenwelt, mit reichen Palästen von Smaragden und Rubinen, mit riesenhaften Sklaven bevölkert, die erschienen, wenn man einen Ring hin und wider drehte oder die Wunderlampe rieb oder das Wort Salomos aussprach, und die in goldenen Schalen herrliche Speisen brachten. Wir fühlten uns unwillkürlich in jenes Land versetzt, wir machten mit Sindbad seine wunderbaren Fahrten, wir gingen mit Harun Al-Raschid, dem weisen Beherrscher der Gläubigen, abends spazieren, wir kannten Giaffar, seinen Wesir, so gut wie uns selbst, kurz, wir lebten in jenen Geschichten, wie man nachts in Träumen lebt, und es gab keine schönere Tageszeit für uns als den Abend, wo wir uns einfanden auf dem Rasenplatz und der alte Sklave uns erzählte. Aber sage uns, Alter, woran liegt es denn, dass wir damals so gerne erzählen hörten, dass es noch jetzt für uns keine angenehmere Unterhaltung gibt?«

»Das will ich euch jetzt sagen«, erwiderte der Alte. »Der menschliche Geist ist noch leichter und beweglicher als das Wasser, das doch in alle Formen sich schmiegt und nach und nach auch die dichtesten Gegenstände durchdringt. Er ist leicht und frei wie die Luft und wird wie diese, je höher er sich von der Erde hebt, desto leichter und reiner. Daher ist ein Drang in jedem Menschen, sich hinauf über das Gewöhnliche zu erheben und sich in höheren Räumen freier zu bewegen, sei es auch nur in Träumen. Ihr selbst, mein junger Freund, sagtet: ›Wir lebten in jenen Geschichten, wir dachten und fühlten mit jenen Menschen‹, und daher kommt der Reiz, den sie für euch hatten. Indem ihr den Erzählungen der Sklaven zuhörtet, die nur Dichtungen waren, die einst ein anderer erfand, habt ihr selbst auch mitgedichtet. Ihr bliebet nicht stehen bei den Gegenständen um euch, bei euren gewöhnlichen Gedanken, nein, ihr erlebtet alles in eurer Phantasie mit, ihr waret es kraft eures Einbildungsvermögens selbst, dem dies und jenes Wunderbare begegnete, so sehr nahmt ihr teil an dem Schicksal des Mannes, von dem man euch erzählte. So erhob sich euer Geist am

Faden einer solchen Geschichte über die Gegenwart, das Märchen wurde euch zur Wirklichkeit oder, wenn ihr lieber wollet, die Wirklichkeit wurde zum Märchen, weil euer Dichten und Sein im Märchen lebte.«

»Ganz verstehe ich Euch nicht«, erwiderte der junge Kaufmann, »aber Ihr habt Recht mit dem, was Ihr sagtet, wir lebten im Märchen oder das Märchen in uns. Sie ist mir noch wohl erinnerlich, jene schöne Zeit; wenn wir Muße dazu hatten, träumten wir wachend. Wir stellten uns vor, an wüste, unwirtliche Inseln verschlagen zu sein, wir berieten uns, was wir beginnen sollten, um unser Leben zu fristen, und oft haben wir im dichten Weidengebüsch uns Hütten gebaut, haben von elenden Früchten ein kärgliches Mahl gehalten, obgleich wir hundert Schritte weit zu Haus das Beste hätten haben können. Ja, es gab Zeiten, wo wir auf die Erscheinung einer gütigen Fee oder eines wunderbaren Zwerges warteten, die zu uns treten und sagen würden: ›Die Erde wird sich alsobald auftun. Wollt dann nur gefälligst hinabsteigen in meinen Palast von Bergkristall und euch belieben lassen, was meine Diener, die Meerkatzen, euch auftischen!‹«

Die jungen Leute lachten, gaben aber ihrem Freunde zu, dass er wahr gesprochen habe. »Noch jetzt«, fuhr ein anderer fort, »beschleicht mich hie und da dieser Zauber; ich würde mich zum Beispiel nicht wenig ärgern über die dumme Fabel, wenn mein Bruder zur Tür hereingestürzt käme und sagte: ›Weißt du schon das Unglück von unserm Nachbar, dem dicken Bäcker? Er hat Händel gehabt mit einem Zauberer, der hat ihn aus Rache in einen Bären verwandelt, und jetzt liegt er in seiner Kammer und heult entsetzlich‹; ich würde mich ärgern und ihn einen Lügner schelten. Aber wie anders, wenn mir erzählt würde, der dicke Nachbar habe eine weite Reise in ein fernes, unbekanntes Land unternommen, sei dort einem Zauberer in die Hände gefallen, der ihn in einen Bären verwandelte. Ich würde mich nach und nach in die Geschichte versetzt fühlen, würde mit dem dicken Nachbar reisen, Wunderbares erleben, und es würde mich nicht sehr überraschen, wenn er in ein Fell gesteckt würde und auf allen vieren gehen müsste.«

»Und doch«, sprach der Alte, »gibt es eine sehr ergötzliche Art von Erzählung, wo weder Fee noch Zauberer erscheint, kein Schloss von

Kristall, keine Genien, die wunderbare Speisen bringen, kein Vogel Rock, kein Zauberpferd: eine andere Art als die, welche man gewöhnlich Märchen nennt.«

»Wie versteht Ihr das? Erklärt uns deutlicher, was Ihr meint. Eine andere Art als das Märchen?«, sprachen die Jünglinge.

»Ich denke, man muss einen gewissen Unterschied machen zwischen Märchen und Erzählungen, die man im gemeinen Leben Geschichten nennt. Wenn ich euch sage, ich will euch ein Märchen erzählen, so werdet ihr im Voraus darauf rechnen, dass es eine Begebenheit ist, die von dem gewöhnlichen Gang des Lebens abschweift und sich in einem Gebiet bewegt, das nicht mehr durchaus irdischer Natur ist. Oder, um deutlicher zu sein, ihr werdet bei dem Märchen auf die Erscheinung anderer Wesen als allein sterblicher Menschen rechnen können. Es greifen in das Schicksal der Person, von der das Märchen erzählt, fremde Mächte wie Feen und Zauberer, Genien und Geisterfürsten ein; die ganze Erzählung nimmt eine außergewöhnliche, wunderbare Gestalt an und ist ungefähr anzuschauen wie die Gewebe unserer Teppiche oder viele Gemälde unserer besten Meister, welche die Franken Arabesken nennen. Es ist dem echten Muselmann verboten, den Menschen, das Geschöpf Allahs, sündigerweise wiederzuschöpfen in Farben und Gemälden; daher sieht man auf jenen Geweben wunderbar verschlungene Bäume und Zweige mit Menschenköpfen, Menschen, die in einen Fisch oder Strauch ausgehen, kurz Figuren, die an das gewöhnliche Leben erinnern und dennoch ungewöhnlich sind; ihr versteht mich doch?«

»Ich glaube«, sagte der Schreiber, »doch fahret weiter fort!«

»Von dieser Art ist nun das Märchen: fabelartig, ungewöhnlich, überraschend; weil es dem gewöhnlichen Leben fremd ist, wird es oft in fremde Länder oder in ferne, längst vergangene Zeiten verschoben. Jedes Volk hat solche Märchen, die Türken so gut wie die Perser, die Chinesen wie die Mongolen; selbst in Frankenland soll es viele geben, wenigstens erzählte mir einst ein gelehrter Fremder davon. Sie sind aber nicht so prunkend wie die unsrigen und handeln nicht von schönen Feen, die in prachtvollen Palästen wohnen, sondern von Zauberweibern, die Hexen genannt werden – von heimtückischem, hässlichem Volk, das in elenden Hütten haust und statt in Muschelwagen, von Greifen gezogen, durch die blauen Lüfte zu fahren, auf Besen durch den Nebel reitet. Sie haben auch Gnomen und Erdgeister, kleine verwachsene Kerlchen, die allerlei Spuk treiben. So sind ihre Märchen, ganz anders ist es aber mit den Erzählungen, die man gemeinhin Geschichten nennt. Die bleiben ganz ordentlich auf der Erde, tragen sich im gewöhnlichen Leben zu, und wunderbar ist an ihnen meistens nur die Verkettung der Schicksale eines Menschen, der nicht durch Zauber, Verwünschung oder Feenspuk wie im Märchen, sondern durch sich selbst oder die sonderbare Fügung der Umstände reich oder arm, glücklich oder unglücklich wird.«

»Richtig!«, erwiderte einer der jungen Leute. »Solche reinen Geschichten finden sich auch in den herrlichen Erzählungen der Scheherezade, die man Tausendundeine Nacht nennt. Die meisten Erlebnisse des Königs Harun Al-Raschid und seines Wesirs sind dieser Art.

Sie gehen verkleidet aus und sehen diesen oder jenen höchst sonderbaren Vorfall, der sich nachher ganz natürlich auflöst.«

»Dennoch werdet ihr gestehen müssen«, fuhr der Alte fort, »dass jene Geschichten nicht der schlechteste Teil der Tausendundeinen Nacht sind. Und doch, wie verschieden sind sie in ihren Ursachen, in ihrem Gang, in ihrem ganzen Wesen von den Märchen eines Prinzen Biribinker oder der drei Derwische mit einem Auge oder des Fischers, der den Kasten, verschlossen mit dem Siegel Salomos, aus dem Meer zieht! Aber am Ende ist es dennoch eine Grundursache, die beiden ihren eigentümlichen Reiz gibt, nämlich die, dass wir etwas Auffallendes, Außergewöhnliches miterleben. Bei dem Märchen liegt dieses Außergewöhnliche in jener Einmischung eines fabelhaften Zaubers in das gewöhnliche Menschenleben, bei den Geschichten geschieht etwas zwar nach natürlichen Gesetzen, aber auf überraschende, ungewöhnliche Weise.«

»Sonderbar!«, rief der Schreiber. »Sonderbar, dass uns dann dieser natürliche Gang der Dinge ebenso anzieht wie der übernatürliche im Märchen. Woran mag dies wohl liegen?«

»Das liegt in der Schilderung des einzelnen Menschen«, antwortete der Alte. »Im Märchen häuft sich das Wunderbare so sehr, der Mensch handelt nur noch so wenig aus eigenem Trieb, dass die einzelnen Figuren und ihr Charakter nur flüchtig gezeichnet werden können. Anders bei der gewöhnlichen Erzählung, wo die Art, wie jeder seinem Charakter gemäß spricht und handelt, die Hauptsache und das Anziehende sind.«

»Ihr habt Recht!«, erwiderte der junge Kaufmann. »Ich habe mir nie Zeit genommen, so recht darüber nachzudenken, habe alles nur so gesehen und an mir vorübergehen lassen, habe mich an dem einen ergötzt, das andere langweilig gefunden, ohne gerade zu wissen, warum. Aber Ihr gebt uns da einen Schlüssel, der uns das Geheimnis öffnet, einen Probierstein, worauf wir die Probe machen und richtig urteilen können.«

»Tut das immer«, antwortete der Alte, »und euer Genuss wird sich vergrößern, wenn ihr nachdenken lernet über das, was ihr gehört. Doch siehe, dort erhebt sich wieder ein Neuer, um zu erzählen.«

So war es. Und ein anderer begann:

Der junge Engländer

»Herr! Ich bin ein Deutscher von Geburt und habe mich in Euren
Landen zu kurz aufgehalten, als dass ich ein persisches Märchen
oder eine ergötzliche Geschichte von Sultanen und Wesiren erzählen
könnte. Ihr müsst mir daher schon erlauben, dass ich etwas aus meinem Vaterland erzähle, was Euch vielleicht auch einigen Spaß macht.
Leider sind unsere Geschichten nicht immer so vornehm wie die Euren, das heißt, sie handeln nicht von Sultanen oder unseren Königen,
nicht von Wesiren und Paschas, die man bei uns Justiz- und Finanz-
minister, auch Geheimräte und dergleichen nennt, sondern sie leben,
wenn sie nicht von Soldaten handeln, gewöhnlich ganz bescheiden
und unter den Bürgern.

Im südlichen Teil von Deutschland liegt das Städtchen Grünwiesel,
wo ich geboren und erzogen wurde. Es ist ein Städtchen, wie sie alle
sind. In der Mitte ein kleiner Marktplatz mit einem Brunnen, an der
Seite ein kleines, altes Rathaus, umher auf dem Markt die Häuser des
Richters und der angesehensten Kaufleute, und in ein paar engen Straßen wohnen die übrigen Menschen. Alles kennt sich, jedermann weiß,
wie es da und dort zugeht, und wenn der Oberpfarrer und der Bürgermeister oder der Arzt ein Gericht mehr auf der Tafel haben, so weiß es
gleich nach dem Mittagessen die ganze Stadt. Nachmittags kommen
dann die Frauen zueinander in die Visite, wie man es nennt, bespre-
chen sich bei starkem Kaffee und süßem Kuchen über diese große Begebenheit, und der Schluss ist, dass der Oberpfarrer wahrscheinlich in
der Lotterie gesetzt und unchristlich viel gewonnen habe, dass der
Bürgermeister sich ›schmieren‹ lasse oder dass der Doktor vom Apotheker einige Goldstücke bekommen habe, um recht teure Rezepte zu
verschreiben. Ihr könnt Euch denken, Herr, wie unangenehm es für
eine so wohl eingerichtete Stadt wie Grünwiesel sein musste, als ein
Mann dorthin zog, von dem niemand wusste, woher er kam, was er
wollte, wovon er lebte. Der Bürgermeister hatte zwar seinen Pass gesehen, ein Papier, das bei uns jedermann haben muss …«

»Ist es denn so unsicher auf den Straßen«, unterbrach der Scheik den Sklaven, »dass ihr einen Ferman eures Sultans haben müsset, um die Räuber in Respekt zu setzen?«

Jener entgegnete: »Nein, Herr, diese Papiere halten keinen Dieb von uns ab, sondern es ist nur der Ordnung wegen, dass man überall weiß, wen man vor sich hat. – Nun, der Bürgermeister hatte den Pass untersucht und in einer Kaffeegesellschaft bei Doktors geäußert, der Pass sei zwar ganz richtig visiert von Berlin bis Grünwiesel, aber es stecke doch was dahinter, denn der Mann sehe etwas verdächtig aus. Der Bürgermeister hatte das größte Ansehen in der Stadt, kein Wunder, dass von da an der Fremde als eine verdächtige Person angesehen wurde. Und sein Lebenswandel konnte meine Landsleute nicht von dieser Meinung abbringen. Der fremde Mann mietete sich für einige Goldstücke ein ganzes Haus, das bisher öde gestanden, ließ einen ganzen Wagen voll sonderbarer Gerätschaften, als da sind Ofen, Kunstherde, große Tiegel und dergleichen, hineinschaffen und lebte von da an ganz für sich allein. Ja, er kochte sich sogar selbst, und es kam keine menschliche Seele in sein Haus als ein alter Mann aus Grünwiesel, der ihm seine Einkäufe in Brot, Fleisch und Gemüse besorgen musste. Doch auch dieser durfte nur in den Flur des Hauses kommen, und dort nahm der fremde Mann das Gekaufte in Empfang.

Ich war ein Knabe von zehn Jahren, als der Mann in meiner Vaterstadt einzog, und ich kann mich noch heute, als wäre es gestern geschehen, der Unruhe erinnern, die dieser Mann im Städtchen verursachte. Er kam nachmittags nicht wie andere Männer auf die Kegelbahn, er kam abends nicht ins Wirtshaus, um wie die Übrigen bei einer Pfeife Tabak über die Zeitung zu sprechen. Vergebens luden ihn nach der Reihe der Bürgermeister, der Richter, der Doktor und der Oberpfarrer zum Essen oder Kaffee ein, er ließ sich immer entschuldigen. Daher hielten ihn einige für verrückt, andere behaupteten steif und fest, er sei ein Zauberer oder Hexenmeister. Ich wurde achtzehn, zwanzig Jahre alt, und noch immer hieß der Mann in der Stadt der ›Fremde Herr‹.

Es begab sich nun eines Tages, dass Leute mit fremden Tieren in die Stadt kamen. Es ist dies hergelaufenes Gesindel, das ein Kamel hat, welches sich verbeugen kann, einen Bären, der tanzt, einige Hunde und Affen, die in menschlichen Kleidern komisch genug aussehen und allerlei Künste machen. Diese Leute durchziehen gewöhnlich die Stadt, halten an den Kreuzstraßen und Plätzen, machen mit einer kleinen Trommel und einer Pfeife eine übel tönende Musik, lassen ihre Truppe tanzen und springen und sammeln dann in den Häusern Geld ein. Die Truppe aber, die sich diesmal in Grünwiesel sehen ließ, zeichnete sich durch einen Orang-Utan aus, der beinahe Menschengröße hatte, auf zwei Beinen ging und allerlei artige Künste zu machen verstand. Diese Hunds- und Affenkomödie kam auch vor das Haus des fremden Herrn. Er erschien, als die Trommel und Pfeife ertönte, anfangs ganz unwillig hinter den dunklen, vom Alter angelaufenen Fenstern. Bald aber wurde er freundlicher, schaute zu jedermanns Verwunderung zum Fenster heraus und lachte herzlich über die Künste des Orang-Utans. Ja, er gab für den Spaß ein so großes Silberstück, dass die ganze Stadt davon sprach.

Am anderen Morgen zog die Tierbande weiter. Das Kamel musste viele Körbe tragen, in denen die Hunde und Affen ganz bequem saßen, die Tiertreiber aber und der große Affe gingen hinter dem Kamel. Kaum aber waren sie einige Stunden zum Tore hinaus, so schickte der fremde Herr auf die Post, verlangte zu großer Verwunderung des Postmeisters einen Wagen und Extrapost und fuhr zu demselben Tor hinaus den Weg hin, den die Tiere genommen hatten. Das ganze Städtchen ärgerte sich, dass man nicht erfahren konnte, wohin er gereist sei. Es war schon Nacht, als der fremde Herr wieder im Wagen vor dem Tor ankam. Es saß aber noch jemand im Wagen, der den Hut tief ins Gesicht gedrückt und um Mund und Ohren ein seidenes Tuch gebunden hatte. Der Torschreiber hielt es für seine Pflicht, den andern Fremden anzureden und um seinen Pass zu bitten; er antwortete aber sehr grob, indem er in einer ganz unverständlichen Sprache brummte.

›Es ist mein Neffe‹, sagte der fremde Herr freundlich zum Torschreiber, indem er ihm einige Silbermünzen in die Hand drückte; ›es ist mein Neffe und versteht bis dato noch wenig Deutsch. Er hat soeben in seiner Mundart ein wenig geflucht, dass wir hier aufgehalten werden.‹

›Ei, wenn es Dero Neffe ist‹, antwortete der Torschreiber, ›so kann er wohl ohne Pass hereinkommen. Er wird ohne Zweifel bei Ihnen wohnen?‹

›Allerdings‹, sagte der Fremde, ›und hält sich wahrscheinlich längere Zeit hier auf.‹

Der Torschreiber hatte keine weitere Einwendung mehr, und der fremde Herr und sein Neffe fuhren ins Städtchen. Der Bürgermeister und die ganze Stadt waren übrigens nicht sehr zufrieden mit dem Torschreiber. Er hätte doch wenigstens einige Worte von der Sprache des Neffen sich merken sollen. Daraus hätte man dann leicht erfahren, was für ein Landeskind er und der Onkel seien. Der Torschreiber versicherte aber, dass es weder Französisch noch Italienisch sei, wohl aber habe es so breit geklungen wie Englisch, und wenn er nicht irre, so habe der junge Herr gesagt: ›Goddam!‹ So half der Torschreiber sich selbst aus der Not und dem jungen Mann zu einem Namen. Denn man sprach jetzt im Städtchen nur von dem ›Jungen Engländer‹.

Aber auch der junge Engländer wurde nicht sichtbar, weder auf der Kegelbahn noch im Bierkeller; wohl aber gab er den Leuten auf andere Weise viel zu schaffen. Es gingen nämlich oft von dem sonst so stillen Hause des Fremden ein schreckliches Geschrei und ein Lärm aus, so dass die Leute haufenweise vor dem Hause stehen blieben und hinaufsahen. Man sah den jungen Engländer, angetan mit einem roten Frack und grünen Beinkleidern, mit struppigem Haar und schrecklicher Miene unglaublich schnell an den Fenstern hin und her durch alle Zimmer laufen. Der alte Fremde lief ihm in einem Schlafrock, eine Hetzpeitsche in der Hand, nach, verfehlte ihn oft, aber einige Male kam es doch der Menge auf der Straße vor, als müsse er den Jungen erreicht haben; denn man hörte klägliche Angsttöne und klatschende Peitschenhiebe. An dieser grausamen Behandlung des fremden jungen Mannes nahmen die Frauen des Städtchens so lebhaften Anteil, dass sie endlich den Bürgermeister bewogen, einen Schritt in der Sache zu tun. Er schrieb dem fremden Herrn einen Brief, worin er ihm die unglimpfliche Behandlung seines Neffen in ziemlich derben Ausdrücken vorwarf und ihm drohte, wenn noch ferner solche Szenen vorfielen, den jungen Mann unter seinen besonderen Schutz zu nehmen.

Wie erstaunt war der Bürgermeister, als er den Fremden selbst, zum ersten Mal seit zehn Jahren, bei sich eintreten sah! Der alte Herr entschuldigte sein Verfahren mit dem besonderen Auftrag der Eltern des Jünglings, diesen zu erziehen. Er sei sonst ein kluger, anstelliger Junge, aber die Sprachen erlerne er sehr schwer; er wünsche so sehnlich, seinem Neffen das Deutsche recht geläufig beizubringen, um sich nachher die Freiheit zu nehmen, ihn in die Gesellschaft von Grünwiesel einzuführen, und dennoch gehe ihm diese Sprache so schwer ein, dass man oft nichts Besseres tun könne, als ihn gehörig durchzupeitschen. Der Bürgermeister fand sich durch diese Mitteilung völlig befriedigt, riet dem Alten zur Mäßigung und erzählte abends im Bierkeller, dass er selten einen so unterrichteten, artigen Mann gefunden wie den Fremden. ›Es ist nur schade‹, setzte er hinzu, ›dass er so wenig in Gesellschaft kommt; doch ich denke, wenn der Neffe nur erst ein wenig Deutsch spricht, besucht er uns öfter.‹

Durch diesen einzigen Vorfall war die Meinung des Städtchens völlig umgeändert. Man hielt den Fremden für einen höflichen Mann, sehnte sich nach seiner näheren Bekanntschaft und fand es ganz in Ordnung, wenn hie und da in dem öden Hause ein grässliches Geschrei losging. ›Er gibt dem Neffen Unterricht in der deutschen Sprache‹, sagten die Grünwieseler und blieben nicht mehr stehen.

Nach einem Vierteljahr ungefähr schien der Unterricht im Deutschen beendigt, denn der Alte ging jetzt um eine Stufe weiter vor. Es lebte ein alter gebrechlicher Franzose in der Stadt, der den jungen Leuten Unterricht im Tanzen gab; diesen ließ der Fremde zu sich rufen und sagte ihm, dass er seinen Neffen unterrichten lassen wolle. Er gab ihm zu verstehen, dass der Junge zwar sehr gelehrig, aber, was das Tanzen betreffe, etwas eigensinnig sei; er habe nämlich früher bei einem andern Meister tanzen gelernt, und zwar nach so sonderbaren Regeln, dass er sich nicht füglich in der Gesellschaft damit zeigen könne; der Neffe halte sich aber eben deswegen für einen großen Tänzer, obgleich sein Tanz nicht die entfernteste Ähnlichkeit mit Walzer oder Schottisch – Tänze, die man in meinem Vaterlande tanzt, o Herr –, nicht einmal mit Galopp habe. Er versprach übrigens einen Taler für die Stunde, und der Tanzmeister war mit Vergnügen bereit, den Unterricht des eigensinnigen Zöglings zu übernehmen.

Es gab, wie der Franzose unter der Hand versicherte, auf der Welt nichts so Sonderbares wie diese Tanzstunden. Der Neffe, ein ziemlich großer, schlanker junger Mann, der nur auffallend kurze Beine hatte, erschien in einem roten Frack, schön frisiert, in grünen weiten Beinkleidern und Handschuhen. Er sprach wenig und mit fremden Klang, war anfangs ziemlich artig und anstellig; dann verfiel er aber oft plötzlich in fratzenhafte Gebärden, tanzte die kühnsten Figuren, wobei er Sprünge machte, dass dem Tanzmeister Hören und Sehen verging; wollte dieser ihn zurechtweisen, so zog er die zierlichen Tanzschuhe von den Füßen, warf sie dem Franzosen an den Kopf und sprang nun auf allen vieren im Zimmer umher. Bei diesem Lärm fuhr dann der alte Herr plötzlich in einem weiten, roten Schlafrock aus seinem Zimmer heraus und ließ die Hetzpeitsche ziemlich unsanft auf den Rücken des Neffen niederfallen. Der Neffe fing dann an, schrecklich zu heulen, sprang auf Tische und hohe Kommoden, ja selbst an die Kreuzstöcke der Fenster hinauf und sprach eine fremde, seltsame Sprache. Der Alte im roten Schlafrock aber ließ sich nicht irremachen, fasste ihn am Bein, riss ihn herab, bläute ihn durch und zog ihm mittels einer Schnalle die Halsbinde fester an, worauf er immer wieder artig und manierlich wurde und die Tanzstunde ohne Störung weiterging.

Als aber der Tanzmeister seinen Zögling so weit gebracht hatte, dass man Musik zu der Stunde nehmen konnte, da war der Neffe wie umgewandelt. Ein Stadtmusikant wurde gemietet, der sich im Saal des öden Hauses auf einen Tisch setzen musste. Der Tanzmeister stellte dann die Dame dar, indem ihm der alte Herr einen Frauenrock von Seide und einen ostindischen Schal anziehen ließ; der Neffe forderte ihn auf und fing nun an, mit ihm zu tanzen und zu walzen; er aber war ein unermüdlicher, rasender Tänzer, er ließ den Meister nicht aus seinen langen Armen, ob er ächzte und schrie, er musste tanzen, bis er ermattet umsank oder bis dem Stadtmusikus der Arm lahm wurde an der Geige. Den Tanzmeister brachten diese Unterrichtsstunden beinahe unter den Boden, aber der Taler, den er jedes Mal richtig ausgezahlt bekam, der gute Wein, mit dem der Alte aufwartete, machten, dass er immer wiederkam, wenn er auch den Tag zuvor sich fest vorgenommen hatte, nicht mehr in das öde Haus zu gehen.

Die Leute in Grünwiesel sahen aber die Sache ganz anders an als der Franzose. Sie fanden, dass der junge Mann viel Anlage zum Gesellschaftlichen habe, und die Frauenzimmer im Städtchen freuten sich bei dem großen Mangel an Herren, einen so flinken Tänzer für den nächsten Winter zu bekommen.

Eines Morgens berichteten die Mägde, die vom Markte heimkehrten, ihren Herrschaften ein wunderbares Ereignis. Vor dem öden Hause sei ein prächtiger Glaswagen gestanden, mit schönen Pferden bespannt, und ein Bedienter in reicher Livree habe den Schlag gehalten. Da sei die Tür des öden Hauses aufgegangen, und zwei schön gekleidete Herren seien herausgetreten, wovon der eine der alte Fremde und der andere wahrscheinlich der junge Herr gewesen, der so schwer Deutsch gelernt habe und so rasend tanze. Die beiden seien in den Wagen gestiegen, der Bediente hinten aufs Brett gesprungen, und der Wagen – man stelle sich vor! – sei geradeswegs auf Bürgermeisters Haus zugefahren.

Als die Frauen das von ihren Mägden erzählen hörten, rissen sie eilends die Küchenschürzen und die etwas unsauberen Hauben ab und warfen sich in Staat. ›Es ist nichts gewisser‹, sagten sie zu ihrer Familie, während alles umherrannte, um das Besuchszimmer, das zugleich zu sonstigem Gebrauch diente, aufzuräumen, ›als dass der Fremde jetzt seinen Neffen in die Welt einführt. Der alte Narr war seit zehn Jahren nicht so artig, einen Fuß in unser Haus zu setzen, aber es sei ihm wegen des Neffen verziehen, der ein reizender Mensch sein soll.‹ So sprachen sie und ermahnten ihre Söhne und Töchter, recht manierlich auszusehen, wenn die Fremden kämen, sich gerade zu halten und sich auch einer besseren Aussprache zu bedienen als gewöhnlich. Und die klugen Frauen im Städtchen hatten nicht unrecht geraten, denn nach der Reihe fuhr der alte Herr mit seinem Neffen umher, sich und ihn in die Gewogenheit der Familien zu empfehlen.

Man war überall ganz erfüllt von den beiden Fremden und bedauerte, nicht schon früher diese angenehme Bekanntschaft gemacht zu haben. Der alte Herr zeigte sich als ein würdiger, sehr vernünftiger Mann, der zwar bei allem, was er sagte, ein wenig lächelte, so dass man nicht gewiss war, ob es ihm ernst sei oder nicht, aber er sprach über das Wetter, über die Gegend, über das Sommervergnügen auf dem Keller am Berge so klug und durchdacht, dass jedermann davon bezaubert war. Aber der Neffe! Er bezauberte alles, er gewann alle Herzen für sich. Man konnte zwar, was sein Äußeres betraf, sein Gesicht nicht schön nennen; der untere Teil, besonders die Kinnlade, stand allzu sehr hervor, und der Teint war sehr bräunlich, auch machte er zuweilen allerlei sonderbare Grimassen, drückte die Augen zu und fletschte mit den Zähnen, aber dennoch fand man den Schnitt seiner Züge ungemein interessant. Es konnte nichts Beweglicheres, Gewandteres geben als seine Gestalt. Die Kleider hingen ihm zwar etwas sonderbar am Leib, aber es stand ihm alles trefflich; er fuhr mit großer Lebendigkeit im Zimmer umher, warf sich hier in ein Sofa, dort in einen Lehnstuhl und streckte die Beine von sich; aber was man bei einem andern jungen Mann höchst gemein und unschicklich gefunden hätte, galt bei dem Neffen als Genialität. ›Er ist ein Engländer‹, sagte man, ›so sind sie alle; ein Engländer kann sich aufs Kanapee legen und einschlafen, während zehn Damen keinen Platz haben und umherstehen müssen; einem Engländer kann man so etwas nicht übel nehmen.‹ Gegen den alten Herrn, seinen Oheim, war er sehr fügsam; denn wenn er anfing, im Zimmer umherzuhüpfen, oder, wie er gerne tat, die Füße auf den Sessel hinaufzuziehen, so reichte ein ernsthafter Blick hin, ihn zur Ordnung zu bringen. Und wie konnte man ihm so etwas übel nehmen, als vollends der Onkel in jedem Haus zu der Dame sagte: ›Mein Neffe ist noch ein wenig roh und ungezogen, aber ich verspreche mir viel von der Gesellschaft; die wird ihn gehörig formen und bilden, und ich empfehle ihn namentlich Ihnen aufs Angelegentlichste.‹

So war der Neffe also eingeführt, und ganz Grünwiesel sprach an diesem und den folgenden Tagen von nichts anderem als von diesem Ereignis. Der alte Herr blieb dabei nicht stehen; er schien seine Denk- und Lebensart gänzlich geändert zu haben. Nachmittags ging er mit dem Neffen hinaus in den Felsenkeller am Berg, wo die vornehmeren Herren von Grünwiesel Bier tranken und sich am Kegelschieben ergötzten. Der Neffe zeigte sich dort als ein flinker Meister im Spiel, denn er warf nie unter fünf oder sechs. Hie und da schien zwar ein sonderbarer Geist über ihn zu kommen; es konnte ihm einfallen, dass er pfeilschnell mit der Kugel hinaus- und unter die Kegel hineinfuhr und dort allerhand tollen Unfug anrichtete; oder wenn er den Kranz oder den König geworfen, stand er plötzlich auf seinem schön frisierten Haar und streckte die Beine in die Höhe; oder wenn ein Wagen vorbeifuhr, saß er, ehe man sich dessen versah, oben auf dem Kutschenhimmel und machte Grimassen herab, fuhr ein Stückchen weit mit und kam dann wieder zur Gesellschaft gesprungen.

Der alte Herr pflegte dann bei solchen Szenen den Bürgermeister und die anderen Männer sehr um Entschuldigung zu bitten wegen der Ungezogenheit seines Neffen. Sie aber lachten, schrieben es seiner Jugend zu, behaupteten, in diesem Alter selbst so leichtfüßig gewesen zu sein, und liebten den jungen Springinsfeld, wie sie ihn nannten, ungemein.

Es gab aber auch Zeiten, wo sie sich nicht wenig über ihn ärgerten und dennoch nichts zu sagen wagten, weil der junge Engländer allgemein als ein Muster von Bildung und Verstand galt. Der alte Herr pflegte nämlich mit seinem Neffen auch abends in den Goldenen Hirsch, das Wirtshaus des Städtchens, zu kommen. Obgleich der Neffe noch ein ganz junger Mensch war, tat er doch schon ganz wie ein Alter, setzte sich hinter sein Glas, tat eine ungeheure Brille auf, zog eine gewaltige Pfeife heraus, zündete sie an und dampfte unter allen am ärgsten. Wurde nun über die Zeitungen, über Krieg und

Frieden gesprochen, gab der Doktor die Meinung, der Bürgermeister
jene, waren die anderen Herren ganz erstaunt über so tiefe politische
Kenntnisse, so konnte es dem Neffen plötzlich einfallen, ganz anderer
Meinung zu sein; er schlug dann mit der Hand, von der er nie die
Handschuhe ablegte, auf den Tisch und gab dem Bürgermeister und
dem Doktor zu verstehen, dass sie von diesem allen nichts genau
wüssten, dass er diese Sachen ganz anders gehört habe und tiefere Einsicht besitze. Er gab dann in einem sonderbar gebrochenen
Deutsch seine Meinung preis, die alle zum großen Ärgernis des Bürgermeisters ganz trefflich fanden, denn er musste als Engländer natürlich alles besser wissen.

Setzten sich dann der Bürgermeister und der Doktor in ihrem Zorn,
den sie nicht laut werden lassen durften, zu einer Partie Schach, so
rückte der Neffe hinzu, schaute dem Bürgermeister mit seiner großen
Brille über die Schulter herein und tadelte diesen oder jenen Zug, sagte dem Doktor, so und so müsse
er ziehen, so dass beide Männer
heimlich ganz grimmig wurden.
Bot ihm dann der Bürgermeister

ärgerlich eine Partie an, um ihn gehörig matt zu setzen, so schnallte der alte Herr dem Neffen die Halsbinde fester zu, worauf dieser ganz artig und manierlich wurde und den Bürgermeister matt setzte.

Man hatte bisher in Grünwiesel beinahe jeden Abend Karten gespielt, die Partie um einen halben Kreuzer; das fand nun der Neffe erbärmlich, setzte Kronentaler und Dukaten, behauptete, kein Einziger spiele so fein wie er, söhnte aber die beleidigten Herren gewöhnlich dadurch wieder aus, dass er ungeheure Summen an sie verlor. Sie machten sich auch gar kein Gewissen daraus, ihm recht viel Geld abzunehmen, denn ›er ist ja ein Engländer, also von Hause aus reich‹, sagten sie und schoben die Dukaten in die Tasche.

So kam der Neffe des fremden Herrn in kurzer Zeit bei Stadt und Umgegend in ungemeines Ansehen. Man konnte sich seit Menschengedenken nicht erinnern, einen jungen Mann dieser Art in Grünwiesel gekannt zu haben, und er war die sonderbarste Erscheinung, die man je bemerkt hatte. Man konnte nicht sagen, dass der Neffe irgendetwas anderes gelernt hätte als etwa tanzen. Latein und Griechisch waren ihm, wie man zu sagen pflegt, böhmische Dörfer. Bei einem Gesellschaftsspiel in Bürgermeisters Hause sollte er etwas schreiben, und es fand sich, dass er nicht einmal seinen Namen schreiben konnte; in der Geografie machte er die auffallendsten Schnitzer, denn es kam ihm nicht darauf an, eine deutsche Stadt nach Frankreich oder eine dänische nach Polen zu versetzen; er hatte nichts gelesen, nichts studiert, und der Oberpfarrer schüttelte oft bedenklich den Kopf über die rohe Unwissenheit des jungen Mannes; aber dennoch fand man alles trefflich, was er tat oder sagte, denn er war so unverschämt, immer Recht haben zu wollen, und das Ende jeder seiner Reden war: ›Ich verstehe das besser!‹

So kam der Winter heran, und jetzt trat der Neffe noch großartiger auf. Man fand jede Gesellschaft langweilig, in der er nicht zugegen war, man gähnte, wenn ein vernünftiger Mann etwas sagte; wenn aber der Neffe selbst das törichteste Zeug in schlechtem Deutsch vorbrachte, war alles Ohr. Es fand sich jetzt, dass der treffliche junge Mann auch ein Dichter war, denn nicht leicht verging ein Abend, an dem er nicht einiges Papier aus der Tasche zog und der Gesellschaft einige Sonette vorlas. Es gab zwar einige Leute, die von dem einen

Teil dieser Dichtungen behaupteten, sie seien schlecht und ohne Sinn, einen andern Teil wollten sie schon irgendwo gedruckt gelesen haben; aber der Neffe ließ sich nicht irremachen, er las und las, machte dann auf die Schönheiten seiner Verse aufmerksam, und jedes Mal erfolgte rauschender Beifall.

Sein Triumph waren die Grünwieseler Bälle. Es konnte niemand anhaltender, schneller tanzen als er, keiner machte so kühne und ungemein zierliche Sprünge wie er. Dabei kleidete ihn sein Onkel immer aufs Prächtigste nach dem neuesten Geschmack, und obgleich ihm die Kleider nicht recht am Leib sitzen wollten, fand man dennoch, dass ihn alles allerliebst kleide. Die Männer fanden sich zwar bei diesen Tänzen etwas beleidigt durch die neue Art, in der er auftrat. Sonst hatte immer der Bürgermeister in eigener Person den Ball eröffnet, die vornehmsten jungen Leute hatten das Recht, die übrigen Tänze anzuordnen, aber seit der fremde junge Herr erschien, war dies alles ganz anders. Ohne viel zu fragen, nahm er die nächste beste Dame bei der Hand, stellte sich mit ihr obenan, machte alles, wie es ihm gefiel, und war Herr und Meister und Ballkönig. Weil aber die Frauen diese Manieren ganz trefflich und angenehm fanden, so durften die Männer nichts dagegen einwenden, und der Neffe blieb bei seiner selbst gewählten Würde.

Das größte Vergnügen schien ein solcher Ball dem alten Herrn zu gewähren; er wandte kein Auge von seinem Neffen, lächelte immer in sich hinein, und wenn alle Welt herbeiströmte, um ihm über den anständigen wohlerzogenen Jüngling Lobsprüche zu erteilen, so konnte er sich vor Freude gar nicht fassen, er brach dann in ein lustiges Gelächter aus und bezeigte sich wie närrisch. Die Grünwieseler schrieben diese sonderbaren Ausbrüche der Freude seiner großen Liebe zu dem Neffen zu und fanden sie ganz in Ordnung. Doch hie und da musste er auch sein väterliches Ansehen gegen den Neffen anwenden, denn mitten in den zierlichsten Tänzen konnte es dem jungen Mann einfallen, mit einem kühnen Sprung auf die Tribüne, wo die Stadtmusikanten saßen, zu setzen, dem Organisten den Konterbass aus der Hand zu reißen und schrecklich darauf herumzukratzen, oder er wechselte auf einmal und tanzte auf den Händen, indem er die Beine in die Höhe streckte. Dann pflegte ihn der Onkel auf die Seite zu nehmen, machte ihm dort ernstliche Vorwürfe und zog ihm die Halsbinde fester an, dass er wieder ganz gesittet wurde.

So betrug sich nun der Neffe in Gesellschaft und auf Bällen. Es war, wie es mit den Sitten zu geschehen pflegt: Die schlechten verbreiten sich immer leichter als die guten, und eine neue, auffallende Mode, wenn sie auch höchst lächerlich sein sollte, hat etwas Ansteckendes an sich für junge Leute, die noch nicht über sich und die Welt nachgedacht haben. So war es auch in Grünwiesel mit dem Neffen und seinen sonderbaren Sitten. Als nämlich die junge Welt sah, wie er mit seinem linkischen Wesen, mit seinem rohen Lachen und Schwatzen, mit seinen groben Antworten gegen Ältere eher geschätzt als getadelt werde, dass man dies alles sogar sehr geistreich finde, so dachten sie bei sich: ›Es ist mir ein Leichtes, auch solch ein geistreicher Schlingel zu werden.‹ Sie waren sonst fleißige, geschickte junge Leute gewesen, jetzt dachten sie: ›Zu was hilft Gelehrsamkeit, wenn man mit Unwissenheit besser fortkommt?‹ Sie ließen die Bücher liegen und trieben sich überall umher auf Plätzen und Straßen. Sonst waren sie artig gewesen und höflich gegen jedermann, hatten gewartet, bis man sie fragte, und anständig und bescheiden geantwortet; jetzt standen sie in den Reihen der Männer, schwatzten mit, gaben ihre Meinung preis und lachten selbst dem Bürgermeister unter die Nase, wenn er etwas sagte, und behaupteten, alles viel besser zu wissen.

Sonst hatten die jungen Grünwieseler Abscheu gehegt gegen rohes und gemeines Wesen. Jetzt sangen sie allerlei schlechte Lieder, rauchten aus ungeheuren Pfeifen Tabak und trieben sich in gemeinen Kneipen umher; auch kauften sie sich, obgleich sie ganz gut sahen, große Brillen, setzten sie auf die Nase und glaubten nun, gemachte Leute zu sein, denn sie sahen ja aus wie der berühmte Neffe. Zu Hause oder wenn sie auf Besuch waren, lagen sie mit Stiefeln und Sporen auf dem Kanapee, schaukelten sich auf dem Stuhl in guter Gesellschaft oder stützten die Wangen in beide Fäuste, die Ellbogen aber auf den Tisch, was nun überaus reizend anzusehen war. Vergebens sagten ihnen ihre Mütter und Freunde, wie töricht, wie unschicklich dies alles sei, sie beriefen sich auf das glänzende Beispiel des Neffen. Vergebens stellte man ihnen vor, dass man dem Neffen als einem jungen Englän-

der eine gewisse Nationalrohheit verzeihen müsse; die jungen Grünwieseler behaupteten, ebenso gut wie der beste Engländer das Recht
zu haben, auf geistreiche Weise ungezogen zu sein; kurz, es war ein
Jammer, wie durch das böse Beispiel des Neffen die Sitten und guten
Gewohnheiten in Grünwiesel völlig untergingen.

Aber die Freude der jungen Leute an ihrem rohen, ungebundenen Leben dauerte nicht lange, denn folgender Vorfall veränderte auf einmal die ganze Szene. Die Wintervergnügungen sollte ein großes Konzert beschließen, das teils von den Stadtmusikanten, teils von geschickten Musikfreunden in Grünwiesel aufgeführt werden sollte.
Der Bürgermeister spielte das Violoncell, der Doktor das Fagott ganz
vorzüglich, der Apotheker, obgleich er keinen rechten Ansatz hatte,
blies die Flöte, einige Jungfrauen aus Grünwiesel hatten Arien einstu-
diert, und alles war trefflich vorbereitet. Da äußerte der alte Fremde,
dass zwar das Konzert auf diese Art herrlich werden würde, es fehle
aber offenbar an einem Duett, und ein Duett müsse in jedem ordentlichen Konzert notwendigerweise vorkommen. Man war etwas betreten über diese Äußerung; die Tochter des Bürgermeisters sang zwar
wie eine Nachtigall, aber wo einen Herrn herbekommen, der mit ihr
ein Duett singen könnte? Man wollte endlich auf den alten Organisten
verfallen, der einst einen trefflichen Bass gesungen hatte; der Fremde
aber behauptete, dies alles sei nicht nötig, denn sein Neffe singe ganz
ausgezeichnet. Man war nicht wenig erstaunt über diese neue Eigen-
schaft des jungen Mannes, er musste zur Probe etwas singen, und, einige sonderbare Manieren abgerechnet, die man für englisch hielt,
sang er wie ein Engel. Man studierte also in der Eile das Duett ein, und
der Abend erschien endlich, an dem die Ohren der Grünwieseler
durch das Konzert erquickt werden sollten.

Der alte Fremde konnte leider dem Triumph seines Neffen nicht beiwohnen, weil er krank war, er gab aber dem Bürgermeister, der ihn
eine Stunde zuvor noch besuchte, einige Maßregeln über seinen Neffen auf. ›Er ist eine gute Seele, mein Neffe‹, sagte er, ›aber hie und da
verfällt er in allerlei sonderbare Gedanken und fängt dann tolles
Zeug an. Es ist mir eben deswegen leid, dass ich dem Konzert nicht
beiwohnen kann; denn vor mir nimmt er sich gewaltig in Acht, weiß
wohl, warum! Ich muss übrigens zu seiner Ehre sagen, dass dies

nicht geistiger Mutwille ist, sondern es ist körperlich, es liegt in seiner ganzen Natur. Wollten Sie nun, Herr Bürgermeister, wenn er etwa in solche Gedanken verfiele, dass er sich auf ein Notenpult setzt oder dass er durchaus den Konterbass streichen wollte oder dergleichen, wollten Sie ihm dann nur seine hohe Halsbinde etwas lockerer machen oder, wenn es auch dann nicht besser wird, sie ihm ganz abnehmen. Sie werden sehen, wie artig und wie manierlich er dann gleich darauf wird.‹

Der Bürgermeister dankte dem Kranken für sein Zutrauen und versprach, im Fall der Not zu tun, wie er ihm geraten hatte.

Der Konzertsaal war gedrängt voll, denn ganz Grünwiesel und die Umgegend hatte sich eingefunden. Alle Jäger, Pfarrer, Amtleute, Landwirte und dergleichen aus dem Umkreis von drei Stunden waren mit zahlreicher Familie herbeigeströmt, um den seltenen Genuß mit den Grünwieselern zu teilen. Die Stadtmusikanten hielten sich vortrefflich, nach ihnen trat der Bürgermeister auf, der das Violoncell spielte, begleitet vom Apotheker, der die Flöte blies; nach diesen sang der Organist eine Bassarie mit allgemeinem Beifall, und auch der Doktor wurde nicht wenig beklatscht, als er auf dem Fagott sich hören ließ.

Die erste Abteilung des Konzertes war vorbei, und jedermann war nun auf die zweite gespannt, in welcher der junge Fremde mit des Bürgermeisters Tochter ein Duett vortragen sollte. Der Neffe war in einem glänzenden Anzug erschienen und hatte schon längst die Aufmerksamkeit aller Anwesenden auf sich gezogen. Er hatte sich nämlich, ohne viel zu fragen, in den prächtigen Lehnstuhl gelegt, der für eine Gräfin aus der Nachbarschaft hergesetzt worden war, streckte die Beine weit von sich, schaute jedermann durch ein ungeheures Perspektiv an, das er noch außer seiner großen Brille gebrauchte, und spielte mit einem großen Fleischerhund, den er trotz des Verbotes, Hunde mitzunehmen, in die Gesellschaft eingeführt hatte. Die Gräfin, für die man den Lehnstuhl bereitgestellt hatte, erschien, aber wer keine Miene machte, aufzustehen und ihr den Platz einzuräumen, war der Neffe; er setzte sich im Gegenteil noch bequemer hinein, und niemand wagte es, dem jungen Mann etwas darüber zu sagen. Die vornehme Dame aber musste auf dem ganz gemeinen Strohsessel mitten unter den übrigen Frauen des Städtchens sitzen und soll sich nicht wenig geärgert haben.

Während des herrlichen Spieles des Bürgermeisters, während des Organisten trefflicher Bassarie, ja sogar während der Doktor auf dem Fagott phantasierte und alles den Atem anhielt und lauschte, ließ der Neffe den Hund das Schnupftuch apportieren oder schwatzte ganz laut mit seinen Nachbarn, so dass jeder, der ihn nicht kannte, über die absonderlichen Sitten des jungen Herrn sich wunderte.

Kein Wunder daher, dass alles sehr begierig war, wie er sein Duett vortragen würde. Der zweite Teil begann; die Stadtmusikanten hatten etwas aufgespielt, und nun trat der Bürgermeister mit seiner Tochter zu dem jungen Mann, überreichte ihm ein Notenblatt und sprach: ›Mosjöh! Wäre es Ihnen jetzt gefällig, das Duetto zu singen?‹ Der junge Mann lachte, fletschte mit den Zähnen, sprang auf, die beiden andern folgten ihm an das Notenpult, und die ganze Gesellschaft war voll Erwartung. Der Organist schlug den Takt und winkte dem Neffen anzufangen. Dieser schaute durch seine großen Brillengläser in die Noten und stieß gräuliche, jämmerliche Töne aus. Der Organist aber schrie ihm zu: ›Zwei Töne tiefer, Wertester, C müssen Sie singen, C!‹

Statt aber C zu singen, zog der Neffe einen seiner Schuhe aus und warf ihn dem Organisten an den Kopf, dass der Puder weit umherflog. Als dies der Bürgermeister sah, dachte er: ›Ha! Jetzt hat er wieder seine körperlichen Anfälle‹, sprang hinzu, packte ihn am Hals und band ihm das Tuch etwas loser; aber dadurch wurde es nur noch schlimmer mit dem jungen Mann. Er sprach nicht mehr Deutsch, sondern eine ganz sonderbare Sprache, die niemand verstand, und machte große Sprünge. Der Bürgermeister war in Verzweiflung über diese unangenehme Störung, er fasste daher den Entschluss, dem jungen Mann, dem etwas ganz Besonderes zugestoßen sein musste, das Halstuch vollends abzulösen. Aber kaum hatte er dies getan, so blieb er vor Schrecken wie erstarrt stehen. Denn statt menschlicher Haut und Farbe umgab den Hals des jungen Menschen ein dunkelbraunes Fell, und alsobald setzte der Jüngling auch seine Sprünge noch höher und sonderbarer fort, fuhr sich mit den glacierten Handschuhen in die Haare, zog diese ab und, o Wunder, diese schönen

Haare waren eine Perücke, die er dem Bürgermeister ins Gesicht warf, und sein Kopf erschien jetzt mit demselben braunen Fell bewachsen.

Er setzte über Tische und Bänke, warf Notenpulte um, zertrat Geigen und Klarinette und gebärdete sich wie ein Rasender. ›Fangt ihn, fangt ihn!‹, rief der Bürgermeister ganz außer sich. ›Er ist von Sinnen, fangt ihn!‹ Das war aber eine schwierige Sache. Denn er hatte die Handschuhe abgezogen und zeigte Nägel an den Händen, mit denen er den Leuten ins Gesicht fuhr und sie jämmerlich kratzte. Endlich gelang es

einem mutigen Jäger, seiner habhaft zu werden. Er presste ihm die langen Arme zusammen, dass er nur noch mit den Füßen zappelte und mit heiserer Stimme lachte und schrie. Die Leute sammelten sich umher und betrachteten den sonderbaren jungen Herrn, der jetzt gar nicht mehr aussah wie ein Mensch. Aber ein gelehrter Herr aus der Nachbarschaft, der ein großes Naturalienkabinett und allerlei ausgestopfte Tiere besaß, trat näher, betrachtete ihn genau und rief dann voll Verwunderung: ›Mein Gott, wie bringen Sie nur dies Tier in ehrbare Gesellschaft? Das ist ja ein Affe, der Homo Troglodytes Linnaei.

Ich gebe sogleich sechs Taler für ihn, wenn Sie mir ihn ablassen, und balge ihn aus für mein Kabinett.‹

Wer beschreibt das Erstaunen der Grünwieseler, als sie dies hörten. ›Was, ein Affe, ein Orang-Utan in unserer Gesellschaft? Der junge Fremde ein ganz gewöhnlicher Affe?‹, riefen sie und sahen einander ganz stumm vor Verwunderung an. Man wollte nicht glauben, man traute seinen Ohren nicht, die Männer untersuchten das Tier genauer, aber es war und blieb ein ganz natürlicher Affe.

›Aber wie ist dies möglich!‹, rief die Frau Bürgermeisterin. ›Hat er mir nicht oft seine Gedichte vorgelesen? Hat er nicht wie ein anderer Mensch bei mir zu Mittag gespeist?‹

›Was?‹, eiferte die Frau Doktorin. ›Wie? Hat er nicht oft und viel Kaffee bei mir getrunken und mit meinem Manne gelehrt gesprochen und geraucht?‹

›Wie, ist es möglich!‹, riefen die Männer. ›Hat er nicht mit uns im Felsenkeller Kegel geschoben und über Politik gestritten wie unsereiner?‹

›Und wie?‹, klagten sie alle. ›Hat er nicht sogar vorgetanzt auf unsern Bällen? Ein Affe, ein Affe? Es ist ein Wunder, es ist Zauberei!‹

›Ja, es ist Zauberei und teuflischer Spuk‹, sagte der Bürgermeister, indem er das Halstuch des Neffen oder Affen herbeibrachte. ›Seht! In diesem Tuch steckte der ganze Zauber, der ihn in unsern Augen liebenswürdig machte. Da ist ein breiter Streifen elastischen Pergaments, mit allerlei wunderlichen Zeichen beschrieben. Ich glaube gar, es ist Lateinisch; kann es niemand lesen?‹

Der Oberpfarrer, ein gelehrter Mann, der oft gegen den Affen eine Partie Schach verloren hatte, trat hinzu, betrachtete das Pergament und sprach: ›Mitnichten, es sind nur lateinische Buchstaben; es heißt:

> *Der Affe gar possierlich ist,*
> *zumal wenn er vom Apfel frisst.*

Ja, ja, es ist ein höllischer Betrug, eine Art von Zauberei‹, fuhr er fort, ›und es muss exemplarisch bestraft werden.‹

Der Bürgermeister war derselben Meinung und machte sich sogleich auf den Weg zu dem Fremden, der ein Zauberer sein musste, und sechs Stadtsoldaten trugen den Affen, denn der Fremde sollte sogleich verhört werden.

Sie kamen, umgeben von einer ungeheuren Anzahl Menschen, an das öde Haus. Denn jedermann wollte sehen, wie sich die Sache weiter begeben würde. Man pochte an das Haus, man zog die Glocke, vergeblich, es zeigte sich niemand. Da ließ der Bürgermeister in seiner Wut die Tür einschlagen und begab sich hierauf in die Zimmer des Fremden. Dort war nichts zu sehen als allerlei alter Hausrat. Der fremde Mann war nicht zu finden. Auf seinem Arbeitstisch aber lag ein großer versiegelter Brief an den Bürgermeister, den dieser auch sogleich öffnete. Er las:

›Meine lieben Grünwieseler! Wenn ihr dies lest, bin ich nicht mehr in eurem Städtchen, und ihr werdet dann längst erfahren haben, wes Standes und Vaterlandes mein lieber Neffe ist. Nehmet den Scherz, den ich mir mit euch erlaubte, als eine gute Lehre auf, einen Fremden, der für sich leben will, nicht in eure Gesellschaft zu nötigen. Ich selbst fühlte mich zu gut, um euer ewiges Klatschen, um eure schlechten Sitten und euer lächerliches Wesen zu teilen. Darum erzog ich einen jungen Orang-Utan, den ihr als meinen Stellvertreter so lieb gewonnen habt. Lebet wohl und benützet diese Lehre nach Kräften!‹

Die Grünwieseler schämten sich nicht wenig vor dem ganzen Land. Ihr Trost war, dass dies alles mit unnatürlichen Dingen zugegangen war. Am meisten schämten sich aber die jungen Leute in Grünwiesel, weil sie die schlechten Gewohnheiten und Sitten des Affen nachgeahmt hatten. Sie stemmten von jetzt an keinen Ellbogen mehr auf, sie schaukelten nicht mit dem Sessel, sie schwiegen, bis sie gefragt wurden, sie legten die Brillen ab und waren artig und gesittet wie zuvor, und wenn je einer wieder in solche schlechten, lächerlichen Sitten verfiel, so sagten die Grünwieseler: ›Er ist ein Affe.‹ Der Affe aber, der so lange die Rolle eines jungen Herrn gespielt hatte, wurde dem gelehrten Mann, der eine naturgeschichtliche Sammlung besaß, überantwortet. Der ließ ihn im Hofe herumgehen, fütterte ihn und zeigte ihn jedem Fremden als Seltenheit.«

* * *

Es entstand Gelächter im Saal, als der Sklave geendet hatte, und auch die jungen Männer lachten mit. »Es muss doch sonderbare Leute geben unter diesen Franken! Da bin ich lieber beim Scheik und Mufti in Alessandria als in Gesellschaft des Oberpfarrers, des Bürgermeisters und ihrer törichten Frauen in Grünwiesel!«

»Es gibt überall Grünwieseler!«, erwiderte der junge Kaufmann. »Auch bei uns! Die Franken und Schwaben sind im Allgemeinen ebenso klug und fleißig wie alle andern guten Deutschen.«

»Das werdet ihr bald hören«, versprach der Alte. »Soviel mir der Sklavenaufseher sagte, wird der junge Mann dort vieles von Frankistan erzählen; er war lange dort, doch ist er seiner Geburt nach ein Muselmann.«

»Wie? Und der sitzt zuletzt in der Reihe? Es ist eine Schande, dass der Scheik ihn freigeben will! Seht nur das mutige Gesicht, das kühne Auge, die schöne Gestalt! Man kann ihm ja eine leichte Tätigkeit geben: ihn zum Fliegenwedler oder Pfeifenträger machen. Es ist ein Spaß, so ein Amt zu versehen, und ein solcher Sklave ist die Zierde des ganzen Hauses. Und erst drei Tage hat er ihn und gibt ihn weg? Es ist eine Torheit!«

»Tadelt ihn doch nicht, ihn, der weiser ist als ganz Ägypten!«, sprach der Alte mit Nachdruck. »Sagte ich euch nicht schon, dass er ihn freilässt, weil er glaubt, den Segen Allahs dadurch zu verdienen? Ihr sagt, er ist schön und wohl gebildet, und ihr sprecht die Wahrheit! Aber der Sohn des Scheiks, den der Prophet in sein Vaterhaus zurückbringen möge, der Sohn des Scheiks war ein schöner Knabe und muss jetzt auch groß sein und wohl gebildet. Soll er also das Gold sparen und einen wohlfeilen, verwachsenen Sklaven hingeben in der Hoffnung, seinen Sohn dafür zu bekommen? Wer etwas tun will in der Welt, der tue es lieber gar nicht oder – ganz!«

»Und seht, des Scheiks Augen sind immer auf diesen Sklaven geheftet. Ich bemerkte es schon den ganzen Abend. Während der Erzählungen streifte oft sein Blick dorthin und verweilte auf den edlen Zügen des Freigelassenen. Es muss ihn doch ein wenig schmerzen, ihn freizugeben.«

»Denke nicht so von dem Mann! Meinst du, tausend Tomans schmerzen ihn, der jeden Tag das Dreifache einnimmt?«, sagte der alte Mann.

»Aber wenn sein Blick mit Kummer auf dem Jüngling weilt, so denkt er wohl an seinen Sohn, der in der Fremde schmachtet, er denkt wohl, ob dort vielleicht ein barmherziger Mann wohnt, der ihn loskauft und zurückschickt zum Vater.«

»Ihr möget Recht haben«, erwiderte der junge Kaufmann, »und ich schäme mich, dass ich von den Leuten nur immer das Gemeinere und Unedle denke, während Ihr lieber an eine schöne Gesinnung glaubt. Und doch sind die Menschen in der Regel schlecht, habt Ihr dies nicht auch gefunden, Alter?«

»Gerade weil ich dies nicht gefunden habe, denke ich gerne gut von den Menschen«, antwortete der Greis. »Es ging mir gerade wie euch. Ich lebte so in den Tag hinein, hörte viel Schlimmes von den Menschen, musste selbst an mir viel Schlechtes erfahren und fing an, die Menschen alle für schlechte Geschöpfe zu halten. Doch da kam mir in den Sinn, dass Allah, der so gerecht ist wie weise, nicht dulden könnte, dass ein so verworfenes Geschlecht auf dieser schönen Erde hause. Ich dachte nach über das, was ich gesehen, was ich erlebt hatte, und siehe – ich hatte nur das Böse gezählt und das Gute vergessen. Ich hatte nicht Acht gegeben, wenn einer eine Handlung der Barmherzigkeit übte, ich hatte es natürlich gefunden, wenn ganze Familien tugendhaft lebten und gerecht waren. Sooft ich aber Böses, Schlechtes hörte, hatte ich es wohl angemerkt in meinem Gedächtnis. Da fing ich an, mit ganz andern Augen um mich zu schauen. Es freute mich, wenn ich das Gute nicht so sparsam keimen sah, wie ich anfangs dachte, ich bemerkte das Böse weniger, oder es fiel mir nicht so sehr auf, und so lernte ich die Menschen lieben, lernte Gutes von ihnen denken und habe mich in langen Jahren seltener geirrt, wenn ich von einem Gutes sprach, als wenn ich ihn für geizig oder gemein oder gottlos hielt.«

Der Alte wurde bei diesen Worten von dem Aufseher der Sklaven unterbrochen, der zu ihm trat und sprach: »Mein Herr, der Scheik von Alessandria, Ali Banu, hat Euch mit Wohlgefallen in seinem Saale bemerkt und ladet Euch ein, zu ihm zu treten und Euch neben ihn zu setzen.«

Die jungen Leute waren nicht wenig erstaunt über die Ehre, die dem Alten widerfahren sollte, den sie für einen Bettler gehalten hatten. Als dieser hingegangen war, sich zu dem Scheik zu setzen, hielten sie den

Sklavenaufseher zurück, und der Schreiber fragte ihn: »Beim Barte des Propheten beschwöre ich dich, sage uns, wer ist dieser alte Mann, mit dem wir sprachen und den der Scheik also ehrt?«

»Wie!«, rief der Aufseher der Sklaven und schlug vor Verwunderung die Hände zusammen. »Diesen Mann kennt ihr nicht?«

»Nein, wir wissen nicht, wer er ist.«

»Aber ich sah euch schon einige Mal mit ihm auf der Straße sprechen, und mein Herr, der Scheik, hat dies auch bemerkt und erst letzthin gesagt: ›Das müssen wackere junge Leute sein, die dieser Mann eines Gespräches würdigt.‹«

»Aber so sage doch, wer er ist!«, rief der junge Kaufmann in höchster Ungeduld.

»Geht, ihr wollet mich nur zum Narren haben«, antwortete der Sklavenaufseher. »In diesen Saal kommt sonst niemand, der nicht ausdrücklich eingeladen ist, und heute ließ der Alte dem Scheik sagen, er werde einige junge Männer in seinen Saal mitbringen, wenn es ihm nicht ungelegen sei, und Ali Banu ließ ihm sagen, er habe über sein Haus zu gebieten!«

»Lasse uns nicht länger in Ungewissheit! So wahr ich lebe, ich weiß nicht, wer dieser Mann ist, wir lernten ihn zufällig kennen und sprachen mit ihm.«

»Nun, dann dürft ihr euch glücklich preisen, denn ihr habt mit einem gelehrten, berühmten Mann gesprochen, und alle Anwesenden ehren und bewundern euch deshalb. Es ist niemand anders als Mustapha, der gelehrte Derwisch.«

»Mustapha? Der weise Mustapha, der den Sohn des Scheiks erzogen hat, der viele gelehrte Bücher schrieb, der große Reisen machte in alle Weltteile? Mit Mustapha haben wir gesprochen? Und gesprochen, als wär er unsereiner, so ganz ohne alle Ehrerbietung?«

Noch waren die jungen Männer im Gespräch über diese Märchen und über den Alten, den Derwisch Mustapha. Sie fühlten sich nicht wenig geehrt, dass ein so alter und berühmter Mann sie seiner Aufmerksamkeit gewürdigt und sogar öfters mit ihnen gesprochen und gestritten hatte. Da kam plötzlich der Aufseher der Sklaven zu ihnen und lud sie ein, ihm zum Scheik zu folgen, der sie sprechen wolle.

Den Jünglingen pochte das Herz. Noch nie hatten sie mit einem so vornehmen Mann gesprochen, nicht einmal allein, viel weniger in so großer Gesellschaft. Doch sie fassten sich, um nicht als Toren zu erscheinen, und folgten dem Aufseher der Sklaven zum Scheik. Ali Banu saß auf einem kostbaren Polster und nahm Sorbett zu sich. Zu seiner Rechten saß der Alte, sein dürftiges Kleid ruhte auf herrlichen Polstern, seine ärmlichen Sandalen hatte er auf einen reichen Teppich von persischer Arbeit gestellt, aber sein schöner Kopf, sein Auge voll Würde und Weisheit zeigte an, dass er wert sei, neben einem Mann wie dem Scheik zu sitzen.

Der Scheik war sehr ernst, und der Alte schien ihm Trost und Mut zuzusprechen. Die Jünglinge glaubten, dass auch ihr Ruf vor das Angesicht des Scheiks einer Anregung des Alten zu danken sei, der wahrscheinlich den trauernden Vater durch ein Gespräch mit ihnen zerstreuen wollte.

»Willkommen, ihr jungen Männer«, sprach der Scheik, »willkommen in dem Hause Ali Banus! Mein alter Freund hier hat sich meinen Dank verdient, dass er euch einführte; doch zürne ich ihm ein wenig, dass er mich nicht früher mit euch bekannt machte. Wer von euch ist denn der junge Schreiber?«

»Ich, o Herr, und zu Euren Diensten!«, sprach der junge Schreiber, indem er die Arme über der Brust kreuzte und sich tief verbeugte.

»Ihr hört also sehr gerne Geschichten und lest gerne Bücher mit schönen Versen und Denksprüchen?«

Der junge Mensch errötete und antwortete: »O Herr, allerdings kenne ich für meinen Teil keine angenehmere Beschäftigung, als mit dergleichen den Tag zuzubringen. Es bildet den Geist und vertreibt die Zeit. Aber jeder nach seiner Weise, ich tadle darum gewiss keinen, der nicht …«

»Schon gut, schon gut«, unterbrach ihn der Scheik lachend und winkte den Zweiten herbei. »Wer bist denn du?«, fragte er ihn.

»Herr, ich bin meines Amtes der Gehilfe eines Arztes und habe selbst schon einige Kranke geheilt.«

»Richtig«, erwiderte der Scheik, »und Ihr seid es auch, der das Wohlleben liebt. Ihr möchtet gerne mit guten Freunden hie und da tafeln und guter Dinge sein? Nicht wahr, so ist es doch?«

Der junge Mann war beschämt, er fühlte, dass er verraten war und dass der Alte auch von ihm gebeichtet haben musste. Er fasste sich aber ein Herz und antwortete: »O ja, Herr, ich rechne es unter des Lebens Glückseligkeiten, hie und da mit guten Freunden fröhlich sein zu können. Mein Beutel reicht nun zwar nicht weiter hin, als meine Freunde mit Wassermelonen oder dergleichen wohlfeilen Sachen zu bewirten, doch sind wir auch dabei fröhlich, und es lässt sich denken, dass wir es noch um ein gutes Teil mehr wären, wenn ich mehr Geld hätte.«

Dem Scheik gefiel diese beherzte Antwort, und er konnte sich nicht enthalten, darüber zu lachen. »Welcher ist denn der junge Kaufmann?«, fragte er weiter. Der junge Kaufmann verbeugte sich mit freiem Anstand vor dem Scheik, denn er war ein Mensch von guter Erziehung. Der Scheik aber sprach: »Und Ihr? Ihr habt Freude an Musik und Tanz? Ihr hört es gerne, wenn gute Künstler etwas spielen und singen, und seht gerne kunstvollen Tänzen zu?«

Der junge Kaufmann antwortete: »Ich sehe wohl, o Herr, dass jener alte Mann unsere Torheiten insgesamt verraten hat. Wenn es ihm gelang, Euch dadurch aufzuheitern, so habe ich gerne zu Eurem Scherz gedient. Was Musik und Tanz betrifft, so gestehe ich, es gibt nicht leicht etwas, was mein Herz mehr vergnügt. Doch glaubt nicht, dass ich deswegen Euch tadle, o Herr, wenn Ihr nicht ebenfalls …«

»Genug, nicht weiter!«, rief der Scheik, lächelnd mit der Hand abwehrend. »Jeder nach seiner Weise, wollt Ihr sagen. Aber dort steht ja noch einer; das ist wohl der Jüngling, der so gerne reisen möchte? Wer seid denn Ihr, junger Herr?«

»Ich bin ein Maler, o Herr«, antwortete der junge Mann; »ich male Landschaften teils an die Wände der Säle, teils auf Leinwand. Fremde Länder zu sehen ist allerdings mein Wunsch, denn man sieht dort allerlei schöne Gegenden, die man wieder anbringen kann; und was man sieht und nach einem Vorbild zeichnet, ist doch in der Regel schöner, als was man nur so selbst erfindet.«

Der Scheik betrachtete jetzt die schönen jungen Leute, und sein Blick wurde ernst und düster. »Ich hatte einst auch einen lieben Sohn«, sagte er, »und er müsste nun auch so herangewachsen sein wie ihr. Da solltet ihr seine Genossen und Begleiter sein, und jeder eurer Wünsche würde von selbst befriedigt werden. Mit jenem würde er lesen, mit diesem Musik hören, mit dem andern würde er gute Freunde einladen und fröhlich und guter Dinge sein, und mit dem Maler ließe ich ihn ausziehen in schöne Gegenden und wäre dann gewiss, dass er immer wieder zu mir zurückkehrte. So hat es aber Allah nicht gewollt, und ich füge mich in seinen Willen ohne Murren. Doch, es steht in meiner Macht, eure Wünsche zu erfüllen, und ihr sollt freudigen Herzens von Ali Banu gehen. Ihr, mein gelehrter Freund«, fuhr er fort, indem er sich zu dem Schreiber wandte, »wohnt von jetzt an in meinem Hause und seid über meine Bücher gesetzt. Ihr könnt noch dazu anschaffen, was Ihr wollt und für gut haltet, und Euer einziges Geschäft sei, mir, wenn Ihr etwas recht Schönes gelesen habt, zu erzählen. Ihr, der Ihr eine gute Tafel unter Freunden liebt, Ihr sollt der Aufseher meiner Vergnügungen sein. Ich selbst zwar lebe einsam und ohne Freude, aber es ist meine Pflicht, und mein Amt bringt es mit sich, hie und da viele Gäste einzuladen. Dort sollt Ihr an meiner Stelle alles besorgen und könnt von Euren Freunden dazu einladen, wen Ihr nur wollt; versteht sich, zu etwas Besserem als zu Wassermelonen. Den jungen Kaufmann da darf ich freilich seinem Geschäft nicht entziehen, das ihm Geld und Ehre bringt; aber alle Abende stehen Euch, mein junger Freund, Tänzer, Sänger und Musikanten zu Dienste, so viel Ihr wollt. Lasst Euch aufspielen und tanzen nach Herzenslust! Und Ihr«, sprach er zu dem Maler, »Ihr sollt fremde Länder sehen und das Auge durch Erfahrung schärfen. Mein Schatzmeister wird Euch zu der ersten Reise, die Ihr morgen antreten könnt, tausend Goldstücke reichen nebst zwei Pferden und einem Sklaven. Reist, wohin Euch das Herz treibt, und wenn Ihr etwas Schönes seht, so malet es für mich!«

Die jungen Leute waren außer sich vor Erstaunen, sprachlos vor Freude und Dank. Sie wollten den Boden vor den Füßen des gütigen Mannes küssen, aber er ließ es nicht zu. »Wenn ihr einem zu danken habt«, sprach er, »so ist es diesem weisen Manne hier, der mir von euch erzählte. Auch mir hat er dadurch Vergnügen gemacht, vier so muntere junge Leute eurer Art kennen zu lernen.«

Der Derwisch Mustapha aber wehrte den Dank der Jünglinge ab. »Seht«, sprach er, »wie man nie voreilig urteilen muss! Habe ich euch zu viel von diesem edlen Mann gesagt?«

»Lasst uns nun noch einen der Sklaven, die heute frei sind, erzählen hören!«, unterbrach ihn Ali Banu, und die Jünglinge begaben sich an ihre Plätze.

Jener junge Sklave, der die Aufmerksamkeit aller durch seinen Wuchs, durch seine Schönheit und seinen mutigen Blick in so hohem Grade auf sich gezogen hatte, stand jetzt auf, verbeugte sich vor dem Scheik und fing mit wohltönender Stimme also zu sprechen an:

Die Geschichte Almansors

»O Herr! Die Männer, die vor mir gesprochen haben, erzählten mancherlei wunderbare Geschichten, die sie gehört hatten in fremden
Ländern; ich muss mit Beschämung gestehen, dass ich keine einzige Erzählung weiß, die Eurer Aufmerksamkeit würdig wäre. Doch
wenn es Euch nicht langweilt, will ich Euch die wunderbaren Schicksale eines meiner Freunde vortragen.

Auf jenem algerischen Kaperschiff, von dem mich Eure milde Hand
befreit hat, war ein junger Mann in meinem Alter, der mir nicht für
das Sklavenkleid geboren schien, das er trug. Die übrigen Unglücklichen auf dem Schiffe waren entweder rohe Menschen, mit denen ich
nicht leben mochte, oder Leute, deren Sprache ich nicht verstand; darum fand ich mich zu der Zeit, wo wir ein Stündchen frei hatten, gerne
zu dem jungen Mann. Er nannte sich Almansor und war seiner Aussprache nach ein Ägypter. Wir unterhielten uns recht angenehm miteinander und kamen eines Tages auch darauf, uns unsere Geschichte
zu erzählen. Die meines Freundes war allerdings bei weitem merk-
würdiger als die meinige.

Almansors Vater war ein vornehmer Mann in einer ägyptischen
Stadt, deren Namen er mir nicht nannte. Er lebte die Tage seiner Kindheit vergnügt, froh und umgeben von allem Glanz und aller Bequemlichkeit der Erde. Aber er wurde dabei doch nicht weichlich erzogen,
und sein Geist wurde frühzeitig ausgebildet; denn sein Vater war ein
weiser Mann, der ihm Lehren der Tugend gab, und überdies hatte er
zum Lehrer einen berühmten Gelehrten, der ihn in allem unterrichtete, was ein junger Mensch wissen muss. Almansor war etwa zehn Jahre alt, als die Franken über das Meer her in das Land kamen und Krieg
mit seinem Volke führten.

Der Vater des Knaben musste den Franken nicht sehr huldvoll gewesen sein; denn eines Tages, als er eben zum Morgengebet gehen wollte, kamen sie und verlangten zuerst seine Frau als Geisel
seiner treuen Gesinnung gegen das Frankenvolk, und als er sie

nicht geben wollte, schleppten sie seinen Sohn mit Gewalt ins Lager.«

Als der junge Sklave so erzählte, verhüllte der Scheik sein Angesicht, und es entstand ein Murren des Unwillens im Saal.»Wie«, riefen die Freunde des Scheiks,»wie kann der junge Mann dort so töricht handeln und durch solche Geschichten die Wunden Ali Banus aufreißen, statt sie zu mildern, wie kann er ihm seinen Schmerz erneuern, statt ihn zu zerstreuen?« Der Sklavenaufseher selbst war voll Zorn über den Jüngling und gebot ihm zu schweigen. Der junge Sklave aber war erstaunt über dies alles und fragte den Scheik, ob denn in seiner Erzählung etwas liege, das sein Missfallen erregt habe. Der Scheik richtete sich bei diesen Worten auf und sprach:»Seid doch ruhig, ihr Freunde! Wie kann denn dieser Jüngling etwas von meinem betrübten Schicksal wissen, da er kaum drei Tage unter diesem Dache ist! Kann es denn bei den Gräueln, die diese Franken verübten, nicht ein ähnliches Geschick wie das meine geben, kann nicht vielleicht jener Almansor – doch, erzähle immer weiter, mein junger Freund!« Der junge Sklave verbeugte sich und fuhr fort:»Der junge Almansor wurde also in das fränkische Lager geführt. Es erging ihm dort im Ganzen gut, denn einer der Feldherren ließ ihn in sein Zelt kommen und hatte seine Freude an den Antworten des Knaben, die ihm ein Dragoman übersetzen musste; er sorgte für ihn, dass ihm an Speise und Kleidung nichts abginge; aber die Sehnsucht nach Vater und Mutter machte den Knaben höchst unglücklich. Er weinte viele Tage lang, doch seine Tränen rührten diese Männer nicht. Das Lager wurde abgebrochen, und Almansor glaubte, jetzt wieder zurückkehren zu dürfen; aber es war nicht so, das Heer zog hin und her, führte Krieg mit den Mamelucken, und den jungen Almansor schleppten sie immer mit sich. Wenn er dann die Hauptleute und Feldherren anflehte, ihn doch wieder heimkehren zu lassen, so verweigerten sie es und sagten, er müsse ein Unterpfand von seines Vaters Treue sein. So war er viele Tage lang auf dem Marsch.

Auf einmal entstand eine Bewegung im Heer, die dem Knaben nicht entging; man sprach von Einpacken, von Zurückziehen, von Einschiffen, und Almansor war außer sich vor Freude, denn jetzt, wenn die Franken in ihr Land zurückkehrten, jetzt musste er ja frei werden. Man zog mit Ross und Wagen rückwärts gegen die Küste, und end-

lich war man so weit, dass man die Schiffe vor Anker liegen sah. Die
Soldaten booteten sich ein, aber es wurde Nacht, bis nur ein kleiner
Teil eingeschifft war. So gerne Almansor gewacht hätte, weil er jede
Stunde glaubte, freigelassen zu werden, so verfiel er doch endlich in
einen tiefen Schlaf, und er glaubte, die Franken hätten ihm etwas unter das Wasser gemischt, um ihn einzuschläfern, denn als er aufwachte, schien der helle Tag in eine kleine Kammer, worin er nicht gewesen
war, als er einschlief. Er sprang auf von seinem Lager, aber als er auf
den Boden kam, fiel er um, denn der Boden schwankte hin und wider,
und es schien alles sich zu bewegen und im Kreis um ihn her zu tanzen. Er raffte sich von dem Fußboden wieder auf und hielt sich an den
Wänden fest, um aus dem Gemach zu kommen, worin er sich befand.
Ein sonderbares Brausen und Zischen war um ihn her; er wusste nicht,
ob er träume oder wache, denn er hatte nie Ähnliches gesehen oder gehört. Endlich erreichte er eine kleine Treppe, mit Mühe stieg er hinauf,
und welcher Schrecken befiel ihn! Ringsumher war nichts als Himmel
und Meer, er befand sich auf einem Schiffe. Da fing er kläglich an zu
weinen. Er wollte zurückgebracht werden, er wollte sich ins Meer stürzen und hinüberschwimmen nach seiner Heimat. Aber die Franken
hielten ihn fest, und einer der Befehlshaber ließ ihn zu sich kommen. Er
versprach ihm, wenn er gehorsam sei, solle er bald wieder in seine Heimat zurück, und stellte ihm vor, dass es nicht mehr möglich gewesen
wäre, ihn vom Lande aus nach Hause zu bringen, dort aber hätte er,
wenn man ihn zurückgelassen, elendiglich umkommen müssen.
Wer nicht Wort hielt, waren die Franken, denn das Schiff segelte viele
Tage lang weiter, und als es endlich landete, war man nicht an Ägyp-
tens Küste, sondern in Frankistan! Almansor hatte während der langen Fahrt und schon im Lager einiges von der Sprache der Franken
verstehen und sprechen gelernt, was ihm in diesem Lande, wo niemand seine Sprache kannte, sehr gut zustatten kam. Er wurde viele
Tage lang durch das Land in das Innere geführt, und überall strömte
das Volk zusammen, um ihn zu sehen, denn seine Begleiter sagten
aus, er sei der Sohn des Königs von Ägypten, der ihn zu seiner Ausbil-
dung nach Frankistan schicke.
So sagten aber diese Soldaten nur, um das Volk glauben zu machen,
sie hätten Ägypten besiegt und ständen in tiefem Frieden mit diesem

Land. Nachdem die Reise zu Land mehrere Tage gedauert hatte, kamen sie in eine große Stadt, das Ziel ihrer Reise. Dort wurde er einem Arzt übergeben, der ihn in sein Haus nahm und in allen Sitten und Gebräuchen unterwies.

Er musste vor allem fränkische Kleider anlegen, die sehr eng und knapp waren und bei weitem nicht so schön wie seine ägyptischen. Dann durfte er nicht mehr seine Verbeugung mit gekreuzten Armen machen, sondern wollte er jemand seine Ehrerbietung bezeigen, so musste er mit der einen Hand die ungeheure Mütze von schwarzem Filz, die alle Männer trugen und die man auch ihm aufgesetzt hatte, vom Kopfe reißen, und mit der andern Hand musste er auf die Seite fahren und mit dem rechten Fuße auskratzen. Er durfte auch nicht mehr mit übergeschlagenen Beinen sitzen, wie es angenehme Sitte ist im Morgenland, sondern auf hochbeinige Stühle musste er sich setzen und die Füße herabhängen lassen auf den Boden. Das Essen machte ihm auch nicht geringe Schwierigkeiten, denn alles, was er zum Mund bringen wollte, musste er zuvor auf eine Gabel von Eisen stecken. Der Doktor aber war ein strenger, böser Mann, der den Knaben plagte; denn wenn er sich jemals vergaß und zu einem Besuch sagte: ›Salem aleikum!‹, so schlug er ihn mit dem Stock, denn er sollte sagen: ›Votre serviteur‹. Er durfte auch nicht mehr in seiner Sprache denken und sprechen oder schreiben, höchstens durfte er darin träumen, und er hätte vielleicht seine Sprache gänzlich verlernt, wenn nicht ein Mann in jener Stadt gelebt hätte, der ihm von großem Nutzen war.

Es war dies ein alter, sehr gelehrter Mann, der viele morgenländische Sprachen verstand, Arabisch, Persisch, Koptisch, sogar Chinesisch, von jedem etwas; er galt in jenem Land als ein Wunder von Gelehrsamkeit, und man gab ihm viel Geld, dass er diese Sprachen andere Leute lehrte. Dieser Mann ließ nun den jungen Almansor alle Wochen einige Male zu sich kommen, bewirtete ihn mit seltenen Früchten und dergleichen, und dem Jüngling war es dann, als wäre er zu Hause, denn der alte Herr war ein sonderbarer Mensch. Er hatte Almansor Kleider machen lassen, wie sie vornehme Leute in Ägypten tragen. Diese Kleider bewahrte er in seinem Hause in einem besonderen Zimmer auf. Kam nun Almansor, so schickte er ihn mit einem Bedienten in jenes Zimmer und ließ ihn ganz nach seiner Landessitte ankleiden. Von da ging es dann nach ›Kleinarabien‹; so nannte man einen Saal im Hause des Gelehrten.

Dieser Saal war mit allerlei künstlich aufgezogenen Bäumen, wie Palmen, Bambus, jungen Zedern und dergleichen, und mit Blumen ausgeschmückt, die nur im Morgenland wachsen. Persische Teppiche lagen auf dem Fußboden, und an den Wänden waren Polster, nirgends aber ein fränkischer Stuhl oder Tisch. Auf einem dieser Polster saß der alte Professor, er sah aber ganz anders aus als gewöhnlich; um den Kopf hatte er einen feinen türkischen Schal als Turban gewunden, er hatte einen grauen Bart umgeknüpft, der ihm bis zum Gürtel reichte und aussah wie der natürliche, ehrwürdige Bart eines gewichtigen Mannes. Dann trug er einen Talar, den er aus einem brokatnen Schlafrock hatte machen lassen, weite türkische Beinkleider, gelbe Pantoffeln und, so friedlich er sonst war, an diesen Tagen hatte er einen türkischen Säbel umgeschnallt, und im Gürtel steckte ein Dolch, mit falschen Steinen besetzt. Dazu rauchte er aus einer zwei Ellen langen Pfeife und ließ sich von seinen Leuten bedienen, die ebenfalls persisch gekleidet waren und wovon die Hälfte Gesicht und Hände schwarz gefärbt hatte. Anfangs wollte dies alles dem jungen Almansor gar wunderlich dünken, aber bald sah er ein, dass solche Stunden, wenn er in die Gedanken des Alten sich fügte, sehr nützlich für ihn seien. Durfte er beim Doktor kein ägyptisches Wort sprechen, so war hier die fränkische Sprache verboten. Almansor musste beim Eintreten den Friedensgruß sprechen, den der alte Perser sehr feierlich erwiderte; dann winkte er dem Jüngling, sich neben ihn zu setzen, und begann Persisch, Arabisch, Koptisch und alle Sprachen untereinander zu mengen, er nannte dies eine gelehrte morgenländische Unterhaltung. Neben ihm stand ein Bedienter oder, was sie an diesem Tage vorstellten, ein Sklave, der ein großes Buch hielt; das Buch war aber ein Wörterbuch, und wenn dem Alten die Worte ausgingen, winkte er dem Sklaven, schlug flugs auf, was er sagen wollte, und fuhr dann zu sprechen fort.

Die Sklaven brachten in türkischem Geschirr Sorbett und dergleichen, und wollte Almansor dem Alten ein großes Vergnügen machen, so musste er sagen, es sei alles bei ihm angeordnet wie im Morgenland. Almansor las sehr schön Persisch, und das war der Hauptvorteil für den Alten. Er hatte viele persische Manuskripte, aus diesen ließ er sich von dem Jüngling vorlesen, las aufmerksam nach und merkte sich auf diese Art die richtige Aussprache.

Das waren die Freudentage des armen Almansor, denn nie entließ ihn der alte Professor unbeschenkt, und oft trug er sogar kostbare Gaben an Geld oder Leinenzeug oder andern notwendigen Dingen davon, die ihm der Doktor nicht geben wollte. So lebte Almansor einige Jahre in der Hauptstadt des Frankenlandes, und nie wurde seine Sehnsucht nach der Heimat geringer. Als er dann etwa fünfzehn Jahre alt war, begab sich ein Vorfall, der auf sein Schicksal großen Einfluss hatte.

Die Franken nämlich wählten ihren ersten Feldherrn, denselben, mit dem Almansor so oft in Ägypten gesprochen hatte, zu ihrem König und Beherrscher. Almansor wusste zwar und erkannte es an den großen Festlichkeiten, dass etwas dergleichen in dieser großen Stadt geschehe; doch konnte er sich nicht denken, dass der König derselbe sei, den er in Ägypten gesehen, denn jener Feldherr war noch ein sehr junger Mann. Eines Tages ging Almansor über eine jener Brücken, die über den breiten Fluss führen, der die Stadt durchströmt, da gewahrte er in dem einfachen Kleid eines Soldaten einen Mann, der am Brückengeländer lehnte und in die Wellen sah. Die Züge des Mannes fielen ihm auf, und er erinnerte sich, ihn schon gesehen zu haben. Er ging also schnell die Kammern seiner Erinnerung durch, und als er an die Pforte der Kammer von Ägypten kam, da öffnete sich ihm plötzlich das Verständnis, dass dieser Mann jener Feldherr der Franken sei, mit dem er oft im Lager gesprochen und der immer gütig für ihn gesorgt hatte. Er wusste seinen rechten Namen nicht genau, fasste sich daher ein Herz, trat zu ihm, nannte ihn, wie ihn die Soldaten unter sich nannten, und sprach, indem er nach seiner Landessitte die Arme über die Brust kreuzte: ›Salem aleikum, Petit-Caporal!‹

Der Mann sah sich erstaunt um, blickte den jungen Menschen mit scharfen Augen an, dachte über ihn nach und sagte dann: ›Himmel, ist es möglich? Du hier, Almansor? Was macht dein Vater? Wie geht es in Ägypten? Was führt dich zu uns hierher?‹

Da konnte sich Almansor nicht länger halten, er fing an, bitterlich zu weinen, und sagte dem Mann: ›So weißt du also nicht, was die Hunde, deine Landsleute, mit mir gemacht haben, Petit-Caporal? Du weißt nicht, dass ich das Land meiner Väter nicht mehr gesehen habe seit vielen Jahren?‹

›Ich will nicht hoffen‹, sagte der Mann, und seine Stirn wurde finster, ›ich will nicht hoffen, dass man dich mit hinwegschleppte.‹

›Ach, freilich‹, antwortete Almansor, ›an jenem Tag, wo eure Soldaten sich einschifften, sah ich mein Vaterland zum letzten Mal; sie nahmen mich mit sich hinweg, und ein Hauptmann, den mein Elend rührte, zahlt ein Kostgeld für mich bei einem verwünschten Doktor, der mich schlägt und halb hungers sterben lässt. Aber höre, Petit-Caporal‹, fuhr er treuherzig fort, ›es ist gut, dass ich dich hier traf, du musst mir helfen!‹

Der Mann, zu dem er dies sprach, lächelte und fragte, auf welche Weise er denn helfen sollte.

›Sieh‹, sagte Almansor, ›es wäre unbillig, wollte ich von dir etwas verlangen; du warst von jeher so gütig gegen mich, aber ich weiß, du bist auch ein armer Mensch, und wenn du auch Feldherr warst, gingst du nie so schön gekleidet wie die andern; auch jetzt musst du, nach deinem Rock und Hut zu urteilen, nicht in den besten Verhältnissen sein. Aber da haben ja die Franken letzthin einen Sultan gewählt, und ohne Zweifel kennst du Leute, die sich ihm nahen dürfen, etwa seinen Ja-

nitscharen-Aga oder den Reis-Efendi oder seinen Kapudan-Pascha – nicht?‹

›Nun ja‹, antwortete der Mann, ›aber wie weiter?‹

›Bei diesen könntest du ein gutes Wort für mich einlegen, Petit-Caporal, dass sie den Sultan der Franken bitten, er möchte mich freilassen. Dann brauche ich auch etwas Geld zur Reise übers Meer; vor allem aber musst du mir versprechen, weder dem Doktor noch dem arabischen Professor etwas davon zu sagen.‹

›Wer ist denn der arabische Professor?‹, fragte jener.

›Ach, das ist ein sonderbarer Mann; doch von diesem erzähle ich dir ein andermal. Wenn es die beiden hörten, dürfte ich nicht mehr aus Frankistan weg. Aber nun sage mir erst, willst du für mich sprechen bei den Agas? Sage es mir aufrichtig!‹

›Komm mit mir‹, sagte der Mann, ›vielleicht kann ich dir jetzt gleich nützlich sein!‹

›Jetzt?‹, rief der Jüngling mit Schrecken. ›Jetzt um keinen Preis, da würde mich der Doktor prügeln; ich muss eilen, dass ich nach Hause komme.‹

›Was trägst du denn in diesem Korb?‹, fragte jener, indem er ihn zurückhielt. Almansor errötete und wollte es anfangs nicht zeigen, endlich aber sagte er: ›Sieh, Petit-Caporal, ich muss hier Dienste tun wie der geringste Sklave meines Vaters. Der Doktor ist ein geiziger Mann und schickt mich alle Tage von unserm Hause weit auf den Gemüse- und Fischmarkt; da muss ich dann unter den schmutzigen Marktweibern einkaufen, weil es dort um einige Kupfermünzen wohlfeiler ist als in unserem Stadtteil. Sieh, wegen dieses schlechten Herings, wegen dieser Hand voll Salat, wegen dieses Stückchens Butter muss ich alle Tage zwei Stunden gehen. Ach, wenn es mein Vater wüsste!‹

Der Mann, zu dem Almansor dies sprach, war gerührt über die Not des Knaben und antwortete: ›Komm nur mit mir und sei getrost! Der Doktor soll dir nichts anhaben dürfen, wenn er auch heute weder Hering noch Salat verspeist. Sei getrosten Mutes und komm!‹ Er nahm bei diesen Worten Almansor bei der Hand und führte ihn mit sich, und obgleich diesem das Herz pochte, wenn er an den Doktor dachte, so lag doch so große Zuversicht in den Worten und Mienen des Mannes, dass er sich entschloss, ihm zu folgen. Er ging also, sein Körbchen am Arm, neben dem Soldaten viele Straßen durch, und wunderbar wollte es ihm dünken, dass alle Leute die Hüte vor ihnen abnahmen und stehen blieben und ihnen nachschauten. Er äußerte dies auch gegen seinen Begleiter; der aber lachte und sagte nichts darüber.

Sie gelangten endlich an ein prachtvolles Schloss, auf das der Mann zuging. ›Wohnst du hier, Petit-Caporal?‹, fragte Almansor.

›Hier ist meine Wohnung‹, entgegnete jener, ›und ich will dich zu meiner Frau führen.‹

›Ei, da wohnst du schön!‹, fuhr Almansor fort. ›Gewiss hat dir der Sultan hier freie Wohnung gegeben?‹

›Diese Wohnung habe ich vom Kaiser, du hast Recht‹, antwortete sein Begleiter und führte ihn in das Schloss. Dort stiegen sie eine Treppe hinan, in einem schönen Saal hieß er ihn seinen Korb absetzen und trat dann mit ihm in ein prachtvolles Gemach, wo eine Frau auf einem Diwan saß. Der Mann sprach mit ihr in einer fremden Sprache, worauf sie beide nicht wenig lachten, und die Frau fragte dann Almansor in fränkischer Sprache vieles über Ägypten. Endlich sagte Petit-Caporal zu dem Jüngling: ›Weißt du, was das Beste ist? Ich will dich gleich selbst zum Kaiser führen und bei ihm für dich sprechen.‹

Almansor erschrak sehr, aber er dachte an sein Elend und an seine

Heimat. ›Dem Unglücklichen‹, sprach er zu den beiden, ›verleiht Allah einen hohen Mut in der Stunde der Not, er wird auch mich armen Knaben nicht verlassen. Ich will es tun, ich will zu ihm gehen. Aber sage, Caporal, muss ich vor ihm niederfallen, muss ich mit der Stirne den Boden berühren, was muss ich tun?‹

Die beiden lachten von neuem und versicherten, dies alles sei nicht nötig.

›Sieht er schrecklich und majestätisch aus?‹, fragte er weiter. ›Hat er einen langen Bart? Macht er feurige Augen? Sage, wie sieht er aus?‹

Sein Begleiter lachte von neuem und sprach dann: ›Ich will dir ihn lieber gar nicht beschreiben, Almansor, du selbst sollst erraten, welcher es ist. Nur das will ich dir als Kennzeichen angeben: Alle im Saal des Kaisers werden, wenn er da ist, die Hüte ehrerbietig abnehmen; der den Hut auf dem Kopf behält, ist der Kaiser.‹ Bei diesen Worten nahm er ihn bei der Hand und ging mit ihm nach dem Saal des Kaisers. Je weiter sie kamen, desto lauter pochte Almansor das Herz, und die Knie fingen ihm zu zittern an, als sie sich der Tür näherten. Ein Bedienter öffnete, und da standen in einem Halbkreis wenigstens dreißig Männer, alle prächtig gekleidet und mit Gold und Sternen überdeckt, wie es Sitte ist im Lande der Franken bei den vornehmsten Agas und Bassas der Könige; und Almansor dachte, sein Begleiter, der so unscheinbar gekleidet war, müsse der Geringsten einer sein unter diesen. Sie hatten alle das Haupt entblößt, und Almansor fing nun an, nach dem zu suchen, der den Hut auf dem Kopf hätte, denn dieser musste der Kaiser sein. Aber vergebens war sein Suchen. Alle hatten den Hut in der Hand, und der Kaiser musste also nicht unter ihnen sein; da fiel sein Blick zufällig auf seinen Begleiter, und – der hatte den Hut auf dem Kopf!

Der Jüngling war erstaunt, betroffen. Er sah seinen Begleiter lange an und sagte dann, indem er selbst seinen Hut abnahm: ›Salem aleikum, Petit-Caporal! Soviel ich weiß, bin ich selbst nicht der Sultan der Franken, also kommt es mir nicht zu, mein Haupt zu bedecken; doch du bist der, der den Hut trägt – Petit-Caporal, bist denn du der Kaiser?‹

›Du hast's erraten‹, antwortete jener, ›und überdies bin ich dein Freund. Schreibe dein Unglück nicht mir, sondern einer unglücklichen Verwirrung der Umstände zu, und sei versichert, dass du mit dem ersten Schiff in dein Vaterland zurücksegelst. Gehe jetzt wieder hin zu meiner Frau, erzähle ihr vom arabischen Professor und was du weißt! Die Heringe und den Salat will ich dem Doktor schicken, du aber bleibst in meinem Palast.‹

So sprach der Mann, der Kaiser war; Almansor fiel vor ihm nieder, küsste seine Hand und bat ihn um Verzeihung, dass er ihn nicht erkannt habe, er habe es ihm gewiss nicht angesehen, dass er Kaiser sei.

›Du hast Recht‹, erwiderte jener lachend, ›wenn man wenige Tage Kaiser ist, kann man es nicht an der Stirn geschrieben haben.‹ So sprach er und winkte ihm, sich zu entfernen.

Seit diesem Tage lebte Almansor glücklich und in Freuden. Den arabischen Professor, von dem er erzählt hatte, durfte er noch einige Mal besuchen, den Doktor aber sah er nicht mehr. Nach einigen Wochen ließ ihn der Kaiser zu sich rufen und kündigte ihm an, dass ein Schiff vor Anker liege, mit dem er ihn nach Ägypten senden wolle. Almansor war außer sich vor Freude; wenige Tage reichten hin, um ihn auszurüsten, und mit einem Herzen voll des Dankes, mit Schätzen und Geschenken vom Kaiser reich beladen, reiste er ab ans Meer und schiffte sich ein.

Aber Allah wollte ihn noch länger prüfen, wollte seinen Mut im Unglück noch länger stählen und ließ ihn die Küste seiner Heimat noch nicht sehen. Ein anderes Volk, die Engländer, führte damals Krieg mit dem Kaiser auf der See. Sie nahmen ihm alle Schiffe weg, die sie besiegen konnten, und so kam es, dass am sechsten Tage der Reise das Schiff, auf dem sich Almansor befand, von englischen Schiffen umgeben und beschossen wurde; es musste sich ergeben, und die ganze Mannschaft wurde auf ein kleineres Schiff gebracht, das mit den andern weitersegelte. Doch auf der See ist es nicht weniger unsicher als in der Wüste, wo unversehens die Räuber über die Karawanen herfallen und totschlagen und plündern. Ein Kaperschiff von Tunis überfiel das kleine Fahrzeug, das der Sturm von den größeren Schiffen getrennt hatte. Es wurde genommen, alle Mannschaften nach Algier geführt und verkauft.

Almansor kam zwar nicht in so harte Sklaverei wie die Christen, weil er ein rechtgläubiger Muselmann war, aber dennoch war jetzt wieder alle Hoffnung verschwunden, die Heimat und den Vater wiederzusehen. In Algier lebte er bei einem reichen Mann fünf Jahre und musste die Blumen begießen und den Garten pflegen. Da starb der reiche Mann ohne nahe Erben, seine Besitzungen wurden zerrissen, seine Sklaven verteilt, und Almansor fiel in die Hände eines Sklavenmaklers. Der rüstete um diese Zeit ein Schiff aus, um seine Sklaven anderwärts teurer zu verkaufen. Der Zufall wollte, dass ich selbst ein Sklave dieses Händlers war und auf das Schiff kam, wo auch Almansor sich befand. Dort lernten wir uns kennen, und dort erzählte er mir seine wunderbaren Schicksale. Doch – als wir landeten, war ich Zeuge der wunderbarsten Fügung Allahs; es war die Küste seines Vaterlandes, an die wir aus dem Boot stiegen, es war der Markt seiner Vaterstadt, wo wir öffentlich ausgeboten wurden, und, o Herr, dass ich es kurz sage, es war sein eigener, sein teurer Vater, der ihn kaufte!«

Der Scheik Ali Banu war in tiefes Nachdenken versunken über diese Erzählung; sie hatte ihn unwillkürlich mit sich fortgerissen, seine Brust hob sich, sein Auge glühte, und er war oft nahe daran, seinen jungen Sklaven zu unterbrechen; aber das Ende der Erzählung schien ihn nicht zu befriedigen.

»Er könnte jetzt einundzwanzig Jahre alt sein, sagst du?«, so fing er an zu fragen.

»Herr, er ist in meinem Alter, ein- bis zweiundzwanzig Jahre.«

»Und welche Stadt nannte er seine Geburtsstadt? Das hast du uns noch nicht gesagt.«

»Wenn ich nicht irre«, antwortete jener, »so war es Alessandria!«

»Alessandria?«, rief der Scheik. »Es ist mein Sohn; wo ist er geblieben? Sagtest du nicht, dass er Kairam hieß? Hat er dunkle Augen und braunes Haar?«

»Er hat es, und in traulichen Stunden nannte er sich Kairam und nicht Almansor.«

»Aber, Allah! Allah! Du sagst doch, sein Vater hätte ihn vor deinen Augen gekauft; versicherte er, er sei sein Vater? Also ist dein Freund Almansor doch nicht mein Sohn!«

Der Sklave antwortete: »Er sprach zu mir: ›Allah sei gepriesen nach so langem Unglück – das ist der Marktplatz meiner Vaterstadt.‹ Nach einer Weile kam ein vornehmer Mann um die Ecke, da rief er: ›Oh, was für ein teures Geschenk des Himmels sind die Augen! Ich sehe noch einmal meinen ehrwürdigen Vater!‹ Der Mann trat zu uns, betrachtete diesen und jenen und kaufte endlich den, dem dies alles begegnet ist; da rief er Allah an, sprach ein heißes Dankgebet und flüsterte mir zu: ›Jetzt gehe ich wieder ein in die Hallen meines Glückes; es ist mein eigener Vater, der mich gekauft hat.‹«

»Es ist also doch nicht mein Sohn, mein Kairam!«, sagte der Scheik, von Schmerz bewegt.

Da konnte sich der Jüngling nicht mehr zurückhalten. Tränen der Freude entstürzten seinen Augen, er warf sich nieder vor dem Scheik und rief: »Und dennoch ist es Euer Sohn Kairam Almansor, denn Ihr seid es, der ihn gekauft hat.«

»Allah, Allah! Ein Wunder, ein großes Wunder!«, riefen die Anwesenden und drängten sich herbei; der Scheik aber stand sprachlos und staunte den Jüngling an, der sein schönes Antlitz zu ihm aufhob. »Mein Freund Mustapha«, sprach er zu dem alten Derwisch, »vor meinen Augen hängt ein Schleier von Tränen, dass ich nicht sehen kann, ob die Züge seiner Mutter, die mein Kairam trug, auf seinem Gesicht eingegraben sind. Trete du her und schaue ihn an!«

Der Alte trat herzu, sah ihn lange an, legte seine Hand auf die Stirne
des jungen Mannes und sprach: »Kairam, wie hieß der Spruch, den
ich dir am Tage des Unglücks mitgab ins Lager der Franken?«

»Mein teurer Lehrer«, antwortete der Jüngling, indem er die Hand
des Alten an seine Lippen zog, »er hieß: So einer Allah liebt und ein
gutes Gewissen hat, ist er auch in der Wüste des Elends nicht allein;
denn er hat zwei Gefährten, die ihm tröstend zur Seite gehen.«

Da hob der Alte seine Augen dankend auf zum Himmel, zog den
Jüngling hinauf an seine Brust und gab ihn dem Scheik und sprach:
»Nimm ihn hin! So gewiss du zehn Jahre um ihn trauertest, so gewiss
ist es dein Sohn Kairam.«

Der Scheik war außer sich vor Freude und Entzücken; er betrachtete
immer von neuem die Züge des Wiedergefundenen, und unleugbar
fand er das Bild seines Sohnes wieder, wie er ihn verloren hatte. Alle
Anwesenden teilten seine Freude, denn sie liebten den Scheik, und jedem unter ihnen war es, als wäre ihm heute ein Sohn geschenkt worden.

Jetzt füllten wieder Gesang und Jubel diese Halle wie in den Tagen
des Glücks und der Freude. Noch einmal musste der Jüngling und
noch ausführlicher seine Geschichte erzählen, alle priesen den arabischen Professor und den Kaiser und jeden, der sich Kairams angenommen hatte. Man war beisammen bis in die Nacht, und als man
aufbrach, beschenkte der Scheik jeden seiner Freunde reichlich, auf
dass er immer dieses Freudentages gedenke.

Die vier jungen Männer stellte er seinem Sohne vor und lud sie ein,
ihn immer zu besuchen, und es war ausgemachte Sache, dass er mit
dem Schreiber lesen, mit dem Maler kleine Reisen machen sollte, dass
der Kaufmann Gesang und Tanz mit ihm teile und der andere alle
Vergnügungen für sie bereiten solle. Auch sie wurden reich beschenkt und traten freudig aus dem Hause des Scheiks.

»Wem haben wir dies alles zu verdanken«, sprachen sie untereinander, »wem anders als dem Alten? Wer hätte dies damals gedacht, als
wir vor diesem Hause standen und über den Scheik loszogen?«

»Und wie leicht hätte es uns einfallen können, die Lehren des alten
Mannes zu überhören«, sagte ein anderer, »oder ihn gar zu verspot-

ten! Denn er sah doch recht zerrissen und ärmlich aus, und wer konnte denken, dass dieser der weise Mustapha sei?«

»Und wunderbar, war es nicht hier, wo wir unsere Wünsche laut werden ließen?«, sprach der Schreiber. »Da wollte der eine reisen, der andere singen und tanzen, der Dritte gute Gesellschaft haben und ich – Geschichten lesen und hören; und sind nicht alle unsere Wünsche in Erfüllung gegangen? Darf ich nicht alle Bücher des Scheiks lesen und kaufen, was ich will?«

»Und darf ich nicht seine Tafel zurichten und seine schönsten Vergnügungen anordnen und selbst dabei sein?«, sagte der andere.

»Und ich? Sooft mich mein Herz gelüstet, Gesang und Saitenspiel zu hören oder einen Tanz zu sehen, darf ich nicht hingehen und mir seine Sklaven ausbitten?«

»Und ich!«, rief der Maler. »Vor diesem Tage war ich arm und konnte keinen Fuß aus dieser Stadt setzen, und jetzt kann ich reisen, wohin ich will!«

»Ja«, riefen sie alle, »es war doch gut, dass wir dem Alten folgten, wer weiß, was aus uns geworden wäre?«

So sprachen sie und gingen freudig und glücklich nach Hause.

Das Wirtshaus im Spessart

Vor vielen Jahren, als im Spessart die Wege noch schlecht und nicht so häufig wie jetzt befahren waren, zogen zwei junge Burschen durch diesen Wald. Der eine mochte achtzehn Jahre alt sein und war ein Zirkelschmied, der andere, ein Goldarbeiter, konnte nach seinem Aussehen kaum sechzehn Jahre haben und machte wohl jetzt eben seine erste Reise in die Welt. Der Abend war schon heraufgekommen, und die Schatten der riesengroßen Fichten und Buchen verfinsterten den schmalen Weg, auf dem die beiden wanderten. Der Zirkelschmied schritt wacker vorwärts und pfiff ein Lied, schwatzte auch zuweilen mit Munter, seinem Hund, und schien sich nicht viel darum zu kümmern, dass die Nacht nicht mehr fern, desto ferner aber die nächste Herberge sei. Aber Felix, der Goldarbeiter, sah sich oft ängstlich um. Wenn der Wind durch die Bäume rauschte, so war es ihm, als höre er Tritte hinter sich. Wenn das Gesträuch am Wege hin und her wankte und sich teilte, glaubte er Gesichter hinter den Büschen lauern zu sehen.

Der junge Goldschmied war sonst nicht furchtsam oder mutlos. In Würzburg, wo er gelernt hatte, galt er unter seinen Kameraden als ein unerschrockener Bursche, dem das Herz am rechten Fleck saß, aber heute war ihm doch sonderbar zumute. Man hatte ihm vom Spessart so mancherlei erzählt. Eine große Räuberbande sollte dort ihr Wesen treiben, viele Reisende waren in den letzten Wochen ausgeplündert worden, ja, man sprach sogar von einigen gräulichen Mordgeschichten, die vor nicht langer Zeit dort vorgefallen seien. Da war ihm nun doch etwas bange für sein Leben, denn sie waren ja nur zu zweit und konnten gegen bewaffnete Räuber gar wenig ausrichten. Oft gereute es ihn, dass er dem Zirkelschmied gefolgt war, noch eine Strecke zu gehen, statt am Eingang des Waldes über Nacht zu bleiben.

»Und wenn ich heute Nacht totgeschlagen werde und um Leben und alles komme, was ich bei mir habe, so ist's nur deine Schuld, Zirkelschmied, denn du hast mich in den schrecklichen Wald hereingeschwatzt.«

»Sei kein Hasenfuß!«, erwiderte der andere. »Ein rechter Handwerksbursche soll sich eigentlich gar nicht fürchten. Und was meinst du denn? Meinst du, die Herren Räuber im Spessart werden uns die Ehre antun, uns zu überfallen und totzuschlagen? Warum sollten sie sich diese Mühe geben? Etwa wegen meines Sonntagsrocks, den ich im Ranzen habe, oder wegen des Zehrpfennigs von einem Taler? Da muss man schon mit vieren fahren, in Gold und Seide gekleidet sein, wenn sie es der Mühe wert finden, einen umzubringen.«

»Halt! Hörst du nicht etwas pfeifen im Wald?«, rief Felix ängstlich.
»Das war der Wind, der um die Bäume pfeift; geh nur rasch vorwärts, lange kann es nicht mehr dauern.«
»Ja, du hast gut reden wegen des Totschlagens«, fuhr der Goldarbeiter fort. »Dich fragen sie, was du hast, durchsuchen dich und nehmen dir allenfalls den Sonntagsrock und den Gulden und dreißig Kreuzer. Aber mich, mich ermorden sie gleich anfangs, nur weil ich Gold und Geschmeide mit mir führe.«
»Ei, warum sollten sie dich erschlagen deswegen? Kämen jetzt vier oder fünf dort aus dem Busch mit geladenen Büchsen, die sie auf uns anlegten, und fragten uns ganz höflich: ›Ihr Herren, was habt ihr bei euch?‹ und ›Machet es euch bequem, wir wollen's euch tragen helfen!‹ und was dergleichen anmutige Redensarten sind, da wärest du wohl kein Tor, machtest dein Ränzchen auf und legtest die gelbe Weste, den blauen Rock, zwei Hemden und alle Halsbänder und Armbänder und Kämme, und was du sonst noch hast, höflich auf die Erde und bedanktest dich fürs Leben, das sie dir schenkten.«
»So, meinst du?«, entgegnete Felix sehr eifrig. »Den Schmuck für meine Frau Patin, die liebe Frau Gräfin, soll ich hergeben! Eher mein Leben, eher lass ich mich in kleine Stücke zerschneiden. Hat sie nicht Mutterstelle an mir vertreten und seit meinem zehnten Jahre mich aufziehen lassen? Hat sie nicht die Lehre für mich bezahlt und Kleider und alles? Und jetzt, da ich sie besuchen darf und etwas mitbringe von meiner eigenen Arbeit, das sie beim Meister bestellt hat, jetzt, da ich ihr an dem schönen Geschmeide zeigen könnte, was ich gelernt habe, jetzt soll ich das alles hergeben und die gelbe Weste dazu, die ich auch von ihr habe? Nein, lieber sterben, als dass ich den schlechten Menschen das Geschmeide meiner Frau Patin gebe!«
»Sei kein Narr!«, rief der Zirkelschmied. »Wenn sie dich totschlagen, bekommt die Frau Gräfin den Schmuck dennoch nicht. Drum ist es besser, du gibst ihn her und erhältst dein Leben.«
Felix antwortete nicht. Die Nacht war jetzt ganz heraufgekommen, und bei dem ungewissen Schein des Neumonds konnte man kaum auf fünf Schritte vor sich sehen. Er wurde immer ängstlicher, hielt sich näher an seinen Kameraden und war mit sich uneinig, ob er dessen Reden und Beweise billigen sollte oder nicht. Noch eine Stunde beina-

he waren sie so fortgegangen, da erblickten sie in der Ferne ein Licht. Der junge Goldschmied meinte zwar, man dürfe nicht trauen, vielleicht könnte es ein Räuberhaus sein, aber der Zirkelschmied belehrte ihn, dass die Räuber ihre Häuser oder Höhlen unter der Erde haben, und dies müsse das Wirtshaus sein, das ihnen ein Mann am Eingang des Waldes beschrieben hatte.

Es war ein langes, niedriges Haus, ein Karren stand davor, und nebenan im Stalle hörte man Pferde wiehern. Der Zirkelschmied winkte seinen Gesellen an ein Fenster, dessen Läden geöffnet waren. Sie konnten, wenn sie sich auf die Zehen stellten, die Stube übersehen. Am Ofen, in einem Armstuhl, schlief ein Mann, der seiner Kleidung nach ein Fuhrmann und wohl auch der Herr des Karrens vor der Tür sein konnte. An der andern Seite des Ofens saßen ein Weib und ein Mädchen und spannen. Hinter dem Tisch an der Wand saß ein Mensch, der ein Glas Wein vor sich und den Kopf in die Hände gestützt hatte, so dass sie sein Gesicht nicht sehen konnten. Der Zirkelschmied aber wollte aus seiner Kleidung schließen, dass es ein vornehmer Herr sein müsse.

Als sie so noch auf der Lauer standen, schlug ein Hund im Hause an. Munter, des Zirkelschmieds Hund, antwortete; eine Magd erschien in der Tür und schaute nach den Fremden heraus.

Man versprach, ihnen Nachtessen und Betten zu geben. Sie traten ein und legten die schweren Bündel, Stock und Hut in die Ecke und setzten sich zu dem Herrn an den Tisch. Der Gast richtete sich bei ihrem Gruße auf, und sie erblickten einen feinen jungen Mann, der ihnen freundlich für ihren Gruß dankte.

»Ihr seid spät unterwegs«, sagte er. »Habt ihr euch nicht gefürchtet, in so dunkler Nacht durch den Spessart zu reisen? Ich für meinen Teil habe lieber mein Pferd in dieser Schenke eingestellt, als dass ich nur noch eine Stunde weitergeritten wäre.«

»Da habt ihr allerdings Recht gehabt, Herr!«, erwiderte der Zirkelschmied. »Der Hufschlag eines schönen Pferdes ist Musik in den Ohren dieses Gesindels und lockt sie auf eine Stunde weit. Aber wenn ein paar arme Burschen wie wir durch den Wald schleichen, Leute, denen die Räuber eher selbst etwas schenken könnten, da heben sie keinen Fuß auf!«

»Das ist wohl wahr«, entgegnete der Fuhrmann, der, durch die Ankunft der Fremden aufgeweckt, auch an den Tisch getreten war; »einem armen Mann können sie nicht viel anhaben seines Geldes willen. Aber man hat Beispiele, dass sie arme Leute nur aus Mordlust niederstießen oder sie zwangen, unter die Bande zu treten und als Räuber zu dienen.«

»Nun, wenn es so aussieht mit diesen Leuten im Wald«, bemerkte der junge Goldschmied, »so wird uns wahrhaftig auch dieses Haus wenig Schutz gewähren. Wir sind nur zu vieren und mit dem Hausknecht fünf; wenn es ihnen einfällt, zu zehnt uns zu überfallen, was können wir gegen sie ausrichten? Und überdies«, setzte er leise flüsternd hinzu, »wer steht uns dafür, dass diese Wirtsleute ehrlich sind?«

»Da hat es gute Wege«, erwiderte der Fuhrmann. »Ich kenne diese Wirtschaft seit mehr als zehn Jahren und habe nie etwas Unrechtes darin verspürt. Der Mann ist selten zu Hause, man sagt, er treibe Weinhandel; die Frau aber ist eine stille Frau, die niemandem Böses will. Nein, der tut Ihr unrecht, Herr!«

»Und doch«, nahm der junge vornehme Herr das Wort, »doch möchte ich nicht so ganz verwerfen, was er argwöhnt. Erinnert euch an die Gerüchte von jenen Leuten, die in diesem Wald auf einmal spurlos verschwunden sind. Mehrere davon hatten vorher gesagt, sie werden in diesem Wirtshaus übernachten, und als man nach zwei oder drei Wochen nichts von ihnen vernahm, ihrem Weg nachforschte und auch hier im Wirtshause nachfragte, da sollte dort keiner gesehen worden sein. – Verdächtig ist es doch.«

»Weiß Gott«, rief der Zirkelschmied, »da handelten wir ja vernünftiger, wenn wir unter dem nächsten besten Baum unser Nachtlager nähmen als hier in diesen vier Wänden, wo an kein Entspringen zu denken ist, wenn sie einmal die Tür besetzt haben, denn die Fenster sind vergittert.«

Sie waren alle durch diese Reden nachdenklich geworden. Es schien gar nicht unwahrscheinlich, dass die Schenke im Wald, sei es gezwungen oder freiwillig, im Einverständnis mit den Räubern war. Die Nacht schien ihnen daher gefährlich, denn wie manche Erzählung hatten sie gehört von Wanderern, die man im Schlaf überfallen und gemordet hatte. Sollte es auch nicht an ihr Leben gehen, so war doch ein Teil der Gäste in der Waldschenke von so beschränkten Mitteln, dass ihnen ein Raub an einem Teil ihrer Habe sehr empfindlich gewesen wäre. Sie schauten verdrießlich und düster in ihre Gläser. Der junge Herr wünschte auf seinem Ross durch ein sicheres, offenes Tal zu traben, der Zirkelschmied wünschte sich zwölf seiner handfesten Kameraden, mit Knütteln bewaffnet, als Leibgarde; Felix, dem Goldarbeiter, war bange, mehr um den Schmuck seiner Wohltäterin als um sein Leben; der Fuhrmann aber, der einige Mal den Rauch seiner Pfeife nachdenklich vor sich hingeblasen hatte, sprach leise: »Ihr Herren, im Schlaf wenigstens sollen sie uns nicht überfallen. Ich für meinen Teil will, wenn nur noch einer mit mir hält, die ganze Nacht wach bleiben.«

»Das will ich auch!« – »Ich auch!«, riefen die drei Übrigen. »Schlafen könnte ich doch nicht«, setzte der junge Herr hinzu.

»Nun, so wollen wir etwas treiben, dass wir wach bleiben«, meinte der Fuhrmann. »Ich denke, weil wir doch gerade zu vieren sind, könnten wir Karten spielen, das hält wach und vertreibt die Zeit.«

»Ich spiele niemals Karten«, erwiderte der junge Herr, »darum kann wenigstens ich nicht mitmachen.«

»Und ich kenne die Karten gar nicht«, setzte Felix hinzu.

»Was können wir denn aber anfangen, wenn wir nicht spielen?«, fragte der Zirkelschmied. »Singen? Das geht nicht und würde nur das Gesindel herbeilocken; einander Rätsel und Sprüche aufgeben zum Erraten? Das dauert auch nicht lange. Wisst ihr was? Wie wäre es, wenn wir uns etwas erzählten? Lustig oder ernsthaft, wahr oder erdacht, es hält doch wach und vertreibt die Zeit so gut wie Kartenspiel.«

»Ich bin's zufrieden, wenn ihr anfangen wollt«, sagte der junge Herr lächelnd. »Ihr Herren vom Handwerk kommt in allen Ländern herum und könnt schon etwas erzählen; hat doch jede Stadt ihre eigenen Sagen und Geschichten.«

»Ja, ja, man hört manches«, erwiderte der Zirkelschmied; »dafür studieren Herren wie Ihr fleißig in den Büchern, wo gar wundervolle Sachen geschrieben stehen, da wüsstet Ihr noch Klügeres und Schöneres zu erzählen als ein schlichter Handwerksbursche wie unsereiner. Mich müsste alles trügen, wenn Ihr nicht ein Student, ein Gelehrter seid.«

»Ein Gelehrter nicht«, lächelte der junge Herr, »wohl aber ein Student, und ich will in den Ferien nach der Heimat reisen; doch was in unsern Büchern steht, eignet sich weniger zum Erzählen als das, was Ihr hier und dort gehört habt. Darum hebt immer an, wenn auch diese da gerne zuhören.«

»Noch mehr als Kartenspiel«, erwiderte der Fuhrmann, »gilt mir eine schöne Geschichte. Oft fahre ich auf der Landstraße gern im elendesten Schritt und höre einem zu, der nebenher geht und etwas Schönes erzählt; manchen habe ich schon im schlechten Wetter auf den Karren genommen unter der Bedingung, mir etwas zu erzählen; und einen Kameraden von mir habe ich, glaube ich, nur deswegen so lieb, weil er Geschichten weiß, die sieben Stunden und länger dauern.«

»So geht es auch mir«, setzte der junge Goldarbeiter hinzu, »erzählen höre ich für mein Leben gerne, und mein Meister in Würzburg musste mir die Bücher ordentlich verbieten, dass ich nicht zu viel Geschichten las und die Arbeit darüber vernachlässigte. Drum gib nur etwas Schönes preis, Zirkelschmied! Ich weiß, du könntest erzählen von jetzt an, bis es Tag wird, ehe dein Vorrat ausginge.«

Der Zirkelschmied trank, um sich zu seinem Vortrag zu stärken, und hub also an:

Die Sage vom Hirschgulden

In Oberschwaben stehen noch heutzutage die Mauern einer Burg, die einst die stattlichste der Gegend war: Hohenzollern. Sie erhebt sich auf einem runden, steilen Berg, und von ihrer schroffen Höhe sieht man weit und frei ins Land. So weit und noch viel weiter, als man diese Burg im Land umher sehen kann, war das tapfere Geschlecht der Zollern gefürchtet, und ihren Namen kannte und ehrte man in allen deutschen Landen. Nun lebte vor mehreren hundert Jahren auf dieser Feste ein Zollern, der von Natur ein sonderbarer Mensch war. Man konnte nicht sagen, dass er seine Untertanen hart gedrückt oder mit seinen Nachbarn in Fehde gelebt hätte, aber dennoch traute ihm niemand über den Weg ob seinem finsteren Auge, seiner krausen Stirne und seinem einsilbigen, mürrischen Wesen. Es gab wenige Leute außer dem Schlossgesinde, die ihn je hatten ordentlich sprechen hören wie andere Menschen, denn wenn er durch das Tal ritt, einer ihm begegnete und schnell die Mütze abnahm, sich hinstellte und sagte: ›Guten Abend, Herr Graf, heute ist es schön Wetter‹, so antwortete er: ›Dummes Zeug!‹ oder ›Weiß schon!‹ Hatte aber einer etwas nicht recht gemacht für ihn oder seine Rosse, begegnete ihm ein Bauer im Hohlweg mit dem Karren, dass er auf seinem Rappen nicht schnell genug vorüberkommen konnte, so entlud sich sein Ingrimm in einem Donner von Flüchen, doch hat man nie gehört, dass er bei solchen Gelegenheiten einen Bauern geschlagen hätte. In der Gegend hieß man ihn deshalb ›das böse Wetter von Zollern‹.

Das ›böse Wetter von Zollern‹ hatte eine Frau, die der Widerpart von ihm und so mild und freundlich war wie ein Maitag. Oft hat sie Leute, die ihr Eheherr durch harte Reden beleidigt hatte, durch freundliche Worte und ihre gütigen Blicke wieder mit ihm ausgesöhnt; den Armen aber tat sie Gutes, wo sie konnte, und ließ es sich nicht verdrießen, sogar im heißen Sommer oder im schrecklichen Schneegestöber den steilen Berg hinabzugehen, um arme Leute oder kranke Kinder zu besuchen. Begegnete ihr auf solchen Wegen der Graf, so sagte er mürrisch: ›Weiß schon, dummes Zeug!‹, und ritt weiter.

Manch andere Frau hätte dieses mürrische Wesen abgeschreckt oder eingeschüchtert; die eine hätte gedacht: ›Was gehen mich die armen Leute an, wenn mein Herr sie für dummes Zeug hält‹; die andere hätte vielleicht aus Stolz oder Unmut die Liebe gegen einen so mürrischen Gemahl erkalten lassen; doch nicht also Frau Hedwig von Zollern. Sie liebte ihn nach wie vor, suchte mit ihrer schönen weißen Hand die Falten von seiner braunen Stirne zu streichen und pflegte und ehrte ihn. Als nach Jahr und Tag der Himmel den beiden ein junges Gräflein bescherte, liebte sie ihren Gatten nicht minder, und zugleich war sie ihrem Söhnlein eine zärtliche Mutter. Drei Jahre vergingen, und der Graf von Zollern sah seinen Sohn nur alle Sonntage nach Tische, wo er ihm von der Amme dargereicht wurde. Er blickte ihn dann unverwandt an, brummte etwas in den Bart und gab ihn der Amme zurück. Als der Kleine ›Vater‹ sagen konnte, schenkte der Graf der Amme einen Gulden – dem Kind machte er kein fröhlicheres Gesicht.

An seinem dritten Geburtstag ließ der Graf seinem Sohn die ersten Höslein anziehen und kleidete ihn prächtig in Samt und Seide, dann befahl er, seinen Rappen und ein anderes schönes Ross vorzuführen, nahm den Kleinen auf den Arm und fing an, mit klirrenden Sporen die Wendeltreppe hinabzusteigen. Frau Hedwig erstaunte, als sie dies sah. Sie war sonst gewohnt, nicht zu fragen: ›Wo aus und wann heim?‹, wenn er ausritt, aber diesmal öffnete die Sorge um ihr Kind ihre Lippen. »Wollet Ihr ausreiten, Herr Graf?«, sprach sie, er gab keine Antwort. – »Wozu denn den Kleinen?«, fragte sie weiter. »Kuno wird mit mir spazieren gehen.«

»Weiß schon«, entgegnete das ›böse Wetter von Zollern‹ und ging weiter, und als er im Hof stand, nahm er den Knaben bei einem Fuß, hob ihn schnell in den Sattel, band ihn mit einem Tuch fest, schwang sich selbst auf den Rappen und trabte zum Burgtore hinaus, indem er den Zügel vom Rosse seines Söhnleins in die Hand nahm.

Dem Kleinen schien es anfangs großes Vergnügen zu machen, mit dem Vater den Berg hinabzureiten. Er klopfte in die Hände, er lachte und schüttelte sein Rösslein an der Mähne, damit es schneller laufen

sollte, und der Graf hatte seine Freude daran, rief auch einige Mal:
»Kannst ein wackerer Bursche werden!«
Als sie aber in der Ebene angekommen waren und der Graf statt
Schritt Trab anschlug, da vergingen dem Kleinen die Sinne, er bat anfangs ganz bescheiden, sein Vater möchte langsamer reiten; als es
aber immer schneller ging und der heftige Wind dem armen Kuno
beinahe den Atem nahm, da fing er an, still zu weinen, wurde immer
ungeduldiger und schrie am Ende aus Leibeskräften.
»Weiß schon, dummes Zeug!«, fing jetzt sein Vater an. »Heult der Jun-
ge beim ersten Ritt; schweig oder ...« Doch in dem Augenblick, als er
mit einem Fluch sein Söhnlein aufmuntern wollte, bäumte sich sein
Ross; der Zügel des andern entfiel seiner Hand, er arbeitete sich ab,
Meister seines Tieres zu werden, und als er es zur Ruhe gebracht hatte
und sich ängstlich nach seinem Kinde umsah, erblickte er dessen
Pferd, wie es ledig und ohne den kleinen Reiter der Burg zulief.
Ein so harter, finsterer Mann der Graf von Zollern sonst war, dieser
Anblick überwand doch sein Herz; er glaubte nicht anders, als sein

Kind liege zerschmettert am Wege, und er raufte sich den Bart und jammerte. Aber nirgends, so weit er zurückritt, sah er eine Spur von dem Knaben; schon stellte er sich vor, das scheu gewordene Ross habe ihn in einen Wassergraben geschleudert, der neben dem Wege lag. Da hörte er von einer Kinderstimme hinter sich seinen Namen rufen, und als er sich flugs umwandte, da saß ein altes Weib unweit der Straße unter einem Baum und wiegt den Kleinen auf ihren Knien.

»Wie kommst du zu dem Knaben, alte Hexe?«, schrie der Graf in großem Zorn. »Sogleich bringe ihn heran zu mir!«

»Nicht so rasch, nicht so rasch, Euer Gnaden!«, lachte die alte, hässliche Frau. »Könntet sonst auch ein Unglück nehmen auf Eurem stolzen Ross! Wie ich zu dem Junkerlein kam, fraget Ihr? Nun, sein Pferd ging durch, und er hing nur noch mit einem Füßchen angebunden, und das Haar streifte fast am Boden, da habe ich ihn aufgefangen in meiner Schürze.«

»Weiß schon!«, rief der Herr von Zollern unmutig. »Gib ihn jetzt her. Ich kann nicht gut absteigen, das Ross ist wild und könnte ihn schlagen.«

»Schenket mir einen Hirschgulden!«, erwiderte die Frau demütig bittend.

»Dummes Zeug!«, schrie der Graf und warf ihr einige Pfennige zu.

»Nein! Einen Hirschgulden könnte ich brauchen«, fuhr sie fort.

»Was Hirschgulden! Bist selber keinen Hirschgulden wert!«, eiferte der Graf. »Schnell das Kind her, oder ich hetze die Hunde auf dich!«

»So? Bin ich keinen Hirschgulden wert?«, antwortete jene mit höhnischem Lächeln. »Na, man wird sehen, was von Eurem Erbe einen Hirschgulden wert ist; aber die Pfennige behaltet für Euch!« Indem sie dies sagte, warf sie die drei kleinen Kupferstücke dem Grafen zu, und so gut konnte die Alte werfen, dass alle drei ganz genau in den kleinen Lederbeutel fielen, den der Graf noch in der Hand hielt.

Der Graf wusste einige Minuten vor Staunen über diese wunderbare Geschicklichkeit kein Wort hervorzubringen, endlich aber löste sich sein Staunen in Wut auf. Er fasste seine Büchse, spannte den Hahn und zielte auf die Alte. Diese herzte und küsste ganz ruhig den kleinen Grafen, indem sie ihn so vor sich hin hielt, dass ihn die Kugel zuerst hätte treffen müssen. »Bist ein guter, frommer Junge«, sagte sie,

»bleibe nur so, und es wird dir nicht fehlen!« Dann ließ sie ihn los, dräute dem Grafen mit dem Finger. »Zollern, Zollern, den Hirschgulden bleibt Ihr mir noch schuldig!«, rief sie und schlich, unbekümmert um die Schimpfworte des Grafen, an einem Buchsbaumstäbchen in den Wald. Konrad, der Knappe, aber stieg zitternd von seinem Ross, hob das Herrlein in den Sattel, schwang sich hinter ihm auf und ritt seinem Gebieter nach den Schlossberg hinauf.

Es war dies das erste und letzte Mal gewesen, dass das ›böse Wetter von Zollern‹ sein Söhnlein mitnahm zum Spazierenreiten; denn er hielt ihn, weil er geweint und geschrien, als die Pferde im Trab gingen, für einen weichlichen Jungen, aus dem nicht viel Gutes zu machen sei, sah ihn nur mit Unlust an, und sooft der Knabe, der seinen Vater herzlich liebte, schmeichelnd und freundlich zu seinen Knien kam, winkte er ihm fortzugehen und rief: ›Weiß schon! Dummes Zeug!‹ Frau Hedwig hatte alle bösen Launen ihres Gemahls gerne getragen, aber dieses unfreundliche Benehmen gegen das unschuldige Kind kränkte sie tief; sie erkrankte mehrere Mal aus Schrecken, wenn der finstere Graf den Kleinen wegen irgendeines geringen Fehlers hart abgestraft hatte, und starb endlich in ihren besten Jahren, von ihrem Gesinde und der ganzen Umgegend, am schmerzlichsten aber von ihrem Sohne beweint.

Von jetzt an wandte sich der Sinn des Grafen nur noch mehr von dem Kleinen ab; er gab ihn seiner Amme und dem Hauskaplan zur Erziehung und kümmerte sich nicht viel um ihn, besonders da er bald darauf wieder ein reiches Fräulein heiratete, das ihm nach Jahresfrist Zwillinge schenkte.

Kunos liebster Spaziergang war zu dem alten Weiblein, das ihm einst das Leben gerettet hatte. Sie erzählte ihm immer vieles von seiner verstorbenen Mutter und wie viel Gutes diese an ihr getan habe. Die Knechte und Mägde warnten ihn oft, er solle nicht so viel zu der Frau Feldheimerin, so hieß die Alte, gehen, weil sie nichts mehr und nichts weniger als eine Hexe sei, aber der Kleine fürchtete sich nicht, denn der Schlosskaplan hatte ihn gelehrt, dass es keine Hexen gebe und dass die Sage, dass gewisse Frauen zaubern können und auf der Ofengabel durch die Luft und auf den Brocken reiten, erlogen sei. Zwar sah er bei der Frau Feldheimerin allerlei Dinge, die er nicht begreifen konnte; des

Kunststückchens mit den drei Pfennigen, die sie seinem Vater so geschickt in den Beutel geworfen, erinnerte er sich noch ganz wohl, auch konnte sie allerhand künstliche Salben und Tränklein bereiten, womit sie Menschen und Vieh heilte. Aber was man ihr sonst nachsagte, war nicht wahr, dass sie nämlich eine Wetterpfanne habe, und wenn sie die über das Feuer hänge, komme ein schreckliches Donnerwetter. Sie lehrte den kleinen Grafen mancherlei, was ihm nützlich war, zum Beispiel allerlei Mittel für kranke Pferde, einen Trank gegen die Hundswut, eine Lockspeise für Fische und viele andere nützliche Sachen. Die Frau Feldheimerin war auch bald seine einzige Gesellschaft, denn seine Amme starb, und seine Stiefmutter kümmerte sich nicht um ihn.

Als seine Brüder nach und nach heranwuchsen, hatte Kuno ein noch traurigeres Leben als zuvor. Sie hatten das Glück, beim ersten Ritt nicht vom Pferde zu stürzen, und das ›böse Wetter von Zollern‹ hielt sie daher für ganz vernünftige und taugliche Jungen, liebte sie ausschließlich, ritt alle Tage mit ihnen aus und lehrte sie alles, was er selbst verstand. Da lernten sie aber nicht viel Gutes; lesen und schreiben konnte er selbst nicht, und seine beiden trefflichen Söhne sollten sich auch nicht die Zeit damit verderben, aber schon in ihrem zehnten Jahre konnten sie so grässlich fluchen wie ihr Vater, fingen mit jedem Händel an, vertrugen sich untereinander selbst so schlecht wie Hund und Kater, und nur wenn sie gegen Kuno einen Streich verüben wollten, verbanden sie sich und wurden Freunde.

Ihrer Mutter machte dies nicht viel Kummer, denn sie hielt es für gesund und kräftig, wenn sich die Jungen balgten. Dem alten Grafen sagte es eines Tags ein Diener, und er antwortete zwar:»Weiß schon, dummes Zeug!«, nahm sich aber dennoch vor, für die Zukunft auf ein Mittel zu sinnen, dass sich seine Söhne nicht gegenseitig totschlügen; denn die Drohung der Frau Feldheimerin, die er in seinem Herzen für eine ausgemachte Hexe hielt: ›Na, man wird ja sehen, was von Eurem Erbe einen Hirschgulden wert ist‹, lag ihm noch immer im Sinn. Eines Tages, da er in der Umgegend seines Schlosses jagte, fielen ihm zwei Berge ins Auge, die ihrer Form wegen geschaffen schienen, Schlösser zu tragen, und sogleich beschloss er auch, dort zu bauen. Er baute auf dem einen das Schloss Schalksberg, das er nach dem kleineren der Zwillinge so nannte, weil dieser wegen allerlei böser Streiche längst von ihm den Namen ›Kleiner Schalk‹ erhalten hatte. Das andere Schloss, das er baute, wollte er anfänglich Hirschguldenberg nennen, um die Hexe zu verhöhnen, weil sie sein Erbe nicht einmal eines Hirschguldens wert achtete, er ließ es aber bei dem einfacheren Hirschberg bewenden, und so heißen die beiden Berge noch bis auf den heutigen Tag, und wer die Alb bereist, kann sie sich zeigen lassen.

Das ›böse Wetter von Zollern‹ hatte anfänglich im Sinn, seinem ältesten Sohn Zollern, dem kleinen Schalk Schalksberg und dem andern Hirschberg im Testament zu vermachen; aber seine Frau ruhte nicht eher, bis der Plan geändert war. »Der dumme Kuno« – so nannte sie den armen Knaben, weil er nicht so wild und ausgelassen war wie ihre Söhne – »der dumme Kuno ist ohnedies reich genug durch das, was er von seiner Mutter erbte, und er soll auch noch das schöne reiche Zollern haben? Und meine Söhne sollen nichts bekommen als jeder eine Burg, zu der nichts gehört als Wald?«

Vergebens stellte ihr der Graf vor, dass man Kuno billigerweise das Erstgeburtsrecht nicht rauben dürfe; sie weinte und zankte so lange, bis das ›böse Wetter‹, das sonst niemand sich fügte, des lieben Friedens willen nachgab und im Testament dem kleinen Schalk Schalksberg, Wolf, dem größeren Zwillingsbruder, Zollern und Kuno Hirschberg mit dem Städtchen Balingen verschrieb. Bald darauf, nachdem er also verfügt hatte, fiel auch er in eine schwere Krankheit. Zu dem Arzt, der ihm sag-

te, dass er sterben müsse, sagte er: »Ich weiß schon!«, und dem Schlosskaplan, der ihn ermahnte, sich zu einem frommen Ende vorzubereiten, antwortete er: »Dummes Zeug!«, fluchte und raste fort und starb, wie er gelebt hatte, roh und als ein großer Sünder.

Sein Leichnam war noch nicht beigesetzt, so kam die Frau Gräfin schon mit dem Testament herbei, sagte zu Kuno, ihrem Stiefsohn, spöttisch, er möchte jetzt seine Gelehrsamkeit beweisen und selbst nachlesen, was im Testament stehe, nämlich, dass er in Zollern nichts mehr zu suchen habe, und freute sich mit ihren Söhnen über das schöne Vermögen und die beiden Schlösser, die sie ihm, dem Erstgeborenen, entrissen hatten.

Kuno fügte sich ohne Murren in den Willen des Verstorbenen; mit Tränen nahm er Abschied von der Burg, in der er geboren war, wo seine gute Mutter begraben lag und wo der gute Schlosskaplan und nahe dabei seine einzige alte Freundin, Frau Feldheimerin, wohnten. Das Schloss Hirschberg war zwar ein schönes, stattliches Gebäude, aber es war ihm doch zu einsam und öde, und er wäre beinahe krank geworden vor Sehnsucht nach Hohenzollern.

Die Gräfin und die Zwillingsbrüder, die jetzt achtzehn Jahre alt waren, saßen eines Abends auf dem Söller und schauten den Schlossberg hinab; da gewahrten sie einen stattlichen Ritter, der zu Pferde heraufritt und dem eine von zwei Maultieren getragene prachtvolle Sänfte und mehrere Knechte folgten. Sie rieten lange hin und her, wer es wohl sein möchte, da rief endlich der kleine Schalk: »Ei, das ist niemand anders als unser Herr Bruder von Hirschberg.«

»Der dumme Kuno?«, sprach die Frau Gräfin verwundert. »Ei, der wird uns die Ehre antun, uns zu sich einzuladen, und die schöne Sänfte hat er für mich mitgebracht, um mich abzuholen nach Hirschberg. Nein, so viele Güte und Lebensart hätte ich meinem Herrn Sohn, dem dummen Kuno, nicht zugetraut. Eine Höflichkeit ist der andern wert; lasset uns hinabsteigen an das Schlosstor, ihn zu empfangen! Macht auch freundliche Gesichter, vielleicht schenkt er uns in Hirschberg etwas, dir ein Pferd und dir einen Harnisch, und den Schmuck seiner Mutter hätte ich schon lange gerne gehabt.«

»Geschenkt mag ich nichts von dem dummen Kuno«, antwortete Wolf, »und ein gutes Gesicht mach ich ihm auch nicht. Aber unserm seligen Herrn Vater könnte er meinetwegen bald folgen, dann würden wir Hirschberg erben und alles, und Euch, Frau Mutter, wollten wir den Schmuck um billigen Preis ablassen.«

»So, du Range«, eiferte die Mutter, »abkaufen soll ich euch den Schmuck? Ist das der Dank dafür, dass ich euch Zollern verschafft habe? Kleiner Schalk, nicht wahr, ich soll den Schmuck umsonst haben?«

»Umsonst ist der Tod, Frau Mutter«, erwiderte der Sohn lachend,

»und wenn es wahr ist, dass der Schmuck so viel wert ist wie manches Schloss, so werden wir wohl nicht die Toren sein, ihn Euch um den Hals zu hängen. Sobald Kuno die Augen schließt, reiten wir hinunter, teilen ab, und meinen Part an Schmuck verkaufe ich. Gebt Ihr dann mehr als der Jude, Frau Mutter, so sollt Ihr ihn haben.«

Sie waren mit diesem Gespräch bis unter das Schlosstor gekommen, und mit Mühe zwang sich die Frau Gräfin, ihren Grimm über den Schmuck zu unterdrücken, denn soeben ritt Graf Kuno über die Zugbrücke. Als er seiner Stiefmutter und seiner Brüder ansichtig wurde, hielt er sein Pferd an, stieg ab und grüßte sie höflich. Denn obgleich sie ihm viel Leids angetan, bedachte er doch, dass es seine Brüder seien und dass sein Vater diese böse Frau geliebt hatte.

»Ei, das ist ja schön, dass der Herr Sohn uns auch besucht«, sagte die Frau Gräfin mit süßer Stimme und huldreichem Lächeln. »Wie geht es denn auf Hirschberg? Kann man sich dort eingewöhnen? Und gar eine Sänfte hat man sich angeschafft? Ei, und wie prächtig, es dürfte sich keine Kaiserin ihrer schämen; nun wird wohl auch die Hausfrau nicht mehr lange fehlen, dass sie darin im Lande herumreist.«

»Habe bis jetzt noch nicht daran gedacht, gnädige Frau Mutter«, erwiderte Kuno, »will mir deswegen andere Gesellschaft zur Unterhaltung ins Haus nehmen und bin daher mit der Sänfte hierher gereist.«

»Ei, Ihr seid gar gütig und besorgt«, unterbrach ihn die Dame, indem sie sich verneigte und lächelte.

»Denn er kommt doch nicht mehr gut zu Pferde fort«, sprach Kuno ganz ruhig weiter, »der Pater Joseph nämlich, der Schlosskaplan. Ich will ihn zu mir nehmen, er ist mein alter Lehrer, und wir haben es so abgemacht, als ich Zollern verließ. Will auch unten am Berg die alte Frau Feldheimerin mitnehmen. Lieber Gott, sie ist jetzt steinalt und hat mir einst das Leben gerettet, als ich zum ersten Mal ausritt mit meinem seligen Vater; habe ja Zimmer genug in Hirschberg, und dort soll sie ruhig sterben.« Er sprach es und ging durch den Hof, um den Pater Schlosskaplan zu holen.

Der Junker Wolf biss vor Grimm die Lippen zusammen, die Frau Gräfin wurde gelb vor Ärger, und der kleine Schalk lachte laut auf. »Was gebt ihr mir für meinen Gaul, den ich von ihm geschenkt kriege?«, sagte er. »Bruder Wolf, gib mir deinen Harnisch, den er dir gegeben, da-

für! Hahaha! Den Pater und die alte Hexe will er zu sich nehmen? Das
ist ein schönes Paar, da kann er nun vormittags Griechisch lernen beim
Kaplan und nachmittags Unterricht im Hexen nehmen bei der Frau
Feldheimerin. Ei, was macht doch der dumme Kuno für Streiche!«

»Er ist ein ganz gemeiner Mensch«, erwiderte die Frau Gräfin, »und
du solltest nicht darüber lachen, kleiner Schalk; das ist eine Schande
für die ganze Familie, und man muss sich ja schämen vor der ganzen
Umgegend, wenn es heißt, der Graf von Zollern hat die alte Hexe, die
Feldheimerin, abgeholt in einer prachtvollen Sänfte und Maulesel dabei und lässt sie bei sich wohnen. Das hat er von seiner Mutter, die
war auch immer so vertraut mit Kranken und schlechtem Gesindel.
Ach, sein Vater würde sich im Sarge wenden, wüsste er es.«

»Ja«, setzte der kleine Schalk hinzu, »der Vater würde noch in der
Gruft sagen: ›Weiß schon, dummes Zeug!‹«

»Wahrhaftig, da kommt er mit dem alten Mann und schämt sich
nicht, ihn selbst unter dem Arm zu führen!«, rief die Frau Gräfin mit
Entsetzen. »Kommt, ich will ihm nicht mehr begegnen.«

Sie entfernten sich, und Kuno geleitete seinen alten Lehrer bis an die
Brücke und half ihm selbst in die Sänfte. Unten aber am Berg hielt er
vor der Hütte der Frau Feldheimerin und fand sie schon fertig, mit einem Bündel voll Gläschen und Töpfchen und Tränklein und anderm
Gerät nebst ihrem Buchsbaumstöcklein einzusteigen.

Es kam übrigens nicht so, wie die Frau Gräfin von Zollern in ihrem bösen Sinn hatte voraussehen wollen. In der ganzen Umgegend wunderte man sich nicht über den Ritter Kuno. Man fand es schön und löblich, dass er die letzten Tage der alten Frau Feldheimerin aufheitern wollte, man pries ihn als einen frommen Herrn, weil er den Pater Joseph in sein Schloss aufgenommen hatte. Die Einzigen, die ihm gram waren und auf ihn schmähten, waren seine Brüder und die Gräfin, aber nur zu ihrem eigenen Schaden, denn man nahm allgemein Ärgernis an so unnatürlichen Brüdern, und zu ihrer Schande sprach es sich herum, dass sie mit ihrer Mutter schlecht und in beständigem Hader lebten und unter sich selbst sich alles Mögliche zuleide täten. Graf Kuno von Zollern-Hirschberg machte mehrere Versuche, seine Brüder mit sich auszusöhnen, denn es war ihm unerträglich, wenn sie oft an seiner Feste vorbeiritten, aber nie einkehrten, wenn sie ihm in Wald und Feld begegneten und ihn kälter begrüßten als einen Landfremden. Aber seine Versuche schlugen fehl, und er wurde noch überdies von ihnen verhöhnt. Eines Tages fiel ihm noch ein Mittel ein, wie er vielleicht ihre Herzen gewinnen könnte, denn er wusste, sie waren geizig und habgierig. Es lag ein Teich zwischen den drei Schlössern, beinahe in der Mitte, jedoch so, dass er noch in Kunos Revier gehörte. In diesem Teich befanden sich aber die besten Hechte und Karpfen der ganzen Umgegend, und es war für die Brüder, die gerne fischten, ein nicht geringer Verdruss, dass ihr Vater vergessen hatte, den Teich auf ihr Teil zu schreiben. Sie waren zu stolz, um ohne Vorwissen ihres Bruders dort zu fischen, und doch mochten sie ihm auch kein gutes Wort geben, dass er es ihnen erlauben möchte.

Nun kannte er aber seine Brüder, dass ihnen der Teich am Herzen liege; er lud sie daher eines Tages ein, mit ihm dort zusammenzukommen. Es war ein schöner Frühlingsmorgen, als beinahe in demselben Augenblick die drei Brüder von den drei Burgen dort zusammentrafen.

»Ei, sieh da!«, rief der kleine Schalk. »Das trifft sich gut; ich bin mit Schlag sieben Uhr von Schalksberg weggeritten.«

»Ich auch« – »und ich«, antworteten die Brüder vom Hirschberg und von Zollern.

»Nun, da muss der Teich hier gerade in der Mitte liegen«, fuhr der Kleine fort. »Es ist ein schönes Wasser.«

»Ja, und eben darum habe ich euch hierher beschieden. Ich weiß, ihr seid beide große Freunde der Fischerei, und obwohl ich auch zuweilen gerne die Angel auswerfe, so hat doch der Weiher Fische genug für drei Schlösser, und an seinen Ufern ist Platz genug für unserer drei, selbst wenn wir alle auf einmal zum Angeln kämen. Darum will ich, dass dieses Wasser Gemeingut für uns drei sei, und jeder von euch soll gleiche Rechte daran haben wie ich.«

»Ei, der Herr Bruder ist ja gewaltig gnädig gesinnt«, sprach der kleine Schalk mit höhnischem Lächeln, »gibt uns wahrhaftig sechs Morgen Wasser und ein paar hundert Fischlein! Nu – und was werden wir dagegen geben müssen? Denn umsonst ist der Tod!«

»Umsonst sollt ihr den Teich haben«, sagte Kuno. »Ach, ich möchte euch ja nur zuweilen hier sehen und sprechen. Sind wir doch eines Vaters Söhne!«

»Nein«, erwiderte der vom Schalksberg, »das ginge schon nicht, denn es gibt nichts Einfältigeres, als in Gesellschaft zu fischen; es verjagt immer einer dem andern die Beute. Wollen wir aber Tage ausmachen, etwa Montag und Donnerstag du, Kuno, Dienstag und Freitag Wolf, Mittwoch und Sonnabend ich – so ist es mir ganz recht.«

»Mir nicht einmal dann«, rief der finstere Wolf. »Geschenkt will ich nichts haben und will auch mit niemandem teilen. Du hast Recht, Kuno, dass du uns den Weiher anbietest, denn wir haben eigentlich alle drei gleichen Anteil daran; aber lasset uns darum würfeln, wer ihn in Zukunft besitzen soll! Werde ich glücklicher sein als ihr, so könnt ihr immer bei mir anfragen, ob ihr fischen dürft.«

»Ich würfle nie«, entgegnete Kuno, traurig über die Verstocktheit seiner Brüder.

»Ja freilich«, lachte der kleine Schalk, »er ist ja gar fromm und gottesfürchtig, der Herr Bruder, und hält das Würfelspiel für eine Todsünde. Aber ich will euch was anderes vorschlagen, worüber sich der frömmste Klausner nicht schämen dürfte. Wir wollen uns Angelschnüre und Haken holen, und wer diesen Morgen, bis die Glocke in Zollern zwölf schlägt, die meisten Fische angelt, soll den Weiher haben.«

»Ich bin eigentlich ein Tor«, sagte Kuno, »um das noch zu kämpfen, was mir mit Recht als Erbe zugehört. Aber damit ihr seht, dass es mir mit der Teilung ernst war, will ich mein Fischgerät holen.«

Sie ritten heim, jeder nach seinem Schloss. Die Zwillinge schickten in aller Eile ihre Diener aus und ließen alle alten Steine aufheben, um Würmer zur Lockspeise für die Fische im Teich zu finden. Kuno nahm sein gewöhnliches Angelzeug und die Speise, die ihn einst Frau Feldheimerin zubereiten gelehrt, und war der Erste, der wieder auf dem Platz erschien. Er ließ, als die beiden Zwillinge kamen, diese die besten und bequemsten Stellen wählen und warf dann selbst seine Angel aus. Da war es, als ob die Fische in ihm den Herrn dieses Teiches erkannt hätten. Ganze Züge von Karpfen und Hechten zogen heran und wimmelten um seine Angeln. Die ältesten und größten drängten die kleinen weg, jeden Augenblick zog er einen heraus, und wenn er die Angel wieder ins Wasser warf, sperrten schon zwanzig, dreißig die Mäuler auf, um anzubeißen. Es hatte noch nicht zwei Stunden gedauert, so lag der Boden um ihn her voll der schönsten Fische. Da hörte er auf und ging zu seinen Brüdern, um zu sehen, was für Geschäfte sie machten. Der kleine Schalk hatte einen kleinen Karpfen und zwei elende Weißfische, Wolf drei Barben und zwei kleine Gründlinge, und beide schauten trübselig in den Teich, denn sie konnten die ungeheure Menge, die Kuno gefangen, gar wohl von ihrem Platz aus bemerken. Als Kuno an seinen Bruder Wolf herankam, sprang der wütend auf, zerriss die Angelschnur, brach die Rute in Stücke und warf sie in den Teich. »Ich wollte, es wären tausend Haken, die ich hineinwerfe, statt dem einen, und an jedem müsste eine von diesen Kreaturen zappeln!«, rief er. »Aber mit rechten Dingen geht es nimmer zu, es ist Zauberspiel und Hexenwerk; wie solltest du denn, dummer Kuno, mehr Fische fangen in einer Stunde als ich in einem Jahr?«

»Ja, ja, jetzt erinnere ich mich«, fuhr der kleine Schalk fort, »bei der Frau Feldheimerin, bei der schnöden Hexe, hat er das Fischen gelernt, und wir waren Toren, mit ihm zu fischen, er wird doch bald Hexenmeister werden.«

»Ihr schlechten Menschen!«, entgegnete Kuno unmutig. »Diesen Morgen habe ich hinlänglich Zeit gehabt, euren Geiz, eure Unverschämtheit und eure Rohheit zu erkennen. Geht jetzt und kommt nie

wieder hierher, und glaubt mir, es wäre für eure Seelen besser, wenn ihr nur halb so fromm und gut wäret wie jene Frau, die ihr eine Hexe scheltet!«

»Nein, eine eigentliche Hexe ist sie nicht!«, sagte der Schalk spöttisch lachend. »Solche Weiber können wahrsagen, aber Frau Feldheimerin ist so wenig eine Wahrsagerin, wie eine Gans ein Schwan werden kann. Hat sie doch dem Vater gesagt, von seinem Erbe werde man einen guten Teil um einen Hirschgulden kaufen können, das heißt, er werde ganz verlumpen; und doch hat bei seinem Tod alles ihm gehört, so weit man von der Zinne von Zollern sehen kann! Geh, geh, Frau Feldheimerin ist nichts als ein törichtes, altes Weib, und du bist der dumme Kuno!«

Nach diesen Worten entfernte sich der Kleine eilig, denn er fürchtete den starken Arm seines Bruders, und Wolf folgte ihm, indem er alle Flüche hersagte, die er von seinem Vater gelernt hatte.

In tiefster Seele betrübt, ging Kuno nach Hause, denn er sah jetzt deutlich, dass seine Brüder sich nie mit ihm vertragen wollten. Er nahm sich auch ihre harten Worte so sehr zu Herzen, dass er des andern Tages sehr krank wurde, und nur der Trost des würdigen Paters Joseph und die kräftigen Tränklein der Frau Feldheimerin retteten ihn vom Tode.

Als seine Brüder erfuhren, dass ihr Bruder Kuno schwer darniederliege, hielten sie ein fröhliches Bankett, und im Weinmut sagten sie sich zu, wenn der dumme Kuno sterbe, so solle der Erste, der es erfahre, alle Kanonen lösen, um es dem andern anzuzeigen, und wer zuerst schieße, solle das beste Fass Wein aus Kunos Keller vorwegnehmen dürfen. Wolf ließ nun von da an immer einen Diener in der Nähe von Hirschberg Wache halten, und der kleine Schalk bestach sogar einen Diener Kunos mit vielem Geld, damit er es ihm schnell anzeige, wenn sein Herr in den letzten Zügen liege.

Dieser Knecht aber war seinem milden und frommen Herrn mehr zugetan als dem bösen Grafen von Schalksberg. Er fragte also eines Abends Frau Feldheimerin teilnehmend nach dem Befinden seines Herrn, und als diese sagte, dass es ganz gut mit ihm stehe, erzählte er ihr den Anschlag der beiden Brüder und dass sie Freudenschüsse tun wollten auf des Grafen Kuno Tod. Darüber ergrimmte die Alte sehr. Sie erzählte es flugs dem Grafen wieder, und als dieser an eine so große Lieblosigkeit der Brüder nicht glauben wollte, riet sie ihm, er solle die Probe machen und aussprengen lassen, er sei tot, so werde man bald hören, ob sie kanonierten, ob nicht. Der Graf ließ den Diener, den sein Bruder bestochen, vor sich kommen und befahl ihm, nach Schalksberg zu reiten und sein nahes Ende zu verkünden.

Als nun der Knecht eilends den Hirschberg herabritt, sah ihn der Diener des Grafen Wolf von Zollern, hielt ihn an und fragte, wohin er so eilends zu reiten willens sei. »Ach«, sagte dieser, »mein armer Herr wird diesen Abend nicht überleben, sie haben ihn alle aufgegeben.« »Steht es so?«, rief jener und jagte so eilends nach Zollern und den Schlossberg hinan, dass sein Pferd am Tore niederfiel und er selbst nur noch »Graf Kuno stirbt!« rufen konnte, ehe er ohnmächtig wurde.

Da donnerten die Kanonen von Hohenzollern herab, Graf Wolf freute sich mit seiner Mutter über das gute Fass Wein und das Erbe, den Teich, über den Schmuck und den starken Widerhall, den seine Kanonen gaben. Aber was er für den Widerhall gehalten, waren die Kanonen von Schalksberg, und Wolf sagte lächelnd zu seiner Mutter: »So hat der Kleine auch einen Spion gehabt, und wir müssen den Wein gleich teilen wie das übrige Erbe.«

Dann saß er zu Pferd, denn er argwöhnte, der kleine Schalk möchte ihm zuvorkommen und vielleicht einige Kostbarkeiten des Verstorbenen wegnehmen, ehe er käme.

Am Fischteich begegneten sich die beiden Brüder, und jeder errötete vor dem andern, weil beide zuerst nach Hirschberg hatten kommen wollen. Von Kuno sprachen sie kein Wort, als sie zusammen ihren Weg fortsetzten, sondern sie berieten sich brüderlich, wie man es in Zukunft halten wolle und wem Hirschberg gehören solle. Wie sie aber über die Zugbrücke und in den Schlosshof ritten, da schaute ihr Bruder wohlbehalten und gesund zum Fenster heraus. Zorn und Unmut sprühten aus seinen Blicken. Die Brüder erschraken sehr, als sie ihn sahen, hielten ihn anfänglich für ein Gespenst und bekreuzigten sich. Als sie indessen merkten, dass er noch Fleisch und Blut habe, rief Wolf: »Ei, so wollt ich doch … Dummes Zeug, ich glaubte, du wärest gestorben.«
»Nun, aufgeschoben ist nicht aufgehoben«, sagte der Kleine, der mit giftigen Blicken zu seinem Bruder hinaufschaute.
Der sprach mit donnernder Stimme: »Von dieser Stunde an sind alle Bande der Verwandtschaft zwischen uns gelöst. Ich habe eure Freudenschüsse wohl vernommen; seht zu, auch ich habe fünf Feldschlangen hier auf dem Hof stehen und habe sie euch zu Ehren scharf laden lassen. Macht, dass ihr aus dem Bereich meiner Kugeln kommt, oder ihr sollt erfahren, wie man auf Hirschberg schießt!« Sie ließen es sich nicht zweimal sagen, denn sie sahen ihm an, wie ernst es ihm war; sie gaben also ihren Pferden die Sporen und hielten einen Wettlauf den Berg hinunter. Ihr Bruder schoss eine Stückkugel hinter ihnen her, die über ihre Köpfe hinwegsauste, dass sie beide zugleich eine tiefe und höfliche Verbeugung machten; er wollte sie aber nur schrecken und nicht verwunden.
»Warum hast du denn geschossen?«, fragte der kleine Schalk unmutig seinen Bruder.
»Du Tor, ich schoss nur, weil ich dich hörte.«
»Im Gegenteil, frag nur die Mutter!«, erwiderte Wolf. »Du warst es, der zuerst schoss, und du hast diese Schande über uns gebracht, kleiner Dachs.«
Der Kleine blieb ihm keinen Ehrentitel schuldig, und als sie am Fischteich angekommen waren, gaben sie sich gegenseitig noch die vom ›bösen Wetter von Zollern‹ geerbten Flüche zum Besten und trennten sich in Hass und Unlust. Tags darauf machte Kuno sein Testament, und Frau Feldheimerin sagte zum Pater: »Ich wollte was wetten, er

hat keinen guten Brief für die Schützen geschrieben.« Aber so neugierig sie war und sooft sie in ihren Liebling drang, er sagte ihr nicht, was im Testament stehe, und sie erfuhr es auch nimmer, denn ein Jahr nachher verschied die gute Frau, und ihre Salben und Tränklein halfen ihr nichts; denn sie starb an keiner Krankheit, sondern am achtundneunzigsten Jahr, das auch einen ganz gesunden Menschen endlich unter den Boden bringen kann. Graf Kuno ließ sie bestatten, als ob sie nicht eine arme Frau, sondern seine Mutter gewesen wäre, und es kam ihm nachher noch viel einsamer vor auf seinem Schlosse, besonders, da der Pater Joseph der Frau Feldheimerin bald folgte.

Doch diese Einsamkeit fühlte er nicht sehr lange; der gute Kuno starb schon in seinem achtundzwanzigsten Jahr, und böse Leute behaupten, an Gift, das ihm der kleine Schalk beigebracht hatte.

Wie dem auch sei, einige Stunden nach seinem Tod vernahm man wieder den Donner der Kanonen, und in Zollern und Schalksberg tat man fünfundzwanzig Schüsse.»Diesmal hat er doch daran glauben müssen«, sagte der Schalk, als sie unterwegs zusammentrafen.

»Ja«, antwortete Wolf, »und wenn er noch einmal aufersteht und zum Fenster herausschimpft wie damals, so hab ich eine Büchse bei mir, die ihn höflich und stumm machen soll.«

Als sie den Schlossberg hinanritten, gesellte sich ein Reiter mit Gefolge zu ihnen, den sie nicht kannten. Sie glaubten, er sei vielleicht ein Freund ihres Bruders und komme, um ihn beisetzen zu helfen. Daher gebärdeten sie sich kläglich, priesen vor ihm den Verstorbenen, beklagten sein frühes Hinscheiden, und der kleine Schalk presste sich sogar einige Krokodilstränen aus. Der Ritter antwortete ihnen aber nicht, sondern ritt still und stumm an ihrer Seite den Hirschberg hinauf. »So, jetzt wollen wir es uns bequem machen. Wein herbei, Kellermeister, vom besten!«, rief Wolf, als er abstieg. Sie gingen die Wendeltreppe hinauf und in den Saal, auch dahin folgte ihnen der stumme Ritter, und als sich die Zwillinge ganz breit an den Tisch gesetzt hatten, zog jener ein Silberstück aus dem Wams, warf es auf den Schiefertisch, dass es umherrollte und klingelte, und sprach:»So, und da habt ihr jetzt euer Erbe, und es wird just recht sein, wenn ich mich nicht irre, ein Hirschgulden.«

Da sahen sich die beiden Brüder verwundert an, lachten und fragten ihn, was er damit sagen wolle.

Der Ritter aber zog ein Pergament hervor mit hinlänglichen Siegeln; darin hatte der dumme Kuno alle Feindseligkeiten aufgezeichnet, die ihm die Brüder bei seinen Lebzeiten bewiesen, und am Ende hatte er verordnet und bekannt, dass sein ganzes Erbe, Hab und Gut, außer dem Schmuck seiner seligen Frau Mutter, auf den Fall seines Todes an Württemberg verkauft sei, und zwar um einen elenden Hirschgulden! Für den Schmuck aber solle man in der Stadt Balingen ein Armenhaus erbauen.

Da erstaunten nun die Brüder abermals, lachten aber nicht dazu, sondern bissen die Zähne zusammen, denn sie konnten gegen Württemberg nichts ausrichten, und so hatten sie das schöne Gut, Wald, Feld, die Stadt Balingen und selbst den Fischteich verloren und nichts geerbt als einen schlechten Hirschgulden. Den steckte Wolf trotzig in sein Wams, sagte nicht ja und nicht nein, warf sein Barett auf den Kopf und ging wütend und ohne Gruß an dem württembergischen Bevollmächtigten vorbei, schwang sich auf sein Ross und ritt nach Zollern.

Als ihn am andern Morgen seine Mutter mit Vorwürfen plagte, dass sie Gut und Schmuck verscherzt hätten, ritt er hinüber zum Schalk auf der Schalksburg. »Wollen wir unser Erbe verspielen oder vertrinken?«, fragte er ihn.

»Vertrinken ist besser«, sagte der Schalk, »dann haben wir beide gewonnen. Wir wollen nach Balingen reiten und uns den Leuten zum Trotz dort sehen lassen, wenngleich wir auch das Städtlein schmählich verloren.« – »Und im Lamm schenkt man Roten, der Kaiser trinkt ihn nicht besser«, setzte Wolf hinzu.

So ritten sie miteinander nach Balingen ins Lamm und fragten, was die Maß vom Roten koste, und tranken sich zu, bis der Gulden voll war. Dann stand Wolf auf, zog das Silberstück mit dem springenden Hirsch aus dem Wams, warf es auf den Tisch und sprach: »Da habt Ihr den Gulden, so wird's richtig sein.«

Der Wirt nahm den Gulden, besah ihn links, besah ihn rechts und sagte lächelnd: »Ja, wenn es kein Hirschgulden wär, aber gestern Nacht kam der Bote von Stuttgart, und heute früh hat man es ausgetrommelt im Namen des Grafen von Württemberg, dem jetzt das Städtlein eigen: Die gelten nicht mehr. Gebt mir nur anderes Geld!« Da sahen sich die beiden Brüder erbleichend an. »Zahl aus!«, sagte der eine. »Hast du keine Münze?«, sagte der andere, und kurz, sie mussten den Gulden schuldig bleiben im Lamm in Balingen. Sie zogen schweigend und nachdenkend ihren Weg; als sie aber an den Kreuzweg kamen, wo es rechts nach Zollern und links nach Schalksberg ging, da sagte der Schalk: »Wie nun? Jetzt haben wir sogar weniger geerbt als gar nichts, und der Wein war überdies schlecht.«

»Jawohl«, erwiderte sein Bruder. »Aber was die Feldheimerin sagte, ist doch eingetroffen: ›Seht zu, wie viel von seinem Erbe übrig bleiben wird um einen Hirschgulden!‹ Jetzt haben wir nicht einmal eine Maß Wein dafür kaufen können.«

»Weiß schon!«, antwortete der von der Schalksburg.

»Dummes Zeug!«, sagte der von Zollern und ritt, zerfallen mit sich und der Welt, seinem Schloss zu.

* * *

»Das ist die Sage von dem Hirschgulden«, endete der Zirkelschmied, »und wahr soll sie sein. Der Wirt in Dürrwangen, das nicht weit von den drei Schlössern liegt, hat sie meinem guten Freund erzählt, der oft als Wegführer über die Schwäbische Alb ging und immer in Dürrwangen einkehrte.«

Die Gäste gaben dem Zirkelschmied Beifall. »Was man doch nicht alles hört in der Welt!«, rief der Fuhrmann. »Wahrhaftig, jetzt erst freut es mich, dass wir die Zeit nicht mit Kartenspielen vertrieben, so ist es wahrlich besser, und gemerkt habe ich mir die Geschichte, dass ich sie morgen meinen Kameraden erzählen kann, ohne dass ein Wort fehlt.«

»Mir fiel da, während Ihr so erzähltet, etwas ein«, sagte der Student.

»Oh, erzählt, erzählt!«, baten der Zirkelschmied und Felix.

»Gut«, antwortete jener, »ob die Reihe jetzt an mich kommt oder später, ist gleich viel. Das, was ich erzählen will, soll sich wirklich einmal begeben haben.«

Er setzte sich zurecht und wollte eben anfangen zu erzählen, als die Wirtin den Spinnrocken beiseite setzte und zu den Gästen an den Tisch trat. »Jetzt, ihr Herren, ist es Zeit, zu Bett zu gehen«, sagte sie. »Es hat neun Uhr geschlagen, und morgen ist auch ein Tag.«

»Ei, so gehe zu Bette!«, rief der Student. »Setze noch eine Flasche Wein für uns hierher, und dann wollen wir dich nicht länger abhalten.«

»Mitnichten«, entgegnete sie grämlich, »solange noch Gäste in der Wirtsstube sitzen, können Wirtin und Dienstboten nicht weggehen. Und kurz und gut, ihr Herren, macht, dass ihr auf eure Kammern kommt, mir wird die Zeit lange, und länger als bis neun Uhr darf in meinem Hause nicht gezecht werden.«

»Was fällt Euch ein, Frau Wirtin?«, sprach der Zirkelschmied staunend. »Was schadet es denn Euch, ob wir hier sitzen, wenn Ihr auch längst schlaft? Wir sind rechtliche Leute und werden Euch nichts hinwegtragen, noch ohne Bezahlung fortgehen. Aber so lasse ich mir in keinem Wirtshause befehlen.«

Die Frau rollte zornig die Augen. »Meint ihr, ich werde wegen jedem Lumpen von Handwerksburschen, wegen jedem Straßenläufer, der mir zwölf Kreuzer zu verdienen gibt, meine Hausordnung ändern? Ich sag euch jetzt zum letzten Mal, dass ich den Unfug nicht leide!«

Noch einmal wollte der Zirkelschmied etwas entgegnen, aber der Student sah ihn bedeutungsvoll an und winkte den Übrigen mit den Augen. »Gut«, sprach er, »wenn es denn die Frau Wirtin nicht haben will, so lasst uns auf unsere Kammern gehen! Aber Lichter möchten wir gerne haben, um den Weg zu finden.«

»Damit kann ich nicht dienen«, entgegnete sie finster, »die andern werden schon den Weg im Dunkeln finden, und für Euch ist dies Stümpchen hier hinlänglich; mehr habe ich nicht im Hause.«

Schweigend nahm der junge Herr das Licht und stand auf. Die andern folgten ihm, und die Handwerksburschen nahmen ihre Bündel, um sie in der Kammer bei sich niederzulegen. Sie gingen dem Studenten nach, der ihnen die Treppe hinanleuchtete.

Als sie oben angekommen waren, bat sie der Student, leise aufzutreten, schloss sein Zimmer auf und winkte sie herein. »Jetzt ist kein Zweifel mehr«, sagte er, »sie will uns verraten. Habt ihr nicht bemerkt, wie ängstlich sie uns zu Bett zu bringen suchte, wie sie uns alle Mittel abschnitt, wach und beisammen zu bleiben? Sie meint wahrscheinlich, wir würden uns jetzt niederlegen und dann werde sie um so leichteres Spiel haben.«

»Aber meint Ihr nicht, wir könnten noch entkommen?«, fragte Felix. »Im Wald kann man doch eher auf Rettung denken als hier im Zimmer.«

»Die Fenster sind auch hier vergittert«, sagte der Student, während er vergebens versuchte, einen der Eisenstäbe des Gitters loszumachen. »Uns bleibt nur ein Ausweg, wenn wir entweichen wollen: durch die Haustür; aber ich glaube nicht, dass sie uns fortlassen werden.«

»Es käme auf den Versuch an«, meinte der Fuhrmann; »ich will einmal probieren, ob ich bis in den Hof kommen kann. Ist dies möglich, so kehre ich zurück und hole euch nach.« Die Übrigen billigten diesen Vorschlag, der Fuhrmann legte die Schuhe ab und schlich sich auf den Zehen zur Treppe; ängstlich lauschten seine Genossen oben im Zimmer. Schon war er die eine Hälfte der Stufen glücklich und unbemerkt hinabgestiegen, aber als er sich dort um einen Pfeiler wandte, richtete sich plötzlich eine ungeheure Dogge vor ihm in die Höhe, legte ihre Tatzen auf seine Schultern und wies ihm, gerade seinem Gesicht gegenüber, zwei Reihen langer, scharfer Zähne. Er wagte weder vor noch rückwärts auszuweichen, denn bei der geringsten Bewegung schnappte der entsetzliche Hund nach seiner Kehle. Zugleich fing er an zu heulen und zu bellen, und alsobald erschienen der Hausknecht und die Frau mit Lichtern.

»Wohin? Was wollt Ihr?«, rief die Frau.

»Ich habe noch etwas in meinem Karren zu holen«, antwortete der Fuhrmann, am ganzen Leibe zitternd, denn als die Tür aufgegangen war, hatte er mehrere braune, verdächtige Gesichter, Männer mit Büchsen in der Hand, im Zimmer bemerkt.

»Das hättet Ihr alles auch vorher abmachen können«, sagte die Wirtin mürrisch. »Fassan, daher! Schließ die Hoftür zu, Jakob, und leuchte dem Mann an seinen Karren!« Der Hund zog seine gräuliche Schnauze und seine Tatzen von der Schulter des Fuhrmanns zurück und lagerte sich wieder quer über die Treppe, der Hausknecht hatte das Hoftor zugeschlossen und leuchtete dem Fuhrmann. An ein Entkommen war nicht zu denken. Als er nachsann, was er denn eigentlich aus dem Karren holen sollte, fiel ihm ein Pfund Wachslichter ein, die er in die nächste Stadt überbringen sollte. ›Das Stümpchen Licht oben kann kaum noch eine Viertelstunde dauern‹, sagte er zu sich, ›und Licht müssen wir doch haben!‹ Er nahm also zwei Wachskerzen aus dem Wagen, steckte sie in die Ärmel und holte dann zum Schein seinen Mantel aus dem Karren, womit er sich, wie er dem Hausknecht sagte, heute Nacht bedecken wolle.

Glücklich kam er wieder auf dem Zimmer an. Er erzählte von dem großen Hund, der als Wache an der Treppe liege, von den Männern, die er flüchtig gesehen, von allen Anstalten, die man gemacht, um sich ihrer zu versichern, und schloss damit, dass er seufzend sagte: »Wir werden diese Nacht nicht überleben.«

»Das glaube ich nicht«, erwiderte der Student, »für so töricht kann ich diese Leute nicht halten, dass sie wegen des geringen Vorteils, den sie von uns hätten, vier Menschen umbringen sollten. Aber verteidigen dürfen wir uns nicht. Ich für meinen Teil werde wohl am meisten verlieren; mein Pferd ist schon in ihren Händen, es kostete mich fünfzig Dukaten noch vor vier Wochen; meine Börse, meine Kleider gebe ich willig hin, denn mein Leben ist mir am Ende doch lieber als alles dies.«

»Ihr habt gut reden«, erwiderte der Fuhrmann, »solche Sachen, wie Ihr sie verlieren könnt, ersetzt Ihr Euch leicht wieder; aber ich bin der Bote von Aschaffenburg und habe allerlei Güter auf meinem Karren und im Stall zwei schöne Rosse, meinen einzigen Reichtum.«

»Ich kann unmöglich glauben, dass sie Euch etwas zuleide tun werden«, bemerkte der Goldschmied; »einen Boten zu berauben würde schon viel Geschrei und Lärmen im Land machen. Aber dafür bin ich auch, was der Herr dort sagt; lieber will ich gleich alles hergeben, was ich habe, und mit einem Eid versprechen, nichts zu sagen, ja niemals zu klagen, als mich gegen Leute, die Büchsen und Pistolen haben, um meine geringe Habe wehren.«

Der Fuhrmann hatte während dieser Reden eine seiner Wachskerzen hervorgezogen. Er zündete sie an und klebte sie auf den Tisch. »So lasst uns in Gottes Namen erwarten, was über uns kommen wird«, sagte er, »wir wollen uns wieder zusammen niedersetzen und durch Sprechen den Schlaf abhalten.«

»Das wollen wir«, antwortete der Student, »und weil vorhin die Reihe an mir stehen geblieben war, will ich euch etwas erzählen.«

Das kalte Herz

Erste Abteilung

Wer durch Schwaben reist, der sollte nie vergessen, auch ein wenig in den Schwarzwald hineinzuschauen; nicht der Bäume wegen, obgleich man nicht überall solch unermessliche Menge herrlich aufgeschossener Tannen findet, sondern wegen der Leute, die sich von den andern ringsumher merkwürdig unterscheiden. Sie sind meist besonders hoch gewachsen, breitschulterig, von starken Gliedern, und es ist, als ob der stärkende Duft, der morgens durch die Tannen strömt, ihnen von Jugend auf einen freieren Atem, ein klareres Auge und einen festeren, wenn auch raueren Mut gegeben hätte als den Bewohnern der Stromtäler und Ebenen. Und nicht nur durch Haltung und Wuchs, auch durch ihre Sitten und Trachten sondern sie sich von den Leuten, die außerhalb des Waldes wohnen, streng ab. Am schönsten kleiden sich die Bewohner des badischen Schwarzwaldes. Die Männer lassen den Bart wachsen, wie er von Natur dem Mann gegeben ist; ihre schwarzen Wämser, ihre ungeheuren, eng gefalteten Pluderhosen, ihre roten Strümpfe und die spitzen Hüte, von einer weiten Scheibe umgeben, verleihen ihnen etwas Fremdartiges, aber etwas Ernstes, Ehrwürdiges. Dort beschäftigen sich die Leute gewöhnlich mit Glasmachen, auch verfertigen sie Uhren und tragen sie in der halben Welt umher.

Auf der andern Seite des Waldes wohnt ein Teil desselben Stammes, aber ihre Arbeiten haben ihnen andere Sitten und Gewohnheiten gegeben als den Glasmachern. Sie handeln mit ihrem Wald, sie fällen und behauen ihre Tannen, flößen sie durch die Nagold in den Neckar und von dem obern Neckar den Rhein hinab, bis weit hinein nach Holland, und am Meer kennt man die Schwarzwälder und ihre langen Flöße. Sie halten an jeder Stadt, die am Strom liegt, und erwarten stolz, dass man ihnen Balken und Bretter abkaufen werde. Ihre stärksten und längsten Balken aber verhandeln sie um schweres Geld an die

Mynheers, die ihre Schiffe daraus bauen. Diese Menschen nun sind an ein raues, wanderndes Leben gewöhnt. Ihre Freude ist, auf ihrem Holz die Ströme hinabzufahren, ihr Leid, am Ufer wieder heraufzuwandern. Darum ist auch ihr Prachtanzug so verschieden von dem der Glasmänner im andern Teil des Schwarzwaldes. Sie tragen Wämser von dunkler Leinwand, einen handbreiten, grünen Hosenträger über die breite Brust, Beinkleider von schwarzem Leder, aus deren Tasche ein Zollstab von Messing wie ein Ehrenzeichen hervorschaut. Ihr Stolz und ihre Freude aber sind ihre Stiefel, die größten wahrscheinlich, die auf irgendeinem Teil der Erde Mode sind, denn sie können zwei Spannen weit über das Knie hinaufgezogen werden, und die »Flößer« können damit in metertiefem Wasser umherwandeln, ohne sich die Füße nass zu machen.

Sonderbar ist es, dass auch die Waldgeister, die der Sage nach im Schwarzwalde hausen, in diese verschiedenen Trachten sich geteilt haben. So hat man versichert, dass das Glasmännlein, ein gutes Geistchen von zierlichem Wuchs, sich nie anders zeige als in einem spitzen Hütlein mit großem Rand, mit Wams und Pluderhöschen und roten Strümpfchen. Der Holländermichel aber, der auf der andern Seite des Waldes umgeht, soll ein riesengroßer, breitschulteriger Kerl in der Kleidung der Flößer sein, und mehrere, die ihn gesehen haben wollen, versichern, dass sie die Kälber nicht aus ihrem Beutel bezahlen möchten, deren Felle man zu seinen Stiefeln brauchen würde. »So groß, dass ein gewöhnlicher Mann bis an den Hals darin stehen könnte«, sagen sie und wollen nicht übertrieben haben.

Mit diesen Waldgeistern soll einmal ein junger Schwarzwälder ein sonderbares Erlebnis gehabt haben, das ich erzählen will. Es lebte nämlich im Schwarzwald eine Witwe, Frau Barbara Munkin. Ihr Gatte war Kohlenbrenner gewesen, und nach seinem Tode hielt sie ihren sechzehnjährigen Knaben nach und nach zu demselben Geschäft an. Der junge Peter Munk, ein schlanker Bursche, ließ es sich gefallen, weil er es bei seinem Vater auch nicht anders gesehen hatte, die ganze Woche über am rauchenden Meiler zu sitzen oder, schwarz und berußt, hinab in die Städte zu fahren und seine Kohlen zu verkaufen. Ein Köhler hat viel Zeit zum Nachdenken über sich und andere, und wenn Peter Munk an seinem Meiler saß, stimmten die dunkeln Bäume umher und die tiefe Waldesstille sein Herz zu Tränen und unbewusster Sehnsucht. Es betrübte ihn etwas, es ärgerte ihn etwas, er wusste nicht recht, was. Endlich merkte er doch, was ihn ärgerte, und das war – sein Stand. »Ein schwarzer, einsamer Kohlenbrenner!«, sagte er sich. »Es ist ein elend Leben. Wie angesehen sind die Glasmänner, die Uhrmacher, selbst die Musikanten am Sonntagabend! Und wenn Peter Munk, rein gewaschen und geputzt, in des Vaters Ehrenwams mit silbernen Knöpfen und mit nagelneuen, roten Strümpfen erscheint und wenn dann einer hinter mir hergeht und denkt: ›Wer ist wohl der schlanke Bursche?‹, und lobt bei sich die Strümpfe und meinen stattlichen Gang – sieh, wenn er vorübergeht und schaut sich um, sagt er gewiss: ›Ach, es ist bloß der Kohlenmunkpeter.‹«

Auch die Flößer auf der andern Seite waren ein Gegenstand seines Neides. Wenn diese Waldriesen herüberkamen mit stattlichen Kleidern und an Knöpfen, Schnallen und Ketten einen halben Zentner Silber auf dem Leib trugen, wenn sie mit ausgespreizten Beinen und vornehmen Gesichtern dem Tanz zuschauten, holländisch fluchten und wie die vornehmsten Mynheers aus ellenlangen kölnischen Pfeifen rauchten, da stellte er sich als das vollendetste Bild eines glücklichen Menschen solch einen Flößer vor. Und wenn diese Glücklichen dann erst in die Taschen fuhren, ganze Hände voll großer Taler herauslangten und um Sechsbätzner würfelten, fünf Gulden hin, zehn her, so wollten ihm die Sinne vergehen, und er schlich trübselig nach seiner Hütte, denn an manchem Feiertagabend hatte er einen oder den anderen dieser »Holzherren« mehr verspielen sehen, als der arme Vater Munk in einem Jahr verdiente. Es waren vorzüglich drei dieser Männer, von denen er nicht wusste, welchen er am meisten bewundern sollte. Der eine war ein dicker, großer Mann mit rotem Gesicht und galt als der reichste Mann in der Runde. Man hieß ihn den dicken Ezechiel. Er reiste alle Jahre zweimal mit Bauholz nach Amsterdam und hatte das Glück, es immer um so viel teurer als andere zu verkaufen, dass er, wenn die Übrigen zu Fuß heimgingen, stattlich herauffahren konnte. Der andere war der längste und magerste Mensch im ganzen Wald, man nannte ihn den langen Schlurker, und diesen beneidete Munk wegen seiner ausnehmenden Kühnheit; er widersprach den angesehensten Leuten, brauchte, wenn man noch so gedrängt im Wirtshaus saß, mehr Platz als vier der Dicksten, denn er stützte entweder beide Ellbogen auf den Tisch oder zog eines seiner langen Beine zu sich auf die Bank, und doch wagte keiner ihm zu widersprechen, denn er hatte unmenschlich viel Geld. Der Dritte aber war ein schöner junger Mann, der am besten tanzte weit und breit und daher den Namen Tanzbodenkönig hatte. Er war ein armer Mensch gewesen und hatte bei einem Holzherrn als Knecht gedient; da wurde er auf einmal steinreich. Die einen sagten, er habe unter einer alten Tanne einen Topf voll Geld gefunden, die andern behaupteten, er habe unweit Bingen im Rhein mit der Stechstange, womit die

Flößer zuweilen nach den Fischen stechen, einen Pack mit Goldstücken heraufgefischt, und der Pack gehöre zu dem großen Nibelungenhort, der dort versunken liegt; kurz, er war auf einmal begütert und wurde von Jung und Alt angesehen wie ein Prinz.

An diese drei Männer dachte Kohlenmunkpeter oft, wenn er einsam im Tannenwald saß. Zwar hatten alle drei einen Hauptfehler, der sie bei den Leuten verhasst machte; es war dies ihr unmenschlicher Geiz, ihre Gefühllosigkeit gegen Schuldner und Arme, denn die Schwarzwälder sind ein gutmütiges Völklein. Aber man weiß, wie es mit solchen Dingen geht; waren sie auch wegen ihres Geizes verhasst, so standen sie doch wegen ihres Geldes in Ansehen; denn wer konnte Taler wegwerfen wie sie, als ob man das Geld von den Tannen schüttelte?

»So geht es nicht mehr weiter«, sagte Peter eines Tages schmerzlich betrübt zu sich, denn tags zuvor war Feiertag, und alles Volk war in der Schenke gewesen. »Wenn ich nicht bald auf einen grünen Zweig komme, so tu ich mir etwas zuleide; wär ich doch nur so angesehen und reich wie der dicke Ezechiel oder so kühn und so gewaltig wie der lange Schlurker oder so berühmt, und könnte ich den Musikanten Taler statt Kreuzer zuwerfen wie der Tanzbodenkönig! Wo nur der Bursche das Geld her hat?« Allerlei Mittel ging er durch, wie man sich Geld erwerben könne, aber keines wollte ihm gefallen. Endlich fielen ihm auch die Sagen von Leuten ein, die vor alten Zeiten durch den Holländermichel und durch das Glasmännlein reich geworden waren. Solange sein Vater noch lebte, kamen oft andere arme Leute zu Besuch, und da wurde lang und breit von reichen Menschen gesprochen und wie sie reich geworden waren. Da spielte nun oft das Glasmännlein eine Rolle; ja, wenn er recht nachsann, konnte er sich beinahe noch des Versleins erinnern, das man am Tannenbühl in der Mitte des Waldes sprechen musste, wenn es erscheinen solle. Es fing an:

>*Schatzhauser im grünen Tannenwald,*
Bist schon viel hundert Jahre alt,
Dir gehört all' Land, wo Tannen stehn …‹

Aber er mochte sein Gedächtnis anstrengen, wie er wollte, weiter konnte er sich keines Verses mehr entsinnen. Er dachte oft, ob er nicht den oder jenen alten Mann fragen sollte, wie das Sprüchlein heiße; aber immer hielt ihn eine gewisse Scheu, seine Gedanken zu verraten, ab; auch schloss er, es müsse die Sage vom Glasmännlein nicht sehr bekannt sein, und den Spruch müssten nur wenige wissen, denn es gab nicht viele reiche Leute im Wald, und – warum hatten denn nicht sein Vater und die andern armen Leute ihr Glück versucht? Er brachte endlich einmal seine Mutter auf das Männlein zu sprechen, und diese erzählte ihm, was er schon wusste, kannte auch nur noch die erste Zeile des Spruches und sagte ihm endlich, nur Leuten, die an einem Sonntag zwischen elf und zwei Uhr geboren seien, zeige sich das Geistchen. Er selbst würde wohl dazu passen, wenn er nur das Sprüchlein wüsste, denn er sei an einem Sonntag, mittags um zwölf Uhr, geboren.

Als dies der Kohlenmunkpeter hörte, war er vor Freude und vor Begierde, dies Abenteuer zu unternehmen, beinahe außer sich. Es schien ihm hinlänglich, einen Teil des Sprüchleins zu wissen und am Sonntag geboren zu sein, und das Glasmännlein musste sich ihm zeigen. Als er daher eines Tages seine Kohlen verkauft hatte, zündete er keinen neuen Meiler an, sondern zog seines Vaters Staatswams und neue rote Strümpfe an, setzte den Sonntagshut auf, fasste seinen zwei Meter hohen Schwarzdornstock in die Hand und nahm von der Mutter Abschied. »Ich muss aufs Amt in die Stadt, denn wir werden bald spielen müssen, wer Soldat wird, und da will ich dem Amtmann nur noch einmal einschärfen, dass Ihr Witwe seid und ich Euer einziger Sohn bin.« Die Mutter lobte seinen Entschluss, und er machte sich auf zum Tannenbühl.

Der Tannenbühl liegt auf der höchsten Höhe des Schwarzwaldes, und auf zwei Stunden im Umkreis stand damals kein Dorf, ja nicht einmal eine Hütte, denn die Leute meinten, es sei dort unsicher. Man schlug auch, so hoch und prachtvoll dort die Tannen standen, ungern Holz in jenem Revier, denn oft waren den Holzhauern, wenn sie dort arbeiteten, die Äxte vom Stiel gesprungen und in den Fuß gefahren, oder die Bäume waren schnell umgestürzt und hatten die Männer mit umgerissen und verletzt oder gar getötet; auch hätte man die schönsten Bäume von dorther nur zu Brennholz brauchen können, denn die Floßherren nahmen nie einen Stamm aus dem Tannenbühl unter ein Floß auf, weil die Sage ging, dass Mann und Holz verunglückten, wenn ein Tannenbühler mit im Wasser sei. Daher kam es, dass im Tannenbühl die Bäume so dicht und so hoch standen, daß es am hellen Tag beinahe Nacht war, und Peter Munk wurde es ganz schaurig dort zumut, denn er hörte keine Stimme, keinen Tritt als den seinigen, keine Axt; selbst die Vögel schienen diese dichte Tannennacht zu meiden.

Kohlenmunkpeter hatte jetzt den höchsten Punkt des Tannenbühls erreicht und stand vor einer Tanne von ungeheurem Umfang, um die ein holländischer Schiffsherr an Ort und Stelle viele hundert Gulden gegeben hätte. ›Hier‹, dachte er, ›wird wohl der Schatzhauser wohnen‹, zog seinen großen Sonntagshut, machte vor dem Baum eine tiefe Verbeugung, räusperte sich und sprach mit zitternder Stimme: »Wünsche glückseligen Abend, Herr Glasmann!« Aber es erfolgte keine Antwort, und alles umher war so still wie zuvor. ›Vielleicht muss ich doch das Verslein sprechen‹, dachte er weiter und murmelte:

> »Schatzhauser im grünen Tannenwald,
> Bist schon viel hundert Jahre alt,
> Dir gehört all' Land, wo Tannen stehn …«

Während er diese Worte sprach, sah er zu seinem großen Schrecken eine ganz kleine, sonderbare Gestalt hinter der dicken Tanne hervorschauen. Es war ihm, als habe er das Glasmännlein gesehen, wie man es beschrieb; das schwarze Wämschen, die roten Strümpfchen, das Hütchen, alles war so; selbst das blasse, feine und kluge Gesicht, wovon man erzählte, glaubte er gesehen zu haben. Aber ach, so schnell es hervorgeschaut hatte, das Glasmännlein, so schnell war es auch wieder verschwunden! »Herr Glasmann«, rief nach einigem Zögern Peter Munk, »seid so gütig und haltet mich nicht zum Narren! Herr Glasmann, wenn Ihr meint, ich habe Euch nicht gesehen, so täuschet Ihr Euch sehr, ich sah Euch wohl hinter dem Baum hervorgucken!« Immer keine Antwort, nur zuweilen glaubte er ein leises, heiseres Kichern hinter dem Baum zu vernehmen. Endlich überwand seine Ungeduld die Furcht, die ihn bis jetzt noch abgehalten hatte. »Warte, du kleiner Bursche«, rief er, »dich will ich bald haben!« Er sprang mit einem Satz hinter die Tanne, aber da war kein Schatzhauser im grünen Tannenwald, und nur ein kleines zierliches Eichhörnchen jagte in wilden Sprüngen an dem Baum hinauf.

Peter Munk schüttelte den Kopf. Er sah ein, dass er die Beschwörung bis auf einen gewissen Grad gebracht habe und dass ihm vielleicht nur noch ein Reim zu dem Sprüchlein fehle, so könne er das Glasmännlein hervorlocken; aber er sann hin, er sann her und fand nichts. Das Eichhörnchen zeigte sich an den untersten Ästen der Tanne und schien ihn aufzumuntern oder zu verspotten. Es putzte sich, es rollte den schönen Schweif, es schaute ihn mit klugen Augen an, aber endlich fürchtete er sich doch beinahe, mit diesem Tier allein zu sein; denn bald schien das Eichhörnchen einen Menschenkopf zu haben und einen dreispitzigen Hut zu tragen, bald war es ganz wie ein anderes Eichhörnchen und hatte nur an den Hinterfüßen rote Strümpfe und schwarze Schuhe. Kurz, es war ein lustiges Tier, aber dennoch graute es Kohlenpeter, denn er meinte, es gehe nicht mit rechten Dingen zu.

Mit schnelleren Schritten, als er gekommen war, zog Peter wieder ab. Das Dunkel des Tannenwaldes schien immer schwärzer zu werden, die Bäume standen immer dichter, und ihm fing so an zu grauen, dass er im Trab davonjagte; und erst als er in der Ferne Hunde bellen hörte und bald darauf zwischen den Bäumen den Rauch einer Hütte erblickte, wurde er wieder ruhiger. Aber als er näher kam und die Tracht der Leute in der Hütte erblickte, merkte er, dass er aus Angst gerade die entgegengesetzte Richtung genommen und statt zu den Glasleuten zu den Flößern gekommen war. Die Leute, die in der Hütte wohnten, waren Holzfäller, ein alter Mann, sein Sohn, der Hauswirt, und einige erwachsene Enkel. Sie nahmen Kohlenmunkpeter, der um ein Nachtlager bat, gut auf, ohne nach seinem Namen und Wohnort zu fragen, gaben ihm Apfelwein zu trinken, und abends wurde ein großer Auerhahn, die beste Schwarzwaldspeise, aufgesetzt.

Nach dem Nachtessen setzten sich die Hausfrau und ihre Töchter mit ihren Spinnrocken um den großen Lichtspan, den die Jungen mit dem feinsten Tannenharz nährten; der Großvater, der Gast und der Hauswirt rauchten und schauten den Weibern zu, die Burschen aber waren beschäftigt, Löffel und Gabeln aus Holz zu schnitzen. Draußen im Wald heulte der Sturm und raste in den Tannen; man hörte da und dort sehr heftige Schläge, und es schien oft, als ob ganze Bäume abgeknickt würden und zusammenkrachten. Die furchtlosen Jungen wollten hinaus in den Wald laufen und dieses furchtbar schöne Schauspiel mit ansehen, ihr Großvater aber hielt sie mit strengem Wort und Blick zurück. »Ich will keinem raten, dass er jetzt vor die Tür geht«, rief er ihnen zu, »bei Gott, der kommt nimmermehr wieder, denn der Holländermichel baut sich heute Nacht ein neues Floß im Wald!«

Die Jungen staunten ihn an; sie mochten von dem Holländermichel schon gehört haben, aber sie baten jetzt den Ähni, einmal von ihm zu erzählen. Auch Peter Munk, der vom Holländermichel auf der andern Seite des Waldes nur undeutlich hatte sprechen gehört, stimmte mit ein und fragte den Alten, wer und wo er sei. »Er ist der Herr dieses Waldes, und nach dem zu schließen, dass Ihr in Eurem Alter dies noch nicht erfahren, müsst Ihr drüben über dem Tannenbühl oder wohl gar noch weiter zu Hause sein. Vom Holländermichel will ich Euch aber erzählen, was ich weiß und wie die Sage von ihm geht. Vor etwa hundert Jahren, so erzählte es wenigstens mein Ähni, war weit und breit kein ehrlicheres Volk auf Erden als die Schwarzwälder. Jetzt, seit so viel Geld im Land ist, sind die Menschen unredlich und schlecht. Die Burschen tanzen und johlen am Sonntag und fluchen, dass es ein Schrecken ist. Damals war es aber anders, und wenn er jetzt zum Fenster dort hereinschaute, so sag ich's und hab es oft gesagt: Der Holländermichel ist schuld an all dieser Verderbnis. Es lebte also vor hundert Jahren und drüber ein reicher Holzherr, der viel Gesinde hatte; er handelte bis weit an den Rhein hinab, und sein Geschäft war gesegnet, denn er war ein frommer Mensch. Kam da eines Abends ein Mann an seine Tür, dergleichen er noch nie gesehen hatte. Seine Kleidung war die der Schwarzwälder Burschen, aber er war einen guten Kopf höher als alle, und man hatte noch nie geglaubt, dass es einen solchen Riesen geben könne. Dieser bat um Arbeit bei dem Holzherrn, und der Holzherr, der ihm ansah, dass er stark und zu großen Lasten tüchtig sei, vereinbarte mit ihm seinen Lohn, und sie schlugen ein. Der Michel war ein Arbeiter, wie der Holzherr noch keinen gehabt hatte. Beim Baumschlagen galt er für drei, und wenn sechs

am einen End' schleppten, trug er allein das andere. Als er aber ein halb Jahr Holz geschlagen hatte, trat er eines Tages vor seinen Herrn und begehrte von ihm: ›Hab jetzt lang genug hier Holz gehackt, und so möcht ich auch sehen, wohin meine Stämme kommen, und wie wär es, wenn Ihr mich auch mal auf das Floß ließet?‹

Der Holzherr antwortete: ›Ich will dir nicht im Weg sein, Michel, wenn du ein wenig hinaus willst in die Welt; beim Holzfällen brauche ich zwar starke Leute, wie du bist, auf dem Floß aber kommt es auf Geschicklichkeit an, doch es sei für diesmal.‹

Und so war es; das Floß, mit dem er abgehen sollte, hatte acht Glieder, und im letzten waren einige von den größten Zimmerbalken. Aber was geschah? Am Abend zuvor brachte der lange Michel noch acht Bäume ans Wasser, so dick und lang, wie man keine je sah, und jeden trug er so leicht auf der Schulter wie eine Flößerstange, so dass sich alles entsetzte. Wo er sie gehauen, weiß bis heute noch niemand. Dem Holzherrn lachte das Herz, als er dies sah, denn er berechnete, was die kosten könnten; Michel aber sagte: ›So, die sind für mich zum Fahren, auf den kleinen Spänen dort kann ich nicht fortkommen.‹ Sein Herr wollte ihm zum Dank ein Paar Flößerstiefel schenken, aber er warf sie auf die Seite und brachte ein Paar hervor, wie es sonst noch keine gab; mein Großvater hat versichert, sie haben hundert Pfund gewogen und seien anderthalb Meter lang gewesen.

Das Floß fuhr ab, und hatte Michel früher die Holzhauer in Verwunderung gesetzt, so staunten jetzt die Flößer, denn statt dass das Floß, wie man wegen der ungeheuren Balken geglaubt hatte, langsamer auf dem Fluss ging, flog es, sobald sie in den Neckar kamen, wie ein Pfeil; machte der Neckar eine Wendung und hatten sonst die Flößer Mühe gehabt, das Floß in der Mitte zu halten und nicht auf Kies oder Sand zu stoßen, so sprang jetzt Michel allemal ins Wasser, rückte mit einem Zug das Floß links oder rechts, so dass es ohne Gefahr vorüberglitt, und kam dann eine gerade Stelle, so lief er aufs erste Glied vor, ließ alle ihre Stangen beisetzen, steckte seinen ungeheuren Weberbaum in den Kies, und mit einem Druck flog das Floß dahin, dass Land und Bäume und Dörfer vorbeizujagen schienen. So waren sie in der Hälfte der Zeit, die man sonst brauchte, nach Köln am Rhein gekommen, wo sie sonst ihre Ladung verkauft hatten. Hier aber sprach Michel: ›Ihr seid mir rechte Kaufleute und versteht euren Nutzen! Meinet ihr denn, die Kölner brauchen all dies Holz, das aus dem Schwarzwald kommt, für sich? Nein, um den halben Wert kaufen sie es euch ab und verhandeln es teuer nach Holland. Lasset uns die kleinen Balken hier verkaufen und mit den großen nach Holland gehen! Was wir über den gewöhnlichen Preis lösen, ist unser eigener Nutzen.‹

So sprach der arglistige Michel, und die andern waren es zufrieden, die einen, weil sie gern nach Holland gezogen wären, es zu sehen, die andern des Geldes wegen. Nur ein Einziger war redlich und mahnte sie ab, das Gut ihres Herrn der Gefahr auszusetzen oder ihn um den höheren Preis zu betrügen. Sie hörten nicht auf ihn und vergaßen seine Worte, aber der Holländermichel vergaß sie nicht. Sie fuhren mit dem Holz den Rhein hinab, Michel leitete das Floß und brachte sie schnell bis nach Rotterdam. Dort bot man ihnen das Vierfache vom früheren Preis, und besonders die ungeheuren Bäume des Michel wurden mit schwerem Geld bezahlt. Als die Schwarzwälder so viel Geld sahen, wussten sie sich vor Freude nicht zu fassen. Michel teilte auf: einen Teil dem Holzherrn, die drei andern unter die Männer. Und nun setzten sie sich mit Matrosen und anderem schlechten Gesindel in die Wirtshäuser, verschlemmten und verspielten ihr Geld, den braven Mann aber, der ihnen abgeraten, verkaufte der Holländermichel an einen Seelenverkäufer, und man hat nichts mehr von ihm gehört. Von da an war den Burschen im Schwarzwald Holland das Paradies und Holländermichel ihr König. Die Holzherren erfuhren lange nichts von dem Handel, und unvermerkt kamen Geld, Flüche, schlechte Sitten, Trunk und Spiel aus Holland herauf.

Der Holländermichel war, als die Geschichte herauskam, nirgends zu finden, aber tot ist er auch nicht. Seit hundert Jahren treibt er seinen Spuk im Wald, und man sagt, dass er schon vielen behilflich gewesen sei, reich zu werden, aber – auf Kosten ihrer armen Seele, und mehr will ich nicht sagen. So viel ist gewiss, dass er noch jetzt in solchen Sturmnächten im Tannenbühl, wo man nicht hauen soll, überall die schönsten Tannen aussucht, und mein Vater hat ihn einen meterdicken Stamm umbrechen sehen wie ein Rohr. Mit diesen beschenkt er die, welche sich vom Rechten abwenden und zu ihm gehen. Um Mitternacht bringen sie dann die Flöße ins Wasser, und er rudert mit ihnen nach Holland. Aber wäre ich Herr und König in Holland, ich ließe ihn mit Kartätschen in den Boden schmettern, denn alle Schiffe, die von dem Holländermichel auch nur einen Balken haben, müssen untergehen. Daher kommt es, dass man so viel von Schiffbrüchen hört. Wie könnte denn sonst ein schönes, starkes Schiff, so groß wie eine Kirche, zugrunde gehen auf dem Wasser? Aber sooft Holländermichel in einer Sturmnacht im Schwarzwald eine Tanne fällt, springt eine seiner alten aus den Fugen des Schiffes, das Wasser dringt ein, und das Schiff ist mit Mann und Maus verloren. Das ist die Sage vom Holländermichel, und wahr ist es, alles Böse im Schwarzwald schreibt sich von ihm her. Oh, er kann einen reich machen«, setzte der

Greis geheimnisvoll hinzu, »aber ich möchte nichts von ihm haben: Ich möchte um keinen Preis in der Haut des dicken Ezechiel und des langen Schlurkers stecken; auch der Tanzbodenkönig soll sich ihm ergeben haben!«

Der Sturm hatte sich während der Erzählung des Alten gelegt. Die Mädchen zündeten schüchtern die Lampen an und gingen weg. Die Männer aber legten Peter Munk einen Sack voll Laub als Kopfkissen auf die Ofenbank und wünschten ihm gute Nacht.

Kohlenmunkpeter hatte noch nie so schwere Träume gehabt wie in dieser Nacht. Bald glaubte er, der finstere, riesige Holländermichel reiße die Stubenfenster auf und reiche mit seinem ungeheuer langen Arm einen Beutel voll Goldstücke herein, die er untereinander schüttelte, dass es hell und lieblich klang, bald sah er wieder das kleine, freundliche Glasmännlein auf einer ungeheuren grünen Flasche im Zimmer herumreiten, und er meinte das heisere Lachen wieder zu hören wie im Tannenbühl; dann brummte es ihm wieder ins linke Ohr:

> »In Holland gibt's Gold,
> Könnt's haben, wenn ihr wollt,
> Um geringen Sold,
> Gold, Gold!«

Dann hörte er wieder in seinem rechten Ohr das Liedchen vom Schatzhauser im grünen Tannenwald, und eine zarte Stimme flüsterte:»Dummer Kohlenpeter, dummer Peter Munk, kannst kein Sprüchlein reimen auf stehen und bist doch am Sonntag geboren Schlag zwölf Uhr. Reime, dummer Peter, reime!«

Er ächzte, er stöhnte im Schlaf, er mühte sich ab, einen Reim zu finden, aber da er in seinem Leben noch keinen gemacht hatte, war seine Mühe im Traume vergebens. Als er mit dem ersten Frührot erwachte, kam ihm sein Traum sonderbar vor. Er setzte sich mit verschränkten Armen hinter den Tisch und dachte über die Einflüsterungen nach, die ihm noch immer im Ohr lagen. »Reime, dummer Kohlenmunkpeter, reime!«, sprach er zu sich und pochte mit dem Finger an seine Stirn, aber es wollte kein Reim hervorkommen. Als er noch so dasaß, trübe vor sich hin schaute und an den Reim auf stehen dachte, da zogen drei Burschen vor dem Haus vorbei in den Wald, und einer sang im Vorbeigehen:

>*Am Berge tat ich stehen*
Und schaute in das Tal,
Da hab ich sie gesehen
Zum allerletzten Mal.«

Das fuhr wie ein leuchtender Blitz durch Peters Ohr, und hastig raffte er sich auf, stürzte aus dem Haus, weil er meinte, nicht recht gehört zu haben, sprang den drei Burschen nach und packte den Sänger hastig und unsanft beim Arm. »Halt, Freund«, rief er, »was habt Ihr da auf stehen gereimt? Tut mir die Liebe und sprecht, was habt Ihr gesungen?«
»Was ficht's dich an, Bursche?«, entgegnete der Schwarzwälder. »Ich kann singen, was ich will, und lass gleich meinen Arm los oder …«
»Nein, sagen sollst du, was du gesungen hast!«, schrie Peter beinahe außer sich und packte ihn noch fester an. Als die zwei andern das sahen, zögerten sie nicht lange, sondern fielen mit derben Fäusten über den armen Peter her und walkten ihn tüchtig, bis er vor Schmerzen das Gewand des Dritten ließ und erschöpft in die Knie sank. »Jetzt hast du dein Teil«, sprachen sie lachend, »und merk dir, toller Bursche, dass du Leute, wie wir sind, nimmer anfällst auf offenem Wege.«
»Ach, ich will mir es gewiss merken!«, erwiderte Kohlenpeter seufzend. »Aber so ich die Schläge habe, seid so gut und sagt deutlich, was der eine gesungen hat!«
Da lachten sie aufs Neue und spotteten ihn aus. Aber der das Lied sang, sagte es ihm vor, und lachend und singend zogen sie weiter.
»Also sehen«, sprach der arme Geschlagene, indem er sich mühsam aufrichtete, »sehen auf stehen; jetzt, Glasmännlein, wollen wir wieder ein Wort zusammen sprechen.« Er ging in die Hütte, holte seinen Hut und den langen Stock, nahm Abschied von den Bewohnern der Hütte und trat seinen Rückweg nach dem Tannenbühl an. Er ging langsam und sinnend seine Straße, denn er musste ja einen Vers ersinnen; end-

lich, als er schon in dem Bereich des Tannenbühls ging und die Tannen höher und dichter wurden, hatte er auch seinen Vers gefunden und machte vor Freuden einen Sprung in die Höhe. Da trat ein riesengroßer Mann in Flößerkleidung, der eine Stange, so lang wie ein Mastbaum, in der Hand trug, hinter den Tannen hervor. Peter Munk sank beinahe in die Knie, als er diesen langsamen Schrittes neben sich wandeln sah, denn er dachte: ›Das ist der Holländermichel und kein anderer.‹ Noch immer schwieg der furchtbare Gesell, und Peter schielte zuweilen furchtsam nach ihm hin. Er war wohl einen Kopf größer als der längste Mann, den Peter je gesehen, sein Gesicht war nicht mehr jung, doch auch nicht alt, aber voll Furchen und Falten; er trug ein Wams von Leinwand, und die ungeheuren Stiefel, über die Lederbeinkleider heraufgezogen, waren Peter aus der Sage wohl bekannt.

»Peter Munk, was tust du im Tannenbühl?«, fragte der Waldkönig endlich mit tiefer, dröhnender Stimme.

»Guten Morgen, Landsmann«, antwortete Peter, indem er sich unerschrocken zeigen wollte, aber heftig zitterte. »Ich will durch den Tannenbühl nach Haus zurück.«

»Peter Munk«, erwiderte jener und warf einen stechenden, furchtbaren Blick nach ihm herüber, »dein Weg geht nicht durch diesen Hain.«

»Nun, so gerade just nicht«, sagte jener, »aber es ist heute warm, da dachte ich, es wird hier kühler sein.«

»Lüge nicht, du Kohlenpeter«, rief Holländermichel mit donnernder Stimme, »oder ich schlag dich mit der Stange zu Boden; meinst, ich hab dich nicht betteln sehen bei dem Kleinen?«, setzte er sanft hinzu. »Geh, geh, das war ein dummer Streich, und gut ist es, dass du das Sprüchlein nicht wusstest. Er ist ein Knauser, der kleine Kerl, und gibt nicht viel, und wem er gibt, der wird seines Lebens nicht froh. – Peter, du bist ein armer Tropf und dauerst mich in der Seele. So ein munterer, schöner Bursche, der in der Welt was anfangen könnte, und sollst Kohlen brennen! Wenn andere große Taler oder Dukaten aus dem Ärmel schütteln, kannst du kaum ein paar Sechser aufwenden; 's ist ein ärmlich Leben.«

»Wahr ist's, und recht habt Ihr – ein elendes Leben.«

»Na, mir soll's nicht darauf ankommen«, fuhr der schreckliche Michel fort, »hab schon manchem braven Kerl aus der Not geholfen, und du wärest nicht der Erste. Sag einmal, wie viel hundert Taler brauchst du fürs Erste?«

Bei diesen Worten schüttelte er das Geld in seiner ungeheuren Tasche untereinander, und es klang wieder wie diese Nacht im Traum. Aber Peters Herz zuckte ängstlich und schmerzhaft bei diesen Worten, es wurde ihm kalt und warm, und der Holländermichel sah nicht aus, als ob er aus Mitleid Geld wegschenkte, ohne etwas dafür zu verlangen. Es fielen ihm die geheimnisvollen Worte des alten Mannes über die reichen Menschen ein, und, von unerklärlicher Angst und Bangigkeit gejagt, rief er: »Schön Dank, Herr! Aber mit Euch will ich nichts zu schaffen haben, und ich kenn Euch schon!« – und lief, was er laufen konnte. Der Waldgeist schritt mit ungeheuren Schritten neben ihm her und murmelte dumpf und drohend: »Wirst's noch bereuen, Peter, auf deiner Stirne steht's geschrieben, in deinem Auge ist's zu lesen: Du entgehst mir nicht! – Lauf nicht so schnell, höre nur noch ein vernünftig Wort, dort ist schon meine Grenze.« Als Peter dies hörte und unweit vor ihm einen kleinen Graben sah, beeilte er sich nur noch mehr, über die Grenze zu kommen, so dass Michel am Ende schneller laufen musste und unter Flüchen und Drohungen ihn verfolgte. Der junge Mann setzte mit einem verzweifelten Sprung über den Graben, denn er sah, wie der Waldgeist mit seiner Stange ausholte und sie auf ihn niederschmettern lassen wollte. Er kam glücklich jenseits an, die Stange zersplitterte in der Luft wie an einer unsichtbaren Mauer, und ein langes Stück fiel zu Peter herüber.

Triumphierend hob er es auf, um es dem groben Holländermichel zuzuwerfen, aber in diesem Augenblick fühlte er das Stück Holz in seiner Hand sich bewegen, und zu seinem Entsetzen sah er, dass es eine ungeheure Schlange war, die sich schon mit geifernder Zunge und mit blitzenden Augen an ihm hinaufbäumte. Er ließ sie los, aber sie hatte sich schon fest um seinen Arm gewickelt und kam mit schwankendem Kopf seinem Gesicht immer näher. Da rauschte auf einmal ein ungeheurer Auerhahn nieder, packte den Kopf der Schlange mit dem Schnabel, erhob sich mit ihr in die Lüfte, und Holländermichel, der dies alles von dem Graben aus gesehen hatte, heulte und schrie und raste, als die Schlange von einem Gewaltigeren entführt ward.

Erschöpft und zitternd setzte Peter seinen Weg fort. Der Pfad wurde
steiler, die Gegend wilder, und bald befand er sich an der ungeheuren
Tanne. Er machte wieder wie gestern seine Verbeugungen gegen das
unsichtbare Glasmännlein und hub dann an:

>>*Schatzhauser im grünen Tannenwald,*
Bist schon viel hundert Jahre alt,
Dein ist all' Land, wo Tannen stehn,
Lässt dich nur Sonntagskindern sehn.<<

>>Hast's zwar nicht ganz getroffen, aber weil du es bist, Kohlenmunk-
peter, soll es so hingehen<<, sprach eine zarte, feine Stimme neben ihm.
Erstaunt sah er sich um. Unter einer schönen Tanne saß ein kleines, altes Männlein in schwarzem Wams und roten Strümpfen, den großen
Hut auf dem Kopf. Es hatte ein feines, freundliches Gesicht und ein
Bärtchen, so zart wie aus Spinnweben; es rauchte, was sonderbar anzusehen war, aus einer Pfeife von blauem Glas, und als Peter näher
trat, sah er zu seinem Erstaunen, dass auch Kleider, Schuhe und Hut

des Kleinen aus gefärbtem Glas bestanden; aber es war geschmeidig, als ob es noch heiß wäre, denn es schmiegte sich wie Tuch nach jeder Bewegung des Männleins.

»Du bist dem Flegel begegnet, dem Holländermichel?«, fragte der Kleine, indem er zwischen den Worten sonderbar hüstelte. »Er hat dich recht ängstigen wollen, aber seinen Kunstprügel habe ich ihm abgejagt, den soll er nimmer wiederkriegen.«

»Ja, Herr Schatzhauser«, erwiderte Peter mit einer tiefen Verbeugung, »es war mir recht bange. Ihr seid wohl der Herr Auerhahn gewesen, der die Schlange totgebissen hat? Da bedanke ich mich schönstens. – Ich komme, um mir bei Euch Rat zu holen. Es geht mir gar schlecht; ein Kohlenbrenner bringt es nicht weit, und da ich noch jung bin, dächte ich doch, es könnte noch was Besseres aus mir werden, und wenn ich oft andere sehe, wie weit die es in kurzer Zeit gebracht haben: Wenn ich nur den Ezechiel nehme und den Tanzbodenkönig – die haben Geld wie Heu.«

»Peter«, sagte der Kleine sehr ernst und blies den Rauch aus seiner Pfeife weit hinweg, »Peter, sag mir nichts von denen! Was haben sie davon, wenn sie hier ein paar Jahre dem Schein nach glücklich und dann nachher desto unglücklicher sind? Du musst dein Handwerk nicht verachten; dein Vater und dein Großvater waren Ehrenmänner und haben es auch getrieben, Peter Munk! Ich will nicht hoffen, dass es Liebe zum Müßiggang ist, was dich zu mir führt.«

Peter erschrak vor dem Ernst des Männleins und errötete. »Nein«, sagte er, »Müßiggang, weiß ich wohl, Herr Schatzhauser im Tannenwald, Müßiggang ist aller Laster Anfang, aber das könnt Ihr mir nicht übel nehmen, wenn mir ein anderer Stand besser gefällt als der meinige. Ein Kohlenbrenner ist halt etwas gar so Geringes auf der Welt, und die Glasleute und Flößer und Uhrmacher und alle sind angesehener.«

»Hochmut kommt oft vor dem Fall«, erwiderte der kleine Herr vom Tannenwald etwas freundlicher. »Ihr seid ein sonderbar Geschlecht, ihr Menschen! Selten ist einer mit dem Stand ganz zufrieden, in dem er geboren und erzogen ist, und was gilt's, wenn du ein Glasmann wärst, möchtest du gern ein Holzherr sein, und wärst du Holzherr, so stünde dir des Försters Dienst oder des Amtmanns Wohnung an! Aber es sei; wenn du versprichst, brav zu arbeiten, so will ich dir zu etwas Besserem verhelfen, Peter. Ich pflege jedem Sonntagskind, das sich zu mir zu finden weiß, drei Wünsche zu gewähren. Die ersten zwei sind frei. Den dritten kann ich verweigern, wenn er töricht ist. So wünsche dir also jetzt etwas, aber, Peter, etwas Gutes und Nützliches!«

»Heißa, Ihr seid ein treffliches Glasmännlein, und mit Recht nennt man Euch Schatzhauser, denn bei Euch sind die Schätze zu Hause. Nu – und also darf ich wünschen, wonach mein Herz begehrt, so will ich denn fürs Erste, dass ich noch besser tanzen könne als der Tanzbodenkönig und immer so viel Geld in der Tasche habe wie der dicke Ezechiel.«

»Du Tor!«, erwiderte der Kleine zürnend. »Welch ein erbärmlicher Wunsch ist dies, gut tanzen zu können und Geld zum Spiel zu haben! Schämst du dich nicht, dummer Peter, dich selbst so um dein Glück zu betrügen? Was nützt es dir und deiner armen Mutter, wenn du tanzen kannst? Was nützt dir dein Geld, das nach deinem Wunsch nur für das Wirtshaus ist und wie das des elenden Tanzbodenkönigs dort bleibt? Dann hast du wieder die ganze Woche nichts und darbst wie zuvor. Noch einen Wunsch gebe ich dir frei, aber sieh dich vor, dass du vernünftiger wünschest!«

Peter kratzte sich hinter den Ohren und sprach nach einigem Zögern: »Nun, so wünsche ich mir die schönste und reichste Glashütte im ganzen Schwarzwald mit allem Zubehör und Geld, um sie zu leiten.«

»Sonst nichts?«, fragte der Kleine mit besorglicher Miene. »Peter, sonst nichts?«

»Nun – Ihr könnt noch ein Pferd dazutun und ein Wägelchen …«

»Oh, du dummer Kohlenmunkpeter!«, rief der Kleine und warf seine gläserne Pfeife im Unmut an eine dicke Tanne, dass sie in hundert Stücke sprang. »Pferde? Wägelchen? Verstand, sag ich dir, Verstand, gesunden Menschenverstand und Einsicht hättest du dir wünschen sollen, aber nicht Pferdchen und Wägelchen. Nun, werde nur nicht so traurig, wir wollen sehen, dass es auch so nicht zu deinem Schaden ist; denn der zweite Wunsch war im Ganzen nicht töricht. Eine gute Glashütte nährt auch ihren Mann und Meister, nur hättest du Einsicht und Verstand dazu mitnehmen können, Wagen und Pferde wären dann wohl von selbst gekommen.«

»Aber Herr Schatzhauser«, erwiderte Peter. »Ich habe ja noch einen Wunsch übrig. Da könnte ich ja Verstand wünschen, wenn er mir so überaus nötig ist, wie Ihr meint.«

»Nichts da! Du wirst noch in manche Verlegenheit kommen, wo du froh sein wirst, wenn du noch einen Wunsch frei hast. Und nun mache dich auf den Weg nach Hause! Hier sind«, sprach der kleine Tannengeist, indem er ein kleines Beutelein aus der Tasche zog, »hier sind zweitausend Gulden, und damit genug, und komm mir nicht wieder, um Geld zu fordern, denn dann müsste ich dich an der höchsten Tanne aufhängen. So hab ich's gehalten, seit ich in dem Wald wohne. Vor drei Tagen ist der alte Winkfritz gestorben, der die große Glashütte gehabt hat im Unterwald. Dorthin gehe morgen früh und mach ein Gebot auf das Gewerbe, wie es recht ist! Halt dich wohl, sei fleißig, und ich will dich zuweilen besuchen und dir mit Rat und Tat an die Hand gehen, weil du dir doch keinen Verstand erbeten hast. Aber, und das sag ich dir ernstlich, dein erster Wunsch war böse. Nimm dich in Acht vor dem Wirtshauslaufen, Peter! 's hat noch bei keinem lange gut getan.« Das Männlein hatte, während es dies sprach, eine neue Pfeife vom schönsten Beinglas hervorgezogen, sie mit gedörrten Tannenzapfen gestopft und in den kleinen, zahnlosen Mund gesteckt. Dann zog es ein ungeheures Brennglas hervor, trat in die Sonne und zündete seine Pfeife an. Als es damit fertig war, bot es dem Peter freundlich die Hand, gab ihm noch ein paar gute Lehren mit auf den Weg, rauchte und blies immer schneller und verschwand endlich in einer Rauchwolke, die nach echtem holländischem Tabak roch und langsam sich kräuselnd in den Tannenwipfeln verschwebte.

Als Peter nach Hause kam, fand er seine Mutter sehr in Sorgen um ihn, denn die gute Frau glaubte nicht anders, als ihr Sohn sei zum Soldaten ausgehoben worden. Er aber war fröhlich und guter Dinge und erzählte ihr, wie er im Wald einen guten Freund getroffen, der ihm Geld vorgeschossen habe, um ein anderes Geschäft als Kohlenbrennen anzufangen.

Obgleich seine Mutter schon seit dreißig Jahren in der Köhlerhütte wohnte und an den Anblick berußter Leute so gewöhnt war wie jede Müllerin an das Mehlgesicht ihres Mannes, so war sie doch eitel genug, sobald ihr Peter ein glänzenderes Los hatte, ihren früheren Stand zu verachten, und sprach: »Ja, als Mutter eines Mannes, der eine Glashütte besitzt, bin ich doch was anderes als Nachbarin Grete und Bete und setze mich in Zukunft vorne hin in der Kirche, wo rechte Leute sitzen.«

Ihr Sohn wurde mit den Erben der Glashütte bald handelseinig. Er behielt die Arbeiter, die er vorfand, bei sich und ließ nun Tag und Nacht Glas machen. Anfangs gefiel ihm das Handwerk wohl. Er pflegte gemächlich in die Glashütte hinabzusteigen, ging dort mit vornehmen Schritten, die Hände in die Taschen gesteckt, hin und her, guckte dahin, guckte dorthin, sprach dies und jenes, worüber seine Arbeiter oft nicht wenig lachten. Seine größte Freude war, das Glas blasen zu sehen. Oft machte er sich selbst an die Arbeit und formte aus der noch weichen Masse die sonderbarsten Figuren. Bald aber war ihm die Arbeit verleidet, und er kam zuerst nur noch eine Stunde des Tages in die Hütte, dann nur alle zwei Tage, endlich die Woche nur einmal, und seine Gesellen machten, was sie wollten.

Das alles kam aber nur vom Wirtshauslaufen. Den Sonntag, nachdem er vom Tannenbühl zurückgekommen war, ging er ins Wirtshaus, und wer schon auf dem Tanzboden sprang, war der Tanzbodenkönig, und der dicke Ezechiel saß auch schon hinter der Maßkanne und knöchelte um Kronentaler. Da fuhr Peter schnell in die Tasche, zu sehen, ob ihm das Glasmännlein Wort gehalten, und er fand eine Menge Silber und Gold. Auch in seinen Beinen zuckte und drückte es, wie wenn sie tanzen und springen wollten, und als der erste Tanz zu Ende war, stellte er sich mit seiner Tänzerin obenan neben den Tanzbodenkönig, und sprang dieser drei Schuh hoch, so flog Peter vier, und machte dieser wunderliche und zierliche Schritte, so verschlang und drehte Peter seine Füße, dass alle Zuschauer vor Lust und Verwunderung beinahe außer sich kamen. Als man aber auf dem Tanzboden vernahm, dass Peter eine Glashütte gekauft habe, als man sah, dass er, sooft er an den Musikanten vorbeitanzte, ihnen einen Sechsbätzner zuwarf, da war des Staunens kein Ende. Die einen glaubten, er habe einen Schatz im Wald gefunden, die anderen meinten, er habe eine Erbschaft getan, aber alle verehrten ihn jetzt und hielten ihn für einen gemachten Mann, nur weil er Geld hatte. Verspielte er doch noch an demselben Abend zwanzig Gulden, und nichtsdestoweniger rasselte und klang es in seiner Tasche, als ob noch hundert Taler darin wären.

Als Peter sah, wie angesehen er war, wusste er sich vor Freude und Stolz nicht zu fassen. Er warf das Geld mit vollen Händen weg und teilte es den Armen reichlich aus; wusste er doch, wie ihn selbst die Armut gedrückt hatte. Des Tanzbodenkönigs Künste wurden vor den übernatürlichen Künsten des neuen Tänzers zuschanden, und Peter führte jetzt den Namen Tanzkaiser. Die unternehmendsten Spieler am Sonntag wagten nicht so viel wie er, aber sie verloren auch nicht so viel. Und je mehr er verlor, desto mehr gewann er. Das verhielt sich aber ganz so, wie er es vom kleinen Glasmännlein verlangt hatte. Er hatte sich gewünscht, immer so viel Geld in der Tasche zu haben wie der dicke Ezechiel, und gerade dieser war es, an welchen er sein Geld verspielte. Und wenn er zwanzig, dreißig Gulden auf einmal verlor, so hatte er sie alsobald wieder in der Tasche, wenn sie der Ezechiel einstrich. Nach und nach brachte er es aber im Schlemmen und Spielen weiter als die schlechtesten Gesellen im Schwarzwald, und man nannte ihn öfter Spielpeter als Tanzkaiser, denn er spielte jetzt auch beinahe an allen Werktagen. Darüber kam aber seine Glashütte nach und nach in Verfall, und daran war Peters Unverstand schuld. Glas ließ er machen, so viel man immer machen konnte, aber er hatte mit der Hütte nicht zugleich das Geheimnis gekauft, wohin man es am besten verhandeln könne. Er wusste am Ende mit der Menge Glas nichts anzufangen und verschleuderte es um den halben Preis an herumziehende Händler, nur um seine Arbeiter bezahlen zu können.

Eines Abends ging er auch wieder vom Wirtshaus heim und dachte trotz dem vielen Wein, den er getrunken, um sich fröhlich zu machen, mit Schrecken und Gram an den Verfall seines Vermögens. Da bemerkte er auf einmal, dass jemand neben ihm gehe; er sah sich um, und siehe da – es war das Glasmännlein. Er geriet in Zorn und Eifer, vermaß sich hoch und teuer und schwur, der Kleine sei an all seinem

Unglück schuld. »Was tu ich nun mit Pferd und Wägelchen?«, rief er. »Was nutzt mich die Hütte und all mein Glas? Selbst als ich noch ein elender Köhlerbursch war, lebte ich froher und hatte keine Sorgen. Jetzt weiß ich nicht, wann der Amtmann kommt und meine Habe schätzt und mich pfändet der Schulden wegen!«

»So?«, entgegnete das Glasmännlein. »So? Ich also soll schuld daran sein, wenn du unglücklich bist? Ist dies der Dank für meine Wohltaten? Wer hieß dich auch so töricht wünschen? Ein Glasmann wolltest du sein und wusstest nicht, wohin dein Glas verkaufen? Sagte ich dir nicht, du solltest behutsam wünschen? Verstand, Peter, Klugheit hat dir gefehlt.«

»Was Verstand und Klugheit!«, rief jener. »Ich bin ein so kluger Bursche als irgendeiner und will es dir zeigen, Glasmännlein«, und bei diesen Worten fasste er das Männlein unsanft am Kragen und schrie: »Hab ich dich jetzt, Schatzhauser im grünen Tannenwald? Und den dritten Wunsch will ich jetzt tun, den sollst du mir gewähren. Und so will ich hier auf der Stelle zwei mal hunderttausend harte Taler und ein Haus und – o weh!«, schrie er und schüttelte die Hand, denn das Kleid des Waldmännleins hatte sich in glühendes Glas verwandelt und brannte in seiner Hand wie sprühendes Feuer. Aber das Männlein selbst war verschwunden, und nichts mehr von ihm zu sehen.

Mehrere Tage lang erinnerte ihn seine geschwollene Hand an seine Undankbarkeit und Torheit. Dann aber übertäubte er sein Gewissen und sprach: »Und wenn sie mir die Glashütte und alles verkaufen, so bleibt mir doch immer der dicke Ezechiel. Solange der Geld hat am Sonntag, kann es mir nicht fehlen.«

Ja, Peter! Aber wenn er keines hat? Und so geschah es eines Tages und war ein wunderliches Rechenexempel. Denn eines Sonntags kam er angefahren am Wirtshaus, und die Leute streckten die Köpfe durch die Fenster, und der eine sagte: »Da kommt der Spielpeter«, der andere: »Ja, der Tanzkaiser, der reiche Glasmann«, und ein Dritter schüttelte den Kopf und sprach: »Mit dem Reichtum ist es nicht mehr weit her, man sagt allerlei von seinen Schulden, und in der Stadt hat einer gesagt, der Amtmann werde nicht mehr lange säumen zum Auspfänden.« Indessen grüßte der reiche Peter die Gäste am Fenster vornehm und gravitätisch, stieg vom Wagen und schrie: »Sonnenwirt, guten

Abend, ist der dicke Ezechiel schon da?« Und eine tiefe Stimme rief: »Nur herein, Peter! Dein Platz ist dir aufbehalten, wir sind schon bei den Karten.« So trat Peter Munk in die Wirtsstube, fuhr gleich in die Tasche und merkte, dass Ezechiel gut versehen sein müsse, denn seine Tasche war bis oben angefüllt.

Er setzte sich hinter den Tisch zu den andern und spielte und gewann und verlor hin und her, und so spielten sie, bis andere ehrliche Leute, als es Abend wurde, nach Hause gingen, und spielten bei Licht, bis zwei andere Spieler sagten: »Jetzt ist's genug, und wir müssen heim zu Frau und Kind.« Spielpeter forderte nun den dicken Ezechiel auf zu bleiben. Der wollte lange nicht, endlich rief er: »Gut, jetzt will ich mein Geld zählen, und dann wollen wir knöcheln, den Satz um fünf Gulden, denn niederer ist es doch nur Kinderspiel.« Er zog den Beutel und zählte und fand hundert Gulden bar, und Spielpeter wusste nun, wie viel er selbst habe, und brauchte es nicht erst zu zählen. Aber hatte Ezechiel vorher gewonnen, so verlor er jetzt Satz für Satz und fluchte gräulich dabei. Warf er einen Pasch, gleich warf Spielpeter auch einen, und immer zwei Augen höher. Da setzte er endlich die letzten fünf Gulden auf den Tisch und rief: »Noch einmal, und wenn ich auch den noch verliere, so höre ich doch nicht auf, dann leihst du mir von deinem Gewinn, Peter, ein ehrlicher Kerl hilft dem andern!«

»Soviel du willst, und wenn es hundert Gulden sein sollten«, sprach der Tanzkaiser, fröhlich über seinen Gewinn, und der dicke Ezechiel schüttelte die Würfel und warf sechzehn. »Pasch!«, rief er. »Jetzt wollen wir sehen!« Peter aber warf achtzehn, und eine heisere bekannte Stimme hinter ihm sprach: »So, das war der Letzte!«

Er sah sich um, und riesenhaft stand der Holländermichel hinter ihm. Erschrocken ließ er das Geld fallen, das er schon eingezogen hatte. Aber der dicke Ezechiel sah den Waldmann nicht, sondern verlangte, der Spielpeter solle ihm zehn Gulden vorstrecken zum Spiel. Halb im Traum fuhr dieser mit der Hand in die Tasche, da war kein Geld, er suchte in der andern Tasche, auch da fand sich nichts; er kehrte den Rock um, aber es fiel kein roter Heller heraus, und jetzt erst gedachte er seines eigenen ersten Wunsches, immer so viel Geld zu haben wie der dicke Ezechiel. Wie Rauch war alles verschwunden!

Der Wirt und Ezechiel sahen ihn staunend an, als er immer suchte

und sein Geld nicht finden konnte. Sie wollten ihm nicht glauben, dass er keines mehr habe; aber als sie endlich selbst in seinen Taschen suchten, wurden sie zornig und schwuren, der Spielpeter sei ein böser Zauberer und habe all das gewonnene Geld und sein eigenes nach Hause gewünscht. Peter verteidigte sich standhaft, aber der Schein war gegen ihn. Ezechiel sagte, er wolle die schreckliche Geschichte allen Leuten im Schwarzwald erzählen, und der Wirt versprach ihm, morgen in aller Frühe in die Stadt zu gehen und Peter Munk als Zauberer anzuklagen, und er wolle es erleben, setzte er hinzu, dass man ihn verbrenne. Dann fielen sie wütend über ihn her, rissen ihm das Wams vom Leib und warfen ihn zur Tür hinaus.

Kein Stern schien am Himmel, als Peter trübselig seiner Wohnung zuschlich, aber dennoch konnte er eine dunkle Gestalt erkennen, die neben ihm herschritt und endlich sprach: »Mit dir ist's aus, Peter Munk, all deine Herrlichkeit ist zu Ende, und das hätt ich dir schon damals sagen können, als du nichts von mir hören wolltest und zu dem dummen Glaszwerg liefst. Da siehst du jetzt, was man davon hat, wenn man meinen Rat verachtet. Versuch es einmal mit mir, ich habe Mitleiden mit deinem Schicksal! Noch keinen hat es gereut, der sich an mich wandte, und wenn du den Weg nicht scheust, morgen den ganzen Tag bin ich am Tannenbühl zu sprechen, wenn du mich rufst.« Peter merkte wohl, wer so zu ihm spreche, und es kam ihm ein Grauen an. Er antwortete nichts, sondern lief seinem Haus zu.

* * *

Bei diesen Worten wurde der Erzähler durch ein Geräusch vor der Schenke unterbrochen. Man hörte einen Wagen anfahren, mehrere Stimmen riefen nach Licht, es wurde heftig an das Hoftor gepocht, und dazwischen heulten mehrere Hunde.

Die Kammer, die man dem Fuhrmann und den Handwerksburschen angewiesen hatte, ging nach der Straße hinaus. Die vier Gäste sprangen auf und liefen dorthin, um zu sehen, was vorgefallen sei. Soviel sie beim Schein der Laterne sehen konnten, stand ein Reisewagen vor der Schenke. Soeben war ein großer Mann beschäftigt, zwei Frauen aus dem Wagen zu heben, und einen Kutscher in Livree sah man die

Pferde abspannen, ein Bedienter schnallte den Koffer los. »Den Leuten sei Gott gnädig«, seufzte der Fuhrmann. »Wenn die mit heiler Haut aus der Schenke kommen, so ist mir um meinen Karren auch nicht mehr bange.«

»Stille!«, flüsterte der Student. »Mir ahnt, dass man eigentlich nicht uns, sondern diesen Damen auflauert. Wahrscheinlich waren sie unten schon von ihrer Reise unterrichtet. Wenn man sie nur warnen könnte! Doch halt! Es ist im ganzen Wirtshaus kein anständiges Zimmer für die Damen als das neben dem meinigen. Dorthin wird man sie führen. Bleibt ihr ruhig in dieser Kammer! Ich will die Bedienten zu unterrichten suchen.«

Der junge Mann schlich sich auf sein Zimmer, löschte die Kerzen aus und ließ nur das Licht brennen, das ihm die Wirtin gegeben hatte. Dann lauschte er an der Tür.

Bald kam die Wirtin mit den Damen die Treppe herauf und führte sie mit freundlichen, sanften Worten in das Zimmer nebenan. Sie redete ihren Gästen zu, sich bald niederzulegen, weil sie von der Reise erschöpft sein würden. Dann ging sie wieder hinab. Bald darauf hörte der Student schwere männliche Tritte die Treppe heraufkommen. Er öffnete behutsam die Tür und erblickte durch eine kleine Spalte den großen Mann, der die Damen aus dem Wagen gehoben hatte. Er trug ein Jagdkleid, hatte einen Hirschfänger an der Seite und war wohl der Reisestallmeister oder Begleiter der Fremden. Als der Student bemerkte, dass dieser allein heraufgekommen war, öffnete er schnell die Tür und winkte dem Mann, zu ihm einzutreten. Verwundert trat dieser näher, und ehe er noch fragen konnte, was man von ihm wolle, flüsterte ihm jener zu: »Mein Herr, Sie sind heute Nacht in eine Räuberschenke geraten.«

Der Mann erschrak. Der Student zog ihn aber vollends in seine Kammer und erzählte ihm, was sie bisher erlebt hätten und wie verdächtig es in diesem Hause aussehe.

Der Jäger wurde sehr besorgt, als er dies hörte. Er sagte dem jungen Mann, dass die Damen, eine Gräfin und ihre Kammerfrau, anfänglich die ganze Nacht durch hätten fahren wollen; aber etwa eine halbe Stunde von dieser Schenke entfernt sei ihnen ein Reiter begegnet, der sie angerufen und gefragt habe, wohin sie reisen wollten. Als er vernommen, dass sie gesonnen seien, die ganze Nacht durch den Spessart zu reisen, habe er ihnen abgeraten, weil es gegenwärtig sehr unsicher sei. »Wenn Ihnen am Rate eines redlichen Mannes etwas liegt«, habe er hinzugesetzt, »so stehen Sie ab von diesem Gedanken! Es liegt nicht weit von hier eine Schenke; so schlecht und unbequem sie sein mag, so übernachten Sie lieber darin, als dass Sie sich in dieser dunklen Nacht unnötig der Gefahr preisgeben!« Der Mann, der ihnen dies geraten, habe sehr ehrlich und rechtlich ausgesehen, und die Gräfin habe in der Angst vor einem Raubüberfall befohlen, an dieser Schenke stillzuhalten.

Der Jäger hielt es für seine Pflicht, die Damen von der Gefahr, worin sie schwebten, zu unterrichten. Er ging in das andere Zimmer, und bald darauf öffnete er die Tür, die von dem Zimmer der Gräfin in das des Studenten führte. Die Gräfin, eine Dame von etwa vierzig Jahren, trat, vor Schrecken bleich, zu dem Studenten heraus und ließ sich alles noch einmal von ihm wiederholen. Dann beriet man sich, was in dieser misslichen Lage zu tun sei, und beschloss, so behutsam wie möglich die zwei Bedienten, den Fuhrmann und die Handwerksburschen herbeizuholen, um im Fall eines Angriffs wenigstens gemeinsame Sache machen zu können.

Als dies bald darauf geschehen war, wurde das Zimmer der Gräfin gegen den Hausflur hin verschlossen und mit Kommoden und Stühlen verrammelt. Sie setzte sich mit ihrer Kammerfrau aufs Bett, und die zwei Bedienten hielten bei ihr Wache. Die früheren Gäste und der Jäger setzten sich im Zimmer des Studenten um den Tisch und beschlossen, die Gefahr zu erwarten. Es mochte jetzt etwa zehn Uhr sein, im Hause war alles still, und noch machte man keine Miene, die Gäste zu stören. Da sprach der Zirkelschmied: »Um wach zu bleiben, wäre es wohl das Beste, wir machten es wieder wie zuvor. Wir erzählten nämlich, was wir an allerlei Geschichten wissen, und wenn der Herr Jäger nichts dagegen hat, so könnten wir weiter fortfahren.« Der Jäger hatte nicht nur gar nichts dagegen einzuwenden, sondern um seine Bereitwilligkeit zu zeigen, versprach er, selbst etwas zu erzählen. Er hub an:

Saids Schicksale

Zur Zeit Harun Al-Raschids, des Beherrschers von Bagdad, lebte ein
Mann in Balsora mit Namen Benezar. Der hatte gerade so viel Vermögen, um für sich bequem und ruhig leben zu können, ohne ein Geschäft oder einen Handel zu treiben. Auch als ihm ein Sohn geboren
wurde, ging er von dieser Weise nicht ab. »Warum soll ich in meinem
Alter noch schachern und handeln«, sprach er zu seinen Nachbarn,
»um vielleicht Said, meinem Sohn, tausend Goldstücke mehr hinterlassen zu können, wenn es gut geht, und geht es schlecht, tausend weniger? Wo zwei speisen, wird auch ein Dritter satt, sagt ein Sprichwort, und wenn er nur sonst ein guter Junge wird, soll es ihm an
nichts fehlen.« So sprach Benezar und hielt Wort. Denn er ließ auch
seinen Sohn nicht zum Handel oder einem Gewerbe erziehen; doch
unterließ er nicht, die Bücher der Weisheit mit ihm zu lesen, und da
nach seiner Ansicht einen jungen Mann außer Gelehrsamkeit und
Ehrfurcht vor dem Alter nichts mehr zierte als ein gewandter Arm
und Mut, so ließ er ihn früh in den Waffen unterweisen, und Said galt
bald unter seinen Altersgenossen, ja selbst unter älteren Jünglingen
als ein gewaltiger Kämpfer, und im Reiten und Schwimmen tat es ihm
keiner gleich.
Als er achtzehn Jahre alt war, schickte ihn sein Vater nach Mekka zum
Grab des Propheten, damit er an Ort und Stelle sein Gebet und seine
religiösen Übungen verrichte, wie es Sitte und Gebot erfordern. Ehe
er abreiste, ließ er ihn noch einmal vor sich kommen, lobte sein Verhalten, gab ihm gute Lehren, versah ihn mit Geld und sprach dann:
»Noch etwas, mein Sohn Said! Ich bin ein Mann, der über die Vorur-
teile des Pöbels erhaben ist. Ich höre zwar gerne Geschichten von
Feen und Zauberern erzählen, weil mir die Zeit dabei angenehm vergeht; doch bin ich weit entfernt, daran zu glauben, wie so viele unwis-
sende Menschen tun, dass diese Genien, oder wer sie sonst sein mögen, Einfluss auf das Leben und Treiben der Menschen haben. Deine
Mutter aber, sie ist jetzt zwölf Jahre tot, deine Mutter glaubte so fest

daran wie an den Koran; ja, sie hat mir in einer einsamen Stunde, nachdem ich ihr geschworen, es niemand als ihrem Kind zu sagen, vertraut, dass sie selbst von ihrer Geburt an mit einer Fee in Berührung gestanden habe. Ich habe sie deswegen ausgelacht, und doch muss ich gestehen, Said, dass bei deiner Geburt einige Dinge vorfielen, die mich selbst in Erstaunen setzten. Es hatte den ganzen Tag geregnet und gedonnert, und der Himmel war so schwarz, dass man nichts lesen konnte ohne Licht. Aber um vier Uhr nachmittags sagte man mir an, es sei mir ein Knäblein geboren. Ich eilte nach den Gemächern deiner Mutter, um meinen Erstgeborenen zu sehen und zu segnen, aber alle ihre Zofen standen vor der Tür, und auf meine Fragen antworteten sie, dass jetzt niemand in das Zimmer treten dürfe, Zemira, deine Mutter, habe alle hinausgehen heißen, weil sie allein sein wollte. Ich pochte an die Tür, aber vergebens, sie blieb verschlossen. Während ich so halb unwillig bei den Zofen vor der Tür stand, klärte sich der Himmel so plötzlich auf, wie ich es nie gesehen hatte, und das Wunderbarste war, dass nur über unserer lieben Stadt Balsora eine reine, blaue Himmelswölbung erschien, ringsum aber lagen die Wolken schwarz aufgerollt, und Blitze zuckten und schlängelten sich im

Umkreis. Während ich noch dieses Schauspiel neugierig betrachtete, flog die Tür zum Zimmer meiner Gattin auf; ich aber ließ die Mägde noch außen harren und trat allein in das Gemach, deine Mutter zu fragen, warum sie sich eingeschlossen habe. Als ich eintrat, quoll mir ein so betäubender Geruch von Rosen, Nelken und Hyazinthen entgegen, dass ich beinahe verwirrt wurde. Deine Mutter brachte mir dich dar und deutete zugleich auf ein silbernes Pfeifchen, das du um den Hals an einer goldenen Kette, so fein wie Seide, trugst. ›Die gütige Frau, von der ich dir einst erzählte, ist da gewesen‹, sprach deine Mutter, ›sie hat deinem Knaben dieses Angebinde gegeben.‹
›Das war also die Fee, die das Wetter schön machte und diesen Rosen- und Nelkenduft hinterließ?‹, sprach ich lachend und ungläubig. ›Aber sie hätte etwas Besseres bescheren können als dieses Pfeifchen, etwa einen Beutel voll Gold, ein Pferd oder dergleichen.‹ Deine Mutter beschwor mich, nicht zu spotten, weil die Feen, leicht erzürnt, ihren Segen in Unsegen verwandeln.
Ich tat es ihr zu Gefallen und schwieg, weil sie krank war. Wir sprachen auch nicht mehr von dem sonderbaren Vorfall, bis sechs Jahre nachher, als sie fühlte, dass sie, so jung sie noch war, sterben müsse. Da gab sie mir das Pfeifchen, trug mir auf, es einst, wenn du zwanzig Jahre alt seiest, dir zu geben, denn keine Stunde zuvor dürfe ich dich von mir lassen. Sie starb. Hier ist nun das Geschenk«, fuhr Benezar fort, indem er ein silbernes Pfeifchen an einer langen, goldenen Kette aus einem Kästchen hervorsuchte, »und ich gebe es dir in deinem achtzehnten statt in deinem zwanzigsten Jahr, weil du abreisest und ich vielleicht, ehe du heimkehrst, zu meinen Vätern versammelt werde. Ich sehe keinen vernünftigen Grund ein, warum du noch zwei Jahre hier bleiben sollst, wie es deine besorgte Mutter wünschte. Du bist ein guter und gescheiter Junge, führst die Waffen so gut wie einer von vierundzwanzig Jahren, daher kann ich dich heute ebenso gut für mündig erklären, als wärest du schon zwanzig. Und nun ziehe in Frieden und denke in Glück und Unglück, vor dem der Himmel dich bewahren wolle, an deinen Vater!«
So sprach Benezar von Balsora, als er seinen Sohn entließ. Said nahm bewegt von ihm Abschied, hing die Kette um den Hals, steckte das Pfeifchen in den Gürtel, schwang sich aufs Pferd und ritt nach dem

Ort, wo sich die Karawane nach Mekka versammelte. In kurzer Zeit waren an die achtzig Kamele und viele hundert Reiter beisammen. Die Karawane setzte sich in Marsch, und Said ritt aus dem Tor von Balsora, seiner Vaterstadt, die er lange Zeit nicht mehr sehen sollte.

Das Neue einer solchen Reise und die mancherlei nie gesehenen Gegenstände, die sich ihm aufdrängten, zerstreuten ihn anfangs; als man sich aber der Wüste näherte und die Gegend immer öder und einsamer wurde, da fing er an, über manches nachzudenken und unter anderem auch über die Worte, womit ihn Benezar, sein Vater, entlassen hatte.

Er zog das Pfeifchen hervor, beschaute es hin und her und setzte es endlich an den Mund, um einen Versuch zu machen, ob es vielleicht einen recht hellen und schönen Ton von sich gäbe; aber es tönte nicht; er blähte die Backen und blies aus Leibeskräften, dennoch konnte er keinen Ton hervorbringen, und unwillig über das nutzlose Geschenk, steckte er das Pfeifchen wieder in den Gürtel. Bald richteten sich alle seine Gedanken wieder auf die geheimnisvollen Worte seiner Mutter; er hatte von Feen manches gehört und nie erfahren, dass dieser oder jener Nachbar in Balsora mit einem übernatürlichen Genius in Verbindung gestanden habe. Man hatte die Sagen von diesen Geistern immer in weit entfernte Länder und alte Zeiten versetzt, und so glaubte er, es gäbe heutzutage keine solchen Erscheinungen mehr oder die Feen hätten aufgehört, die Menschen zu besuchen und an ihren Schicksalen teilzunehmen. Obgleich er so dachte, war er doch immer wieder von neuem versucht, an irgendetwas Geheimnisvolles und Übernatürliches zu glauben, was mit seiner Mutter vorgegangen sein könnte, und so kam es, dass er beinahe einen ganzen Tag wie ein Träumer zu Pferde saß und weder an den Gesprächen der Reisenden teilnahm noch auf ihren Gesang oder ihr Gelächter achtete.

Said war ein sehr schöner Jüngling; sein Auge war mutig und kühn, sein Mund voll Anmut, und so jung er war, so hatte er doch in seinem ganzen Wesen schon eine gewisse Würde, die man in diesem Alter nicht oft trifft, und der Anstand, womit er leicht, aber sicher in vollem kriegerischen Schmuck zu Pferde saß, zog die Blicke von manchen Reisenden auf sich. Ein alter Mann, der an seiner Seite ritt, fand Wohlgefallen an ihm und versuchte, durch manche Fragen auch seinen Geist zu prüfen. Said, dem Ehrfurcht gegen das Alter eingeprägt worden war, antwortete bescheiden, aber klug und umsichtig, so dass der Alte große Freude an ihm hatte. Da nun der Geist des jungen Mannes schon den ganzen Tag nur mit einem Gegenstand beschäftigt war, so geschah es, dass man bald auf das geheimnisvolle Reich der Feen zu sprechen kam, und endlich fragte Said den Alten geradezu, ob er glaube, dass es Feen, gute oder böse Geister geben könne, die den Menschen beschützten oder verfolgten.

Der alte Mann strich sich den Bart, neigte seinen Kopf hin und her und sprach dann: »Leugnen lässt es sich nicht, dass es solche Geschichten gegeben hat, obgleich ich bis heute weder einen Geisterzwerg noch einen Genius als Riesen, weder einen Zauberer noch eine Fee gesehen habe.« Der Alte erzählte dem jungen Mann so viele und wunderbare Geschichten, dass ihm der Kopf schwindelte und er nicht anders dachte, als alles, was bei seiner Geburt vorgegangen, die Änderung des Wetters, der süße Rosen- und Hyazinthenduft, sei von großer und glücklicher Vorbedeutung, er selbst stehe unter dem besonderen Schutz einer mächtigen, gütigen Fee und das Pfeifchen sei zu nichts Geringerem ihm geschenkt worden, als der Fee im Fall der Not zu pfeifen. Er träumte die ganze Nacht von Schlössern, Zauberpferden, Genien und dergleichen und lebte in einem wahren Feenreich.

Doch leider musste er schon am folgenden Tage die Erfahrung machen, wie nichtig all seine Träume im Schlafen oder Wachen seien. Die Karawane war schon den größten Teil des Tages im gemächlichen Schritt fortgezogen, Said immer an der Seite seines alten Gefährten, als man dunkle Schatten am fernsten Ende der Wüste bemerkte. Die einen hielten sie für Sandhügel, die anderen für Wolken, wieder andere für eine neue Karawane; aber der Alte, der schon mehrere Reisen gemacht hatte, rief mit lauter Stimme, sich vorzusehen, denn es sei eine Horde räuberischer Araber im Anzug. Die Männer griffen zu den Waffen, die Weiber und die Waren wurden in die Mitte genommen, und alles war auf einen Angriff gefasst. Die dunkle Masse bewegte sich langsam über die Ebene her und war anzusehen wie eine große Schar Störche, wenn sie in ferne Länder ausziehen. Nach und nach kamen die Angreifer schneller heran, und kaum hatte man Männer und Lanzen unterschieden, als sie auch schon mit Windeseile herbeistürmten und auf die Karawane einhieben.

Die Männer wehrten sich tapfer, aber die Räuber waren über vierhundert Mann stark, umschwärmten sie von allen Seiten, töteten viele aus der Ferne und machten dann einen Angriff mit der Lanze. In diesem furchtbaren Augenblick fiel Said, der immer unter den Vordersten wacker gestritten hatte, sein Pfeifchen ein; er zog es schnell hervor, setzte es an den Mund, blies und – ließ es schmerzlich wieder sinken, denn es gab auch nicht den leisesten Ton von sich. Wütend über diese grausame Enttäuschung, schoss er auf einen durch prachtvolle Kleidung ausgezeichneten Araber. Er wankte und fiel vom Pferd.

»Allah, was habt Ihr gemacht, junger Mensch!«, rief der Alte an seiner Seite. »Jetzt sind wir verloren.« Und so schien es auch, denn kaum sahen die Räuber diesen Mann fallen, als sie ein schreckliches Geschrei erhoben und mit solcher Wut eindrangen, dass die wenigen noch unverwundeten Männer bald zersprengt wurden. Said sah sich in einem Augenblick von fünf bis sechs Gegnern umschwärmt. Er führte seine Lanze so gewandt, dass keiner sich heranzunahen wagte. Endlich hielt einer an, legte einen Pfeil auf, zielte und wollte eben die Sehne schnellen lassen, als ihm ein anderer winkte. Der junge Mann machte sich auf einen neuen Angriff gefasst, aber ehe er sich dessen versah, hatte ihm einer der Araber eine Schlinge über den Kopf geworfen, und sosehr er sich bemühte, das Seil zu zerreißen, so war doch alles umsonst, die Schlinge wurde fester und immer fester angezogen, und Said war gefangen.

Die Karawane war nun endlich fast ganz aufgerieben, die Überlebenden gefangen worden, und die Araber, die nicht zu einem Stamm gehörten, teilten jetzt die Gefangenen und die übrige Beute und zogen dann der eine Teil nach Süden, der andere nach Osten. Neben Said ritten vier Bewaffnete, die ihn oft mit bitterem Grimm anschauten und Verwünschungen über ihn ausstießen; er merkte, dass es ein vornehmer Mann, vielleicht sogar ein Prinz gewesen sei, den er getötet hatte. Die Sklaverei, der er entgegensah, war noch härter als der Tod, darum wünschte er sich im Stillen Glück, den Grimm der ganzen Horde auf sich gezogen zu haben, denn er glaubte nicht anders, als in ihrem Lager getötet zu werden. Die Bewaffneten bewachten alle seine Bewegungen, und sooft er sich umschaute, drohten sie ihm mit ihren Spießen; einmal aber, als das Pferd des einen strauchelte, wandte er den Kopf schnell um und erblickte zu seiner Freude den Alten, seinen Reisegefährten, den er unter den Toten geglaubt hatte.

Endlich sah man in der Ferne Bäume und Zelte. Als sie näher kamen, strömte ihnen ein ganzer Schwarm von Kindern und Weibern entgegen. Kaum hatten diese einige Worte mit den Räubern gewechselt, als sie in ein schreckliches Geheul ausbrachen und alle nach Said hinblickten, die Arme gegen ihn aufhoben und Verwünschungen ausstießen. »Der ist es«, schrien sie, »der den großen Almansor erschlagen hat, den tapfersten aller Männer; er muss sterben, wir wollen sein Fleisch dem Schakal der Wüste zur Beute geben.« Dann drangen sie mit Holzstücken, Erdschollen und was sie zur Hand hatten, so furchtbar auf Said ein, dass sich die Räuber selbst ins Mittel legen mussten. »Hinweg, ihr Unmündigen, fort, ihr Weiber!«, riefen sie und trieben die Menge mit den Lanzen auseinander. »Er hat den großen Almansor erschlagen im Gefecht, und er muss sterben, aber nicht von der Hand eines Weibes, sondern vom Schwert der Tapfern.«

Als sie unter den Zelten auf einem freien Platz angelangt waren, machten sie Halt. Die Gefangenen wurden je zwei und zwei zusammengebunden, die Beute wurde in die Zelte gebracht, Said einzeln gefesselt und in ein großes Zelt geführt. Dort saß ein alter, prachtvoll gekleideter Mann, dessen ernste, stolze Miene verkündete, dass er das Oberhaupt dieser Horde sei. Die Männer, die Said führten, traten traurig und mit gesenktem Haupt vor ihn hin. »Das Geheul der Weiber sagt mir, was geschehen ist«, sprach der majestätische Mann, indem er die Räuber der Reihe nach anblickte; »eure Mienen bestätigen es – Almansor ist gefallen!«

»Almansor ist gefallen«, antworteten die Männer, »aber hier, Selim, Beherrscher der Wüste, ist sein Mörder, und wir bringen ihn, damit du ihn richtest. Welche Todesart soll er sterben? Sollen wir ihn aus der Ferne mit Pfeilen erschießen, sollen wir ihn durch eine Gasse von Lanzen jagen, oder willst du, dass er an einem Strick aufgehängt oder von Pferden zerrissen werde?«

»Wer bist du?«, fragte Selim, düster auf den Gefangenen blickend, der, zum Tod bereit, mutig vor ihm stand.

Said beantwortete seine Frage kurz und offen.

»Hast du meinen Sohn meuchlings umgebracht? Hast du ihn von hinten mit einem Pfeil oder einer Lanze durchbohrt?«

»Nein, Herr!«, entgegnete Said. »Ich habe ihn in offenem Kampf beim Angriff auf unsere Reihen von vorne getötet, weil er schon acht meiner Genossen vor meinen Augen erschlagen hatte.«

»Ist es also, wie er sprach?«, fragte Selim die Männer, die ihn gefangen hatten.

»Ja, Herr, er hat Almansor in offenem Kampf getötet«, sprach einer der Gefragten.

»Dann hat er nicht mehr und nicht minder getan, als wir selbst getan haben würden«, versetzte Selim, »er hat seinen Feind, der ihm Freiheit und Leben rauben wollte, bekämpft und erschlagen. Drum löset schnell seine Bande!«

Die Männer sahen ihn staunend an und gingen nur zaudernd und mit Widerwillen ans Werk. »So soll der Mörder deines Sohnes, des tapfern Almansor, nicht sterben?«, fragte einer, indem er wütende Blicke auf Said warf. »Hätten wir ihn lieber gleich umgebracht!«

»Er soll nicht sterben«, rief Selim, »und ich nehme ihn sogar in mein eigenes Zelt auf. Ich nehme ihn als meinen gerechten Anteil an der Beute, er sei mein Diener!«

Said fand keine Worte, dem Alten zu danken. Die Männer aber verließen murrend das Zelt, und als sie den Weibern und Kindern, die draußen versammelt waren und auf Saids Hinrichtung warteten, den Entschluss des alten Selim mitteilten, erhoben diese ein schreckliches Geheul und Geschrei und riefen, sie würden Almansors Tod an seinem Mörder rächen, weil sein eigener Vater die Blutrache nicht üben wolle.

Die übrigen Gefangenen wurden an die Horden verteilt; einige entließ man, um Lösegeld für die reicheren einzutreiben, andere wurden zu den Herden als Hirten geschickt, und manche, die vorher von zehn Sklaven sich bedienen ließen, mussten die niedrigsten Dienste in diesem Lager versehen. Nicht so Said. War es sein mutiges, heldenmäßiges Aussehen oder der geheimnisvolle Zauber einer gütigen Fee, was den alten Selim für den Jüngling einnahm? Man wusste es nicht zu sagen, jedenfalls lebte Said in seinem Zelt mehr als Sohn denn als Diener. Aber die unbegreifliche Zuneigung des alten Mannes zog ihm die Feindschaft der übrigen Diener zu. Er begegnete überall nur feindlichen Blicken, und wenn er allein durchs Lager ging, so hörte er ringsumher Schimpfworte und Verwünschungen ausstoßen, ja einige Male flogen Pfeile an seiner Brust vorüber, die offenbar ihm gegolten hatten; und dass sie ihn nicht trafen, schrieb er nur dem geheimnisvollen Schutz des Pfeifchens zu, das er noch immer auf der Brust trug. Oft beklagte er sich bei Selim über diese Angriffe auf sein Leben, aber vergebens suchte dieser die Meuchelmörder ausfindig zu machen, denn die ganze Horde schien gegen den begünstigten Fremdling verbunden zu sein. Da sprach eines Tages Selim zu ihm: »Ich hatte gehofft, du werdest mir vielleicht den Sohn ersetzen, der durch deine Hand umgekommen ist. An dir und mir liegt nicht die Schuld, dass es nicht sein konnte; alle sind gegen dich erbittert, und ich selbst kann dich in Zukunft nicht mehr schützen, denn was hilft es dir oder mir, wenn sie dich heimlich getötet haben, die Schuldigen zur Strafe zu ziehen? Da-

rum, wenn die Männer von ihrem Streifzug heimkehren, werde ich
sagen, dein Vater habe mir Lösegeld geschickt, und ich werde dich
von einigen treuen Männern durch die Wüste geleiten lassen.«

»Aber kann ich irgendeinem außer dir trauen?«, fragte Said bestürzt.
»Werden sie mich nicht unterwegs töten?«

»Davor schützt dich der Eid, den sie mir schwören müssen und den
noch keiner gebrochen hat«, erwiderte Selim mit großer Ruhe.

Einige Tage nachher kehrten die Männer ins Lager zurück, und Selim
hielt sein Versprechen. Er schenkte dem Jüngling Waffen, Kleider
und ein Pferd, versammelte die streitbaren Männer, wählte fünf zur
Begleitung Saids aus, ließ sie einen furchtbaren Eid ablegen, dass sie
ihn nicht töten wollten, und entließ ihn dann mit Tränen.

Die fünf Männer ritten finster und schweigend mit Said durch die
Wüste. Der Jüngling sah, wie ungern sie den Auftrag erfüllten, und es
machte ihm nicht wenig Besorgnis, dass zwei von ihnen bei jenem
Kampfe zugegen gewesen waren, als er Almansor tötete. Nachdem
sie etwa acht Stunden geritten waren, hörte Said, daß sie untereinander flüsterten, und bemerkte, dass ihre Mienen noch düsterer wurden
als vorher. Er strengte sich an aufzuhorchen und vernahm, dass sie
sich in einer Sprache unterhielten, die nur von dieser Horde und immer nur bei geheimnisvollen oder gefährlichen Unternehmungen gesprochen wurde. Selim, der den Plan gehabt hatte, den jungen Mann
auf immer in seinem Zelte zu behalten, hatte sich manche Stunde damit abgegeben, ihn diese geheimnisvollen Worte zu lehren; es war
nichts Erfreuliches, was er jetzt vernahm.

»Hier ist die Stelle«, sprach einer, »hier griffen wir die Karawane an,
und hier fiel der tapferste Mann von der Hand eines Knaben.«

»Der Wind hat die Spuren seines Pferdes verweht«, fuhr ein anderer
fort, »aber ich habe sie nicht vergessen.«

»Und zu unserer Schande soll er noch leben und frei sein, der Hand an
ihn legte? Wann hat man je gehört, dass ein Vater den Tod seines einzigen Sohnes nicht rächte? Selim wird alt und kindisch.«

»Und wenn es der Vater unterlässt«, sagte ein Vierter, »so ist es Freun-
despflicht, den gefallenen Freund zu rächen. Hier an dieser Stelle sollten wir ihn niederhauen. So ist es Recht und Brauch seit den ältesten
Zeiten.«

»Aber wir haben dem Alten geschworen«, rief ein Fünfter, »wir dürfen ihn nicht töten, unser Eid darf nicht gebrochen werden.«

»Es ist wahr«, sprachen die andern, »wir haben geschworen, und der Mörder entkommt frei aus den Händen seiner Feinde.«

»Halt!«, rief einer, der Finsterste unter allen. »Der alte Selim ist ein kluger Kopf, aber doch nicht so klug, wie man glaubt; haben wir ihm geschworen, diesen Burschen da- oder dorthin zu bringen? Nein, er nahm uns nur den Schwur auf sein Leben ab, und das wollen wir ihm schenken. Aber die brennende Sonne und die scharfen Zähne des Schakals werden unsere Rache übernehmen. Hier an dieser Stelle wollen wir ihn gebunden liegen lassen.« So sprach der Räuber, aber schon seit einigen Minuten hatte sich Said auf das Äußerste gefasst gemacht, und indem jener noch die letzten Worte sprach, riss er sein Pferd auf die Seite, trieb es mit einem tüchtigen Hieb an und flog wie ein Vogel über die Ebene hin. Die fünf Männer staunten einen Augenblick, aber wohl bewandert in solchen Verfolgungen, teilten sie sich, jagten rechts und links nach; und weil sie die Art und Weise; wie man in der Wüste reiten muss, besser kannten, hatten zwei von ihnen den Flüchtling bald überholt, wandten sich gegen ihn um, und als er auf die Seite floh, fand er auch dort zwei Gegner und einen fünften in seinem Rücken. Der Eid, ihn nicht zu töten, hielt sie ab, ihre Waffen zu gebrauchen; sie warfen ihm auch jetzt wieder von hinten eine Schlinge über den Kopf, zogen ihn vom Pferd, schlugen unbarmherzig auf ihn los, banden ihn dann an Händen und Füßen und legten ihn in den glühenden Sand der Wüste.

Said flehte sie um Barmherzigkeit an, er versprach ihnen schreiend ein großes Lösegeld, aber lachend schwangen sie sich auf und jagten davon. Noch einige Augenblicke lauschte er auf die leichten Tritte ihrer Rosse, dann gab er sich verloren. Er dachte an seinen Vater, an den Gram des alten Mannes, wenn sein Sohn nicht mehr heimkehre, er dachte an sein eigenes Elend, dass er so früh sterben müsse, denn nichts war ihm gewisser, als dass er in dem heißen Sand den martervollen Tod des Verschmachtens erleiden müsse oder dass er von einem Schakal zerrissen werde. Die Sonne stieg immer höher und brannte glühend auf seiner Stirne; mit unendlicher Mühe gelang es ihm, sich aufzuwälzen; aber es gab ihm wenig Erleichterung. Das

Pfeifchen an der Kette war durch diese Anstrengung aus seinem Kleid gefallen. Er mühte sich so lange, bis er es mit dem Mund erfassen konnte; endlich berührten es seine Lippen, er versuchte zu blasen, aber auch in dieser schrecklichen Not versagte es den Dienst. Verzweiflungsvoll ließ er den Kopf zurücksinken, und endlich beraubte ihn die stechende Sonne der Sinne, er fiel in eine tiefe Betäubung.

Nach vielen Stunden erwachte Said an einem Geräusch in seiner Nähe, er fühlte zugleich, dass seine Schulter gepackt wurde, und er stieß einen Schrei des Entsetzens aus, denn er glaubte nicht anders, als ein Schakal sei herangekommen, ihn zu zerreißen. Jetzt wurde er auch an den Beinen angefasst, aber er fühlte, dass es nicht die Krallen eines Raubtiers seien, die ihn fassten, sondern die Hände eines Mannes, der sich sorgsam mit ihm beschäftigte und mit zwei oder drei andern sprach. »Er lebt«, flüsterten sie, »aber er hält uns für Feinde.«

Endlich schlug Said die Augen auf und erblickte über sich das Gesicht eines kleines. dicken Mannes mit kleinen Augen und langem Bart.

Der sprach ihm freundlich zu, half ihm sich aufzurichten, reichte ihm Speise und Trank und erzählte Said, während er sich stärkte, er sei ein Kaufmann aus Bagdad, heiße Kalum-Bek und handle mit Schals und feinen Schleiern für die Frauen. Er habe eine Handelsreise gemacht, sei jetzt auf der Rückkehr nach Hause begriffen und habe ihn elend und halb tot im Sand liegen sehen. Sein prachtvoller Anzug und die blitzenden Steine seines Dolches hätten ihn aufmerksam gemacht; er habe alles angewandt, ihn zu beleben, und es sei ihm gelungen. Der Jüngling dankte ihm für sein Leben, denn er sah wohl ein, dass er ohne die Dazwischenkunft dieses Mannes elend hätte sterben müssen, und da er weder Mittel hatte, sich selbst fortzuhelfen, noch willens war, zu Fuß und allein durch die Wüste zu wandern, so nahm er dankbar seinen Sitz auf einem der schwer beladenen Kamele des Kaufmanns an und beschloss fürs Erste, mit nach Bagdad zu ziehen; vielleicht konnte er dort sich an eine Gesellschaft, die nach Balsora reiste, anschließen.

Unterwegs erzählte der Kaufmann seinem Reisegefährten manches von dem trefflichen Beherrscher der Gläubigen, Harun Al-Raschid. Er erzählte ihm von seiner Gerechtigkeitsliebe und seinem Scharfsinn, wie er die verwickeltsten Prozesse auf einfache und bewunderungswürdige Weise zu schlichten wisse; unter anderem führte er die Geschichte von dem Seiler, die Geschichte von dem Topf mit Oliven an, Geschichten, die jedes Kind kennt, die aber Said sehr bewunderte. »Unser Herr, der Beherrscher der Gläubigen«, fuhr der Kaufmann fort, »unser Herr ist ein wunderbarer Mann. Wenn Ihr meint, er schlafe wie andere gemeine Leute, so täuscht Ihr Euch sehr. Zwei, drei Stunden in der Morgendämmerung ist alles. Ich muss das wissen, denn Messour, sein erster Kämmerer, ist mein Vetter, und obgleich er so verschwiegen ist wie das Grab, was die Geheimnisse seines Herrn anbelangt, so lässt er doch der guten Verwandtschaft zulieb hin und wieder einen Wink fallen, wenn er sieht, dass einer aus Neugierde beinahe den Verstand verlieren könnte. Statt nun wie andere Menschen zu schlafen, wandert der Kalif nachts durch die Straßen von Bagdad, und selten verstreicht eine Woche, dass er nicht auf ein Abenteuer stößt; denn Ihr müsst wissen, wie ja auch aus der Geschichte mit dem Oliventopf hervorgeht, die so wahr ist wie das Wort des Propheten, dass er nicht mit der Wache und zu Pferd in vollem Putz und mit hundert Fackelträgern seine Runde macht, wie er wohl tun könnte, wenn er wollte, sondern angezogen bald als Kaufmann, bald als Schiffer, bald als Soldat, bald als Mufti geht er umher und schaut, ob alles recht und in Ordnung sei. Daher kommt es auch, dass man in keiner Stadt nachts so höflich gegen jeden Narren ist, auf den man stößt, wie in Bagdad, denn es könnte ebenso gut der Kalif wie ein schmutziger Araber aus der Wüste sein, und es wächst Holz genug, um allen Menschen in und um Bagdad Stockprügel zu geben.«

So sprach der Kaufmann, und Said, sosehr ihn hin und wieder die Sehnsucht nach seinem Vater quälte, freute sich doch, Bagdad und den berühmten Harun Al-Raschid zu sehen.

Nach zehn Tagen kamen sie in Bagdad an, und Said staunte und bewunderte die Herrlichkeit dieser Stadt, die damals gerade in ihrem höchsten Glanz war. Der Kaufmann lud ihn ein, mit in sein Haus zu kommen, und Said nahm es gerne an, denn jetzt erst, unter dem Gewühl der Menschen fiel es ihm ein, dass hier wahrscheinlich außer der Luft und dem Wasser des Tigris und einem Nachtlager auf den Stufen einer Moschee nichts umsonst zu haben sein werde.

Den Tag nach seiner Ankunft, als er sich eben angekleidet hatte und sich gestand, dass er in diesem prachtvollen kriegerischen Aufzug sich in Bagdad wohl sehen lassen könne und vielleicht manchen Blick auf sich ziehe, trat der Kaufmann in sein Zimmer. Er betrachtete den schönen Jüngling mit schelmischem Lächeln, strich sich den Bart und sprach dann:»Das ist alles recht schön, junger Herr, aber was soll denn nun aus Euch werden? Ihr seid, kommt es mir vor, ein großer Träumer und denket nicht an den folgenden Tag; oder habt Ihr so viel Geld bei Euch, um dem Kleid gemäß zu leben, das Ihr tragt?«

»Lieber Herr Kalum-Bek«, sprach der Jüngling verlegen und errötend,»Geld habe ich freilich nicht, aber vielleicht streckt Ihr mir etwas vor, womit ich heimreisen kann. Mein Vater wird es gewiss richtig erstatten.«

»Dein Vater, Bursche?«, rief der Kaufmann laut lachend.»Ich glaube, die Sonne hat dir das Hirn verbrannt. Meinst du, ich glaube dir so aufs Wort das ganze Märchen, das du mir in der Wüste erzähltest, dass dein Vater ein reicher Mann in Balsora sei, du sein einziger Sohn, den

Anfall der Araber und dein Leben in ihrer Horde und dies und jenes. Schon damals ärgerte ich mich über deine frechen Lügen und deine Unverschämtheit. Ich weiß, dass in Balsora alle reichen Leute Kaufleute sind, habe schon mit allen gehandelt und müsste von einem Benezar gehört haben, und wenn er nur sechstausend Tomans im Vermögen hätte. Es ist also entweder erlogen, dass du aus Balsora bist, oder dein Vater ist ein armer Schlucker, dessen hergelaufenem Jungen ich keine Kupfermünze leihen mag. Sodann der Überfall in der Wüste! Er müsste doch inzwischen bekannt geworden sein, aber auf meinem ganzen Weg und auch hier in Bagdad, wo Menschen aus allen Gegenden der Welt zusammenkommen, hat man nichts davon gesprochen. Das ist die zweite Lüge, junger, unverschämter Mensch!«

Bleich vor Zorn und Unmut, wollte Said dem kleinen bösen Mann in die Rede fallen, jener aber schrie stärker als er und focht dazu mit den Armen. »Und die dritte Lüge, du frecher Lügner, ist die Geschichte im Lager Selims. Selims Name ist wohl bekannt unter allen, die jemals einen Araber gesehen haben, aber Selim ist bekannt als der schrecklichste und grausamste Mensch, und du wagst zu erzählen, du habest seinen Sohn getötet und seiest nicht sogleich in Stücke gehauen worden; ja, du treibest die Frechheit so weit, dass du das Unglaubliche sagst, Selim habe dich gegen seine Horde beschützt, in sein eigenes Zelt aufgenommen und ohne Lösegeld entlassen, statt dass er dich aufgehängt hätte, er, der oft Reisende gehängt hat, nur um zu sehen, welche Gesichter sie machen, wenn sie aufgehängt sind. O du abscheulicher Lügner!«

»Und ich kann nichts weiter sagen«, rief der Jüngling, »als dass alles wahr ist, bei meiner Seele und beim Bart des Propheten!«

»Was, bei deiner Seele willst du schwören?«, schrie der Kaufmann. »Bei deiner schwarzen, lügenhaften Seele? Wer soll da glauben? Und beim Bart des Propheten, du, der du selbst keinen Bart hast? Wer soll da trauen?«

»Ich habe freilich keinen Zeugen«, fuhr Said fort, »aber habt Ihr mich nicht gefesselt und elend gefunden?«

»Das beweist mir gar nichts«, sprach jener; »du bist gekleidet wie ein stattlicher Räuber, vielleicht hast du einen angefallen, der stärker war als du, dich besiegte und band.«

»Den Einzelnen oder die zwei möchte ich sehen«, entgegnete Said, »die mich niederstrecken und binden, wenn sie mir nicht von hinten eine Schlinge über den Kopf werfen. Ihr mögt in Eurem Basar freilich nicht wissen, was ein Einzelner vermag, wenn er in den Waffen geübt ist. Aber Ihr habt mir das Leben gerettet, und ich danke Euch. Was wollt Ihr denn aber jetzt mit mir beginnen? Wenn Ihr mich nicht unterstützt, so muss ich betteln, und ich mag keinen meinesgleichen um eine Gnade anflehen. An den Kalifen will ich mich wenden.«

»So?«, sprach der Kaufmann höhnisch lächelnd. »An niemand anders wollt Ihr Euch wenden als an unsern allergnädigsten Herrn? Das heiße ich vornehm betteln! Ei, ei! Bedenkt aber, junger, vornehmer Herr, dass der Weg zum Kalifen an meinem Vetter Messour vorbeigeht und dass es mich nur ein Wort kostet, den Oberkämmerer darauf aufmerksam zu machen, wie trefflich Ihr lügen könnt. – Aber mich dauert deine Jugend, Said. Du kannst dich bessern, es kann noch etwas aus dir werden. Ich will dich in mein Gewölbe im Basar nehmen, dort sollst du mir ein Jahr lang dienen, und ist dies vorbei und willst du nicht bei mir bleiben, so zahle ich dir deinen Lohn aus und lasse dich gehen, wohin du willst, nach Aleppo oder Medina, nach Stambul oder nach Balsora, meinetwegen zu den Ungläubigen. Bis Mittag gebe ich dir Bedenkzeit; willst du, so ist es gut, willst du nicht, so berechne ich dir nach billigem Anschlag die Reisekosten, die du mir verursacht, und den Platz auf dem Kamel, mache mich mit deinen Kleidern und allem, was du hast, bezahlt und werfe dich auf die Straße. Dann kannst du beim Kalifen oder beim Mufti, an der Moschee oder im Basar betteln.«

Mit diesen Worten verließ der böse Mann den unglücklichen Jüngling. Said blickte ihm voll Verachtung nach. Er war empört über die Schlechtigkeit dieses Menschen, der ihn absichtlich mitgenommen und in sein Haus gelockt hatte, damit er ihn in seine Gewalt bekäme. Er versuchte, ob er nicht entfliehen könnte, aber sein Zimmer war vergittert und die Tür verschlossen. Endlich, nachdem sein Sinn sich lange dagegen gesträubt hatte, beschloss er, fürs Erste den Vorschlag des Kaufmanns anzunehmen und ihm in seinem Gewölbe zu dienen. Er sah ein, dass ihm nichts Besseres zu tun übrig bleibe, denn wenn er auch entfloh, so konnte er ohne Geld doch nicht bis Balsora kommen.

Aber er nahm sich vor, so bald wie möglich den Kalifen selbst um Schutz anzuflehen.

Den folgenden Tag führte Kalum-Bek seinen neuen Diener in sein Gewölbe im Bazar. Er zeigte Said alle Schals und Schleier und andere Waren, womit er handelte, und wies ihm seinen besonderen Dienst an. Dieser bestand darin, dass Said, angekleidet wie ein Kaufmannsdiener und nicht mehr im kriegerischen Schmuck, in der einen Hand einen Schal, in der andern einen prachtvollen Schleier, unter der Tür des Gewölbes stand, die vorübergehenden Männer oder Frauen anrief, seine Waren vorzeigte, ihren Preis nannte und die Leute zum Kaufen einlud. Jetzt konnte sich Said auch erklären, warum ihn Kalum-Bek zu diesem Geschäft bestimmt habe.

Er war ein kleiner, hässlicher Alter, und wenn er selbst unter dem Laden stand und anrief, so sagte mancher Nachbar oder auch einer der Vorübergehenden ein witziges Wort über ihn, oder die Knaben spotteten seiner, und die Frauen nannten ihn eine Vogelscheuche. Jeder dagegen sah den jungen, schlanken Said gern, der mit Anstand die Kunden anrief und Schal und Schleier geschickt und zierlich zu halten wusste.

Als Kalum-Bek sah, dass sein Laden im Basar mehr Kunden bekam, seitdem Said unter der Tür stand, wurde er freundlicher gegen den jungen Mann, speiste ihn besser als zuvor und war darauf bedacht, ihn in seiner Kleidung immer schön und stattlich zu halten. Aber Said wurde durch solche Beweise der milderen Gesinnung seines Herrn wenig gerührt und sann den ganzen Tag und selbst in seinen Träumen auf eine Möglichkeit, um in seine Vaterstadt zurückzukehren.

Eines Tages war im Gewölbe vieles gekauft worden, und alle Packknechte, deren Beruf es war, die Waren nach Hause zu tragen, waren schon fortgeschickt, als eine Frau eintrat und noch einiges kaufte. Sie hatte bald gewählt und verlangte dann einen Träger. »In einer halben Stunde kann ich Euch alles schicken«, antwortete Kalum-Bek, »nur so lange müsst Ihr Euch gedulden oder irgendeinen andern Packer nehmen.«

»Seid Ihr ein Kaufmann und wollet Euren Kunden fremde Packer mitgeben?«, rief die Frau. »Kann nicht ein solcher Bursche im Gedräng mit meinem Pack davonlaufen? Und an wen soll ich mich dann wenden? Nein, Eure Pflicht ist es nach Marktrecht, mir meinen Pack nach Hause tragen zu lassen, und an Euch kann und will ich mich halten.« »Nur eine halbe Stunde wartet, werte Frau!«, sprach der Kaufmann, sich immer ängstlicher drehend. »Alle meine Packknechte sind verschickt ...« »Das ist ein schlechtes Gewölbe, das nicht immer einige Knechte übrig hat«, entgegnete das böse Weib. »Aber dort steht ja noch solch ein junger Müßiggänger; komm, junger Bursche, nimm meinen Pack und trag ihn mir nach!«

»Halt, halt!«, schrie Kalum-Bek. »Das ist mein Aushängeschild, mein Ausrufer, mein Magnet! Der darf die Schwelle nicht verlassen!«

»Was da!«, erwiderte die alte Dame und steckte Said ohne weiteres ihren Pack unter den Arm. »Das ist ein schlechter Kaufmann und elende Ware, die sich nicht selbst loben und erst noch solch einen müßigen Bengel zum Schild brauchen. Geh, geh, Bursche, du sollst heute ein Trinkgeld verdienen!«

»So lauf im Namen Arimans und aller bösen Geister«, murmelte Kalum-Bek seinem Magnet zu, »und sieh zu, dass du bald wiederkommst! Die Alte könnte mich ins Geschrei bringen auf dem ganzen Basar, wollte ich mich länger weigern.«

Said folgte der Frau, die leichteren Schrittes, als man ihrem Alter zutrauen sollte, über den Markt und durch die Straßen eilte. Sie stand endlich vor einem prachtvollen Hause still, pochte an, die Flügeltüren sprangen auf, und sie stieg eine Marmortreppe hinan und winkte Said zu folgen. Sie gelangten endlich in einen hohen, weiten Saal, der mehr Pracht und Herrlichkeit enthielt, als Said jemals geschaut hatte. Dort setzte sich die alte Frau erschöpft auf ein Polster, winkte dem jungen Mann, seinen Pack niederzulegen, reichte ihm ein kleines Silberstück und hieß ihn gehen.

Er war schon an der Tür, als eine helle, feine Stimme »Said!« rief. Verwundert, dass man ihn hier kenne, schaute er sich um, und eine wunderschöne Dame, umgeben von vielen Sklaven und Dienerinnen, saß statt der Alten auf dem Polster. Said, ganz stumm vor Verwunderung, kreuzte seine Arme und machte eine tiefe Verbeugung.

»Said, mein lieber Junge«, sprach die Dame, »sosehr ich die Vorfälle bedaure, die dich nach Bagdad führten, so war doch dies der einzige, vom Schicksal bestimmte Ort, wo sich, wenn du vor dem zwanzigsten Jahr dein Vaterhaus verließest, dein Schicksal lösen würde. Said, hast du noch dein Pfeifchen?«

»Wohl habe ich es noch«, rief er freudig, indem er die goldene Kette hervorzog, »und Ihr seid vielleicht die gütige Fee, die mir dieses Angebinde gab, als ich geboren wurde?«

»Ich war die Freundin deiner Mutter«, antwortete die Fee, »und bin auch deine Freundin, solange du gut bleibst. Ach, dass dein Vater, der leichtsinnige Mann, meinen Rat befolgt hätte! Du würdest vielen Leiden entgangen sein.«

»Nun, es hat wohl so kommen müssen«, erwiderte Said. »Aber gnädigste Fee, lasset einen tüchtigen Nordostwind an Euren Wolkenwagen spannen, nehmet mich auf und führet mich in ein paar Minuten nach Balsora zu meinem Vater. Ich will dann die sechs Monate bis zu meinem zwanzigsten Jahre geduldig dort ausharren.«

Die Fee lächelte. »Du hast eine gute Weise, mit uns zu sprechen«, antwortete sie, »aber, armer Said, es ist nicht möglich. Ich vermag jetzt, wo du außerhalb deines Vaterhauses bist, nichts Wunderbares für dich zu tun. Nicht einmal aus der Gewalt des elenden Kalum-Bek vermag ich dich zu befreien! Er steht unter dem Schutz deiner mächtigen Feindin.«

»Also nicht nur eine gütige Freundin habe ich«, fragte Said, »auch eine Feindin? Nun, ich glaube ihren Einfluss schon öfter erfahren zu haben. Aber mit Rat dürftet Ihr mich doch unterstützen? Soll ich nicht zum Kalifen gehen und ihn um Schutz bitten? Er ist ein weiser Mann, er wird mich gegen Kalum-Bek beschützen.«

»Ja, Harun ist ein weiser Mann«, erwiderte die Fee, »aber leider ist er auch nur ein Mensch. Er traut seinem Großkämmerer Messour so viel wie sich selbst, und er hat Recht, denn er hat Messour erprobt und treu gefunden. Messour aber traut deinem Herrn Kalum-Bek auch wie sich selbst, und darin hat er Unrecht, denn Kalum ist ein schlechter Mann, wenn er auch Messours Verwandter ist. Kalum ist zugleich ein verschlagener Kopf und hat, sobald er hierher kam, seinem Vetter Großkämmerer eine Fabel über dich erdichtet, und der hat sie wieder dem Kalifen erzählt, so dass du, kämest du auch jetzt gleich in den Palast Haruns, schlecht empfangen werden würdest, denn er traute dir nicht. Aber es gibt andere Mittel und Wege, sich ihm zu nahen, und es steht in den Sternen geschrieben, dass du seine Gnade erwerben sollst.«

»Das ist freilich schlimm«, sagte Said wehmütig. »Da werde ich schon einige Zeit der Anpreiser vor dem Laden des elenden Kalum-Bek sein müssen. Aber eine Gnade, verehrte Fee, könnet Ihr mir doch gewähren. Ich bin zum Waffenwerk erzogen, und meine höchste Freude ist ein Kampfspiel, wo recht tüchtig gefochten wird mit Lanze, Bogen und stumpfem Schwert. Nun halten die edelsten Jünglinge dieser Stadt alle Wochen ein solches Kampfspiel. Aber nur Leute im höchsten Schmuck und überdies nur freie Männer dürfen in die Schranken reiten, namentlich aber kein Diener aus dem Basar. Wenn Ihr nun bewirken könntet, dass ich alle Wochen ein Pferd, Kleider, Waffen haben könnte und dass man mein Gesicht nicht so leicht erkennte ...«

»Das ist ein Wunsch, wie ihn ein edler junger Mann wohl wagen darf«, sprach die Fee. »Der Vater deiner Mutter war der tapferste Mann in Syrien, und sein Geist scheint sich auf dich vererbt zu haben. Merke dir dies Haus! Du sollst jede Woche hier ein Pferd und zwei berittene Knappen, ferner Waffen und Kleider finden und ein Waschwasser für dein Gesicht, das dich für alle Augen unkenntlich machen soll. Und nun, Said, lebe wohl! Harre aus und sei klug und tugendhaft! In sechs Monaten wird dein Pfeifchen tönen, und Zulimas Ohr wird für seine Töne offen sein.«

Der Jüngling schied von seiner wunderbaren Beschützerin mit Dank und Verehrung. Er merkte sich das Haus und die Straße genau und ging dann wieder nach dem Basar.

Als Said in den Basar zurückkehrte, kam er gerade noch zu rechter Zeit, um seinen Herrn und Meister Kalum-Bek zu unterstützen und zu retten. Ein großes Gedränge war um den Laden, Knaben tanzten um den Kaufmann her und verhöhnten ihn, und die Alten lachten. Er selbst stand vor Wut zitternd und in großer Verlegenheit vor dem Laden, in der einen Hand einen Schal, in der andern den Schleier. Diese sonderbare Szene kam von einem Vorfall her, der sich nach Saids Fortgang ereignet hatte. Kalum hatte sich statt seines schönen Dieners unter die Tür gestellt und ausgerufen, aber niemand mochte bei dem alten, hässlichen Burschen kaufen. Da gingen zwei Männer den Basar herab und wollten für ihre Frauen Geschenke wählen. Sie waren suchend schon einige Mal auf und nieder gegangen, und eben jetzt sah man sie mit umherirrenden Blicken wieder herabgehen.

Kalum-Bek, der dies bemerkt, wollte es sich zunutze machen und rief: »Hier, meine Herren, hier! Was sucht ihr? Schöne Schleier, schöne Ware?«

»Guter Alter«, erwiderte einer, »deine Waren mögen recht gut sein, aber unsere Frauen sind wunderlich, und es ist Sitte in der Stadt geworden, die Schleier bei niemand zu kaufen als bei dem schönen Ladendiener Said: Wir gehen schon eine halbe Stunde umher, ihn zu suchen, und finden ihn nicht; kannst du uns sagen, wo wir ihn treffen, so kaufen wir dir ein andermal ab.«

»Allahit Allah!«, rief Kalum-Bek freundlich grinsend. »Euch hat der Prophet vor die rechte Tür geführt. Zum schönen Ladendiener wollet ihr, um Schleier zu kaufen? Nun, tretet nur ein, hier ist sein Gewölbe.«

Der eine dieser Männer lachte über Kalums kleine und hässliche Gestalt und seine Behauptung, dass er der schöne Ladendiener sei. Der andere glaubte, Kalum wolle sich über ihn lustig machen, blieb ihm nichts schuldig, sondern schimpfte. Dadurch kam Kalum-Bek außer sich; er rief seine Nachbarn zu Zeugen auf, dass man keinen andern Laden als den seinigen das Gewölbe des schönen Ladendieners nenne; aber die Nachbarn, die ihn wegen des Zulaufs, den er seit einiger Zeit hatte, beneideten, wollten hiervon nichts wissen, und die beiden Männer gingen nun dem alten Lügner, wie sie ihn nannten, ernstlich zu Leib. Kalum verteidigte sich mehr durch Geschrei und Schimpfworte als durch seine Faust, und so lockte er eine Menge Menschen vor sein Gewölbe. Die halbe Stadt kannte ihn als einen geizigen, gemeinen Filz, alle Umstehenden gönnten ihm die Püffe, die er bekam, und schon packte ihn einer der beiden Männer am Bart, als ebendieser am Arm gefasst und mit einem einzigen Ruck zu Boden geworfen

wurde, so dass sein Turban herabfiel und seine Pantoffeln weit hinwegflogen.

Die Menge hätte es wahrscheinlich gerne gesehen, wenn Kalum-Bek misshandelt worden wäre. Sie murrte laut, der Gefährte des Niedergeworfenen sah sich nach dem um, der es gewagt hatte, seinen Freund niederzuwerfen. Als er einen hohen, kräftigen Jüngling mit blitzenden Augen und mutiger Miene vor sich stehen sah, wagte er es nicht, ihn anzugreifen, da überdies Kalum, dem seine Rettung wie ein Wunder erschien, auf den jungen Mann deutete und schrie: »Nun, was wollt ihr denn mehr? Da steht er ja, ihr Herren, das ist Said, der schöne Ladendiener.« Die Leute umher lachten, weil sie wussten, dass Kalum-Bek vorhin Unrecht geschehen war. Der niedergeworfene Mann stand beschämt auf und hinkte mit seinem Genossen weiter, ohne Schal oder Schleier zu kaufen.

»O du Stern aller Ladendiener, du Krone des Basars«, rief Kalum, als er seinen Diener in den Laden führte, »wahrlich, das heiße ich zu rechter Zeit kommen, das nenne ich die Hand ins Mittel legen. Lag doch der Bursche auf dem Boden, als ob er nie auf den Beinen gestanden wäre, und ich – ich hätte keinen Barbier mehr gebraucht, um mir den Bart kämmen und salben zu lassen, wenn du nur zwei Minuten später kamst. Womit kann ich es dir vergelten?«

Es war nur das schnelle Gefühl des Mitleids gewesen, das Saids Hand und Herz regiert hatte. Jetzt, als dieses Gefühl sich legte, reute es ihn fast, dass er dem bösen Mann die gute Züchtigung erspart hatte; ›ein Dutzend Barthaare weniger‹, dachte er, ›hätten ihn auf zwölf Tage sanft und geschmeidig gemacht‹. Er suchte aber dennoch die günstige Stimmung des Kaufmanns zu benutzen und erbat sich von ihm zum Dank die Gunst, alle Wochen einen Abend für sich beanspruchen zu dürfen zu einem Spaziergang oder zu was es auch sei. Kalum gab es zu, denn er wusste wohl, dass sein gezwungener Diener zu vernünftig sei, um ohne Geld und gute Kleider zu entfliehen.

Bald hatte Said erreicht, was er wollte. Am nächsten Mittwoch, dem Tag, an dem sich die jungen Leute aus den vornehmsten Ständen auf einem öffentlichen Platz der Stadt versammelten, um ihre kriegerischen Übungen zu halten, sagte er zu Kalum, er wolle diesen Abend für sich benutzen; und als dieser es erlaubt hatte, ging er in die Straße, wo die Fee wohnte, pochte an, und sogleich sprang die Pforte auf. Die Diener schienen auf seine Ankunft schon vorbereitet gewesen zu sein, denn ohne ihn erst nach seinem Begehr zu fragen, führten sie ihn die Treppe hinan in ein schönes Gemach; dort reichten sie ihm zuerst das Waschwasser, das ihn unkenntlich machen sollte. Er benetzte sein Gesicht damit, schaute dann in einen Metallspiegel und kannte sich beinahe selbst nicht mehr, denn er war jetzt von der Sonne gebräunt, trug einen schönen schwarzen Bart und sah zum Mindesten zehn Jahre älter aus, als er in der Tat zählte.

Hierauf führten sie ihn in ein zweites Gemach, wo er eine vollständige und prachtvolle Kleidung fand, deren sich der Kalif von Bagdad selbst nicht hätte schämen dürfen. Außer einem Turban vom feinsten Gewebe mit einer Agraffe von Diamanten und hohen Reiherfedern, einem Kleid von schwerem, rotem Seidenzeug, mit silbernen Blumen durchwirkt, fand Said einen Brustpanzer von silbernen Ringen, der so fein gearbeitet war, dass er sich nach jeder Bewegung des Körpers schmiegte, und doch zugleich so fest, dass ihn weder die Lanze noch das Schwert durchdringen konnten. Eine Damaszener Klinge in reich verzierter Scheide, mit einem Griff, dessen Steine Said unschätzbar deuchten, vollendete seinen kriegerischen Schmuck. Als er völlig gerüstet wieder aus der Tür trat, überreichte ihm einer der Diener ein seidenes Tuch und sagte ihm, dass die Gebieterin des Hauses ihm dieses Tuch schicke; wenn er damit sein Gesicht abwische, so würden der Bart und die braune Farbe verschwinden.

Im Hof des Hauses standen drei schöne Pferde. Das schönste bestieg Said, die beiden andern seine Diener, und dann trabte er freudig dem Platze zu, wo die Kampfspiele gehalten werden sollten. Durch den Glanz seiner Kleider und die Pracht seiner Waffen zog er aller Augen auf sich, und ein allgemeines Geflüster des Staunens entstand, als er in den Ring, den die Menge umgab, einritt. Es war eine glänzende Versammlung der tapfersten und edelsten Jünglinge Bagdads, selbst die Brüder des Kalifen sah man ihre Rosse tummeln und die Lanzen schwingen. Als Said heranritt und niemand ihn zu kennen schien, ritt der Sohn des Großwesirs mit einigen Freunden auf ihn zu, grüßte ihn ehrerbietig, lud ihn ein, an ihren Spielen teilzunehmen, und fragte ihn nach seinem Namen und seinem Vaterland. Said gab vor, er heiße Almansor und komme von Kairo, sei auf einer Reise begriffen und habe von der Tapferkeit und Geschicklichkeit der jungen Edlen von Bagdad so vieles gehört, dass er nicht gesäumt habe, sie zu sehen und kennen zu lernen. Den jungen Leuten gefielen der Anstand und das mutige Wesen Said-Almansors; sie ließen ihm eine Lanze reichen und gesellten sich zu ihm, denn die ganze Gesellschaft hatte sich in zwei Parteien geteilt, um einzeln und in Scharen gegeneinander zu fechten. Hatte schon Saids Äußeres die Aufmerksamkeit auf ihn gelenkt, so staunte man jetzt noch mehr über seine ungewöhnliche Geschicklichkeit und Behändigkeit. Sein Pferd war fast so schnell wie ein Vogel, und sein Schwert schwirrte noch behänder umher. Er warf die Lanze so leicht, weit und sicher ans Ziel, als wäre sie ein Pfeil, den er von einem sicheren Bogen abgeschnellt hätte. Die Tapfersten seiner Gegenpartei besiegte er, und am Schluss der Spiele war er so allgemein als Sieger anerkannt, dass einer der Brüder des Kalifen und der Sohn des Großwesirs, die auf Saids Seite gekämpft hatten, ihn baten, auch mit ihnen zu streiten. Ali, der Bruder des Kalifen, wurde von ihm besiegt, aber der Sohn des Großwesirs widerstand ihm so tapfer, dass sie es nach langem Kampf für besser hielten, die Entscheidung für das nächste Mal aufzusparen.

Den Tag nach diesen Spielen sprach man in ganz Bagdad von nichts als dem schönen, reichen und tapferen Fremdling; alle, die ihn gesehen hatten, ja, selbst die, die er besiegt hatte, waren entzückt von seinen edlen Sitten, und sogar vor seinen eigenen Ohren im Gewölbe Kalum-Beks wurde über ihn gesprochen; und man beklagte nur, dass niemand wisse, wo er wohne.

Das nächste Mal fand er im Hause der Fee ein noch schöneres Kleid und noch köstlicheren Waffenschmuck. Diesmal hatte sich halb Bagdad zugedrängt, selbst der Kalif sah von einem Balkon herab dem Schauspiel zu; auch er bewunderte den Fremdling Almansor und hing ihm, als die Spiele geendet hatten, eine große Denkmünze von Gold an einer goldenen Kette um den Hals, um seine Bewunderung zu bezeigen.

Es konnte nicht anders kommen, als dass dieser zweite, noch glänzendere Sieg den Neid der jungen Leute von Bagdad erregte. »Ein Fremdling«, sprachen sie untereinander, »durfte hierher kommen nach Bagdad, um uns Ruhm, Ehre und Sieg zu entreißen? Er soll sich an andern Orten damit brüsten können, dass unter der Blüte von Bagdads Jünglingen keiner gewesen sei, der es entfernt hätte mit ihm aufnehmen können?« So sprachen sie und beschlossen, beim nächsten Kampfspiel, als wäre es durch Zufall geschehen, zu fünfen oder sechsen über ihn herzufallen.

Saids scharfen Blicken entgingen diese Zeichen des Unmuts nicht; er sah, wie sie in der Ecke zusammenstanden, flüsterten und mit bösen Mienen auf ihn deuteten; er ahnte, dass außer dem Bruder des Kalifen und dem Sohn des Großwesirs keiner sehr freundlich gegen ihn gesinnt sein möchte, und diese selbst wurden ihm durch ihre Fragen lästig, wo sie ihn aufsuchen könnten, womit er sich beschäftige, was ihm in Bagdad wohlgefallen habe und dergleichen.

Es war ein sonderbarer Zufall, dass ein junger Mann, der Said-Almansor mit den grimmigsten Blicken betrachtete und am feindseligsten gegen ihn gesinnt schien, niemand anders war als der Bursche, den er vor einiger Zeit vor Kalum-Beks Bude niedergeworfen hatte, als er gerade im Begriff war, dem unglücklichen Kaufmann den Bart auszureißen. Dieser Mann betrachtete ihn immer aufmerksam und neidisch. Said hatte ihn zwar schon einige Mal besiegt, aber das war kein hinlänglicher Grund zu solcher Feindseligkeit, und Said fürchtete schon, jener möchte ihn an seinem Wuchs oder an der Stimme als Kalum-Beks Ladendiener erkannt haben, eine Entdeckung, die ihn dem Spott und der Rache dieser Leute aussetzen würde.

Der Anschlag, den seine Neider auf ihn gemacht hatten, scheiterte sowohl an seiner Vorsicht und Tapferkeit wie auch an der Freundschaft, womit ihm der Bruder des Kalifen und der Sohn des Großwesirs zugetan waren. Als diese sahen, dass er von wenigstens sechsen umringt sei, die ihn vom Pferd zu werfen oder zu entwaffnen suchten, sprengten sie herbei, jagten den ganzen Trupp auseinander und drohten den jungen Leuten, die so verräterisch gehandelt hatten, sie aus der Kampfbahn zu stoßen.

Mehr als vier Monate hatte Said auf diese Weise zum Erstaunen Bagdads seine Tapferkeit erprobt, als er eines Abends beim Nachhausegehen von dem Kampfplatz einige Stimmen vernahm, die ihm bekannt schienen. Vor ihm gingen vier Männer, die sich langsamen

Schrittes über etwas zu beraten schienen. Als Said leise näher trat, hörte er, dass sie den Dialekt der Horde Selims in der Wüste sprachen, und ahnte, dass die vier Männer auf irgendeine Räuberei ausgingen. Sein erstes Gefühl war, sich vor diesen vieren zurückzuziehen; als er aber dachte, dass er irgendetwas Böses verhindern könnte, schlich er sich noch näher herzu, diese Männer zu behorchen.

»Der Türsteher hat ausdrücklich gesagt, die Straße rechts vom Basar«, sprach der eine, »dort werde und müsse er heute Nacht mit dem Großwesir durchkommen.«

»Gut«, antwortete ein anderer. »Den Großwesir fürchte ich nicht, er ist alt und wohl kein sonderlicher Held. Aber der Kalif soll ein gutes Schwert führen, und ich traue ihm nicht; es schleichen ihm gewiss zehn oder zwölf von der Leibwache nach.«

»Keine Seele«, entgegnete ihm ein Dritter. »Wenn man ihn je gesehen und gekannt hat bei Nacht, war er immer nur allein mit dem Wesir oder mit dem Oberkämmerling. Heute Nacht muss er unser sein, aber es darf ihm kein Leid geschehen.«

»Ich denke, das Beste ist«, sprach der Erste, »wir werfen ihm eine Schlinge über den Kopf; töten dürfen wir ihn nicht, denn für seinen Leichnam würden sie ein geringes Lösegeld geben, und überdies wären wir nicht sicher, es zu bekommen.«

»Also eine Stunde vor Mitternacht!«, sagten sie zusammen und schieden, der eine hierhin, der andere dorthin.

Said war über diesen Anschlag nicht wenig erschrocken. Er beschloss, sogleich zum Palaste des Kalifen zu eilen und ihn von der Gefahr, die ihm drohte, zu unterrichten. Aber als er schon durch mehrere Straßen gelaufen war, fielen ihm die Worte der Fee ein, die ihm gesagt hatte, wie schlecht er bei dem Kalifen angeschrieben sei; er bedachte, dass man vielleicht seine Angabe verlachen oder als einen Versuch, bei dem Beherrscher von Bagdad sich einzuschmeicheln, ansehen könnte, und so hielt er seine Schritte an und achtete es für das Beste, sich auf sein gutes Schwert zu verlassen und den Kalifen persönlich aus den Händen der Räuber zu retten.

Er kehrte daher nicht in Kalum-Beks Haus zurück, sondern setzte sich auf die Stufen einer Moschee und wartete dort, bis die Nacht völlig angebrochen war; dann ging er am Basar vorbei in die von den Räubern bezeichnete Straße und verbarg sich hinter dem Vorsprung eines Hauses. Er mochte ungefähr eine Stunde dort gestanden haben, als er zwei Männer langsam die Straße herabkommen hörte. Anfänglich glaubte er, es seien der Kalif und sein Großwesir, aber einer der Männer klatschte in die Hände, und sogleich eilten zwei andere sehr leise die Straße herauf vom Basar her. Sie flüsterten eine Weile und verteilten sich dann; drei versteckten sich nicht weit von ihm, und einer ging in der Straße auf und ab. Die Nacht war sehr finster, aber stille, und so musste sich Said auf sein scharfes Ohr beinahe ganz allein verlassen. Wieder war etwa eine halbe Stunde vergangen, als man gegen den Basar hin Schritte vernahm. Der Räuber mochte sie auch gehört haben; er schlich an Said vorüber dem Basar zu. Die Schritte kamen näher, und schon konnte Said einige dunkle Gestalten erkennen, als der Räuber in die Hände klatschte, und in demselben Augenblick stürzten die drei aus dem Hinterhalt hervor. Die Angegriffenen mussten übrigens bewaffnet sein, denn er vernahm den Klang von aneinander geschlagenen Schwertern. Sogleich zog er seine Damaszener Klinge und stürzte sich mit dem Ruf: »Nieder mit den Feinden des großen Harun!« auf die Räuber, streckte mit dem ersten Hieb einen zu Boden und drang dann auf zwei andere ein, die eben im Begriff waren, einen Mann, um den sie einen Strick geworfen hatten, zu entwaffnen. Er hieb blindlings auf den Strick ein, um ihn zu zerschneiden, aber er traf dabei einen der Räuber so heftig über den Arm, dass er ihm die Hand abschlug. Der Verwundete stürzte mit fürchterlichem Geschrei auf die Knie. Jetzt wandte sich der Vierte, der mit einem andern Mann gefochten hatte, gegen Said, der noch mit dem Dritten im Kampf war; aber der Mann, um den man die Schlinge geworfen hatte, sah sich nicht so bald frei, als er seinen Dolch zog und ihn dem Angreifenden von der Seite in die Brust stieß. Als dies der noch übrig Gebliebene sah, warf er seinen Säbel weg und floh.

Said blieb nicht lange in Ungewissheit, wen er gerettet habe, denn der größere der beiden Männer trat zu ihm und sprach: »Das eine ist so sonderbar wie das andere, dieser Angriff auf mein Leben oder meine Freiheit wie die unbegreifliche Hilfe und Rettung. Wie wusstet Ihr, wer ich bin? Habt Ihr von dem Anschlag dieser Menschen Kenntnis gehabt?«

»Beherrscher der Gläubigen«, antwortete Said, »denn ich zweifle
nicht, dass du es bist, ich ging heute Abend durch die Straße El Malek
hinter einigen Männern, deren fremde und geheimnisvolle Mundart
ich einst kennen gelernt habe. Sie sprachen davon, dich gefangen zu
nehmen und den würdigen Mann, deinen Wesir, zu töten. Weil es
nun zu spät war, dich zu warnen, beschloss ich, an den Platz zu gehen, wo sie dir auflauern wollten, um dir beizustehen.«

»Ich danke dir!«, sprach Harun. »An dieser Stätte ist übrigens nicht
gut weilen. Nimm diesen Ring und komm damit morgen in meinen
Palast! Wir wollen dann mehr über dich und deine Hilfe reden und
sehen, wie ich dich am besten belohnen kann. Komm, Wesir, hier ist
nicht gut bleiben, sie könnten wiederkommen.«

Er sprach es und wollte den Großwesir fortziehen, nachdem er dem
Jüngling einen Ring an den Finger gesteckt hatte. Der aber bat ihn,
noch ein wenig zu verweilen, wandte sich um und reichte dem über-

raschten Jüngling einen schweren Beutel. »Junger Mann«, sprach er, »mein Herr, der Kalif, kann dich zu allem machen, wozu er will, selbst zu meinem Nachfolger; ich selbst kann wenig tun, und was ich tun kann, geschieht heute besser als morgen, drum nimm diesen Beutel! Das soll meinen Dank übrigens nicht abkaufen. Sooft du irgendeinen Wunsch hast, komm getrost zu mir!«

Ganz trunken vor Glück eilte Said nach Hause. Hier wurde er übel empfangen. Kalum-Bek wurde über sein langes Ausbleiben zuerst besorgt und dann unwillig, denn er dachte, er könnte leicht das schöne Aushängeschild seines Gewölbes verlieren. Er empfing ihn mit Schmähworten und tobte und raste wie ein Wahnsinniger. Said, der einen Blick in den Beutel getan und gefunden hatte, dass er lauter Goldstücke enthalte, bedachte, dass er jetzt nach seiner Heimat reisen könne auch ohne die Gnade des Kalifen, die gewiss nicht geringer war als der Dank seines Wesirs, und so blieb er ihm kein Wort schuldig, sondern erklärte ihm rund und deutlich, dass er keine Stunde länger bei ihm bleiben werde. Anfangs erschrak Kalum-Bek hierüber sehr, dann aber lachte er höhnisch und sprach: »Du Lump und Landläufer, du ärmlicher Wicht! Wohin willst du denn deine Zuflucht nehmen, wenn ich meine Hand von dir abziehe? Wo willst du ein Mittagessen bekommen und wo ein Nachtlager?«

»Das soll Euch nicht bekümmern, Herr Kalum-Bek!«, antwortete Said trotzig. »Gehabt Euch wohl, mich seht Ihr nicht wieder!«

Er sprach es und lief zur Tür hinaus, und Kalum-Bek schaute ihm sprachlos vor Staunen nach. Den andern Morgen, nachdem er sich den Fall recht überlegt hatte, schickte er seine Packknechte aus und ließ überall nach dem Flüchtling spähen. Lange suchten sie umsonst, endlich kam einer zurück und sagte, er habe Said, den Ladendiener, aus einer Moschee kommen und in eine Karawanserei gehen sehen. Er sei ganz verändert, trage ein schönes Kleid, einen Dolch und Säbel und einen prachtvollen Turban.

Als Kalum-Bek dies hörte, schwur er und rief: »Bestohlen hat er mich und sich dafür gekleidet. O ich geschlagener Mann!« Dann lief er zum Aufseher der Polizei, und da man wusste, dass er ein Verwandter von Messour, dem Oberkämmerling, sei, so wurde es ihm nicht schwer, einige Polizeidiener zu erlangen, um Said zu verhaften. Said saß vor einer Karawanserei und besprach sich ganz ruhig mit einem Kaufmann, den er da gefunden, über eine Reise nach Balsora, seiner Vaterstadt; da fielen plötzlich einige Männer über ihn her und banden ihm trotz seiner Gegenwehr die Hände auf den Rücken. Er fragte sie, was sie zu dieser Gewalttat berechtige, und sie antworteten, es geschehe im Namen der Polizei und seines rechtmäßigen Gebieters Kalum-Bek. Zugleich trat der kleine, hässliche Mann herzu, verhöhnte und verspottete Said, griff in seine Tasche und zog zum Staunen der Umstehenden und mit Triumphgeschrei einen großen Beutel mit Gold heraus.

»Seht! Das alles hat er mir nach und nach gestohlen, der schlechte Mensch!«, rief er, und die Leute sahen mit Abscheu auf den Gefangenen und riefen: »Wie? Noch so jung, so schön und doch so schlecht! Zum Gericht, zum Gericht, damit er Stockprügel erhalte!« So schleppten sie ihn fort, und ein ungeheurer Zug Menschen aus allen Ständen schloss sich an. Sie riefen: »Seht, das ist der schöne Ladendiener vom Basar; er hat seinen Herrn bestohlen und ist entflohen; zweihundert Goldstücke hat er entwendet.«

Der Aufseher der Polizei empfing den Gefangenen mit finsterer Miene. Said wollte sprechen, aber der Beamte gebot ihm zu schweigen und verhörte nur den kleinen Kaufmann. Er zeigte ihm den Beutel und fragte ihn, ob ihm dieses Geld gestohlen worden sei. Kalum-Bek beschwor es; und sein Meineid verhalf ihm zwar zu dem Gold, doch nicht zu dem schönen Ladendiener, der ihm tausend Goldstücke wert war, denn der Richter sprach: »Nach einem Gesetz, das mein großmächtigster Herr, der Kalif, erst vor wenigen Tagen verschärft hat, wird jeder Diebstahl, der hundert Goldstücke übersteigt und auf dem Basar begangen wird, mit ewiger Verbannung auf eine wüste Insel bestraft. Dieser Dieb kommt gerade zu rechter Zeit, er macht die Zahl von zwanzig solcher Burschen voll; morgen werden sie auf eine Barke gepackt und in die See geführt.«

Said war in Verzweiflung; er beschwor den Beamten, ihn anzuhören, ihn nur ein Wort mit dem Kalifen sprechen zu lassen; aber er fand keine Gnade. Kalum-Bek, der jetzt seinen Schwur bereute, sprach ebenfalls für ihn, aber der Richter antwortete: »Du hast dein Gold und kannst zufrieden sein, gehe nach Hause und verhalte dich ruhig, sonst strafe ich dich für jeden Widerspruch um zehn Goldstücke!« Kalum schwieg bestürzt, der Richter winkte, und der unglückliche Said wurde abgeführt.

Man brachte ihn in ein finsteres und feuchtes Gefängnis. Neunzehn elende Menschen lagen dort auf Stroh umher und empfingen ihn als ihren Leidensgefährten mit rohem Gelächter und Verwünschungen gegen den Richter und den Kalifen. So schrecklich sein Schicksal vor ihm lag, so fürchterlich der Gedanke war, auf eine wüste Insel verbannt zu werden, so fand er doch noch einigen Trost darin, schon am folgenden Tag aus diesem schrecklichen Gefängnis erlöst zu werden. Aber er täuschte sich sehr, als er glaubte, sein Zustand auf dem Schiffe werde besser sein. In den untersten Raum, wo man nicht aufrecht stehen konnte, wurden die zwanzig Verbrecher hinabgeworfen, und dort stießen und schlugen sie sich um die besten Plätze.

Die Anker wurden gelichtet, und Said weinte bittere Tränen, als das Schiff, das ihn seinem Vaterland entführen sollte, sich zu bewegen anfing. Nur einmal des Tages teilte man ihnen ein wenig Brot und Früchte und einen Trunk süßen Wassers aus, und so dunkel war es im Schiffsraum, dass man immer Lichter herabbringen musste, wenn die Gefangenen speisen sollten. Beinahe alle zwei, drei Tage fand man einen Toten unter ihnen, so ungesund war die Luft in diesem Wasserkerker, und Said wurde nur durch seine Jugend und seine feste Gesundheit erhalten.

Vierzehn Tage waren sie schon auf dem Wasser, als eines Tages die Wellen heftiger rauschten und ein ungewöhnliches Treiben und Rennen auf dem Schiffe entstand.

Said ahnte, dass ein Sturm im Anzug sei; es war ihm sogar angenehm, denn er hoffte dann zu sterben.

Heftiger wurde das Schiff hin und her geworfen, und endlich saß es mit schrecklichem Krachen fest. Geschrei und Geheul scholl von dem Verdeck herab und mischte sich mit dem Brausen des Sturmes. Endlich wurde es wieder still, aber zu gleicher Zeit entdeckte auch einer der Gefangenen, dass das Wasser in das Schiff eindringe. Sie pochten an die Falltür nach oben, aber man antwortete ihnen nicht. Als daher das Wasser immer heftiger eindrang, stemmten sie sich mit vereinigten Kräften gegen die Tür und sprengten sie auf.

Sie stiegen die Treppe hinan, aber oben fanden sie keinen Menschen mehr. Die ganze Schiffsmannschaft hatte sich in Booten gerettet. Jetzt gerieten die meisten Gefangenen in Verzweiflung, denn der Sturm wütete immer heftiger, das Schiff krachte und senkte sich. Noch einige Stunden saßen sie auf dem Verdeck und hielten ihre letzte Mahlzeit von den Vorräten, die sie im Schiff gefunden, dann erneuerte sich auf einmal der Sturm, das Schiff wurde von der Klippe, worauf es festsaß, hinweggerissen und brach zusammen.

Said hatte sich am Mast angeklammert und hielt ihn, als das Schiff geborsten war, noch immer fest. Die Wellen warfen ihn hin und her, aber er hielt sich, mit den Füßen rudernd, immer wieder oben. So schwamm er in immer während der Todesgefahr eine halbe Stunde, da fiel die Kette mit dem Pfeifchen wieder aus seinem Kleid, und noch einmal wollte er versuchen, ob es nicht töne. Mit der einen Hand klammerte er sich fest, mit der andern setzte er es an seinen Mund, blies, ein heller, klarer Ton erscholl, und augenblicklich legte sich der Sturm, und die Wellen glätteten sich, als hätte man Öl darauf ausgegossen. Kaum hatte er sich mit leichterem Atem umgesehen, ob er nicht irgendwo Land erspähen könnte, als der Mast unter ihm sich auf eine sonderbare Weise auszudehnen und zu bewegen anfing, und zu seinem nicht geringen Schrecken nahm er wahr, dass er nicht mehr auf Holz, sondern auf einem ungeheuren Delfin reite. Nach einigen Augenblicken kehrte seine Fassung zurück, und da er sah, dass der Delfin zwar schnell, aber ruhig und gelassen seine Bahn fortschwimme, schrieb er seine wunderbare Rettung dem silbernen Pfeifchen und der gütigen Fee zu und rief seinen feurigsten Dank in die Lüfte. Pfeilschnell trug ihn sein wunderbares Pferd durch die Wogen. Noch ehe es Abend wurde, sah er Land und erkannte einen breiten Fluss, in den der Delfin auch sogleich einbog. Stromaufwärts ging es langsamer, und um nicht verschmachten zu müssen, nahm Said, der sich aus alten Zaubergeschichten erinnerte, wie man zaubern müsse, das Pfeifchen heraus, pfiff laut und herzhaft und wünschte sich dann ein gutes Mahl. Sogleich hielt der Fisch still, und hervor aus dem Wasser tauchte ein Tisch, so wenig nass, als ob er acht Tage an der Sonne gestanden wäre, und reich besetzt mit köstlichen Speisen. Said griff tüchtig zu, denn seine Kost während der Gefangenschaft war schmal

und elend gewesen, und als er sich hinlänglich gesättigt hatte, sagte er Dank; der Tisch tauchte nieder, und der Delfin schwamm weiter den Fluss hinauf.

Die Sonne fing schon an zu sinken, als Said in dunkler Ferne eine große Stadt erblickte, deren Minarette ihm Ähnlichkeit mit denen von Bagdad zu haben schienen. Der Gedanke an Bagdad war ihm nicht sehr angenehm, aber sein Vertrauen auf die gütige Fee war so groß, dass er fest glaubte, sie werde ihn nicht wieder in die Hände des schändlichen Kalum-Bek fallen lassen. Zur Seite, etwa eine Meile von der Stadt und nahe dem Fluss, erblickte er ein prachtvolles Landhaus, und zu seiner großen Verwunderung lenkte der Fisch nach diesem Hause hin.

Auf dem Dach des Hauses standen mehrere schön gekleidete Männer, und am Ufer sah Said eine große Menge Diener. Alle schauten nach ihm und schlugen vor Verwunderung die Hände zusammen. An einer Marmortreppe, die vom Wasser nach dem Lustschloss hinaufführte, hielt der Delfin an, und kaum hatte Said einen Fuß auf die Treppe gesetzt, so war auch schon der Fisch spurlos verschwunden. Zugleich eilten einige Diener die Treppe herab und baten im Namen ihres Herrn, zu ihm hinaufzukommen, und boten ihm trockene Kleider an. Er kleidete sich schnell um und folgte dann den Dienern auf das Dach, wo er drei Männer fand, von denen der größte und schönste ihm freundlich und huldreich entgegenkam. »Wer bist du, wunderbarer Fremdling«, sprach er, »der du die Fische des Meeres zähmst und sie links und rechts leitest wie der beste Reiter sein Streitross? Bist du ein Zauberer oder ein Mensch wie wir?«

»Herr«, antwortete Said, »mir ist es in den letzten Wochen schlecht ergangen, wenn Ihr aber Vergnügen daran findet, so will ich Euch erzählen.« Und nun hub er an und erzählte den drei Männern seine Geschichte von dem Augenblick an, wo er seines Vaters Haus verlassen hatte, bis zu seiner wunderbaren Rettung. Oft wurde er von ihnen mit Zeichen des Staunens und der Verwunderung unterbrochen. Als er geendet hatte, sprach der Herr des Hauses, der ihn so freundlich empfangen hatte: »Ich traue deinen Worten, Said! Aber du erzähltest uns, dass du im Wettkampf eine Kette gewonnen und dass dir der Kalif einen Ring geschenkt; kannst du uns diese wohl zeigen?«

»Hier auf meinem Herzen habe ich beide verwahrt«, sprach der Jüngling, »und nur mit meinem Leben hätte ich so teure Geschenke herge-
geben, denn ich halte es für die ruhmvollste und schönste Tat, dass ich
den großen Kalifen aus den Händen seiner Mörder befreite.« Zugleich
zog er Kette und Ring hervor und übergab beides den Männern.
»Beim Barte des Propheten, er ist's, es ist mein Ring!«, rief der hohe,
schöne Mann. »Großwesir, lass uns ihn umarmen, denn hier steht unser Retter.« Said war es wie ein Traum, als diese zwei ihn umschlan-
gen, aber alsobald warf er sich nieder und sprach: »Verzeihe, Beherrscher der Gläubigen, dass ich so vor dir gesprochen habe, denn du
bist kein anderer als Harun Al-Raschid, der große Kalif von Bagdad.«
»Der bin ich, mein Freund«, antwortete Harun, »und von dieser Stunde an sollen sich alle deine trüben Schicksale wenden. Folge mir nach
Bagdad, bleibe in meiner nächsten Umgebung und sei einer meiner
vertrautesten Beamten! Denn wahrlich, du hast in jener Nacht gezeigt, dass dir Harun nicht gleichgültig ist, und nicht jeden meiner
treuesten Diener möchte ich auf die gleiche Probe stellen!«
Said dankte dem Kalifen; er versprach ihm, auf immer bei ihm zu bleiben, wenn er zuvor eine Reise zu seinem Vater, der in großen Sorgen
um ihn sein müsse, gemacht hätte, und der Kalif fand das ganz richtig. Sie setzten sich bald zu Pferd und kamen noch vor Sonnenuntergang in Bagdad an. Der Kalif ließ Said eine lange Reihe prachtvoll ge-
schmückter Zimmer in seinem Palast anweisen und versprach ihm
noch überdies, ein eigenes Haus für ihn erbauen zu lassen.
Auf die erste Kunde von diesem Ereignis eilten die alten Waffenbrü-
der Saids, der Bruder des Kalifen und der Sohn des Großwesirs, herbei. Sie umarmten ihn als Retter dieser teuren Männer und baten ihn,
er möchte ihr Freund werden. Sprachlos wurden sie vor Erstaunen,
als er sagte: »Euer Freund bin ich längst«, als er die Kette, die er als
Kampfpreis erhalten, hervorzog und sie an dieses und jenes erinnerte.
Sie hatten ihn immer nur schwärzlich braun und mit langem Bart gesehen, und erst als er erzählte, wie und warum er sich entstellt habe,
als er zu seiner Rechtfertigung stumpfe Waffen herbeibringen ließ,
mit ihnen focht und ihnen den Beweis gab, dass er Almansor der Tapfere sei, erst dann umarmten sie ihn mit Jubel von neuem und priesen
sich glücklich, einen solchen Freund zu haben.

Den folgenden Tag, als Said gerade mit dem Großwesir bei Harun saß, trat Messour, der Oberkämmerer, herein und sprach: »Beherrscher der Gläubigen, wenn es sein kann, möchte ich dich um eine Gnade bitten.«

»Ich will zuvor hören«, antwortete Harun.

»Draußen steht mein leiblicher Vetter Kalum-Bek, ein berühmter Kaufmann auf dem Basar«, sprach er, »der hat einen sonderbaren Handel mit einem Mann aus Balsora, dessen Sohn bei Kalum-Bek diente, nachher gestohlen hat, dann entlaufen ist, und niemand weiß, wohin. Nun will der Vater seinen Sohn von Kalum haben, und der hat ihn doch nicht. Er wünscht daher und bittet um die Gnade, du möchtest kraft deiner großen Erleuchtung und Weisheit Recht sprechen zwischen dem Mann aus Balsora und ihm.«

»Ich will richten«, erwiderte der Kalif. »In einer halben Stunde möge dein Herr Vetter mit seinem Gegner in den Gerichtssaal treten.«

Als Messour dankend gegangen war, sprach Harun: »Das ist niemand anders als dein Vater, Said, und da ich nun glücklicherweise alles, wie es ist, erfahren habe, will ich richten wie Salomo. Du, Said, verbirgst dich hinter dem Vorhang meines Thrones, bis ich dich rufe, und du, Großwesir, lässt mir sogleich den schlechten und voreiligen Polizeirichter holen. Ich werde ihn im Verhör brauchen.«

Sie taten beide, wie er befohlen hatte. Saids Herz pochte stärker, als er seinen Vater bleich und abgehärmt, mit wankenden Schritten in den Gerichtssaal treten sah. Und Kalum-Beks zuversichtliches Lächeln, womit er seinem Vetter Oberkämmerer zuflüsterte, machte ihn so grimmig, dass er gerne hinter dem Vorhang hervor auf ihn losgestürzt wäre. Denn seine größten Leiden und Kümmernisse hatte er diesem schlechten Menschen zu danken.

Es waren viele Menschen im Saal, die den Kalifen Recht sprechen hören wollten. Der Großwesir gebot, nachdem der Herrscher von Bagdad auf seinem Thron Platz genommen hatte, Stille und fragte, wer hier als Kläger vor seinem Herrn erscheine.

Kalum-Bek trat mit frecher Stirne vor und sprach: »Vor einigen Tagen stand ich unter der Tür meines Gewölbes im Basar, als ein Ausrufer, einen Beutel in der Hand und diesen Mann hier neben sich, durch die Buden schritt und rief: ›Einen Beutel Gold dem, der Auskunft geben kann über Said aus Balsora!‹ Dieser Said war in meinen Diensten gewesen, und ich rief daher: ›Hierher, Freund! Ich kann den Beutel verdienen.‹ Dieser Mann, der jetzt so feindlich gegen mich ist, kam freundlich und fragte, was ich wüsste. Ich antwortete: ›Ihr seid wohl Benezar, sein Vater?‹ Und als er dies freudig bejahte, erzählte ich ihm, wie ich den jungen Menschen in der Wüste gefunden, gerettet und gepflegt und nach Bagdad gebracht habe. In der Freude seines Herzens schenkte er mir den Beutel. Aber hört diesen unsinnigen Menschen! Als ich ihm nun weiter erzählte, dass sein Sohn bei mir gedient habe, dass er schlechte Streiche gemacht, gestohlen habe und davongegangen sei, wollte er es nicht glauben. Er hadert schon seit einigen Tagen mit mir, fordert seinen Sohn und sein Geld zurück, und beides kann ich nicht geben, denn das Geld gebührt mir für die Nachricht, die ich ihm gab, und seinen ungeratenen Burschen kann ich nicht herbeischaffen.«

Jetzt sprach auch Benezar. Er schilderte seinen Sohn, wie edel und tugendhaft er sei und dass er nie habe so schlecht sein können zu stehlen. Er forderte den Kalifen auf, streng zu untersuchen.

»Ich hoffe«, sprach Harun, »du hast, wie es Pflicht ist, den Diebstahl angezeigt, Kalum-Bek?«

»Ei freilich«, rief jener lächelnd, »vor den Polizeirichter habe ich ihn geführt.«

»Man bringe den Polizeirichter!«, befahl der Kalif.

Zum allgemeinen Erstaunen erschien dieser sogleich, wie durch Zauberei herbeigebracht. Der Kalif fragte ihn, ob er sich dieses Handels erinnere, und er gestand den Fall zu.

»Hast du den jungen Mann verhört, hat er den Diebstahl eingestanden?«, fragte Harun.

»Nein, er war sogar so verstockt, dass er niemandem als Euch selbst gestehen wollte!«, erwiderte der Richter.

»Aber ich erinnere mich nicht, ihn gesehen zu haben«, sagte der Kalif.

»Ei, warum auch! Da müsste ich alle Tage einen ganzen Pack solchen Gesindels zu Euch schicken, das Euch sprechen will.«

»Du weißt, dass mein Ohr für jeden offen ist«, antwortete Harun, »aber wahrscheinlich waren die Beweise für den Diebstahl so klar, dass es nicht nötig war, den jungen Menschen vor mein Angesicht zu bringen. Du hattest wohl Zeugen, dass das Geld, das der Sohn des Benezar gestohlen hatte, dir gehörte, Kalum?«

»Zeugen?«, fragte dieser erbleichend. »Nein, Zeugen hatte ich nicht, und Ihr wisset ja, Beherrscher der Gläubigen, dass ein Goldstück aussieht wie das andere. Woher konnte ich denn Zeugen nehmen, dass diese hundert Stücke in meiner Kasse fehlen?«

»An was erkanntest du denn, dass jene Summe gerade dir gehöre?«, fragte der Kalif.

»An dem Beutel, in dem sie war«, erwiderte Kalum.

»Hast du den Beutel hier?«, forschte jener weiter.

»Hier ist er«, sprach der Kaufmann, zog einen Beutel hervor und reichte ihn dem Großwesir, damit er ihn dem Kalifen gebe.

Doch der Wesir rief mit verstelltem Erstaunen: »Beim Bart des Propheten, der Beutel soll dein sein, du Hund? Mir gehörte dieser Beutel, und ich gab ihn, mit hundert Goldstücken gefüllt, einem braven jungen Mann, der mich aus einer großen Gefahr befreite.«

»Kannst du darauf schwören?«, fragte der Kalif.

»So gewiss, als ich einst ins Paradies kommen will«, antwortete der Wesir, »denn meine Tochter hat ihn selbst verfertigt.«

»Ei, ei«, rief Harun, »so wurdest du also falsch unterrichtet, Polizeirichter? Warum hast du denn geglaubt, dass der Beutel diesem Kaufmann gehöre?«

»Er hat geschworen«, antwortete der Polizeirichter furchtsam.

»So hast du falsch geschworen?«, donnerte der Kalif den Kaufmann an, der erbleichend und zitternd vor ihm stand.

»Allah, Allah!«, rief jener. »Ich will gewiss nichts gegen den Herrn Großwesir sagen, er ist ein glaubwürdiger Mann, aber ach, der Beutel gehörte doch mir, und der nichtswürdige Said hat ihn gestohlen. Tausend Tomans wollte ich geben, wenn er jetzt zur Stelle wäre.«

»Was hast du denn mit diesem Said angefangen?«, fragte der Kalif. »Sag an, wohin man schicken muss, damit er vor mir Bekenntnis ablege!«

»Ich habe ihn auf eine wüste Insel geschickt«, sprach der Polizeirichter.

»O Said, mein Sohn, mein Sohn!«, rief der unglückliche Vater und weinte.

»So hat er also das Verbrechen bekannt?«, fragte Harun.

Der Polizeirichter erbleichte. Er rollte seine Augen hin und her, und endlich sprach er: »Wenn ich mich noch recht erinnern kann – ja.«

»Du weißt es also nicht gewiss?«, fuhr der Kalif mit schrecklicher Stimme fort. »So wollen wir ihn selbst fragen. Tritt hervor, Said, und du, Kalum-Bek, zahlst vor allem tausend Goldstücke, weil er jetzt hier zur Stelle ist.«

Kalum und der Polizeirichter glaubten ein Gespenst zu sehen. Sie stürzten nieder und riefen: »Gnade! Gnade!« Benezar, vor Freude halb ohnmächtig, eilte in die Arme seines verlorenen Sohnes. Aber mit eiserner Strenge fragte jetzt der Kalif: »Polizeirichter, hier steht Said, hat er eingestanden?«

»Nein, nein«, heulte der Polizeirichter, »ich habe nur Kalums Zeugnis gehört, weil er ein angesehener Mann ist.«

»Habe ich dich darum als Richter über alle bestellt, dass du nur den Vornehmen hörst?«, rief Harun Al-Raschid mit edlem Zorn. »Auf zehn Jahre verbanne ich dich auf eine wüste Insel mitten im Meere, da kannst du über Gerechtigkeit nachdenken; und du, elender Mensch, der du Sterbende erweckst, nicht um sie zu retten, sondern um sie zu

deinen Sklaven zu machen, du zahlst, wie schon gesagt, tausend Tomans, weil du sie versprochen, wenn Said käme, um für dich zu zeugen.«

Kalum freute sich, so wohlfeil aus dem bösen Handel zu kommen, und
wollte eben dem gütigen Kalifen danken. Doch dieser fuhr fort: »Für
den falschen Eid wegen der hundert Goldstücke bekommst du hundert Hiebe auf die Fußsohlen. Ferner hat Said zu wählen, ob er dein
ganzes Gewölbe und dich als Lastträger nehmen will oder ob er mit
zehn Goldstücken für jeden Tag, an dem er dir diente, zufrieden ist.«

»Lasst den Elenden laufen, Kalif!«, rief der Jüngling. »Ich will nichts,
das ihm gehörte.«

»Nein«, antwortete Harun, »ich will, dass du entschädigt werdest. Ich
wähle statt deiner die zehn Goldstücke für jeden Tag, und du magst
berechnen, wie viel Tage du in seinen Klauen warst. Jetzt fort mit diesen Elenden!«

Sie wurden abgeführt, und der Kalif geleitete Benezar und Said in einen andern Saal. Dort erzählte er Benezar selbst seine wunderbare Rettung durch Said und wurde nur zuweilen durch das Geheul Kalum-Beks unterbrochen, dem man soeben im Hof seine hundert vollwichtigen Goldstücke auf die Fußsohlen zählte.

Der Kalif lud Benezar ein, mit Said bei ihm in Bagdad zu leben. Benezar sagte es zu und reiste nur noch einmal nach Hause, um sein großes Vermögen abzuholen. Said lebte in dem Palast, den ihm der dankbare Kalif erbaut hatte, wie ein Fürst. Der Bruder des Kalifen und der Sohn des Großwesirs waren seine Gesellschafter, und es war in Bagdad zum Sprichwort geworden: Ich möchte so gut und so glücklich sein wie Said, der Sohn Benezars.

* * *

»Bei solcher Unterhaltung käme mir kein Schlaf in die Augen, wenn ich auch zwei, drei und mehrere Nächte wach bleiben müsste«, sagte der Zirkelschmied, als der Jäger geendigt hatte. »Und oft schon habe ich dies bewährt gefunden. So war ich in früherer Zeit als Geselle bei einem Glockengießer. Der Meister war ein reicher Mann und kein Geizhals. Aber eben darum wunderten wir uns nicht wenig, als wir einmal eine große Arbeit hatten und er, ganz gegen seine Gewohnheit, so knickerig wie möglich erschien. Es wurde für die neue Kirche eine Glocke gegossen, und wir Jungen und Gesellen mussten die ganze Nacht am Herd sitzen und das Feuer hüten. Wir glaubten nicht anders, als der Meister werde sein Mutterfässchen anstechen und uns den besten Wein vorsetzen. Aber nicht also. Er ließ nur alle Stunden einen Umtrunk tun und fing an, von seiner Wanderschaft, von seinem Leben allerlei Geschichten zu erzählen; dann kam es an den Obergesellen, und so der Reihe nach, und keiner von uns wurde schläfrig, denn begierig horchten wir alle zu. Ehe wir uns dessen versahen, war es Tag. Da erkannten wir die List des Meisters, dass er uns durch Reden habe wach halten wollen. Denn als die Glocke fertig war, schonte er seinen Wein nicht und holte ein, was er weislich in jener Nacht versäumte.«

»Das war ein vernünftiger Mann«, erwiderte der Student. »Gegen den

Schlaf, das ist gewiss, hilft nichts als Reden. Darum möchte ich diese Nacht nicht einsam bleiben, weil ich mich gegen elf Uhr hin des Schlafes nicht mehr erwehren könnte.«

»Das haben auch die Bauersleute wohl bedacht«, sagte der Jäger. »Wenn die Frauen und Mädchen an den langen Winterabenden bei Licht spinnen, so bleiben sie nicht einsam zu Hause, weil sie da wohl mitten unter der Arbeit einschlafen, sondern sie kommen zusammen in den so genannten Lichtstuben, setzen sich in großer Gesellschaft zur Arbeit und erzählen.«

»Ja«, fiel der Fuhrmann ein, »da geht es oft recht gräulich zu, dass man sich ordentlich fürchten möchte, denn sie erzählen von feurigen Geistern, die auf der Welt umherschweifen, von Kobolden, die nachts in den Kammern poltern, und von Gespenstern, die Menschen und Vieh ängstigen.«

»Da haben sie nun freilich nicht die beste Unterhaltung«, entgegnete der Student. »Mir, ich gestehe es, ist nichts so verhasst wie Gespenstergeschichten.«

»Ei, da denke ich gerade das Gegenteil«, rief der Zirkelschmied. »Mir ist es recht behaglich bei einer richtigen Schauergeschichte. Es ist gerade wie beim Regenwetter, wenn man unter dem Dach schläft. Man hört die Tropfen tick, tack, tick, tack auf die Ziegel herunterrauschen und fühlt sich recht warm im Trockenen. So, wenn man bei Licht und in Gesellschaft von Gespenstern hört, fühlt man sich sicher und behaglich.«

»Aber nachher?«, sagte der Student. »Wenn einer zugehört hat, der dem lächerlichen Glauben an Gespenster ergeben ist, wird er sich nicht grauen, wenn er allein ist und im Dunkeln? Wird er nicht an all das Schauerliche denken, was er gehört hat? Ich kann mich noch heute über diese Gespenstergeschichten ärgern, wenn ich an meine Kindheit denke. Ich war ein munterer, aufgeweckter Junge und mochte vielleicht etwas unruhiger sein, als meiner Amme lieb war. Da wusste sie nun kein anderes Mittel, mich zum Schweigen zu bringen, als dass sie mich fürchten machte. Sie erzählte mir allerlei schauerliche Geschichten von Hexen und bösen Geistern, die im Hause spuken sollten, und wenn eine Katze auf dem Boden ihr Wesen trieb, flüsterte sie mir ängstlich zu: ›Hörst du, Söhnchen? Jetzt geht er wieder Treppe auf,

Treppe ab, der tote Mann. Er trägt seinen Kopf unter dem Arm, aber seine Augen glänzen doch wie Laternen; Krallen hat er statt der Finger, und wenn er einen im Dunkeln erwischt, dreht er ihm den Hals um.‹«
Die Männer lachten über diese Geschichten, aber der Student fuhr fort: »Ich war zu jung, als dass ich hätte einsehen können, dies alles sei unwahr und erfunden. Ich fürchtete mich nicht vor dem größten Jagdhund, warf jeden meiner Gespielen in den Sand; aber wenn ich ins Dunkle kam, drückte ich vor Angst die Augen zu, denn ich glaubte, jetzt werde der tote Mann heranschleichen. Es ging so weit, dass ich nicht mehr allein und ohne Licht aus der Tür gehen wollte, wenn es dunkel war; und wie manchmal hat mich mein Vater nachher gezüchtigt, als er diese Unart bemerkte! Aber lange Zeit konnte ich diese kindische Furcht nicht loswerden, und allein meine törichte Amme trug die Schuld.«
»Ja, das ist ein großer Fehler«, bemerkte der Jäger, »wenn man die kindlichen Gedanken mit solchem Aberwitz füllt. Ich kann Ihnen versichern, dass ich brave, beherzte Männer gekannt habe, Jäger, die sich sonst vor drei Feinden nicht fürchteten. Wenn sie nachts im Wald aufs Wild lauern sollten oder auf Wilddiebe, da gebrach es ihnen oft plötzlich an Mut, denn sie sahen einen Baum für ein schreckliches Gespenst, einen Busch für eine Hexe und ein paar Glühwürmer für die Augen eines Ungetüms an, das im Dunkeln auf sie laure.«
»Und nicht nur für Kinder«, entgegnete der Student, »halte ich Unterhaltungen dieser Art für höchst schädlich und töricht, sondern für jeden; denn welcher vernünftige Mensch wird sich über das Treiben und Wesen von Dingen unterhalten, die eigentlich nur im Hirn eines Toren wirklich sind? Dort spukt es, sonst nirgends. Doch am allerschädlichsten sind die Geschichten unter dem Landvolk. Dort glaubt man fest und unabweichlich an Torheiten dieser Art, und dieser Glaube wird in den Spinnstuben und in der Schenke genährt, wo sie sich enge zusammensetzen und mit furchtsamer Stimme die allergräulichsten Geschichten erzählen.«
»Ja, Herr«, erwiderte der Fuhrmann, »Ihr möget nicht Unrecht haben; schon manches Unglück ist durch solche Geschichten entstanden, ist ja doch sogar meine eigene Schwester dadurch elendiglich ums Leben gekommen.«

»Wie das? An solchen Geschichten?«, riefen die Männer erstaunt.
»Jawohl, an solchen Geschichten«, sprach jener weiter. »In dem Dorf,
wo unser Vater wohnte, ist es Sitte, dass die Frauen und die Mädchen
an den Winterabenden zum Spinnen sich zusammensetzen. Die jungen
Burschen kommen dann auch und erzählen mancherlei. So kam
es eines Abends, dass man von Gespenstern und Erscheinungen
sprach, und die jungen Burschen erzählten von einem alten Krämer,
der schon vor zehn Jahren gestorben sei, aber im Grab keine Ruhe finde.
Jede Nacht werfe er die Erde von sich ab, steige aus dem Grab,
schleiche langsam und hustend, wie er im Leben getan, nach seinem
Laden und wiege dort Zucker und Kaffee ab, indem er vor sich hin
murmele:

>*Drei Viertel, drei Viertel um Mitternacht*
Haben bei Tag ein Pfund gemacht.<

Viele behaupteten, ihn gesehen zu haben, und die Mädchen und Weiber
fingen an, sich zu fürchten. Meine Schwester aber, ein Mädchen
von sechzehn Jahren, wollte klüger sein als die andern und sagte:
>Das glaube ich alles nicht; wer einmal tot ist, kommt nicht wieder!<
Sie sagte es, aber leider ohne Überzeugung, denn sie hatte sich oft
schon gefürchtet. Da erwiderte einer von den jungen Leuten: >Wenn
du dies glaubst, so wirst du dich auch nicht vor ihm fürchten; sein
Grab ist nur zwei Schritte von Käthchens, die kürzlich gestorben ist.
Wage es einmal, gehe hin auf den Kirchhof, brich von Käthchens Grab
eine Blume und bringe sie uns, so wollen wir glauben, dass du dich
vor dem Krämer nicht fürchtest!<
Meine Schwester schämte sich, von den andern verlacht zu werden,
darum sagte sie: >Oh, das tu ich gern; was wollt ihr denn für eine Blume?<
>Es blüht im ganzen Dorf keine weiße Rose als dort; darum bring uns
einen Strauß davon<, antwortete eine ihrer Freundinnen. Sie stand auf
und ging, und alle Männer lobten ihren Mut, aber die Frauen schüttelten
den Kopf und sagten: >Wenn es nur gut abläuft!< Meine Schwester
ging dem Kirchhof zu; der Mond schien hell, und sie fing an zu schaudern,
als es zwölf Uhr schlug und sie die Kirchhofspforte öffnete.

Sie stieg über manchen Grabhügel weg, den sie kannte, und ihr Herz wurde bang und immer banger, je näher sie zu Käthchens weißen Rosen und zum Grab des gespenstischen Krämers kam.

Jetzt war sie da; zitternd kniete sie nieder und knickte die Blumen ab. Da glaubte sie ganz in der Nähe ein Geräusch zu vernehmen; sie sah sich um: Zwei Schritte von ihr flog die Erde von einem Grab hinweg, und langsam richtete sich eine Gestalt daraus empor. Es war ein alter, bleicher Mann mit einer weißen Schlafmütze auf dem Kopf. Meine Schwester erschrak; sie schaute noch einmal hin, um sich zu überzeugen, ob sie recht gesehen; als aber der im Grabe mit näselnder Stimme anfing zu sprechen: ›Guten Abend, Jungfer, woher so spät?‹, da erfasste sie ein Grausen des Todes; sie raffte sich auf, sprang über die Gräber hin nach jenem Hause, erzählte beinahe atemlos, was sie gesehen, und wurde so schwach, dass man sie nach Hause tragen musste. Was nützte es uns, dass wir am andern Tage erfuhren, es sei der Totengräber gewesen, der dort ein Grab gemacht und zu meiner armen Schwester gesprochen habe? Sie fiel, noch ehe sie dies erfahren konnte, in ein hitziges Fieber, an dem sie nach drei Tagen starb. Die Rosen zu ihrem Totenkranz hatte sie sich selbst gebrochen.«

Der Fuhrmann schwieg, und eine Träne hing in seinen Augen, die anderen alle sahen teilnehmend auf ihn hin.

»So hat das arme Kind auch an diesem Köhlerglauben sterben müssen«, sagte der junge Goldarbeiter. »Mir fällt da eine Sage ein, die ich euch wohl erzählen möchte und die leider mit einem solchen Trauerfall zusammenhängt.«

Die Höhle von Steenfoll

Eine schottländische Sage

Auf einer der Felseninseln Schottlands lebten vor vielen Jahren zwei Fischer in glücklicher Eintracht. Sie waren beide unverheiratet, hatten auch sonst keine Angehörigen, und ihre gemeinsame Arbeit, obgleich verschieden angewendet, nährte sie beide. Sie waren von etwa gleichem Alter, aber von Person und an Gemütsart glichen sie einander nicht mehr, als etwa ein Adler und ein Seehund sich gleichen.

Kaspar Strumpf war ein kurzer, dicker Mensch mit einem breiten, fetten Vollmondgesicht und gutmütig lachenden Augen, denen Gram und Sorge fremd zu sein schienen. Er war nicht nur fett, sondern auch schläfrig und faul, und ihm fielen daher die Arbeiten des Hauses, Kochen und Backen, das Stricken der Netze zum eigenen Fischfang und zum Verkaufe, auch ein großer Teil der Bestellung ihres kleinen Feldes anheim. Ganz das Gegenteil war sein Gefährte; lang und hager, mit kühner Habichtsnase und scharfen Augen, war er als der tätigste und glücklichste Fischer, der unternehmendste Kletterer nach Vögeln und Daunen, der fleißigste Feldarbeiter auf den Inseln und zugleich als der geldgierigste Händler auf dem Markte zu Kirchwall bekannt. Aber da seine Waren gut und sein Wandel frei von Betrug war, so handelte jeder gern mit ihm, und Wilm Falke – so nannten ihn seine Landsleute – und Kaspar Strumpf, mit dem er trotz seiner Habsucht gerne seinen schwer errungenen Gewinn teilte, waren auf gutem Wege zu einem gewissen Grad von Wohlhabenheit. Aber Wohlhabenheit allein war es nicht, was Falkes habsüchtigem Gemüte zusagte; er wollte reich, sehr reich werden, und da er bald einsehen lernte, dass auf dem gewöhnlichen Wege des Fleißes das Reichwerden nicht sehr schnell vor sich ging, so verfiel er auf den Gedanken, er müsste seinen Reichtum durch irgendeinen außerordentlichen Glückszufall erlangen. Weil nun dieser Gedanke einmal von seinem Geiste Besitz genommen hatte, fand sich für nichts anderes Raum darin, und er fing an, mit Kaspar Strumpf davon als von einer gewissen Sache zu reden. Dieser, dem alles, was Falke sagte, als Evangelium galt, erzählte es seinen Nachbarn, und bald verbreitete sich das Gerücht, Wilm Falke habe sich entweder wirklich dem Bösen für Gold verschrieben oder doch ein Anerbieten dazu von dem Fürsten der Unterwelt bekommen.

Anfangs zwar verlachte Falke diese Gerüchte, aber allmählich gefiel er sich in dem Gedanken, dass irgendein Geist ihm einmal einen Schatz verraten könne, und er widersprach nicht länger, wenn ihn seine Landsleute damit aufzogen. Er trieb zwar noch immer sein Geschäft fort, aber mit weniger Eifer, und verlor oft einen großen Teil der Zeit, die er sonst mit Fischfang oder anderen nützlichen Arbeiten zuzubringen pflegte, in zwecklosem Suchen nach irgendeinem Abenteuer, wodurch er plötzlich reich werden sollte. Eines Tages stand er am einsamen Ufer und schaute in unbestimmter Hoffnung auf das bewegte Meer hinaus, als solle ihm von dorther sein großes Glück kommen. Da wollte es sein Unglück, dass eine große Welle unter einer Menge von losgerissenem Tang und Gestein eine gelbe Kugel – eine Kugel von Gold – zu seinen Füßen rollte.

Wilm stand wie verzaubert. So waren denn seine Hoffnungen nicht leere Träume gewesen, das Meer hatte ihm Gold, schönes, reines Gold geschenkt, wahrscheinlich die Überreste einer schweren Barre, die bis zur Größe einer Flintenkugel abgerieben worden war. Und nun stand es klar vor seiner Seele, dass einmal irgendwo an dieser Küste ein reich beladenes Schiff gescheitert sein müsse und dass er dazu ersehen sei, die im Schoße des Meeres begrabenen Schätze zu heben. Das wurde von nun an sein einziges Streben. Seinen Fund sorgfältig, selbst vor seinem Freunde, verbergend, damit nicht auch andere seiner Entdeckung auf die Spuren kämen, versäumte er alles andere und brachte Tage und Nächte an dieser Küste zu, wo er nicht sein Netz nach Fischen, sondern eine eigens dazu verfertigte Schaufel – nach Gold auswarf. Aber er fand nichts als Armut; denn er selbst verdiente nichts mehr, und Kaspars schläfrige Bemühungen reichten nicht hin, sie beide zu ernähren. Im Suchen größerer Schätze verschwand nicht nur das gefundene Gold, sondern allmählich auch das ganze Eigentum der Junggesellen. Aber so wie Strumpf früher stillschweigend von Falke den besten Teil seiner Nahrung hatte erwerben lassen, so ertrug er es auch schweigend und ohne Murren, dass dessen zwecklose Tätigkeit sie ihm jetzt entzog; und gerade dieses sanftmütige Dulden seines Freundes war es, was jenen nur noch stärker anspornte, sein rastloses Suchen nach Reichtum weiter fortzusetzen. Was ihn aber noch tätiger machte, war, dass, sooft er sich zur Ruhe niederlegte und seine Augen sich zum Schlummer schlossen, jemand ihm ein Wort ins Ohr raunte, das er zwar sehr deutlich zu vernehmen glaubte und das ihm jedes Mal dasselbe schien, das er aber niemals behalten konnte. Zwar wusste er nicht, was dieser Umstand, so sonderbar er auch war, mit seinem jetzigen Streben zu tun haben könne, aber auf ein Gemüt wie das Wilm Falkes musste alles wirken, und auch dieses geheimnisvolle Flüstern half ihn in dem Glauben bestärken, dass ihm ein großes Glück bestimmt sei, das er nur in einem Goldhaufen zu finden hoffte.

Eines Tages überraschte ihn ein Sturm am Ufer, wo er die Goldkugel gefunden hatte, und die Heftigkeit des Unwetters trieb ihn an, in einer nahen Höhle Zuflucht zu suchen. Diese Höhle, von den Einwohnern die Höhle von Steenfoll genannt, besteht aus einem langen, unterirdischen Gange, der sich mit zwei Mündungen gegen das Meer öffnet und den Wellen freien Durchgang lässt, die sich beständig mit lautem Brüllen schäumend durch ihn hinarbeiten. Die Höhle war nur an einer Stelle zugänglich, und zwar durch eine Spalte von oben her, die aber selten von jemand anderem als mutwilligen Knaben betreten wurde, weil zu den eigenen Gefahren des Ortes sich noch der Ruf eines Geisterspuks gesellte. Mit Mühe ließ Wilm sich hinab und nahm ungefähr zwölf Fuß tief unter der Oberfläche auf einem vorspringenden Stein und unter einem überhängenden Felsenstück Platz, wo er, die brausenden Wellen unter seinen Füßen und den wütenden Sturm über seinem Haupte, in seinen gewöhnlichen Gedankengang verfiel; er dachte an das gescheiterte Schiff und daran, was es wohl für ein Schiff gewesen sein möchte; denn trotz allen seinen Erkundigungen hatte er selbst von den ältesten Einwohnern von keinem an dieser Stelle gescheiterten Fahrzeuge Nachricht erhalten können. Wie lange er so gesessen, wusste er selbst nicht; als er aber endlich aus seinen Träumereien erwachte, entdeckte er, dass der Sturm vorüber war. Er wollte eben wieder emporsteigen, als eine Stimme sich aus der Tiefe vernehmen ließ und das Wort Carmilhan ganz deutlich in sein Ohr drang. Erschrocken fuhr er in die Höhe und blickte in den leeren Abgrund hinab. »Großer Gott«, schrie er, »das ist das Wort, das mich in meinem Schlafe verfolgt! Was, ums Himmels willen, mag es bedeuten?« – »Carmilhan!«, seufzte es noch einmal aus der Höhle herauf, als er schon mit einem Fuß die Spalte verlassen hatte, und er floh entsetzt seiner Hütte zu.

Wilm war indessen keine Memme. Die Sache war ihm nur unerwartet gekommen, und seine Geldgier war überdies zu mächtig in ihm, als dass ihn irgendein Anschein von Gefahr hätte abschrecken können, auf seinem Pfade fortzuwandern. Einst, als er spät in der Nacht beim Mondschein der Höhle von Steenfoll gegenüber mit seiner Schaufel nach Schätzen fischte, blieb sie auf einmal an etwas hängen. Er zog aus Leibeskräften, aber der Gegenstand blieb unbeweglich. Inzwischen erhob sich der Wind, dunkle Wolken überzogen den Himmel, heftig schaukelte das Boot und drohte umzuschlagen. Aber Wilm ließ sich nicht irremachen; er zog und zog, bis der Widerstand aufhörte, und da er kein Gewicht fühlte, glaubte er, sein Seil sei gerissen. Aber gerade als die Wolken sich über dem Monde zusammenziehen wollten, erschien eine runde, schwarze Masse auf der Oberfläche, und es erklang das ihn verfolgende Wort: »Carmilhan!« Hastig wollte er zugreifen, aber ebenso schnell, wie er den Arm ausstreckte, verschwand alles in der Dunkelheit der Nacht, und der eben losbrechende Sturm zwang ihn, unter den nahen Felsen Zuflucht zu suchen. Hier schlief er vor Ermüdung ein und erduldete im Schlafe, von seiner ungezügelten Einbildungskraft gepeinigt, aufs Neue die Qualen, die ihn sein rastloses Streben nach Reichtum am Tage erleiden ließ.

Die ersten Strahlen der aufgehenden Sonne fielen auf den jetzt ruhigen Spiegel des Meeres, als Falke erwachte. Eben wollte er wieder hinaus an die gewohnte Arbeit, als er von ferne etwas auf sich zukommen sah. Er erkannte es bald als ein Boot und in ihm eine menschliche Gestalt. Was sein größtes Staunen erregte, war, dass das Fahrzeug sich ohne Segel oder Ruder fortbewegte, und zwar mit dem Schnabel gegen das Ufer gekehrt und ohne dass die darin sitzende Gestalt sich im Geringsten um das Steuerruder zu bekümmern schien, wenn das Boot überhaupt eines hatte. Das Fahrzeug kam immer näher und hielt endlich neben Wilms Fischerkahn stille. Die Person darin zeigte sich jetzt als ein kleines, verschrumpftes, altes Männchen, das in gelbe Leinwand gekleidet und mit roter, in die Höhe stehender Nachtmütze, mit geschlossenen Augen unbeweglich wie ein getrockneter Leichnam dasaß. Nachdem Wilm es vergebens angerufen und angestoßen hatte, wollte er eben einen Strick an dem Boot befestigen und es wegführen, als das Männchen die Augen aufschlug und sich zu bewegen anfing.

»Wo bin ich?«, fragte es nach einem tiefen Seufzer auf Holländisch. Falke, der von den holländischen Heringsfängern etwas von ihrer Sprache gelernt hatte, nannte ihm den Namen der Insel und fragte, wer es denn sei und was es hierher gebracht.

»Ich komme, um nach dem Carmilhan zu sehen.«

»Dem Carmilhan? Um Gottes willen, was ist das?«, rief der begierige Fischer.

»Ich gebe keine Antwort auf Fragen, die man mir auf diese Weise tut«, erwiderte das Männchen mit sichtbarer Angst.

»Nun«, schrie Falke, »was ist das: Carmilhan?«

»Der Carmilhan ist jetzt nichts, aber einst war es ein schönes Schiff, mit mehr Gold beladen als je ein anderes Fahrzeug.«

»Wo ging es zugrunde – und wann?«

»Es war vor hundert Jahren; wo, weiß ich nicht genau; ich komme, um die Stelle aufzusuchen und das verlorene Gold aufzufischen; willst du mir helfen, so wollen wir den Fund miteinander teilen.«

»Mit ganzem Herzen; sage mir nur, was ich tun muss.«

»Was du tun musst, erfordert Mut. Du musst dich gerade vor Mitternacht in die wildeste und einsamste Gegend auf der Insel begeben, begleitet von einer Kuh, die du dort schlachten und dich von jemand in ihre frische Haut wickeln lassen musst. Dein Begleiter muss dich dann niederlegen und allein lassen, und ehe es ein Uhr schlägt, weißt du, wo die Schätze des Carmilhan liegen.«

»Auf diese Weise fiel des alten Engrol Sohn mit Leib und Seele ins Verderben!«, rief Wilm mit Entsetzen. »Du bist der böse Geist«, fuhr er fort, indem er hastig davonruderte, »geh zur Hölle! Ich mag nichts mit dir zu tun haben.«

Das Männchen knirschte, schimpfte und fluchte ihm nach. Der Fischer, der zu beiden Rudern gegriffen hatte, war ihm bald aus dem Gehör, und nachdem er um einen Felsen gebogen, auch aus dem Gesichte. Aber die Entdeckung, dass der böse Geist sich seine Geldgier zunutze zu machen und ihn mit Gold in seine Schlingen zu locken suchte, heilte den verblendeten Fischer nicht, im Gegenteil, er meinte, die Mitteilung des gelben Männchens benutzen zu können, ohne sich dem Bösen zu überliefern; und indem er fortfuhr, an der öden Küste nach Gold zu fischen, vernachlässigte er den Wohlstand, den ihm die reichen Fischzüge in anderen Gegenden des Meeres darboten, sowie alle andere Arbeit, auf die er ehemals seinen Fleiß verwendet hatte, und versank von Tag zu Tag nebst seinem Gefährten in tiefere Armut, bis es endlich oft an den notwendigsten Lebensbedürfnissen zu fehlen anfing. Obgleich dieser Verfall gänzlich Falkes Halsstarrigkeit und falscher Begierde zugeschrieben werden musste und die Ernährung beider jetzt Kaspar Strumpf allein anheim fiel, so machte ihm der doch niemals den geringsten Vorwurf, ja, er bezeigte ihm immer noch dieselbe Unterwürfigkeit, dasselbe Vertrauen in seinen besseren Verstand wie zur Zeit, da ihm seine Unternehmungen geglückt waren. Dieser Umstand vermehrte Falkes Leiden um ein Großes, trieb ihn aber, noch mehr nach Gold zu suchen, weil er hoffte, dadurch auch seinen Freund für sein gegenwärtiges Entbehren schadlos halten zu können. Dabei verfolgte ihn das teuflische Geflüster des Wortes Carmilhan noch immer in seinem Schlummer; kurz, Not, getäuschte Erwartung und Geiz trieben ihn zuletzt zu einer Art von Wahnsinn, so dass er wirklich beschloss, das zu tun, was ihm das Männchen angeraten, obgleich er nach der alten Sage wohl wusste, dass er sich damit den Mächten der Finsternis übergab.

Alle Gegenvorstellungen Kaspars waren vergebens. Falke ward nur umso heftiger, je mehr jener ihn anflehte, von seinem verzweifelten Vorhaben abzustehen. Und der gute, schwache Mensch willigte endlich ein, ihn zu begleiten und ihm seinen Plan ausführen zu helfen. Beider Herzen zogen sich schmerzhaft zusammen, als sie einen Strick um die Hörner einer schönen Kuh, ihr letztes Eigentum, legten, die sie vom Kalbe aufgezogen und die sie sich immer zu verkaufen geweigert hatten, weil sie's nicht übers Herz bringen konnten, sie in fremden Händen zu sehen. Aber der böse Geist, der sich Wilms bemeisterte, erstickte jetzt alle besseren Gefühle in ihm, und Kaspar vermochte ihm in nichts zu widerstehen.

Es war im September, und die langen Nächte des schottischen Winters hatten angefangen. Die Nachtwolken wälzten sich schwer vor

dem rauen Abendwinde und türmten sich wie Eisberge im Maël-
strom, tiefer Schatten füllte die Schluchten zwischen dem Gebirge
und den feuchten Torfsümpfen, und die trüben Betten der Ströme
blickten schwarz und furchtbar wie Höllenschlünde. Falke ging voran, und Strumpf folgte, schaudernd über seine eigene Kühnheit, und
Tränen füllten sein schweres Auge, sooft er das arme Tier ansah, das
so vertrauensvoll und ahnungslos seinem baldigen Tode entgegen-
ging, der ihm von derselben Hand kommen sollte, die ihm bisher seine Nahrung gereicht. Mit Mühe kamen sie in das enge, sumpfige
Bergtal, das hier und da mit Moos und Heidekraut bewachsen, mit
großen Steinen übersät war und von einer wilden Gebirgskette umgeben lag, die sich in grauem Nebel verlor und wohin der Fuß eines
Menschen sich selten verstieg. Sie näherten sich auf wankendem Boden einem großen Stein, der in der Mitte stand und von dem ein ver-
scheuchter Adler krächzend in die Höhe flog. Die arme Kuh brüllte
dumpf, als erkenne sie die Schrecknisse des Ortes und das ihr be-
vorstehende Schicksal. Kaspar wandte sich weg, um sich die schnell
fließenden Tränen abzuwischen. Er blickte hinab durch die Felsenöff-
nung, durch die sie heraufgekommen waren, von wo aus man die ferne Brandung des Meeres hörte, und dann hinauf nach den Berggip-
feln, auf denen sich kohlschwarzes Gewölk gelagert hatte. Als er sich
wieder nach Wilm umsah, hatte der bereits die arme Kuh an den Stein
gebunden und stand mit aufgehobener Axt im Begriff, das gute Tier
zu fällen.

Das war zu viel für seinen Entschluss, sich in den Willen seines Freundes zu fügen. Mit gerungenen Händen stürzte er auf die Knie. »Um
Gottes willen, Wilm Falke«, schrie er mit der Stimme der Verzweiflung, »schone dich, schone die Kuh! Schone dich und mich! Schone
deine Seele! – Schone dein Leben! Und musst du Gott so versuchen, so
warte bis morgen und opfere lieber ein anderes Tier als unsere liebe
Kuh!«

»Kaspar, bist du toll?«, schrie Wilm wie ein Wahnsinniger, indem er
noch immer die Axt in die Höhe geschwungen hielt. »Soll ich die Kuh
schonen und verhungern?«

»Du sollst nicht verhungern«, antwortete Kaspar entschlossen. »Solange ich Hände habe, sollst du nicht verhungern. Ich will vom Mor-

gen bis in die Nacht für dich arbeiten. Nur bringe dich nicht um deiner Seele Seligkeit und lass mir das arme Tier leben!«

»Dann nimm die Axt und spalte mir den Kopf!«, schrie Falke mit verzweifeltem Ton. »Ich gehe nicht von diesem Fleck, bis ich habe, was ich verlange. Kannst du die Schätze des Carmilhan für mich heben? Können deine Hände mehr erwerben als gerade das Nötigste für die Bedürfnisse des Lebens? Aber sie können meinen Jammer enden – komm, und lass mich das Opfer sein!«

»Wilm, töte die Kuh, töte mich! Es liegt mir nichts daran, es ist mir ja nur um deine Seligkeit zu tun. Ach, dies ist ja der Piktenaltar, und das Opfer, das du bringen willst, gehört der Finsternis.«

»Ich weiß von nichts dergleichen«, rief Falke wild lachend wie einer, der entschlossen ist, nichts wissen zu wollen, was ihn von seinem Vorsatz abbringen könnte. »Kaspar, du bist toll und machst mich toll – aber da«, fuhr er fort, indem er das Beil von sich warf und das Messer vom Steine aufnahm, wie wenn er sich durchstoßen wollte, »da, behalte die Kuh statt meiner!«

Kaspar war in einem Augenblick bei ihm, riss ihm das Mordwerkzeug aus der Hand, erfasste das Beil, schwang es hoch in der Luft und ließ es mit solcher Gewalt auf des geliebten Tieres Kopf fallen, dass es ohne zu zucken und tot zu seinen Füßen niederstürzte.

Ein Blitz, begleitet von einem Donnerschlage, folgte dieser raschen Handlung, und Falke starrte seinen Freund mit den Augen an, womit ein Mann ein Kind anstaunen würde, das sich zu tun getraute, was er selbst nicht gewagt hätte. Strumpf schien weder von dem Donner erschreckt noch durch das starre Entsetzen seines Gefährten außer Fassung gebracht, sondern fiel, ohne ein Wort zu reden, über die Kuh her und fing an, ihr die Haut abzuziehen. Als Wilm sich ein wenig erholt hatte, half er ihm dabei, aber mit so sichtbarem Widerwillen, als er vorher begierig gewesen war, das Opfer vollendet zu sehen. Unter dieser Arbeit hatte sich das Gewitter zusammengezogen, der Donner brüllte laut im Gebirge, und furchtbare Blitze schlängelten sich um den Stein und über das Moor der Schlucht hin, während der Wind, der die Höhe noch nicht erreicht hatte, Täler und Gestade mit wildem Heulen erfüllte. Als die Haut endlich abgezogen war, fanden beide Fischer sich schon völlig durchnässt. Sie breiteten das Fell auf dem Bo-

den aus, und Kaspar wickelte und band Falke, so wie dieser es ihn geheißen, fest darin ein. Dann erst, als dies geschehen war, brach der arme Mensch das lange Stillschweigen, und indem er mitleidig auf seinen betörten Freund hinabblickte, fragte er mit zitternder Stimme: »Kann ich noch etwas für dich tun, Wilm?«

»Nichts mehr«, erwiderte der andere, »leb wohl!«

»Leb wohl«, erwiderte Kaspar, »Gott sei mit dir und vergebe dir, wie ich es tue!«

Es waren die letzten Worte, die Wilm von ihm hörte, dann war er in der immer zunehmenden Dunkelheit verschwunden. Und im gleichen Augenblicke brach auch einer der fürchterlichsten Gewitterstürme, die Wilm nur je erlebt hatte, aus. Er fing an mit einem Blitze, der Falke nicht nur die Berge und Felsen in seiner unmittelbaren Nähe, sondern auch das Tal unter ihm mit dem schäumenden Meere und den in der Bucht zerstreut liegenden Felseninseln zeigte. Zwischen ihnen glaubte er die Erscheinung eines großen fremdartigen und entmasteten Schiffes zu erblicken, das auch im Augenblick wieder in der schwärzesten Dunkelheit verschwand. Die Donnerschläge wurden betäubend. Eine Masse Felsenstücke rollte vom Gebirge herab und drohte ihn zu erschlagen. Der Regen ergoss sich in solcher Menge, dass er in einem Augenblick das enge Sumpftal mit einer hohen Flut überströmte, die bald bis zu Wilms Schultern hinaufreichte; glücklicherweise hatte ihn Kaspar mit dem oberen Teile des Körpers auf eine Erhöhung gelegt, sonst hätte er ertrinken müssen. Das Wasser stieg immer höher, und je mehr Wilm sich anstrengte, sich aus seiner gefahrvollen Lage zu befreien, desto fester umgab ihn die Haut. Umsonst rief er nach Kaspar. Kaspar war weit weg. Gott in seiner Not anzurufen, wagte er nicht, und ein Schauder ergriff ihn, wenn er die Mächte anflehen wollte, deren Gewalt er sich hingegeben fühlte.

Schon drang ihm das Wasser in die Ohren, schon berührte es den Rand der Lippen. »Gott, ich bin verloren!«, schrie er, indem er einen Strom über sein Gesicht hinstürzen fühlte – aber in demselben Augenblick drang ein Schall wie von einem nahen Wasserfall schwach in sein Gehör, und sogleich war auch sein Mund wieder unbedeckt. Die Flut hatte sich durch das Gestein Bahn gebrochen. Da zu gleicher Zeit der Regen etwas nachließ und das tiefe Dunkel des Himmels sich etwas verzog, ließ auch seine Verzweiflung nach, und es schien ihm ein Strahl der Hoffnung zurückzukehren. Aber obgleich er sich wie von einem Todeskampfe erschöpft fühlte und sehnlich wünschte, aus seiner Gefangenschaft erlöst zu sein, war doch der Zweck seines verzweifelten Strebens noch nicht erreicht, und mit der verschwundenen unmittelbaren Lebensgefahr kam auch die Habsucht mit all ihren Furien in seine Brust zurück. Überzeugt, dass er in seiner Lage ausharren müsse, um sein Ziel zu erreichen, hielt er sich ruhig und fiel vor Kälte und Ermüdung in einen festen Schlaf.

Er mochte ungefähr zwei Stunden geschlafen haben, als ihn ein kalter Wind, der ihm übers Gesicht fuhr, und ein Rauschen wie von herannahenden Meereswogen aus seiner Selbstvergessenheit aufrüttelte. Der Himmel hatte sich aufs Neue verfinstert. Ein Blitz gleich dem, der den ersten Sturm herbeigeführt hatte, erhellte noch einmal die Gegend umher, und er glaubte abermals, das fremde Schiff zu erblicken, das jetzt dicht vor der Steenfollklippe auf einer hohen Welle zu hängen und dann jählings in den Abgrund zu schießen schien. Er starrte noch immer nach dem Phantom, denn ein unaufhörliches Blitzen hielt jetzt das Meer erleuchtet, als sich auf einmal eine berghohe Wasserhose aus dem Tal erhob und ihn mit solcher Gewalt gegen einen Felsen schleuderte, dass ihm alle Sinne vergingen.

Als er wieder zu sich kam, hatte sich das Wetter verzogen, der Himmel war heiter, aber das Wetterleuchten dauerte noch immer fort. Er lag dicht am Fuße des Gebirges und fühlte sich so zerschlagen, dass er sich kaum zu rühren vermochte. Er hörte das stillere Brausen der Brandung und mitten drinnen eine feierliche Musik wie Kirchengesang. Diese Töne waren anfangs so schwach, dass er sie für Täuschung hielt. Aber sie ließen sich immer wieder aufs Neue vernehmen und jedes Mal deutlicher und näher, und es schien ihm zuletzt, als könne er darin die Melodie eines Psalms unterscheiden, die er im vorigen Sommer an Bord eines holländischen Heringfängers gehört hatte.

Endlich unterschied er sogar Stimmen, und es deuchte ihm, als vernehme er sogar die Worte jenes Liedes. Die Stimmen waren jetzt in dem Tale, und als er sich mit Mühe zu einem Stein hinausgeschoben hatte, auf den er den Kopf legte, erblickte er wirklich einen Zug von menschlichen Gestalten, von denen die Musik ausging und der sich

gerade auf ihn zu bewegte. Kummer und Angst lagen auf den Gesichtern der Leute, deren Kleider von Wasser zu triefen schienen. Jetzt
waren sie dicht bei ihm, und ihr Gesang schwieg. An ihrer Spitze waren mehrere Musikanten, dann mehrere Seeleute, und hinter diesen
kam ein großer, starker Mann in altväterischer, reich mit Gold besetz-
ter Tracht, mit einem Schwert an der Seite und einem langen, dicken
spanischen Rohr mit goldenem Knopf in der Hand. Ihm zur Linken
ging ein Negerknabe, der seinem Herrn von Zeit zu Zeit eine lange
Pfeife reichte, aus der dieser einige feierliche Züge tat und dann wei-
terschritt. Er blieb kerzengerade vor Wilm stehen, und ihm zu beiden
Seiten stellten sich andere, minder prächtig gekleidete Männer, die
alle Pfeifen in den Händen hatten, aber nicht so kostbare wie die Pfeife, die dem dicken Manne nachgetragen wurde. Hinter ihnen traten
andere Personen auf, worunter mehrere Frauen, von denen einige
Kinder in den Armen oder an der Hand hatten, alle in kostbarer,
fremdartiger Kleidung. Ein Haufe holländischer Matrosen schloss
den Zug, deren jeder den Mund voll Tabak und zwischen den Zähnen
ein braunes Pfeifchen hatte, das sie in düsterer Stille rauchten.
Der Fischer blickte mit Grausen auf diese sonderbare Versammlung,
aber die Erwartung dessen, was da kommen werde, hielt seinen Mut
aufrecht. Lange standen die Menschen des Zuges so um ihn her, und
der Rauch ihrer Pfeifen erhob sich wie eine Wolke über sie, zwischen
der die Sterne hindurchblinkten. Der Kreis zog sich immer enger um

Wilm her, das Rauchen wurde immer heftiger und dicker die Wolke, die aus Mund und Pfeifen hervorstieg. Falke war ein kühner, verwegener Mann, er hatte sich auf Außerordentliches vorbereitet, aber als er diese unbegreifliche Menge immer näher auf sich eindringen sah, als wolle sie ihn mit ihrer Masse erdrücken, da entsank ihm der Mut, dicker Schweiß trat ihm vor die Stirn, und er glaubte, vor Angst vergehen zu müssen. Aber man denke sich erst seinen Schrecken, als er von ungefähr die Augen wandte und dicht an seinem Kopf das gelbe Männchen steif und aufrecht sitzen sah, wie er es zum ersten Mal erblickt, nur dass es jetzt, wie zum Spotte der ganzen Versammlung, auch eine Pfeife im Munde hatte. In der Todesangst, die ihn jetzt ergriff, rief er, zu der Hauptperson gewendet: »Im Namen dessen, dem Ihr dienet, wer seid Ihr und was verlangt Ihr von mir?« Der große Mann rauchte drei Züge, feierlicher als je, gab dann die Pfeife seinem Diener und antwortete mit schreckhafter Kälte: »Ich bin Alfred Franz van der Swelder, Befehlshaber des Schiffes Carmilhan von Amsterdam, das auf dem Heimwege von Batavia mit Mann und Maus an dieser Felsenküste zugrunde ging. Diese sind meine Offiziere, dies meine Fahrgäste und jenes meine braven Seeleute, die alle mit mir ertranken. Warum hast du uns aus unsern tiefen Wohnungen im Meere hervorgerufen? Warum störtest du unsere Ruhe?«

»Ich möchte wissen, wo die Schätze des Carmilhan liegen.«

»Am Boden des Meeres.«

»Wo?«

»In der Höhle von Steenfoll.«

»Wie soll ich sie bekommen?«

»Eine Gans taucht in den Grund nach einem Hering. Sind die Schätze des Carmilhan nicht ebenso viel wert?«

»Wie viel davon werd ich bekommen?«

»Mehr, als du je verzehren wirst.« Das gelbe Männchen grinste, und die ganze Versammlung lachte laut auf.

»Bist du zu Ende?«, fragte der Hauptmann weiter.

»Ich bin's. Gehab dich wohl!«

»Leb wohl, bis aufs Wiedersehen!«, erwiderte der Holländer und wandte sich zum Gehen. Die Musikanten traten aufs Neue an die Spitze, und der ganze Zug entfernte sich in derselben Ordnung, in der er gekommen war, und mit dem gleichen feierlichen Gesang, der mit der Entfernung immer leiser und undeutlicher wurde, bis er sich nach einiger Zeit gänzlich im Geräusche der Brandung verlor. Jetzt strengte Wilm seine letzten Kräfte an, sich aus seinen Banden zu befreien, und es gelang ihm endlich, einen Arm loszubekommen, womit er die ihn umwindenden Stricke löste und sich endlich ganz aus der Haut wickelte. Ohne sich umzusehen, eilte er nach seiner Hütte und fand den armen Kaspar Strumpf in starrer Bewusstlosigkeit am Boden liegen. Mit Mühe brachte er ihn wieder zu sich selbst, und der gute Mensch weinte vor Freude, als er den verloren geglaubten Jugendfreund wieder vor sich sah. Aber dieser beglückende Strahl verschwand schnell wieder, als er vernahm, welch verzweifeltes Unternehmen er jetzt vorhatte.

»Ich wollte mich lieber in die Hölle stürzen, als diese nackten Wände und dieses Elend länger ansehen. – Folge mir oder nicht, ich gehe!« Mit diesen Worten fasste Wilm eine Fackel, ein Feuerzeug und ein Seil und eilte davon. Kaspar lief ihm nach, so schnell er's vermochte, und fand ihn schon auf dem Felsstück stehen, auf dem er vormals gegen den Sturm Schutz gefunden hatte, bereit, sich an dem Strick in den brausenden schwarzen Schlund hinabzulassen. Als er sah, dass alle seine Einwände nichts über den rasenden Menschen vermochten, bereitete er sich, ihm nachzusteigen, aber Falke befahl ihm, zu bleiben und den Strick zu halten. Mit furchtbarer Anstrengung, wozu nur die blindeste Habsucht den Mut und die Stärke geben konnte, kletterte Falke in die Höhle hinab und kam endlich auf ein vorspringendes Felsenstück zu stehen, unter dem die Wogen, schwarz und mit weißem Schaum bekräuselt, brausend dahineilten. Er blickte begierig umher und sah endlich etwas gerade unter ihm im Wasser schimmern. Er legte die Fackel nieder, stürzte sich hinab und erfasste etwas Schweres, das er auch heraufbrachte. Es war ein eisernes Kästchen voller Goldstücke. Er verkündigte seinem Gefährten, was er gefunden, wollte aber durchaus nicht auf sein Flehen hören, sich damit zu begnügen und wieder heraufzusteigen. Falke meinte, dies sei nur die erste Frucht seiner langen Bemühungen. Er stürzte sich noch einmal hinab – es erscholl ein lautes Gelächter aus dem Meere, und Wilm Falke ward nie wieder gesehen.

Kaspar ging allein nach Hause, aber als ein anderer Mensch. Die seltsamen Erschütterungen, die sein schwacher Kopf und sein empfindsames Herz erlitten, zerrütteten ihm die Sinne. Er ließ alles um sich her verfallen und wanderte Tag und Nacht gedankenlos vor sich starrend umher, von allen seinen früheren Bekannten bedauert und gemieden. Ein Fischer will Wilm Falke in einer stürmischen Nacht mitten unter der Mannschaft des Carmilhan am Ufer erkannt haben, und in derselben Nacht verschwand auch Kaspar Strumpf.

Man suchte ihn allenthalben, allein nirgends hat man eine Spur von ihm finden können. Die Sage geht, dass er oft nebst Falke mitten unter der Mannschaft des Zauberschiffes gesehen worden sei, die seitdem zu regelmäßigen Zeiten an der Höhle von Steenfoll erschien.

* * *

»Mitternacht ist längst vorüber«, sagte der Student, als der junge Goldarbeiter seine Erzählung geendigt hatte, »jetzt ist wohl die Gefahr vorbei, und ich für meinen Teil bin so schläfrig, dass ich allen raten möchte, niederzuliegen und getrost einzuschlafen.«

»Vor zwei Uhr morgens möcht ich doch nicht trauen«, entgegnete der Jäger; »das Sprichwort sagt: Von elf bis zwei Uhr ist Diebes Zeit.«

»Das glaube ich auch«, bemerkte der Zirkelschmied, »denn wenn man uns etwas anhaben will, ist wohl keine Zeit gelegener als die nach Mitternacht. Drum meine ich, der Studiosus könnte mit seiner Erzählung fortfahren, die er noch nicht ganz vollendet hat.«

»Ich sträube mich nicht«, sagte dieser, »obgleich unser Nachbar, der Herr Jäger, den Anfang nicht gehört hat.«

»Ich muss ihn mir hinzudenken; fangt nur an!«, rief der Jäger.

»Nun denn –«, wollte eben der Student beginnen, als sie durch das Anschlagen eines Hundes unterbrochen wurden. Alle hielten den Atem an und horchten; zugleich stürzte einer der Bedienten aus dem Zimmer der Gräfin und rief, dass zehn bis zwölf bewaffnete Männer auf die Schenke zukämen.

Der Jäger griff nach seiner Büchse, der Student nach seiner Pistole, die Handwerksbursche nach ihren Stöcken, und der Fuhrmann zog ein langes Messer aus der Tasche. So standen sie und sahen ratlos einander an.

»Lasst uns an die Treppe gehen!«, rief der Student. »Zwei oder drei dieser Schurken sollen doch zuvor ihren Tod finden, ehe wir überwältigt werden.« Zugleich gab er dem Zirkelschmied seine zweite Pistole und riet, dass sie nur einer nach dem andern schießen wollten.

Sie stellten sich an die Treppe; der Student und der Jäger nahmen gerade ihre ganze Breite ein. Seitwärts neben dem Jäger stand der mutige Zirkelschmied und beugte sich über das Geländer, indem er die Mündung seiner Pistole auf die Mitte der Treppe hielt. Der Goldarbeiter und der Fuhrmann standen hinter ihnen, bereit, wenn es zu einem Kampf Mann gegen Mann kommen sollte, das ihrige zu tun. So standen sie einige Minuten in stiller Erwartung; endlich hörte man die Haustüre aufgehen, sie glaubten auch das Flüstern mehrerer Stimmen zu vernehmen.

Jetzt hörte man die Tritte vieler Menschen der Treppe nahen, man kam die Treppe herauf, und auf der ersten Hälfte zeigten sich drei Männer, die wohl nicht auf den Empfang gefasst waren, der ihnen bereitet wurde. Denn als sie sich um die Pfeiler der Treppen wandten, schrie der Jäger mit starker Stimme: »Halt! Noch einen Schritt weiter, und ihr seid des Todes. Spannet die Hähne, Freunde, und gut gezielt!«

Die Räuber erschraken, zogen sich eilig zurück und berieten sich mit den Übrigen. Nach einer Weile kam einer davon zurück und sprach: »Ihr Herren! Es wäre Torheit von euch, umsonst euer Leben aufopfern zu wollen, denn wir sind unser genug, um euch völlig aufzurei-

ben. Zieht euch zurück, es soll keinem das Geringste zuleide geschehen, wir wollen keines Groschens Wert von euch nehmen.«
»Was wollt ihr denn sonst?«, rief der Student. »Meint ihr, wir werden
solchem Gesindel trauen? Nimmermehr! Wollt ihr etwas holen, in
Gottes Namen, so kommt, aber den Ersten, der sich um die Ecke wagt,
brenne ich auf die Stirne, dass er auf ewig keine Kopfschmerzen mehr
haben soll!«
»Gebt uns die Dame heraus, gutwillig!«, antwortete der Räuber. »Es
soll ihr nichts geschehen, wir wollen sie an einen sicheren und bequemen Ort führen, ihre Leute können zurückreiten und den Herrn Grafen bitten, er möge sie mit zwanzigtausend Gulden auslösen.«
»Solche Vorschläge sollen wir uns machen lassen?«, entgegnete der
Jäger knirschend vor Wut und spannte den Hahn. »Ich zähle bis drei,
und wenn du da unten nicht bei drei hinweg bist, so drücke ich los.
Eins, zwei …«
»Halt!«, schrie der Räuber mit donnernder Stimme. »Ist das Sitte, auf
einen wehrlosen Mann zu schießen, der mit euch friedlich unterhan-
delt? Törichter Bursche, du kannst mich totschießen, und dann hast
du wohl keine große Heldentat getan; aber hier stehen zwanzig meiner Kameraden, die mich rächen werden. Was nützt es dann deiner
Frau Gräfin, wenn ihr tot oder verstümmelt auf dem Flur liegt? Glaube mir, wenn sie freiwillig mitgeht, soll sie mit Achtung behandelt
werden, aber wenn du, bis ich drei zähle, nicht den Hahn in Ruhe set-
zest, soll es ihr übel ergehen. Hahn in Ruh', eins, zwei, drei!«
»Mit diesen Hunden ist nicht zu spaßen«, flüsterte der Jäger, indem er
den Befehl des Räubers befolgte. »Wahrhaftig, an meinem Leben liegt
nichts, aber wenn ich einen niederschieße, könnten sie meine Dame
umso härter behandeln. Ich will die Gräfin um Rat fragen. Gebt uns«,
fuhr er mit lauter Stimme fort, »eine halbe Stunde Waffenstillstand,
um die Gräfin vorzubereiten! Sie würde, wenn sie es so plötzlich er-
fährt, den Tod davon haben.«
»Zugestanden«, antwortete der Räuber und ließ zugleich den Ausgang der Treppe mit sechs Mann besetzen.
Bestürzt und verwirrt folgten die unglücklichen Reisenden dem Jäger in das Zimmer der Gräfin; es lag so nahe, und so laut hatte man
verhandelt, dass ihr kein Wort entgangen war. Sie war bleich und zit-

terte heftig, aber dennoch schien sie fest entschlossen, sich in ihr Schicksal zu ergeben. »Warum soll ich nutzlos das Leben so vieler braver Leute aufs Spiel setzen?«, sagte sie. »Warum euch zu einer vergeblichen Verteidigung auffordern, euch, die ihr mich gar nicht kennt? Nein, ich sehe, dass keine andere Rettung ist, als den Elenden zu folgen.«

Man war allgemein von dem Mut und dem Unglück der Dame ergriffen; der Jäger schwur, dass er diese Schmach nicht überleben könne. Der Student schmähte auf sich und seine Größe. »Wäre ich nur um einen halben Kopf kleiner«, rief er, »und hätte ich keinen Bart, so wüsste ich, was ich zu tun hätte. Ich ließe mir von der Frau Gräfin Kleider geben, und diese Elenden sollten spät genug erfahren, welchen Missgriff sie getan.«

Auch auf Felix hatte das Unglück dieser Frau großen Eindruck gemacht. Ihr ganzes Wesen kam ihm so rührend und bekannt vor, es war ihm, als sei es seine früh verstorbene Mutter, die sich in dieser schrecklichen Lage befinde. Er fühlte sich so gehoben, so mutig, dass er gerne sein Leben für das ihrige gegeben hätte. Als der Student jene Worte sprach, da blitzte auf einmal ein Gedanke in seiner Seele auf; er vergaß alle Angst, alle Rücksichten, und er dachte nur an die Rettung dieser Frau. »Ist es nur dies«, sprach er, indem er schüchtern und errötend hervortrat, »gehören nur ein kleiner Körper, ein bartloses Kinn und ein mutiges Herz dazu, die gnädige Frau zu retten, so bin ich vielleicht auch nicht zu schlecht dazu. Zieht in Gottes Namen meinen Rock an, setzt meinen Hut auf Euer schönes Haar und nehmet mein Bündel auf den Rücken und – zieht als Felix, der Goldarbeiter, Eure Straße!«

Alle waren erstaunt über den Mut des Jünglings, der Jäger fiel ihm freudig um den Hals. »Goldjunge«, rief er, »das wolltest du tun? Wolltest dich in meiner gnädigen Frau Kleider stecken lassen und sie retten? Das hat dir Gott eingegeben; aber allein sollst du nicht gehen, ich will mich mit gefangen geben, will bei dir bleiben an deiner Seite als dein bester Freund, und solange ich lebe, sollen sie dir nichts anhaben dürfen.« – »Auch ich ziehe mit dir, so wahr ich lebe!«, rief der Student.

Es kostete lange Überredung, bis die Gräfin in diesen Vorschlag einwilligte. Sie konnte den Gedanken nicht ertragen, dass ein fremder Mensch sich für sie aufopfern sollte; sie dachte sich im Fall einer späteren Entdeckung die Rache der Räuber, die ganz auf den Unglücklichen fallen würde, schrecklich. Endlich siegten teils die Bitten des jungen Menschen, teils die Überzeugung, im Fall sie gerettet würde, alles aufbieten zu können, um ihren Retter wieder zu befreien. Sie willigte ein. Der Jäger und die übrigen Reisenden begleiteten Felix in das Zimmer des Studenten, wo er sich schnell einige Kleider der Gräfin überwarf. Der Jäger setzte ihm noch zum Überfluss einige falsche Haarlocken der Kammerfrau und einen Damenhut auf, und alle versicherten, dass man ihn nicht erkennen würde. Selbst der Zirkelschmied schwur, wenn er ihm auf der Straße begegnete, würde er flink den Hut abziehen und nicht ahnen, dass er vor seinem mutigen Kameraden seine Verbeugung mache.

Die Gräfin hatte sich indessen mit Hilfe ihrer Kammerfrau aus dem Ränzchen des jungen Goldarbeiters mit Kleidern versehen. Der Hut, tief in die Stirn gedrückt, der Reisestock in der Hand, das etwas leichter gewordene Bündel auf dem Rücken machten sie völlig unkenntlich, und die Reisenden würden zu jeder andern Zeit über diese komische Maskerade nicht wenig gelacht haben. Der neue Handwerksbursche dankte Felix mit Tränen und versprach die schleunigste Hilfe.

»Nur noch eine Bitte habe ich«, antwortete Felix. »In diesem Ränzchen, das Sie auf dem Rücken tragen, befindet sich eine kleine Schachtel. Verwahren Sie diese sorgfältig. Wenn sie verloren ginge, wäre ich auf immer und ewig unglücklich; ich muss sie meiner Pflegemutter bringen und ...«

»Gottfried, der Jäger, weiß mein Schloss«, entgegnete sie; »es soll Euch alles unbeschädigt wieder zurückgestellt werden, denn ich hoffe, Ihr kommt dann selbst, edler junger Mann, um den Dank meines Gatten und den meinigen zu empfangen.«

Ehe noch Felix darauf antworten konnte, ertönten von der Treppe her die rauen Stimmen der Räuber; sie riefen, die Frist sei verflossen und alles zur Abfahrt der Gräfin bereit. Der Jäger ging zu ihnen hinab und erklärte ihnen, dass er die Damen nicht verlassen werde und lieber mit ihnen gehe, wohin es auch sei, ehe er ohne seine Gebieterin vor

seinem Herrn erschiene. Auch der Student erklärte, die Dame begleiten zu wollen. Die Räuber beratschlagten sich über den Fall und gestanden es endlich zu unter der Bedingung, dass der Jäger sogleich
seine Waffen abgebe. Zugleich befahlen sie, dass die übrigen Reisenden sich ruhig verhalten sollten, wenn die Frau Gräfin hinweggeführt werde.

Felix ließ den Schleier nieder, der über seinen Hut gebreitet war, setzte sich in eine Ecke, die Stirn in die Hand gestützt, und in dieser Stellung eines tief Betrübten erwartete er die Räuber. Die Reisenden hatten sich in das andere Zimmer zurückgezogen, doch so, dass sie alles,
was vorging, überschauen konnten. Der Jäger saß anscheinend traurig, aber auf alles lauernd in der andern Ecke des Zimmers, das die
Gräfin bewohnt hatte. Nachdem sie einige Minuten so gesessen, ging
die Tür auf, und ein schöner, stattlich gekleideter Mann von etwa
sechsunddreißig Jahren trat in das Zimmer. Er trug eine Art von mili-
tärischer Uniform, einen Orden auf der Brust, einen langen Säbel an
der Seite, und in der Hand hielt er einen Hut, von dem schöne Federn
herabwallten. Zwei seiner Leute hatten gleich nach seinem Eintritt die
Tür besetzt.

Er ging mit einer tiefen Verbeugung auf Felix zu. Vor einer Dame dieses Ranges schien er etwas in Verlegenheit zu sein und setzte mehrere
Mal an, bis es ihm gelang, geordnet zu sprechen. »Gnädige Frau«,
sagte er, »es gibt Fälle, wo man sich in Geduld schicken muss. Ein solcher ist der Ihrige. Glauben Sie nicht, dass ich den Respekt vor einer so
ausgezeichneten Dame auch nur auf einen Augenblick aus den Augen verlieren werde! Sie werden alle Bequemlichkeit haben, Sie werden über nichts klagen können als vielleicht über den Schrecken, den
Sie diesen Abend gehabt.« Hier hielt er inne, als erwarte er eine Antwort; als aber Felix beharrlich schwieg, fuhr er fort: »Sehen Sie in mir
keinen gemeinen Dieb, keinen Kehlabschneider! Ich bin ein unglücklicher Mann, den widrige Verhältnisse zu diesem Leben zwangen.
Wir wollen uns auf immer aus dieser Gegend entfernen, aber wir
brauchen Reisegeld. Es wäre uns ein Leichtes gewesen, Kaufleute
oder Postwagen zu überfallen, aber dann hätten wir vielleicht mehrere Leute auf immer ins Unglück gestürzt. Der Herr Graf, Ihr Gemahl,
hat vor sechs Wochen eine Erbschaft von fünf mal hunderttausend

Talern gemacht. Wir erbitten uns zwanzigtausend Gulden von diesem Überfluss, gewiss eine recht bescheidene Forderung. Sie werden daher die Gnade haben, jetzt sogleich einen offenen Brief an Ihren Gemahl zu schreiben, worin Sie ihm melden, dass wir Sie zurückbehalten, dass er die Zahlung so bald wie möglich leisten möge, widrigenfalls – Sie verstehen mich, wir müssten dann etwas härter mit Ihnen selbst verfahren. Die Zahlung wird nicht angenommen, wenn sie nicht unter dem Siegel der strengsten Verschwiegenheit von einem einzelnen Mann hierher gebracht wird.«

Die Szene wurde mit der gespanntesten Aufmerksamkeit von allen Gästen der Waldschenke, am ängstlichsten wohl von der Gräfin beobachtet. Sie glaubte jeden Augenblick, der Jüngling, der sich für sie opferte, könnte sich verraten. Sie war fest entschlossen, ihn um einen großen Preis loszukaufen, aber ebenso fest stand ihr Gedanke, um keinen Preis der Welt auch nur einen Schritt weit mit den Räubern zu gehen. Sie hatte in der Rocktasche des Goldarbeiters ein Messer gefunden. Sie hielt es geöffnet krampfhaft in der Hand, bereit, sich lieber zu töten, als eine solche Schmach zu erdulden. Jedoch nicht minder ängstlich war Felix selbst. Zwar stärkte und tröstete ihn der Gedanke, dass es eine männliche und würdige Tat sei, einer bedrängten, hilflosen Frau auf diese Weise beizustehen, aber er fürchtete, sich durch jede Bewegung, durch seine Stimme zu verraten. Seine Angst steigerte sich, als der Räuber von einem Briefe sprach, den er schreiben sollte.

Wie sollte er schreiben? Welchen Titel dem Grafen geben, welche Form dem Briefe, ohne sich zu verraten?

Seine Angst stieg aufs Höchste, als der Anführer der Räuber Papier und Feder vor ihn hinlegte, ihn bat, den Schleier zurückzuschlagen und zu schreiben. Felix wusste nicht, wie hübsch ihm die Tracht passte, in die er gekleidet war; hätte er es gewusst, er würde sich vor einer Entdeckung nicht im Mindesten gefürchtet haben. Denn als er endlich notgedrungen den Schleier zurückschlug, schien der Herr in Uniform, betroffen von der Schönheit der Dame und ihren männlichen, mutigen Zügen, sie nur noch ehrfurchtsvoller zu betrachten. Dem klaren Blick des jungen Goldschmieds entging dies nicht; getrost, dass wenigstens in diesem gefährlichen Augenblick keine Entdeckung zu befürchten sei, ergriff er die Feder und schrieb an seinen vermeintlichen Gemahl nach einer Form, wie er sie einst in einem alten Buche gelesen hatte:

›Mein Herr und Gemahl!
Ich unglückliche Frau bin auf meiner Reise mitten in der Nacht plötzlich angehalten worden, und zwar von Leuten, denen ich keine gute Absicht zutrauen kann. Sie werden mich so lange zurückhalten, bis Sie, Herr Graf, die Summe von zwanzigtausend Gulden für mich niedergelegt haben.
Die Bedingung ist dabei, dass Sie nicht im Mindesten über die Sache sich bei der Obrigkeit beschweren noch ihre Hilfe nachsuchen, dass Sie das Geld durch einen einzelnen Mann in die Waldschenke im Spessart schicken, widrigenfalls wird mir mit längerer und harter Gefangenschaft gedroht.
Es fleht Sie um schleunige Hilfe an
Ihre unglückliche Gemahlin.‹

Er reichte den merkwürdigen Brief dem Anführer der Räuber, der ihn durchlas und billigte. »Es kommt nun ganz auf Ihre Bestimmung an«, fuhr er fort, »ob Sie Ihre Kammerfrau oder Ihren Jäger zur Begleitung wählen werden. Die eine dieser Personen werde ich mit dem Briefe an Ihren Herrn Gemahl zurückschicken.«
»Der Jäger und dieser Herr hier werden mich begleiten«, antwortete Felix leise.
»Gut«, entgegnete jener, indem er an die Tür ging und die Kammerfrau herbeirief, »so unterrichten Sie diese Frau, was sie zu tun habe.«
Die Kammerfrau erschien mit Zittern und Beben. Auch Felix erblasste, wenn er bedachte, wie leicht er sich auch jetzt wieder verraten könnte. Doch ein unbegreiflicher Mut, der ihn in gefährlichen Augenblicken stärkte, gab ihm auch jetzt wieder seine Reden ein. »Ich habe dir nichts weiter aufzutragen«, sprach er, »als dass du den Grafen bittest, mich so bald wie möglich aus dieser unglücklichen Lage zu erretten.«
»Und«, fuhr der Räuber fort, »dass Sie dem Herrn Grafen aufs Genaueste und Ausdrücklichste empfehlen, er möge alles verschweigen und nichts gegen uns unternehmen, bis seine Gemahlin in seinen

Händen ist. Unsere Kundschafter würden uns bald genug davon unterrichten, und ich möchte dann für nichts stehen.«

Die zitternde Kammerfrau versprach alles. Es wurde ihr noch befohlen, einige Kleidungsstücke und Leinenzeug für die Frau Gräfin in ein Bündel zu packen, weil man sich nicht mit vielem Gepäck beladen könne, und als dies geschehen war, forderte der Anführer der Räuber die Dame mit einer Verbeugung auf, ihm zu folgen. Felix stand auf, der Jäger und der Student folgten ihm, und alle drei stiegen, begleitet von dem Anführer der Räuber, die Treppe hinab.

Vor der Waldschenke standen viele Pferde; eins wurde dem Jäger angewiesen, ein anderes, ein schönes, kleines Tier, mit einem Damensattel versehen, stand für die Gräfin bereit, ein drittes gab man dem Studenten. Der Hauptmann hob den jungen Goldschmied in den Sattel, schnallte ihn fest und bestieg dann selbst sein Ross. Er stellte sich zur Rechten der Dame auf, zur Linken stand einer der Räuber; auf gleiche Weise waren auch der Jäger und der Student umgeben. Nachdem sich auch die übrige Bande zu Pferd gesetzt hatte, gab der Anführer mit einer hell tönenden Pfeife das Zeichen zum Aufbruch, und bald war die ganze Schar im Walde verschwunden.

Die Gesellschaft, die im oberen Zimmer versammelt war, erholte sich nach diesem Auftritt allmählich von ihrem Schrecken. Sie wären, wie es nach großem Unglück oder plötzlicher Gefahr zu geschehen pflegt, vielleicht sogar heiter gewesen, hätte sie nicht der Gedanke an ihre drei Gefährten beschäftigt, die man vor ihren Augen hinweggeführt hatte. Sie brachen in Bewunderung des jungen Goldschmieds aus, und die Gräfin vergoss Tränen der Rührung, wenn sie bedachte, dass sie einem Menschen so unendlich viel zu verdanken habe, dem sie nie zuvor Gutes getan, den sie nicht einmal kannte. Ein Trost war es für alle, dass der heldenmütige Jäger und der wackere Student ihn begleiteten. Konnten sie ihn doch trösten, wenn sich der junge Mann unglücklich fühlte, ja der Gedanke lag nicht gar zu ferne, dass der verschlagene Weidmann vielleicht Mittel zur Flucht finden könnte. Sie berieten sich noch miteinander, was zu tun sei. Die Gräfin beschloss, da sie ja kein Schwur gegen den Räuber binde, sogleich zu ihrem Gemahl zurückzureisen und alles aufzubieten, den Aufenthalt der Gefangenen zu entdecken, sie zu befreien; der Fuhrmann versprach, nach Aschaffenburg zu reiten und die Gerichte zur Verfolgung der Räuber aufzurufen. Der Zirkelschmied aber wollte seine Reise fortsetzen.

Die Reisenden wurden in dieser Nacht nicht mehr beunruhigt; Totenstille herrschte in der Waldschenke, die noch vor kurzem der Schauplatz so schrecklicher Szenen gewesen war. Als aber am Morgen die Bedienten der Gräfin zu dem Wirt hinabgingen, um alles zur Abfahrt fertig zu machen, kehrten sie schnell zurück und berichteten, dass sie die Wirtin und ihr Gesinde in einem elenden Zustande gefunden hätten; sie lägen gebunden in der Schenke und flehten um Beistand.

Die Reisenden sahen sich bei dieser Nachricht erstaunt an. »Wie?«, rief der Zirkelschmied. »So sollten diese Leute dennoch unschuldig sein? So hätten wir ihnen unrecht getan, und sie standen nicht im Einverständnis mit den Räubern?«

»Ich lasse mich aufhängen statt ihrer«, erwiderte der Fuhrmann, »wenn wir nicht dennoch Recht hatten. Das alles ist nur Betrug, um nicht überführt werden zu können. Erinnert ihr euch nicht der verdächtigen Mienen dieser Wirtschaft? Erinnert ihr euch nicht, wie ich hinabgehen wollte, wie mich der abgerichtete Hund nicht losließ, wie die Wirtin und der Hausknecht sogleich erschienen und mürrisch fragten, was ich denn noch zu tun hätte? Doch sie sind unser, wenigstens der Frau Gräfin Glück. Hätte es in der Schenke weniger verdächtig ausgesehen, hätte uns die Wirtin nicht so misstrauisch gemacht, wir wären nicht zusammengestanden, wären nicht wach geblieben. Die Räuber hätten uns überfallen im Schlafe, hätten zum wenigsten unsere Tür bewacht, und diese Verwechslung des braven jungen Burschen wäre nimmer möglich geworden.«

Sie stimmten mit der Meinung des Fuhrmanns alle überein und beschlossen, auch die Wirtin und ihr Gesinde bei der Obrigkeit anzugeben. Doch um sie desto sicherer zu machen, wollten sie sich jetzt nichts merken lassen. Die Bedienten und der Fuhrmann gingen daher hinab in das Schenkzimmer, lösten die Bande der Diebeshehler auf und bezeigten sich so mitleidig und bedauernd wie möglich. Um ihre Gäste noch mehr zu versöhnen, machte die Wirtin nur eine kleine Rechnung für jeden und lud sie ein, recht bald wiederzukommen.

Der Fuhrmann zahlte seine Zeche, nahm von seinen Leidensgenossen Abschied und fuhr seine Straße. Nach diesem machten sich die beiden Handwerksburschen auf den Weg. So leicht das Bündel des Goldschmieds war, so drückte es doch die zarte Dame nicht wenig. Aber noch viel schwerer wurde ihr ums Herz, als unter der Haustür die Wirtin ihre verbrecherische Hand hinstreckte, um Abschied zu nehmen. »Ei, was seid Ihr doch für ein junges Blut«, rief sie beim Anblick des zarten Jungen, »noch so jung und schon in die Welt hinaus! Ihr seid gewiss ein verdorbenes Kräutlein, das der Meister aus der Werkstatt jagte. Nun, was geht es mich an, schenkt mir die Ehre bei der Heimkehr! Glückliche Reise!«

Die Gräfin wagte vor Angst und Beben nicht zu antworten; sie fürchtete, sich durch ihre zarte Stimme zu verraten. Der Zirkelschmied merkte es, nahm seinen Gefährten unter den Arm, sagte der Wirtin ade und stimmte ein lustiges Lied an, während er dem Walde zuschritt.

»Jetzt erst bin ich in Sicherheit!«, rief die Gräfin, als sie etwa hundert Schritte entfernt waren. »Noch immer glaubte ich, die Frau werde mich erkennen und durch ihre Knechte festnehmen. Oh, wie will ich euch allen danken! Kommt auch Ihr auf mein Schloss, Ihr müsst doch Euren Reisegenossen bei mir wieder abholen.«

Der Zirkelschmied sagte zu, und während sie noch sprachen, kam der Wagen der Gräfin ihr nachgefahren. Schnell wurde die Tür geöffnet, die Dame schlüpfte hinein, grüßte den jungen Handwerksburschen noch einmal, und der Wagen fuhr weiter.

Um dieselbe Zeit hatten die Räuber und ihre Gefangenen den Lagerplatz der Bande erreicht. Sie waren durch eine ungebahnte Waldstraße im schnellsten Trab weggeritten; mit ihren Gefangenen wechselten sie kein Wort, auch unter sich flüsterten sie nur zuweilen, wenn die Richtung des Weges sich veränderte. Vor einer tiefen Waldschlucht machte man endlich Halt. Die Räuber saßen ab, und ihr Anführer hob den Goldarbeiter vom Pferd, wobei er sich wegen des harten und eiligen Rittes entschuldigte und fragte, ob die gnädige Frau auch nicht gar zu sehr angegriffen sei.

Felix antwortete ihm so zierlich wie möglich, dass er sich nach Ruhe sehne, und der Hauptmann bot ihm den Arm, ihn in die Schlucht zu

führen. – Es ging einen steilen Abhang hinab; der Fußpfad, der hinunterführte, war so schmal und abschüssig, dass der Anführer oft seine Dame unterstützen musste, um sie vor der Gefahr hinabzustürzen zu bewahren. Endlich langte man unten an. Felix sah vor sich beim matten Schein des anbrechenden Morgens ein enges, kleines Tal von höchstens hundert Schritten im Umfang, das tief in einem Kessel hoch hinanstrebender Felsen lag. Etwa sechs bis acht kleine Hütten waren in dieser Schlucht aus Brettern und abgehauenen Bäumen aufgebaut. Einige schmutzige Weiber schauten neugierig aus diesen Höhlen hervor, und ein Rudel von zwölf großen Hunden und ihren Jungen umsprang heulend und bellend die Angekommenen. Der Hauptmann führte die vermeintliche Gräfin in die beste dieser Hütten und sagte ihr, diese sei ausschließlich zu ihrem Gebrauch bestimmt; auch erlaubte er auf Felix' Verlangen, dass der Jäger und der Student zu ihr gelassen wurden.

Die Hütte war mit Rehfellen und Matten ausgelegt, die zugleich als Fußboden und Sitze dienen mussten. Einige aus Holz geschnitzte Krüge und Schüsseln, eine alte Jagdflinte und in der hintersten Ecke ein aus ein paar Brettern gezimmertes und mit wollenen Decken versehenes Lager, dem man den Namen eines Bettes nicht geben konnte, waren die einzigen Geräte dieses gräflichen Palastes. Jetzt erst, allein gelassen in dieser elenden Hütte, hatten die drei Gefangenen Zeit, über ihre sonderbare Lage nachzudenken. Felix, der zwar seine edelmütige Handlung keinen Augenblick bereute, aber doch im Fall einer Entdeckung für seine Zukunft bange war, wollte sich in lauten Klagen Luft machen. Der Jäger aber rückte ihm schnell näher und flüsterte ihm zu: »Sei um Gottes willen stille, lieber Junge! Glaubst du denn nicht, dass man uns behorcht?« – »Aus jedem Wort, aus dem Ton deiner Sprache könnten sie Verdacht schöpfen«, setzte der Student hinzu. Dem armen Felix blieb nichts übrig, als stille zu weinen.

»Glaubt mir, Herr Jäger«, sagte er, »ich weine nicht aus Angst vor diesen Räubern oder aus Furcht vor dieser elenden Hütte, nein, es ist ein ganz anderer Kummer, der mich drückt! Wie leicht kann die Gräfin vergessen, was ich ihr schnell noch sagte, und dann hält man mich für einen Dieb, und ich bin elend auf immer!«

»Aber was ist es denn, was dich so ängstigt?«, fragte der Jäger, verwundert über das Benehmen des jungen Menschen, der sich bisher so
mutig und stark betragen hatte.

»Hört zu, und Ihr werdet mir Recht geben!«, antwortete Felix. »Mein
Vater war ein geschickter Goldarbeiter in Nürnberg, und meine Mutter hatte früher bei einer vornehmen Frau gedient als Kammerfrau,
und als sie meinen Vater heiratete, wurde sie von der Gräfin, der sie
gedient hatte, trefflich ausgestattet. Sie blieb meinen Eltern immer gewogen, und als ich auf die Welt kam, wurde sie meine Patin und beschenkte mich reichlich. Als meine Eltern bald nacheinander an einer
Seuche starben und ich ganz allein und verlassen in der Welt stand
und ins Waisenhaus gebracht werden sollte, da vernahm die Frau Patin unser Unglück, nahm sich meiner an und gab mich in ein Erzie-
hungshaus; und als ich alt genug war, schrieb sie mir, ob ich nicht des
Vaters Gewerbe lernen wollte. Ich war froh darüber und sagte zu,
und so gab sie mich einem Meister in Würzburg in die Lehre. Ich hatte Geschick zur Arbeit und brachte es bald so weit, dass mir der Lehr-
brief ausgestellt wurde und ich mich für die Wanderschaft rüsten
konnte. Dies schrieb ich der Frau Patin, und flugs antwortete sie, dass
sie das Geld zur Wanderschaft gebe. Dabei schickte sie prachtvolle
Steine mit und verlangte, ich solle sie fassen zu einem schönen Geschmeide, ich solle es dann als Probe meiner Geschicklichkeit selbst
überbringen und das Reisegeld in Empfang nehmen. Meine Frau Patin habe ich in meinem Leben nicht gesehen, und Ihr könnt denken,
wie ich mich auf sie freute. Tag und Nacht arbeitete ich an dem
Schmuck; er wurde so schön und zierlich, dass selbst der Meister darüber erstaunte. Als er fertig war, packte ich alles sorgfältig auf den
Boden meines Ränzels, nahm Abschied vom Meister und wanderte
meine Straße nach dem Schlosse der Frau Patin. Da kamen«, fuhr er
in Tränen ausbrechend fort, »diese schändlichen Räuber und zerstör-
ten all meine Hoffnung. Denn wenn Eure Frau Gräfin den Schmuck
verliert oder vergisst, was ich ihr sagte, und das schlechte Ränzchen
wegwirft, wie soll ich dann vor meine gnädige Frau Patin treten? Womit soll ich mich ausweisen? Woher die Steine ersetzen? Und das Reisegeld ist dann auch verloren, und ich erscheine als ein undankbarer
Mensch, der anvertrautes Gut leichtsinnig weggegeben hat. Und am

Ende – wird man mir glauben, wenn ich den wunderbaren Vorfall erzähle?«

»Über das Letztere seid getrost!«, erwiderte der Jäger. »Ich glaube nicht, dass bei der Gräfin Euer Schmuck verloren gehen kann; und wenn auch, so wird sie ihn sicherlich ihrem Retter wiedererstatten und ein Zeugnis über diese Vorfälle ausstellen. – Wir verlassen Euch jetzt auf einige Stunden, denn wahrhaftig, wir brauchen Schlaf, und nach den Anstrengungen dieser Nacht werdet Ihr ihn auch nötig haben. Nachher lasst uns im Gespräch unser Unglück auf Augenblicke vergessen oder, besser noch, an unsere Flucht denken.«

Sie gingen; Felix blieb allein zurück und versuchte dem Rat des Jägers zu folgen.

Als nach einigen Stunden der Jäger mit dem Studenten zurückkam, fand er seinen jungen Freund gestärkter und munterer als zuvor. Er erzählte dem Goldschmied, dass ihm der Hauptmann alle Sorgfalt für die Dame empfohlen habe, und in wenigen Minuten werde eins der Weiber, die sie unter den Hütten gesehen hatten, der Gräfin Kaffee bringen und ihre Dienste zur Aufwartung anbieten. Sie beschlossen, um ungestört zu sein, diese Gefälligkeit nicht anzunehmen, und sobald das alte, hässliche Zigeunerweib kam, das Frühstück vorsetzte und mit grinsender Freundlichkeit fragte, ob sie nicht sonst noch zu Diensten sein könnte, winkte ihr Felix zu gehen. Als sie noch zauderte, scheuchte sie der Jäger aus der Hütte. Der Student erzählte dann weiter, was sie sonst noch von dem Lager der Räuber gesehen hatten. »Die Hütte, die Ihr bewohnt, schönste Frau Gräfin«, sprach er, »scheint ursprünglich für den Hauptmann bestimmt zu sein. Sie ist nicht so geräumig, aber schöner als die übrigen. Außer dieser sind noch sechs andere da, in denen die Weiber und Kinder wohnen, denn von den Räubern sind selten mehr als sechs zu Hause. Einer steht nicht weit von dieser Hütte Wache, der andere unten am Weg in der Höhe, und ein Dritter hat den Lauerposten oben am Eingang in die Schlucht. Von zwei Stunden zu zwei Stunden werden sie von den drei Übrigen abgelöst. Jeder hat überdies zwei große Hunde neben sich liegen, und die sind alle so wachsam, dass man kaum wird einen Fuß aus der Hütte setzen können, ohne dass sie anschlagen. Ich habe daher keine Hoffnung, dass wir uns durchstehlen können.«

»Macht mich nicht traurig, ich bin nach dem Schlummer mutiger geworden«, entgegnete Felix. »Gebt nicht alle Hoffnung auf, und fürchtet ihr Verrat, so lasst uns lieber jetzt von etwas anderem reden und nicht lange voraus schon kummervoll sein! Herr Student, in der Schenke habt Ihr angefangen, etwas zu erzählen, fahrt jetzt fort, denn wir haben Zeit zum Plaudern.«

»Kann ich mich doch kaum erinnern, was es war«, antwortete der junge Mann.

»Ihr erzähltet die Sage von dem kalten Herzen und seid stehen geblieben, wie der Wirt und der andere Spieler den Kohlenpeter aus der Tür warfen.«

»Gut, jetzt entsinne ich mich wieder«, entgegnete er. »Nun, wenn Ihr weiterhören wollet, will ich fortfahren.«

Das kalte Herz

Zweite Abteilung

Als Peter am Montagmorgen in seine Glashütte ging, waren nicht nur seine Arbeiter da, sondern auch andere Leute, die man nicht gern sieht, nämlich der Amtmann und drei Gerichtsdiener. Der Amtmann wünschte Peter einen guten Morgen, fragte, wie er geschlafen hätte, und zog dann ein langes Register heraus, und darauf waren Peters Gläubiger verzeichnet.

»Könnt Ihr zahlen oder nicht?«, fragte der Amtmann mit strengem Blick. »Macht es nur kurz, denn ich habe nicht viel Zeit zu versäumen, und in den Turm ist es drei gute Stunden.« Da verzagte Peter, gestand, dass er nichts mehr habe, und überließ es dem Amtmann, Haus und Hof, Hütte und Stall, Wagen und Pferde zu schätzen. Als dann die Gerichtsdiener und der Amtmann umhergingen und prüften und schätzten, dachte er: ›Bis zum Tannenbühl ist's nicht weit; hat mir der Kleine nicht geholfen, so will ich es einmal mit dem Großen versuchen.‹ Er lief so schnell dem Tannenbühl zu, als ob die Gerichtsdiener ihm auf den Fersen wären. Es war ihm, als er an dem Platz vorbeirannte, wo er das Glasmännlein zuerst gesprochen hatte, als halte ihn eine unsichtbare Hand auf, aber er riss sich los und lief weiter bis an die Grenze, die er sich früher wohl gemerkt hatte. Und kaum hatte er, beinahe atemlos: »Holländermichel! Herr Holländermichel!«, gerufen, als auch schon der riesengroße Flößer mit seiner Stange vor ihm stand.

»Kommst du?«, sprach dieser lachend: »Haben sie dir die Haut abziehen und deinen Gläubigern verkaufen wollen? Nun, sei ruhig. Dein ganzer Jammer kommt wie gesagt von dem kleinen Glasmännlein, von dem Einzelgänger und Frömmler her. Wenn man schenkt, muss man gleich recht schenken und nicht wie dieser Knauser. Doch komm«, fuhr er fort und wandte sich gegen den Wald, »folge mir in mein Haus, dort wollen wir sehen, ob wir handelseinig werden.«

›Handelseinig?‹, dachte Peter. ›Was kann er denn von mir verlangen, was kann ich an ihn verhandeln? Soll ich ihm etwa dienen, oder was will er?‹

Sie gingen zuerst über einen steilen Waldsteig hinan und standen dann mit einem Mal an einer dunklen, tiefen, abschüssigen Schlucht. Holländermichel sprang den Felsen hinab, wie wenn es eine sanfte Marmortreppe wäre; aber bald wäre Peter in Ohnmacht gesunken, denn als sein Begleiter unten angekommen war, machte er sich so groß wie ein Kirchturm und reichte ihm einen Arm, so lang wie ein Weberbaum, und eine Hand daran, so breit wie der Tisch im Wirtshaus, und er rief mit einer Stimme, die heraufschallte wie eine tiefe Totenglocke: »Setz dich nur auf meine Hand und halte dich an den Fingern, so wirst du nicht fallen.« Peter tat zitternd, wie ihm befohlen war, nahm Platz auf der Hand und hielt sich am Daumen des Riesen.

Es ging weit und tief hinab, aber dennoch wurde es zu Peters Verwunderung nicht dunkler, im Gegenteil, die Tageshelle schien sogar zuzunehmen in der Schlucht, aber er konnte sie lange in den Augen nicht ertragen. Der Holländermichel hatte sich, je weiter Peter herabkam, wieder kleiner gemacht und stand nun in seiner früheren Gestalt vor einem Haus, so gering oder gut, wie es reiche Bauern im Schwarzwald haben. Die Stube, in die Peter geführt wurde, unterschied sich durch nichts von den Stuben anderer Leute als dadurch, dass sie einsam erschien.

Die hölzerne Wanduhr, der ungeheure Kachelofen, die breiten Bänke, die Gerätschaften auf den Gesimsen waren hier wie überall. Michel wies ihm einen Platz hinter dem großen Tisch an, ging dann hinaus und kam bald mit einem Krug Wein und Gläsern wieder. Er goss ein, und nun schwatzten sie, und Holländermichel erzählte von den Freuden der Welt, von fremden Ländern, schönen Städten und Flüssen, dass Peter, am Ende große Sehnsucht danach bekommend, dies auch offen dem Holländer sagte.

»Wenn du im ganzen Körper Mut und Kraft hattest, etwas zu unternehmen, da konnten ein paar Schläge des dummen Herzens dich zittern machen; und dann die Kränkungen der Ehre, das Unglück, wozu soll sich ein vernünftiger Kerl um dergleichen bekümmern?

Hast du's im Kopf empfunden, als dich letzthin einer einen Betrüger und schlechten Kerl nannte? Hat es dir im Magen wehe getan, als der Amtmann kam, dich aus dem Hause zu werfen? Was, sag an, was hat dir wehe getan?«

»Mein Herz«, sprach Peter, indem er die Hand auf die pochende Brust presste, denn es war ihm, als ob sein Herz sich ängstlich hin und her wendete.

»Du hast, nimm mir es nicht übel, du hast viele hundert Gulden an schlechte Bettler und anderes Gesindel weggeworfen; was hat es dich genützt? Sie haben dir dafür Segen und einen gesunden Leib gewünscht; ja, bist du deswegen gesünder geworden? Für die Hälfte des verschleuderten Geldes hättest du einen Arzt gehalten. Segen, ja, ein schöner Segen, wenn man ausgepfändet und ausgestoßen wird! Und was war es, das dich trieb, in die Tasche zu fahren, sooft ein Bettelmann seinen zerlumpten Hut hinstreckte? – Dein Herz, auch wieder dein Herz, und weder deine Augen noch deine Zunge, deine Arme noch deine Beine, sondern dein Herz; du hast dir es, wie man richtig sagt, zu sehr zu Herzen genommen.«

»Aber wie kann es denn anders sein, wie kann man sich denn angewöhnen, dass es nicht mehr so ist? Ich gebe mir auch jetzt alle Mühe, es zu unterdrücken, und dennoch pocht mein Herz wie ein Dampfhammer und tut mir weh.«

»Du freilich«, rief jener mit Lachen, »du, armer Schelm, kannst nichts dagegen tun; aber gib mir das immer pochende Ding, und du wirst sehen, wie gut du es dann hast.«

»Euch, mein Herz?«, schrie Peter mit Entsetzen. »Da müsste ich ja sterben auf der Stelle! Nimmermehr!«

»Ja, wenn dir einer eurer Herren Wundärzte das Herz aus dem Leibe operieren wollte, da müsstest du wohl sterben; bei mir ist das ein anderes Ding. Doch komm herein und überzeuge dich selbst!« Er stand bei diesen Worten auf, öffnete eine Kammertür und führte Peter hinein. Sein Herz zog sich krampfhaft zusammen, als er über die Schwelle trat, aber er achtete es nicht, denn der Anblick, der sich ihm bot, war sonderbar und überraschend. Auf mehreren Gesimsen von Holz standen Gläser, mit durchsichtiger Flüssigkeit gefüllt, und in jedem dieser Gläser lag ein Herz, auch waren an den Gläsern Zettel angeklebt und Namen darauf geschrieben, die Peter neugierig las. Da war das Herz des Amtmanns in F., das Herz des dicken Ezechiel, das Herz des Tanzbodenkönigs, das Herz des Oberförsters; da waren sechs Herzen von Kornwucherern, acht von Werbeoffizieren, drei von Geldmaklern – kurz, es war eine Sammlung der angesehensten Herzen im Umkreis von zwanzig Stunden.

»Schau«, sprach der Holländermichel, »die alle haben des Lebens Ängste und Sorgen weggeworfen; keines dieser Herzen schlägt mehr ängstlich und besorgt, und ihre ehemaligen Besitzer befinden sich wohl dabei, dass sie den unruhigen Gast aus dem Hause haben.«

»Aber was tragen sie denn jetzt in der Brust?«, fragte Peter, den dies alles, was er gesehen, beinahe schwindeln machte.

»Dies«, antwortete Michel und reichte ihm aus einem Schubfach ein – steinernes Herz!

»So!«, erwiderte Peter und konnte sich eines Schauers, der ihm über die Haut ging, nicht erwehren. »Ein Herz von Marmelstein? Aber horch einmal, Herr Holländermichel, das muss doch gar kalt sein in der Brust.«

»Freilich, aber ganz angenehm kühl. Warum soll denn ein Herz warm sein? Im Winter nützt dir die Wärme nichts, da hilft ein guter Kirsch-geist mehr als ein warmes Herz, und im Sommer, wenn alles schwül und heiß ist – du glaubst nicht, wie dann ein solches Herz abkühlt. Und wie gesagt, weder Angst noch Schrecken, weder törichtes Mitlei-den noch anderer Jammer pocht an solch ein Herz.«

»Und das ist alles, was Ihr mir geben könnt«, fragte Peter unmutig, »ich hoffte auf Geld, und Ihr wollt mir einen Stein geben!«

»Nun, ich denke, an hunderttausend Gulden hättest du fürs Erste ge-nug. Wenn du es geschickt umtreibst, kannst du bald ein Millionär werden.«

»Hunderttausend?«, rief der arme Köhler freudig. »Nun, so poche doch nicht so ungestüm in meiner Brust, wir werden bald fertig sein miteinander. Gut, Michel, gebt mir den Stein und das Geld, und die Unruhe könnt Ihr aus dem Gehäuse nehmen!«

»Ich dachte es doch, dass du ein vernünftiger Bursche seiest«, antwor-tete der Holländer freundlich lächelnd, »komm, lass uns noch eins trinken, und dann will ich das Geld auszahlen.«

So setzten sie sich wieder in die Stube zum Wein und tranken, bis Peter in einen tiefen Schlaf verfiel. –

Kohlenmunkpeter erwachte beim fröhlichen Schmettern eines Posthorns, und siehe da, er saß in einem schönen Wagen, fuhr auf einer breiten Straße dahin, und als er sich aus dem Wagen bog, sah er in blauer Ferne hinter sich den Schwarzwald liegen. Anfänglich wollte er gar nicht glauben, dass er es selbst sei, der in seinem Wagen sitze. Denn auch seine Kleider waren gar nicht mehr dieselben, die er gestern getragen, aber er erinnerte sich doch an alles so deutlich, dass er endlich sein Nachsinnen aufgab und rief: »Der Kohlenmunkpeter bin ich, das ist ausgemacht, und kein anderer!«

Er wunderte sich über sich selbst, dass er gar nicht wehmütig werden konnte, als er jetzt zum ersten Mal aus der stillen Heimat zog, aus den Wäldern, wo er so lange gelebt hatte. Selbst nicht, als er an seine Mutter dachte, die jetzt wohl hilflos und im Elend saß, konnte er eine Träne aus dem Auge pressen oder nur seufzen, denn es war ihm alles so gleichgültig. »Ach, freilich«, sagte er dann, »Tränen und Seufzer, Heimweh und Wehmut kommen ja aus dem Herzen, und dank dem Holländermichel – ist das meine kalt und von Stein.«

Er legte seine Hand auf die Brust, und es war ganz ruhig dort, und es rührte sich nichts. »Wenn er mit den Hunderttausenden so gut Wort hielt wie mit dem Herzen, so soll es mich freuen«, sprach er und fing an, seinen Wagen zu untersuchen. Er fand Kleidungsstücke von aller Art, wie er sie nur wünschen konnte, aber kein Geld. Endlich stieß er auf eine Tasche und fand viele tausend Taler in Gold und Scheinen auf Handlungshäuser in allen großen Städten. ›Jetzt hab ich's, wie ich wollte‹, dachte er, setzte sich bequem in die Ecke des Wagens und fuhr in die weite Welt.

Er fuhr zwei Jahre in der Welt umher und schaute aus seinem Wagen links und rechts an den Häusern hinauf, schaute, wenn er anhielt, nichts als das Schild seines Wirtshauses an, lief dann in der Stadt umher und ließ sich die schönsten Merkwürdigkeiten zeigen. Aber es freute ihn nichts, kein Bild, kein Haus, keine Musik, kein Tanz, sein Herz von Stein nahm an nichts Anteil, und seine Augen, seine Ohren waren abgestumpft für alles Schöne. Nichts war ihm mehr geblieben als die Freude am Essen und Trinken und der Schlaf, und so lebte er, indem er ohne Zweck durch die Welt reiste, zu seiner Unterhaltung speiste und aus Langeweile schlief. Hie und da erinnerte er sich zwar, dass er fröhlicher, glücklicher gewesen sei, als er noch arm war und arbeiten musste, um sein Leben zu fristen. Da hatte ihn jede schöne Aussicht ins Tal gefreut, Musik und Gesang hatten ihn ergötzt, da hatte er sich stundenlang auf die einfache Kost, die ihm die Mutter zu dem Meiler bringen sollte, gefreut. Wenn er so über die Vergangenheit nachdachte, so kam es ihm ganz sonderbar vor, dass er jetzt nicht einmal lachen konnte, und sonst hatte er über den kleinsten Scherz gelacht. Wenn andere lachten, so verzog er nur aus Höflichkeit den Mund, aber sein Herz – lächelte nicht mit. Er merkte dann, dass er zwar überaus ruhig sei, aber zufrieden fühlte er sich doch nicht. Es war nicht Heimweh oder Wehmut, sondern Öde, Überdruss, freudenloses Leben, was ihn endlich wieder nach Hause trieb.

Als er von Straßburg herüberfuhr und den dunklen Wald seiner Heimat erblickte, als er zum ersten Mal wieder jene kräftigen Gestalten, jene freundlichen, treuen Gesichter der Schwarzwälder sah, als sein Ohr die heimatlichen Klänge, stark, tief, aber wohltönend, vernahm, da fühlte er schnell an sein Herz, denn sein Blut wallte stärker, und er glaubte, er müsse sich freuen und müsse weinen zugleich; aber – wie konnte er nur so töricht sein, er hatte ja ein Herz von Stein. Und Steine sind tot und lächeln und weinen nicht.

Sein erster Gang war zum Holländermichel, der ihn mit aller Freundlichkeit aufnahm. »Michel«, sagte er zu ihm, »gereist bin ich nun und habe alles gesehen, ist aber alles dummes Zeug, und ich hatte nur Langeweile. Überhaupt, Euer steinernes Ding, das ich in der Brust trage, schützt mich zwar vor manchem. Ich erzürne mich nie, bin nie traurig, aber ich freue mich auch nie, und es ist mir, als wenn ich nur halb lebte. Könnt Ihr das Steinherz nicht ein wenig beweglicher machen? Oder – gebt mir lieber mein altes Herz! Ich hatte mich in fünfundzwanzig Jahren daran gewöhnt, und wenn es zuweilen auch einen dummen Streich machte, so war es doch munter und ein fröhliches Herz.«

Der Waldgeist lachte grimmig und bitter. »Wenn du einmal tot bist, Peter Munk«, antwortete er, »dann soll es dir nicht fehlen; dann sollst du dein weiches, rührbares Herz wiederhaben, und du kannst dann fühlen, was kommt, Freud' oder Leid. Aber hier oben kann es nicht mehr dein werden! Doch, Peter, gereist bist du wohl, aber so wie du lebtest, konnte es dir nichts nützen. Setze dich jetzt hier irgendwo im Wald, bau ein Haus, heirate, treibe dein Vermögen um! Es hat dir nur an Arbeit gefehlt; weil du müßig warst, hattest du Langeweile und schiebst jetzt alles auf dieses unschuldige Herz.« Peter sah ein, dass Michel Recht habe, was den Müßiggang betreffe, und nahm sich vor, reich und immer reicher zu werden. Michel schenkte ihm noch einmal hunderttausend Gulden und entließ ihn als seinen guten Freund.

Bald hörte man im Schwarzwald, der Kohlenmunkpeter oder Spielpeter sei wieder da und viel reicher als zuvor. Es ging auch jetzt wie immer; als er am Bettelstab war, wurde er in der ›Sonne‹ zur Tür hinausgeworfen, und als er nun an einem Sonntagmittag seinen ersten Einzug dort hielt, schüttelten sie ihm die Hand, lobten sein Pferd, fragten nach seiner Reise, und als er wieder mit dem dicken Ezechiel um harte Taler spielte, stand er in der Achtung so hoch wie nur je. Er trieb jetzt nicht mehr das Glashandwerk, sondern den Holzhandel, aber nur zum Schein. Sein Hauptgeschäft war, mit Korn und Geld zu handeln. Der halbe Schwarzwald wurde ihm nach und nach schuldig, aber er lieh Geld nur auf zehn vom Hundert aus oder verkaufte Korn an die Armen, die nicht gleich zahlen konnten, um den dreifachen Wert. Mit dem Amtmann stand er jetzt in enger Freundschaft, und wenn einer Herrn Peter Munk nicht auf den Tag bezahlte, so ritt der Amtmann mit seinen Schergen hinaus, schätzte Haus und Hof, verkaufte es flugs und trieb Vater, Mutter und Kind fort. Anfangs machte das dem reichen Peter einige Unlust, denn die armen Ausgepfändeten belagerten dann haufenweise seine Tür, die Männer flehten um Nachsicht, die Weiber suchten das steinerne Herz zu erweichen, und die Kinder winselten um ein Stücklein Brot. Aber als er sich ein paar tüchtige Fleischerhunde angeschafft hatte, hörte diese Katzenmusik, wie er es nannte, bald auf. Er pfiff und hetzte, und die Bettelleute flogen schreiend auseinander.

Am lästigsten war ihm das ›alte Weib‹. Das war aber niemand anders als Frau Munkin, Peters Mutter. Sie war in Not und Elend geraten, als man ihr Haus und Hof verkauft hatte, und ihr Sohn, als er reich zurückgekehrt war, hatte sich nicht mehr nach ihr umgesehen. Da kam sie nun zuweilen, alt, schwach und gebrechlich, an einem Stock vor das Haus. Hinein wagte sie sich nicht mehr, denn er hatte sie einmal weggejagt; aber es tat ihr wehe, von den Guttaten anderer Menschen leben zu müssen, da der eigene Sohn ihr ein sorgenloses Alter hätte bereiten können. Doch das kalte Herz wurde nimmer gerührt vom Anblick der bleichen, wohl bekannten Züge, von den bittenden Blicken, von der welken, ausgestreckten Hand, von der hinfälligen Gestalt. Mürrisch zog er, wenn sie sonnabends an die Tür pochte, einen Sechsbätzer hervor, schlug ihn in ein Papier und ließ ihn hinausreichen durch einen Knecht. Er vernahm ihre zitternde Stimme, wenn sie dankte und wünschte, es möge ihm wohl gehen auf Erden, er hörte sie hüstelnd von der Tür schleichen, aber er dachte weiter nicht mehr daran, als dass er wieder sechs Batzen unnütz ausgegeben hatte.

Endlich kam Peter auf den Gedanken zu heiraten. Er wusste, daß im ganzen Schwarzwald jeder Vater ihm gerne seine Tochter geben werde, aber er war schwierig in seiner Wahl, denn er wollte, dass man auch hierin sein Glück und seinen Verstand preisen sollte. Daher ritt er umher im ganzen Wald, schaute hier, schaute dort, und keine der schönen Schwarzwälderinnen deuchte ihm schön genug. Endlich, nachdem er auf allen Tanzböden umsonst nach der Schönsten ausgeschaut hatte, hörte er eines Tages, die Schönste und Tugendsamste im ganzen Wald sei eines armen Holzhauers Tochter. Sie lebe still und für sich, besorge geschickt und emsig ihres Vaters Haus und lasse sich nie auf dem Tanzboden sehen, nicht einmal zu Pfingsten oder zur Kirchweih.

Als Peter von diesem Wunder des Schwarzwaldes hörte, beschloss er, um sie zu werben, und ritt nach der Hütte, die man ihm bezeichnet hatte. Der Vater der schönen Lisbeth empfing den vornehmen Herrn mit Staunen und verwunderte sich noch mehr, als er hörte, es sei dies der reiche Herr Peter und er wolle sein Schwiegersohn werden. Er besann sich auch nicht lange, denn er meinte, all seine Sorge und Armut würden nun ein Ende haben, sagte zu, ohne die schöne Lisbeth zu fragen, und das gute Kind war so folgsam, dass es ohne Widerrede Frau Peter Munkin wurde.

Aber es wurde der Armen nicht so gut, wie sie sich geträumt hatte. Sie glaubte, ihr Hauswesen wohl zu verstehen, aber sie konnte Herrn Peter nichts zu Dank machen; sie hatte Mitleiden mit armen Leuten, und da ihr Eheherr reich war, dachte sie, es sei keine Sünde, einem armen Bettelweib einen Pfennig oder einem alten Mann einen Schnaps zu reichen. Aber als Herr Peter dies eines Tages merkte, sprach er mit zürnenden Blicken und rauer Stimme: »Warum verschleuderst du mein Vermögen an Lumpen und Straßenläufer? Hast du was mitgebracht ins Haus, das du wegschenken könntest? Mit deines Vaters Bettelstab kann man keine Suppe wärmen, und du wirfst das Geld aus wie eine Fürstin. Noch einmal lass dich ertappen, so sollst du meine Hand fühlen!« Die schöne Lisbeth weinte in ihrer Kammer über den harten Sinn ihres Mannes, und sie wünschte oft, lieber daheim zu sein in ihres Vaters ärmlicher Hütte, als bei dem reichen, aber geizigen, hartherzigen Peter zu hausen. Ach, hätte sie gewusst, dass er ein Herz von Marmor habe und weder sie noch irgendeinen Menschen lieben könnte, so hätte sie sich wohl nicht gewundert. Sooft sie aber jetzt unter der Tür saß, und es ging ein Bettelmann vorüber und zog den Hut ab und hub seinen Spruch an, so drückte sie die Augen zu, das Elend nicht zu schauen, sie ballte die Hand fester, damit sie nicht unwillkürlich in die Tasche fahre, ein Kreuzerlein herauszulangen.

So kam es, dass die schöne Lisbeth im ganzen Wald verschrien wurde, und es hieß, sie sei noch geiziger als Peter Munk. Eines Tages saß Frau Lisbeth wieder vor dem Haus und spann und murmelte ein Liedchen dazu, denn sie war munter, weil es schön Wetter und Herr Peter ausgeritten war über Feld. Da kam ein altes Männlein des Weges daher, das trug einen großen, schweren Sack, und sie hörte es schon von weitem keuchen. Teilnehmend sah ihm Frau Lisbeth zu und dachte, einem so alten kleinen Mann sollte man nicht mehr so schwer aufladen.

Indes keuchte und wankte das Männlein heran, und als es gegenüber von Frau Lisbeth war, brach es unter dem Sack beinahe zusammen. »Ach, habt Barmherzigkeit, Frau, und reicht mir nur einen Trunk Wasser!«, sprach das Männlein. »Ich kann nicht weiter, muss elend verschmachten.«

»Aber Ihr solltet in Eurem Alter nicht mehr so schwer tragen«, sagte Frau Lisbeth.

»Ja, wenn ich nicht als Bote gehen müsste der Armut halber und um mein Leben zu fristen«, antwortete er; »ach, so eine reiche Frau wie Ihr weiß nicht, wie wehe Armut tut und wie wohl ein Trunk bei solcher Hitze.«

Als sie dies hörte, eilte sie ins Haus, nahm einen Krug vom Gesims und füllte ihn mit Wasser. Doch als sie zurückkehrte und nur noch wenige Schritte von ihm entfernt war und das Männlein sah, wie es so elend und verkümmert auf dem Sack saß, da fühlte sie inniges Mitleid und bedachte, dass ja ihr Mann nicht zu Hause sei. Sie stellte den Wasserkrug beiseite, nahm einen Becher und füllte ihn mit Wein, legte ein gutes Roggenbrot darauf und brachte es dem Alten. »So, ein Schluck Wein mag Euch besser frommen als Wasser, da Ihr schon gar so alt seid«, sprach sie, »aber trinkt nicht so hastig, und esst auch Brot dazu!«

Das Männlein sah sie staunend an, bis große Tränen in seinen alten Augen standen; es trank und sprach dann: »Ich bin alt geworden, aber ich habe wenig Menschen gesehen, die so mitleidig waren und ihre Gaben so schön und herzig zu spenden wussten wie Ihr, Frau Lisbeth. Es wird Euch dafür auch recht wohl gehen auf Erden; solch ein Herz bleibt nicht unbelohnt.«

»Nein, und den Lohn soll sie auf der Stelle haben!«, schrie eine schreckliche Stimme, und als sie sich umsahen, war es Herr Peter mit blutrotem Gesicht. »Und sogar meinen Ehrenwein gießest du aus an Bettelleute, und meinen Mundbecher gibst du an die Lippen der Straßenläufer? Da, nimm deinen Lohn!«

Frau Lisbeth stürzte zu seinen Füßen und bat um Verzeihung, aber das steinerne Herz kannte kein Mitleid. Er drehte die Peitsche um, die er in der Hand hielt, und schlug sie mit dem Handgriff von Ebenholz so heftig vor die schöne Stirn, dass sie leblos dem alten Mann in die Arme sank. Als Peter das sah, war es doch, als reute ihn diese Tat auf der Stelle; er bückte sich herab zu schauen, ob noch Leben in ihr sei, aber das Männlein sprach mit wohl bekannter Stimme: »Gib dir keine Mühe, Kohlenpeter! Es war die schönste und lieblichste Blume im Schwarzwald, aber du hast sie zertreten, und nie mehr wird sie wieder blühen.«

Da wich alles Blut aus Peters Wangen, und er sprach: »Also Ihr seid es, Herr Schatzhauser? Nun, was geschehen ist, ist geschehen, und es hat wohl so kommen müssen. Ich hoffe aber, Ihr werdet mich nicht bei dem Gericht anzeigen als Mörder.«

»Elender!«, erwiderte das Glasmännlein. »Was würde es mir frommen, wenn ich deine sterbliche Hülle an den Galgen brächte? Nicht irdische Gerichte sind es, die du zu fürchten hast, sondern andere und strengere, denn du hast deine Seele an den Bösen verkauft.«

»Und hab ich mein Herz verkauft«, schrie Peter, »so ist niemand daran schuld als du und dein betrügerischer Schatz; du tückischer Geist hast mich ins Verderben geführt, mich getrieben, dass ich bei einem andern Hilfe suchte, und auf dir liegt die ganze Verantwortung.«

Kaum hatte er das gesagt, so wuchs und schwoll das Glasmännlein und wurde hoch und breit, und seine Augen sollen so groß gewesen sein wie Suppenteller, und sein Mund war wie ein geheizter Backofen, und Flammen blitzten daraus hervor. Peter warf sich auf die Knie, und sein steinernes Herz schützte ihn nicht, dass nicht seine Glieder zitterten. Mit Geierkrallen packte ihn der Waldgeist im Nacken, drehte ihn um wie ein Wirbelwind dürres Laub und warf ihn dann zu Boden, dass ihm alle Rippen knackten. »Erdenwurm«, rief er mit einer Stimme, die wie der Donner rollte, »ich könnte dich zerschmettern, wenn ich wollte, denn du hast gegen den Herrn des Waldes gefrevelt. Aber um dieses toten Weibes willen, das mich gespeist und getränkt hat, gebe ich dir acht Tage Frist. Bekehrst du dich nicht zum Guten, so komme ich und zermalme dein Gebein, und du fährst hin in deinen Sünden.«

Es war schon Abend, als einige Männer, die vorbeigingen, den reichen Peter Munk auf der Erde liegen sahen. Sie wandten ihn hin und her und untersuchten, ob noch Atem in ihm sei, aber lange war ihr Suchen vergebens. Endlich ging einer in das Haus, brachte Wasser herbei und besprengte ihn. Da holte Peter tief Atem, stöhnte und schlug die Augen auf, schaute lange um sich her und fragte dann nach Frau Lisbeth, aber keiner hatte sie gesehen. Er dankte den Männern für ihre Hilfe, schlich sich in sein Haus und suchte überall, aber Frau Lisbeth war weder im Keller noch auf dem Boden, und das, was er für einen schrecklichen Traum gehalten hatte, war bittere Wahrheit.

Wie er nun so ganz allein war, da kamen ihm sonderbare Gedanken; er fürchtete sich vor nichts, denn sein Herz war ja kalt; aber wenn er an den Tod seiner Frau dachte, kam ihm sein eigenes Hinscheiden in den Sinn und wie belastet er dahinfahren werde, schwer belastet mit Tränen der Armen, mit Tausenden ihrer Flüche, die sein Herz nicht erweichen konnten, mit dem Jammer der Elenden, auf die er seine Hunde gehetzt, belastet mit der stillen Verzweiflung seiner Mutter, mit dem Blute der schönen guten Lisbeth. Und konnte er doch nicht einmal dem alten Mann, ihrem Vater, Rechenschaft geben, wenn er käme und fragte: ›Wo ist meine Tochter, dein Weib?‹ Wie wollte er einem andern Frage stehen, dem alle Wälder, alle Seen, alle Berge gehören und die Leben der Menschen?

Es quälte ihn auch nachts im Traume, und alle Augenblicke wachte er auf an einer süßen Stimme, die ihm zurief: »Peter, schaff dir ein wärmeres Herz!« Wenn er erwacht war, schloss er doch schnell wieder die Augen, denn der Stimme nach musste es Frau Lisbeth sein, die ihm diese Warnung zurief. Am andern Tag ging er ins Wirtshaus, um seine Gedanken zu zerstreuen, und dort traf er den dicken Ezechiel. Er setzte sich zu ihm, sie sprachen dies und jenes, vom schönen Wetter, vom Krieg, von den Steuern und endlich auch vom Tod und wie da und dort einer so schnell gestorben sei. Da fragte Peter den Dicken, was er denn vom Tod halte und wie es nachher sein werde. Ezechiel antwortete ihm, dass man den Leib begrabe, die Seele aber fahre entweder auf zum Himmel oder hinab in die Hölle.

»Also begräbt man das Herz auch?«, fragte der Peter gespannt.

»Ei freilich, das wird auch begraben.«

»Wenn aber einer sein Herz nicht mehr hat?«, fuhr Peter fort.

Ezechiel sah ihn bei diesen Worten schrecklich an. »Was willst du damit sagen? Willst du mich foppen? Meinst du, ich habe kein Herz?«

»Oh, Herz genug, so fest wie Stein«, erwiderte Peter.

Ezechiel sah ihn verwundert an, schaute sich um, ob es niemand gehört habe, und sprach dann: »Woher weißt du es? Oder pocht vielleicht das deinige auch nicht mehr?«

»Pocht nicht mehr, wenigstens nicht hier in meiner Brust!«, antwortete Peter Munk. »Aber sag mir, da du jetzt weißt, was ich meine, wie wird es gehen mit unseren Herzen?«

»Was kümmert dich dies, Gesell?«, fragte Ezechiel lachend. »Hast ja auf Erden vollauf zu leben und damit genug. Das ist ja gerade das Bequeme mit unsern kalten Herzen, dass uns keine Furcht befällt vor solchen Gedanken.«

»Wohl wahr, aber man denkt doch daran; und wenn ich auch jetzt keine Furcht mehr kenne, so weiß ich doch wohl noch, wie sehr ich mich vor der Hölle gefürchtet habe, als ich noch ein kleiner, unschuldiger Knabe war.«

»Nun – gut wird es uns gerade nicht gehen«, sagte Ezechiel. »Hab mal einen Schulmeister darüber gefragt, der sagte mir, dass nach dem Tod die Herzen gewogen werden, wie schwer sie sich versündigt hätten. Die leichten steigen auf, die schweren sinken hinab, und ich denke, unsere Steine werden ein gutes Gewicht haben.«

»Ach freilich«, erwiderte Peter, »und es ist mir oft selbst unbequem, dass mein Herz so teilnahmslos und ganz gleichgültig ist, wenn ich an solche Dinge denke.«

So sprachen sie; aber in der nächsten Nacht hörte er fünf- oder sechsmal die bekannte Stimme in sein Ohr lispeln: »Peter, schaff dir ein wärmeres Herz!« Er empfand keine Reue, dass er Lisbeth getötet hatte, aber wenn er dem Gesinde sagte, seine Frau sei verreist, so dachte er immer dabei: ›Wohin mag sie wohl gereist sein?‹ Sechs Tage hatte er es so getrieben, und immer hörte er nachts diese Stimme, und immer dachte er an den Waldgeist und seine schreckliche Drohung; aber am siebenten Morgen sprang er auf von seinem Lager und rief: »Nun ja, will sehen, ob ich mir ein wärmeres schaffen kann, denn der gleichgültige Stein in meiner Brust macht mir das Leben nur langweilig und öde.«

Er zog schnell seinen Sonntagsrock an, setzte sich auf sein Pferd und ritt dem Tannenbühl zu.

Im Tannenbühl, wo die Bäume dichter standen, saß er ab, band sein Pferd an und ging schnellen Schrittes dem Gipfel des Hügels zu. Als er vor der dicken Tanne stand, hub er seinen Spruch an:

>»Schatzhauser im grünen Tannenwald,
>Bist viele hundert Jahre alt,
>Dein ist all' Land, wo Tannen stehn,
>Lässt dich nur Sonntagskindern sehn.«

Da kam das Glasmännlein hervor, aber nicht freundlich und traulich wie sonst, sondern düster und traurig; es hatte ein Röcklein an von schwarzem Glas, und ein langer Trauerflor flatterte herab vom Hut, und Peter wusste wohl, um wen es trauerte.

»Was willst du von mir, Peter Munk?«, fragte es mit dumpfer Stimme.

»Ich hab noch einen Wunsch gut, Herr Schatzhauser«, antwortete Peter mit niedergeschlagenen Augen.

»Können Steinherzen noch wünschen?«, sagte jener. »Du hast alles, was du für deinen schlechten Sinn brauchst, und ich werde schwerlich deinen Wunsch erfüllen.«

»Aber Ihr habt mir doch drei Wünsche zugesagt, einen hab ich immer noch übrig.«

»Ich kann ihn versagen, wenn er töricht ist«, fuhr der Waldgeist fort, »aber wohlan, ich will hören, was du willst!«

»So nehmt mir den toten Stein heraus und gebt mir mein lebendiges Herz!«, sprach Peter.

»Hab ich den Handel mit dir gemacht?«, fragte das Glasmännlein. »Bin ich der Holländermichel, der Reichtum und kalte Herzen schenkt? Dort, bei ihm musst du dein Herz suchen.«

»Ach, er gibt es nimmer zurück«, antwortete Peter traurig.

»Du dauerst mich, so schlecht du auch bist«, sprach das Männlein nach einigem Nachdenken. »Aber weil dein Wunsch nicht töricht ist, so kann ich dir wenigstens meine Hilfe nicht versagen. So höre! Dein Herz kannst du mit keiner Gewalt mehr bekommen, wohl aber durch List, und es wird vielleicht nicht schwer halten, denn Michel bleibt doch nur der dumme Michel, obgleich er sich ungemein klug dünkt. So gehe denn geradenwegs zu ihm hin und tue, wie ich dir heiße!«

Und nun unterrichtete er ihn in allem und gab ihm ein Kreuzlein aus reinem Glas. »Am Leben kann er dir nicht schaden, und er wird dich freilassen, wenn du ihm dies vorhalten und dazu beten wirst. Und hast du dann, was du verlangt hast, erhalten, so komm wieder zu mir an diesen Ort!«

Peter Munk nahm mit vielem Dank das Kreuzlein, prägte sich alle Worte ins Gedächtnis und ging weiter nach Holländermichels Behausung. Er rief dreimal seinen Namen, und bald stand der Riese vor ihm. »Du hast dein Weib erschlagen?«, fragte er ihn mit schrecklichem Lachen. »Hätt es auch so gemacht, sie hat dein Vermögen an das Bettelvolk gebracht. Aber du wirst auf einige Zeit außer Landes gehen müssen, denn es wird Lärm machen, wenn man sie nicht findet, und du brauchst wohl Geld und kommst, um es zu holen.«

»Du hast's erraten«, erwiderte Peter, »und nur recht viel diesmal, denn nach Amerika ist's weit.«

Michel ging voran und brachte ihn in seine Hütte, dort schloss er eine Truhe auf, worin viel Geld lag, und langte ganze Rollen Gold heraus. Während er es so auf den Tisch hinzählte, sprach Peter: »Du bist ein loser Vogel, Michel, dass du mich belogen hast, ich hätte einen Stein in der Brust, und du habest mein Herz!«

»Und ist es denn nicht so?«, fragte Michel staunend. »Fühlst du denn dein Herz? Ist es nicht kalt wie Eis? Hast du Furcht oder Gram, kann dich etwas reuen?«

»Du hast mein Herz nur stillstehen lassen, aber ich hab es noch wie sonst in meiner Brust, und Ezechiel auch, der hat es mir gesagt, dass du uns angelogen hast; du bist nicht der Mann dazu, der einem das Herz so unbemerkt und ohne Gefahr aus der Brust reißen könnte; da müsstest du zaubern können.«

»Aber ich versichere dir«, rief Michel unmutig, »du und Ezechiel und alle reichen Leute, die es mit mir gehalten haben, haben solche kalten Herzen wie du, und ihre rechten Herzen habe ich hier in meiner Kammer.«

»Ei, wie dir das Lügen von der Zunge geht!«, lachte Peter. »Das mach du einem andern weis! Meinst du, ich hab auf meinen Reisen nicht solche Kunststücke zu Dutzenden gesehen? Aus Wachs nachgeahmt sind deine Herzen hier in der Kammer. Du bist ein reicher Kerl, das geb ich zu, aber zaubern kannst du nicht.«

Da ergrimmte der Riese und riss die Kammertür auf. »Komm herein und lies die Zettel alle, und jenes dort, schau, das ist Peter Munks Herz. Siehst du, wie es zuckt? Kann man das auch aus Wachs machen?«

»Und doch ist es aus Wachs«, antwortete Peter. »So schlägt ein rechtes Herz nicht, ich habe das meinige noch in der Brust. Nein, zaubern kannst du nicht!«

»Aber ich will es dir beweisen!«, rief jener ärgerlich. »Du sollst es selbst fühlen, dass dies dein Herz ist.«

Er nahm es, riss Peters Wams auf, nahm einen Stein aus seiner Brust und zeigte ihn vor. Dann nahm er das Herz, hauchte es an und setzte es behutsam an seine Stelle. Sofort fühlte Peter, wie es pochte, und er konnte sich wieder darüber freuen.

»Wie ist dir jetzt?«, fragte Michel lächelnd.

»Wahrhaftig, du hast doch Recht gehabt«, antwortete Peter, indem er behutsam sein Kreuzlein aus der Tasche zog. »Hätt ich doch nicht geglaubt, dass man dergleichen tun könne!«

»Nicht wahr? Und zaubern kann ich, das siehst du; aber komm, jetzt will ich dir den Stein wieder hineinsetzen.«

»Gemach, Herr Michel!«, rief Peter, trat einen Schritt zurück und hielt ihm das Kreuzlein entgegen. »Mit Speck fängt man Mäuse, und diesmal bist du der Betrogene.« Und zugleich fing er an zu beten, was ihm nur einfiel.

Da wurde Michel kleiner und immer kleiner, fiel nieder und wand sich hin und her wie ein Wurm und ächzte und stöhnte, und alle Herzen umher fingen an zu zucken und zu pochen, dass es tönte wie in der Werkstatt eines Uhrmachers. Peter aber fürchtete sich, es wurde ihm ganz unheimlich zumute, er rannte zur Kammer und zum Haus hinaus und klomm, von Angst getrieben, die Felsenwand hinan, denn er hörte, dass Michel sich aufraffte, stampfte und tobte und ihm schreckliche Flüche nachschickte. Als er oben war, lief er dem Tannenbühl zu; ein schreckliches Gewitter zog auf, Blitze zuckten links und rechts von ihm nieder und zerschmetterten die Bäume, aber er kam wohlbehalten in dem Revier des Glasmännleins an.

Sein Herz pochte freudig, und nur darum, weil es pochte. Dann aber sah er mit Entsetzen auf sein Leben zurück wie auf das Gewitter, das hinter ihm rechts und links den schönen Wald zersplitterte.

Er dachte an Frau Lisbeth, sein schönes, gutes Weib, das er aus Geiz gemordet hatte, er kam sich selbst wie der Auswurf der Menschen vor und weinte heftig, als er an Glasmännleins Hügel kam.

Schatzhauser saß unter dem Tannenbaum und rauchte aus einer kleinen Pfeife, doch sah er munterer aus als zuvor. »Warum weinst du, Kohlenpeter?«, fragte er. »Hast du dein Herz nicht erhalten? Liegt noch das kalte in deiner Brust?«

»Ach, Herr!«, seufzte Peter. »Als ich noch das kalte Steinherz trug, da weinte ich nie, meine Augen waren so trocken wie das Land im Juli; jetzt aber will es mir beinahe das alte Herz zerbrechen, was ich getan! Meine Schuldner habe ich ins Elend gejagt, auf Arme und Kranke die Hunde gehetzt und, Ihr wisst es ja selbst – wie meine Peitsche auf ihre schöne Stirne fiel!«

»Peter, du warst ein großer Sünder!«, sprach das Männlein. »Das Geld und der Müßiggang haben dich verderbt, bis dein Herz zu Stein wurde, nicht Freud', nicht Leid, keine Reue, kein Mitleid mehr kannte. Aber Reue versöhnt, und wenn ich nur wüsste, dass dir dein böses Leben recht Leid tut, so könnte ich schon noch was für dich tun.«

»Will nichts mehr«, antwortete Peter und ließ traurig sein Haupt sinken. »Mit mir ist es aus, kann mich mein Lebtag nicht mehr freuen; was soll ich so allein auf der Welt tun? Meine Mutter verzeiht mir nimmer, was ich ihr getan, und vielleicht hab ich sie unter den Boden gebracht, ich Ungeheuer! Und Lisbeth, meine Frau! Schlagt mich lieber auch tot, Herr Schatzhauser, dann hat mein elend Leben mit einmal ein Ende.«

»Gut«, erwiderte das Männlein, »wenn du nicht anders willst, so kannst du es haben; meine Axt habe ich bei der Hand.« Er nahm ganz ruhig sein Pfeiflein aus dem Mund, klopfte es aus und steckte es ein. Dann stand er langsam auf und ging hinter die Tannen. Peter setzte sich weinend ins Gras, sein Leben war ihm nichts mehr wert, und er erwartete geduldig den Todesstreich. Nach einiger Zeit hörte er leise Tritte hinter sich und dachte: ›Jetzt wird er kommen.‹

»Schau dich noch einmal um, Peter Munk!«, rief das Männlein. Er wischte sich die Tränen aus den Augen, schaute sich um und sah – seine Mutter und Lisbeth, seine Frau, die ihn freundlich anblickten. Da sprang er freudig auf: »So bist du nicht tot, Lisbeth? Und auch Ihr seid da, Mutter, und habt mir vergeben?«

»Sie wollen dir verzeihen«, sprach das Glasmännlein, »weil du wahre Reue fühlst, und alles soll vergessen sein. Zieh jetzt heim in deines Vaters Hütte und sei ein Köhler wie zuvor; bist du brav und bieder, so wirst du dein Handwerk ehren, und deine Nachbarn werden dich mehr lieben und achten, als wenn du zehn Tonnen Goldes hättest.« So sprach das Glasmännlein und nahm Abschied von ihnen.

Die drei lobten und segneten ihn und gingen heim.

Das prachtvolle Haus des reichen Peter stand nicht mehr, der Blitz hatte es angezündet und mit all seinen Schätzen niedergebrannt; aber nach der väterlichen Hütte war es nicht weit, dorthin ging jetzt ihr Weg, und der große Verlust bekümmerte sie nicht.

Aber wie staunten sie, als sie an die Hütte kamen! Sie war zu einem schönen Bauernhaus geworden, und alles darin war einfach, aber gut und reinlich.

»Das hat das gute Glasmännlein getan!«, rief Peter.

»Wie schön!«, sagte Frau Lisbeth. »Und hier ist mir viel heimlicher als in dem großen Haus mit dem vielen Gesinde.«

Von jetzt an wurde Peter Munk ein fleißiger und wackerer Mann. Er war zufrieden mit dem, was er hatte, trieb sein Handwerk unverdrossen, und so kam es, dass er durch eigene Kraft wohlhabend wurde und angesehen und beliebt im ganzen Wald. Er zankte nie mehr mit Frau Lisbeth, ehrte seine Mutter und gab den Armen, die an seine Tür pochten.

Als nach Jahr und Tag Frau Lisbeth von einem schönen Knaben genas, ging Peter nach dem Tannenbühl und sagte sein Sprüchlein. Aber das Glasmännlein zeigte sich nicht.

»Herr Schatzhauser!«, rief er laut. »Hört mich doch, ich will ja nichts anderes, als Euch zu Gevatter bitten bei meinem Söhnlein!«

Aber er gab keine Antwort; nur ein kurzer Windstoß sauste durch die Tannen und warf einige Tannenzapfen herab ins Gras.

»So will ich dies zum Andenken mitnehmen, weil Ihr Euch doch nicht sehen lassen wollet!«, rief Peter, steckte die Zapfen in die Tasche und ging nach Hause. Aber als er zu Hause das Sonntagswams auszog und seine Mutter die Taschen umwandte und das Wams in den Kasten legen wollte, da fielen vier stattliche Geldrollen heraus, und als man sie öffnete, waren es lauter gute, neue badische Taler.

Das war ein Patengeschenk des Männleins im Tannenwald für den kleinen Peter.

So lebten sie still und unverdrossen fort, und noch oft nachher, als Peter Munk schon graue Haare hatte, sagte er: »Es ist doch besser, zufrieden zu sein mit wenigem, als Gold und Güter haben und ein kaltes Herz.«

* * *

Es mochten schon etwa fünf Tage vergangen sein, währenddessen Felix, der Jäger und der Student noch immer unter den Räubern gefangen saßen. Sie wurden zwar von dem Hauptmann und seinen Untergebenen gut behandelt, aber dennoch sehnten sie sich nach Befreiung, denn je mehr die Zeit fortrückte, desto höher stieg auch ihre Angst vor Entdeckung. Am Abend des fünften Tages erklärte der Jäger seinen Leidensgenossen, dass er entschlossen sei, in dieser Nacht loszubrechen, und wenn es ihn auch das Leben kosten sollte. Er munterte seine Gefährten zum gleichen Entschluss auf und zeigte ihnen, wie sie ihre Flucht ins Werk setzen könnten. »Den, der uns zunächst steht, nehme ich auf mich; es ist Notwehr, und Not kennt kein Gebot – er muss sterben!«

»Sterben?«, rief Felix entsetzt. »Ihr wollt ihn totschlagen?«

»Dazu bin ich fest entschlossen, wenn es darauf ankommt, zwei Menschenleben zu retten. Wisst, dass ich die Räuber mit besorglicher Miene habe flüstern hören, im Wald werde nach ihnen gestreift, und die alten Weiber verrieten in ihrem Zorn die böse Absicht der Bande, sie schimpften auf uns und gaben zu verstehen, wenn die Räuber angegriffen würden, so müssten wir ohne Gnade sterben.«

»Gott im Himmel!«, schrie der Jüngling entsetzt und verbarg sein Gesicht in den Händen.

»Noch haben sie uns das Messer nicht an die Kehle gesetzt«, fuhr der Jäger fort, »drum lasst uns ihnen zuvorkommen! Wenn es dunkel ist, schleiche ich auf die nächste Wache zu; sie wird anrufen, ich werde ihr zuflüstern, die Gräfin sei plötzlich sehr krank geworden, und indem sie sich umsieht, stoße ich sie nieder. Dann hole ich Euch ab, junger Mann, und der Zweite kann uns ebenso wenig entgehen; beim Dritten haben wir zu dreien leichtes Spiel.«

Der Jäger sah bei diesen Worten so schrecklich aus, dass Felix sich vor ihm fürchtete. Er wollte ihn bereden, von diesem blutigen Gedanken abzustehen, als die Tür der Hütte leise aufging und schnell eine Gestalt hereinschlüpfte. Es war der Hauptmann. Behutsam schloss er wieder zu und winkte den Gefangenen, sich ruhig zu verhalten. Er setzte sich neben Felix nieder und sprach: »Frau Gräfin, Ihr seid in schlimmer Lage. Euer Herr Gemahl hat nicht Wort gehalten, er hat nicht nur das Lösegeld nicht geschickt, sondern er hat auch die Regierungen umher aufgeboten; bewaffnete Mannschaft streift von allen Seiten durch den Wald, um mich und meine Leute auszuheben. Ich habe Eurem Gemahl gedroht, Euch zu töten, wenn er Miene machte, uns anzugreifen, doch es muss ihm entweder an Eurem Leben wenig liegen, oder er traut unseren Schwüren nicht. Euer Leben ist in unserer Hand, ist nach unseren Gesetzen verwirkt. Was wollt Ihr dagegen einwenden?«

Bestürzt sahen die Gefangenen vor sich nieder; sie wussten nicht zu antworten, denn Felix erkannte wohl, dass ihn das Geständnis über seine Verkleidung nur noch mehr in Gefahr setzen könnte.

»Es ist mir unmöglich«, fuhr der Hauptmann fort, »eine Dame, die meine vollkommene Achtung hat, so der Gefahr auszusetzen. Darum will ich Euch einen Vorschlag zur Rettung machen, es ist der einzige Ausweg, der Euch übrig bleibt: Ich will mit Euch entfliehen.«

Erstaunt, überrascht blickten ihn alle an; er aber sprach weiter: »Die Mehrzahl meiner Gesellen ist entschlossen, nach Italien zu ziehen und unter einer weit verbreiteten Bande Dienste zu nehmen. Mir für meinen Teil behagt es nicht, unter einem anderen zu dienen, und darum werde ich keine gemeinschaftliche Sache mit ihnen machen. Wenn Ihr mir nun Euer Wort geben wolltet, Frau Gräfin, für mich gutzusprechen, Eure mächtigen Verbindungen zu meinem Schutze anzuwenden, so kann ich Euch noch frei machen, ehe es zu spät ist.«

Felix schwieg verlegen; sein redliches Herz sträubte sich, den Mann, der ihm das Leben retten wollte, geflissentlich in eine Lage zu bringen, in der er ihn nachher nicht schützen könnte. Als er noch immer schwieg, fuhr der Hauptmann fort: »Man sucht gegenwärtig überall Soldaten; ich will mit dem geringsten Dienst zufrieden sein. Ich weiß, dass Ihr viel vermögt, aber ich will ja nichts weiter als Euer Versprechen, etwas für mich in dieser Sache zu tun.«

»Nun denn«, antwortete Felix mit niedergeschlagenen Augen, »ich verspreche Euch, was ich tun kann, was in meinen Kräften steht, anzuwenden, um Euch nützlich zu sein. Liegt doch, wie es Euch auch ergehe, ein Trost für mich darin, dass Ihr Euch diesem Räuberleben selbst freiwillig entzogen habt.«

Gerührt küsste der Hauptmann die Hand dieser gütigen Dame, flüsterte ihr noch zu, sich zwei Stunden nach Anbruch der Nacht bereitzuhalten, und verließ dann ebenso vorsichtig, wie er gekommen war, die Hütte.

Die Gefangenen atmeten freier, als er hinweggegangen war. »Wahrlich!«, rief der Jäger, »dem hat Gott das Herz gelenkt! Wie wunderbar sollen wir errettet werden! Hätte ich mir träumen lassen, dass in der Welt noch etwas dergleichen geschehen könnte und dass mir ein solches Abenteuer begegnen sollte?«

»Wunderbar, allerdings!«, erwiderte Felix. »Aber habe ich auch recht getan, diesen Mann zu betrügen? Was kann ihm mein Schutz frommen? Sagt selbst, Jäger, heißt es ihn nicht an den Galgen locken, wenn ich ihm nicht gestehe, wer ich bin?«

»Ei, wie möget Ihr solche Bedenken haben, lieber Junge!«, entgegnete der Student. »Nachdem Ihr Eure Rolle so meisterhaft gespielt habt!

Nein, darüber dürft Ihr Euch nicht ängstigen, das ist nichts anderes als erlaubte Notwehr. Hat er doch den Frevel begangen, eine angesehene Frau schändlicherweise von der Straße hinwegführen zu wollen; und wäret Ihr nicht gewesen, wer weiß, wie es um das Leben der Gäfin stünde! Nein, Ihr habt nicht unrecht getan; übrigens glaube ich, er wird bei den Gerichten sich einen Stein im Brett gewinnen, wenn er, das Haupt dieses Gesindels, sich selbst ausliefert.«

Dieser Gedanke tröstete den jungen Goldschmied. Freudig bewegt und doch wieder voll banger Besorgnis über das Gelingen des Planes, durchlebten sie die nächsten Stunden. Es war schon dunkel, als der Hauptmann auf einen Augenblick in die Hütte trat, ein Bündel Kleider niederlegte und sprach:

»Frau Gräfin, um unsere Flucht zu erleichtern, müsst Ihr notwendig diese Männerkleidung anlegen. Macht Euch fertig! In einer Stunde treten wir den Marsch an.« Nach diesen Worten verließ er die Gefangenen, und der Jäger hatte Mühe, nicht laut zu lachen. »Das wäre nun die zweite Verkleidung«, rief er, »und ich wollte schwören, sie steht Euch noch besser als die erste!«

Sie öffneten das Bündel und fanden ein hübsches Jagdkleid mit allem Zubehör, das Felix trefflich passte. Nachdem er sich gerüstet, wollte der Jäger die Kleider der Gräfin in einen Winkel der Hütte werfen. Felix gab es aber nicht zu; er legte sie zu einem kleinen Bündel zusammen und äußerte, er wolle die Gräfin bitten, sie ihm zu schenken, um sie dann sein ganzes Leben hindurch zum Andenken an diese merkwürdigen Tage aufzubewahren.

Endlich kam der Hauptmann. Er war vollständig bewaffnet und brachte dem Jäger die Büchse, die man ihm abgenommen, und ein Pulverhorn. Auch dem Studenten gab er eine Flinte, und Felix reichte er einen Hirschfänger mit der Bitte, ihn für den Fall der Not umzuhängen. Es war ein Glück für die drei, dass es sehr dunkel war, denn leicht hätten die leuchtenden Blicke, womit Felix diese Waffe empfing, dem Räuber seinen wahren Stand verraten können.

Als sie behutsam aus der Hütte getreten waren, bemerkte der Jäger, dass der gewöhnliche Posten an der Hütte diesmal nicht besetzt sei. So war es möglich, dass sie unbemerkt vorbeischleichen konnten; doch schlug der Hauptmann nicht den gewöhnlichen Pfad ein, der aus der Schlucht in den Wald hinaufführte, sondern er näherte sich einem Felsen, der ganz senkrecht und, wie es schien, unzugänglich vor ihnen lag. Als sie dort angekommen waren, machte der Hauptmann auf eine Strickleiter aufmerksam, die an dem Felsen herabhing. Er warf seine Büchse auf den Rücken und stieg zuerst hinan, dann rief er der Gräfin zu, ihm zu folgen, und bot ihr die Hand zur Hilfe. Der Jäger stieg zuletzt hinauf. Hinter diesem Felsen zeigte sich ein Fußpfad, den sie einschlugen; rasch gingen sie vorwärts.

»Dieser Fußpfad«, sprach der Hauptmann, »führt nach der Aschaffenburger Straße. Dorthin wollen wir uns begeben, denn ich habe genau erfahren, dass Ihr Gemahl, der Graf, sich gegenwärtig dort aufhält.«

Schweigend zogen sie weiter, der Räuber immer voran, die drei anderen dicht hinter ihm. Nach drei Stunden hielten sie an; der Hauptmann lud Felix ein, sich auf einen Baumstamm zu setzen, um auszuruhen. Er zog Brot und eine Feldflasche mit altem Wein hervor und bot es den Ermüdeten an. »Ich glaube, wir werden, ehe eine Stunde vergeht, auf den Ring stoßen, den das Militär durch den Wald gezogen hat. In diesem Falle bitte ich Sie, mit dem Anführer der Soldaten zu sprechen und gute Behandlung für mich zu verlangen.«

Felix sagte auch dies zu, obwohl er sich von seiner Verwendung geringen Erfolg versprach. Sie ruhten noch eine halbe Stunde und brachen dann auf. Eine Stunde mochten sie wieder gegangen sein, sie näherten sich schon der Landstraße, der Tag fing an heraufzukommen, und die Dämmerung verbreitete sich schon im Wald, als ihre Schritte plötzlich durch ein lautes: »Halt! Steht!« gefesselt wurden. Sie hielten, fünf Soldaten rückten gegen sie vor und bedeuteten ihnen, sie müssten folgen und vor dem kommandierenden Major sich über ihre Reise ausweisen.

Als sie noch etwa fünfzig Schritte gegangen waren, sahen sie links und rechts im Gebüsch Gewehre blitzen, eine große Schar Soldaten schien den Wald besetzt zu haben. Der Major saß mit mehreren Offizieren und anderen Männern unter einer Eiche. Als die Gefangenen vor ihn gebracht wurden und er eben anfangen wollte, sie auszufragen über das ›Woher‹ und ›Wohin‹, sprang einer der Männer auf und rief: »Mein Gott, was sehe ich, das ist ja Gottfried, unser Jäger!« – »Ja-

wohl, Herr Amtmann«, antwortete der Jäger mit freudiger Stimme, »da bin ich, und wunderbar gerettet aus der Hand des schlechten Gesindels.«

Die Offiziere erstaunten, ihn hier zu sehen; der Jäger aber bat den Major und den Amtmann, mit ihm auf die Seite zu treten, und erzählte in kurzen Worten, wie sie errettet worden und wer der Vierte sei, der sie begleitete.

Erfreut über diese Nachricht, traf der Major sogleich seine Maßregeln, den wichtigen Gefangenen weiterschaffen zu lassen, den jungen Goldschmied aber führte er zu seinen Kameraden, stellte ihn als den heldenmütigen Jüngling vor, der die Gräfin durch seinen Mut und seine Geistesgegenwart gerettet habe, und alle schüttelten Felix freudig die Hand, lobten ihn und konnten nicht satt werden, sich von ihm und den anderen ihre Schicksale erzählen zu lassen.

Indessen war es völlig Tag geworden. Der Major beschloss, die Befreiten selbst bis in die Stadt zu begleiten; er ging mit ihnen und dem Amtmann der Gräfin in das nächste Dorf, wo sein Wagen stand, und dort musste sich Felix zu ihm in den Wagen setzen. Der Jäger, der Student, der Amtmann und viele andere Leute ritten vor und hinter ihnen, und so zogen sie im Triumph der Stadt zu. Wie ein Lauffeuer hatte sich das Gerücht von dem Überfall in der Waldschenke, von der Aufopferung des jungen Goldarbeiters in der Gegend verbreitet, und ebenso reißend ging jetzt die Sage von seiner Befreiung von Mund zu Mund. Es war daher nicht zu verwundern, dass in der Stadt, wohin sie zogen, die Straßen dicht voll Menschen standen, die den jungen Helden sehen wollten. Alles drängte sich herzu, als der Wagen langsam hereinfuhr. »Das ist er«, riefen sie, »seht ihr ihn dort im Wagen neben dem Offizier? Es lebe der brave Goldschmiedjunge!« Und ein tausendstimmiges ›Hoch!‹ erfüllte die Lüfte.

Felix war beschämt, gerührt von der rauschenden Freude der Menge. Aber noch ein rührender Anblick stand ihm auf dem Rathause der Stadt bevor. Ein Mann von mittleren Jahren, in reichen Kleidern, empfing ihn an der Treppe und umarmte ihn mit Tränen in den Augen. »Wie kann ich dir vergelten, mein Sohn!«, rief er. »Du hast mir viel gegeben, als ich nahe daran war, unendlich viel zu verlieren! Du hast mir die Gattin, meinen Kindern die Mutter gerettet,

denn ihr zartes Leben hätte die Schrecken einer solchen Gefangenschaft nicht ertragen.« Es war der Gemahl der Gräfin, der diese Worte sprach. Sosehr sich Felix sträuben mochte, einen Lohn für seine
Aufopferung zu bestimmen, so unerbittlich schien der Graf darauf
bestehen zu wollen. Da fiel dem Jüngling das unglückliche Schicksal
des Räuberhauptmanns ein; er erzählte, wie er ihn gerettet, wie diese
Rettung eigentlich der Gräfin gegolten habe. Der Graf, nicht so sehr
von der Handlung des Hauptmanns gerührt als von dem neuen Beweis einer edlen Uneigennützigkeit, den Felix durch die Wahl seiner
Bitte ablegte, versprach, das seinige zu tun, um den Räuber zu schonen.

Noch an demselben Tag führte der Graf, begleitet von dem wacke-
ren Jäger, den jungen Goldschmied nach seinem Schlosse, wo die
Gräfin, immer besorgt um das Schicksal des jungen Mannes, der
sich für sie geopfert hatte, sehnsuchtsvoll auf Nachrichten wartete.
Wer beschreibt ihre Freude, als ihr Gemahl, den Retter an der Hand,
in ihr Zimmer trat? Sie fand kein Ende, ihn zu befragen, ihm zu danken; sie ließ ihre Kinder herbeibringen und zeigte ihnen den hochher-
zigen Jüngling, dem ihre Mutter so unendlich viel verdanke. Die
Kleinen fassten seine Hände, und der zarte Sinn ihres kindlichen
Dankes, ihre Versicherungen, dass er ihnen nach Vater und Mutter
auf der ganzen Erde der Liebste sei, waren ihm die schönste Entschä-
digung für manchen Kummer, für die schlaflosen Nächte in der Hütte der Räuber.

Als die ersten Minuten des frohen Wiedersehens vorüber waren,
winkte die Gräfin einem Diener, der bald darauf jene Kleider und das
wohl bekannte Ränzchen herbeibrachte, die Felix der Gräfin in der
Waldschenke überlassen hatte. »Hier ist alles«, sprach sie mit gütigem
Lächeln, »was Ihr mir in jenen furchtbaren Augenblicken gegeben
habt; es ist der Zauber, womit Ihr mich umhüllet, um meine Verfolger mit Blindheit zu schlagen. Es steht Euch wieder zu Diensten; doch
will ich Euch den Vorschlag machen, diese Kleider, die ich zum Andenken an Euch aufbewahren möchte, mir zu überlassen und zum
Tausch dafür die Summe anzunehmen, welche die Räuber als Lösegeld für mich bestimmten.«

Felix erschrak über die Größe dieses Geschenkes; sein edler Sinn sträubte sich, einen Lohn für das anzunehmen, was er aus freiem Willen getan. »Gnädige Gräfin«, sprach er bewegt, »ich kann dies nicht gelten lassen. Die Kleider sollen Euer sein, wir Ihr es befehlt, die Summe, von der Ihr sprecht, kann ich nicht annehmen. Doch weil ich weiß, dass Ihr mich durch irgendetwas belohnen wollt, so erhaltet mir Euer Wohlwollen statt anderen Lohnes, und sollte ich in die Lage kommen, Eurer Hilfe zu bedürfen, so könnt Ihr darauf rechnen, dass ich Euch darum bitten werde.« Noch lange drang man in den jungen Mann, aber nichts vermochte seinen Sinn zu ändern. Die Gräfin und ihr Gemahl gaben endlich nach, und schon wollte der Diener die Kleider und das Ränzchen wieder wegtragen, als Felix sich an das Geschmeide erinnerte, das er im Gefühl so freudigen Erlebens ganz vergessen hatte.

»Halt!«, rief er. »Nur etwas müsst Ihr mir noch aus meinem Ränzchen zu nehmen erlauben, gnädige Frau, das Übrige ist dann ganz und völlig Euer.«

»Ganz nach Belieben«, sprach sie. »Obgleich ich gerne alles zu Eurem Gedächtnis behalten hätte, so nehmt nur, was Ihr davon nicht entbehren wollt. Doch, wenn man fragen darf, was liegt Euch so sehr am Herzen, dass Ihr es mir nicht überlassen mögt?«

Der Jüngling hatte während dieser Worte sein Ränzchen geöffnet und ein Kästchen von rotem Saffian herausgenommen. »Was mein ist, könnt Ihr alles haben«, erwiderte er lächelnd, »doch dies gehört meiner lieben Frau Patin; ich habe es selbst gefertigt und muss es ihr bringen. Es ist ein Schmuck, gnädige Frau«, fuhr er fort, indem er das Kästchen öffnete und ihr hinbot, »ein Schmuck, an dem ich mich selbst versucht habe.«

Sie nahm das Kästchen, und nachdem sie einen Blick darauf geworfen, fuhr sie betroffen zurück.

»Wie? Diese Steine!«, rief sie. »Und für Eure Patin sind sie bestimmt, sagt Ihr?«

»Jawohl«, antwortete Felix, »meine Frau Patin hat mir die Steine geschickt, ich habe sie gefasst und bin auf dem Wege, sie selbst zu überbringen.«

Gerührt sah ihn die Gräfin an; Tränen drangen aus ihren Augen. »So bist du Felix Perner aus Nürnberg?«, rief sie.

»Jawohl! Aber woher wisst Ihr so schnell meinen Namen?«, fragte der Jüngling und sah sie bestürzt an.

»O wundervolle Fügung des Himmels!«, sprach sie gerührt zu ihrem staunenden Gemahl. »Das ist ja Felix, unser Patchen, der Sohn unserer Kammerfrau Sabine! Felix! Ich bin es ja, zu der du kommen wolltest; so hast du deine Patin gerettet, ohne es zu wissen.«

»Wie? Seid denn Ihr die Gräfin Sandau, die so viel an mir und meiner Mutter getan hat? Und dies ist das Schloss Mayenburg, wohin ich wandern wollte? Wie danke ich dem gütigen Geschick, das mich so wunderbar mit Euch zusammentreffen ließ; so habe ich Euch doch durch die Tat, wenn auch in geringem Maß, meine große Dankbarkeit bezeigen können!«

»Du hast mehr an mir getan«, erwiderte sie, »als ich je an dir hätte tun können; doch solange ich lebe, will ich dir zu zeigen suchen, wie unendlich viel wir alle dir schuldig sind. Mein Gatte soll dein Vater, meine Kinder sollen deine Geschwister, ich selbst will deine treue Mutter sein, und dieser Schmuck, der dich zu mir führte in der Stunde der höchsten Not, soll meine beste Zierde werden, denn er wird mich immer an dich und deinen Edelmut erinnern.«

So sprach die Gräfin und hielt Wort. Sie unterstützte den glücklichen Felix auf seinen Wanderungen reichlich. Als er zurückkam als ein geschickter Arbeiter in seiner Kunst, kaufte sie ihm in Nürnberg ein Haus, richtete es vollständig ein, und ein nicht geringer Schmuck in seinem besten Zimmer waren schön gemalte Bilder, welche die Szenen in der Waldschenke und Felix' Leben unter den Räubern vorstellten.

Dort lebte Felix als ein geschickter Goldarbeiter, der Ruhm seiner Kunst verband sich mit dem Bericht von seinem Heldenmut und verschaffte ihm Kunden im ganzen Reiche. Viele Fremde, wenn sie durch die schöne Stadt Nürnberg kamen, ließen sich in die Werkstatt des berühmten Meisters Felix führen, um ihn zu sehen, zu bewundern, wohl auch ein schönes Geschmeide bei ihm zu bestellen. Die angenehmsten Besuche waren ihm aber der Jäger, der Zirkelschmied, der Student und der Fuhrmann. Sooft der Letztere von Würzburg nach Fürth fuhr, kehrte er bei Felix ein. Der Jäger brachte ihm beinahe alle Jahre Geschenke von der Gräfin, der Zirkelschmied ließ sich, nachdem er in allen Ländern umhergewandert war, bei Meister Felix nieder. Eines Tages besuchte sie auch der Student. Er war indessen ein bedeutender Mann im Staat geworden, schämte sich aber nicht, bei Meister Felix und dem Zirkelschmied ein Abendessen zu verzehren. Sie erinnerten sich an alle Szenen der Waldschenke, und der ehemalige Student erzählte, er habe den Räuberhauptmann in Italien wiedergesehen. Er habe sich nach Verbüßung seiner Strafe gänzlich gebessert und diene als braver Soldat dem König von Neapel.

Felix freute sich, als er das hörte. Ohne diesen Mann wäre er zwar vielleicht nicht in jene gefährliche Lage gekommen, aber ohne ihn hätte er sich auch nicht aus Räuberhand befreien können. Und so geschah es, dass der wackere Goldschmied nur friedliche und freundliche Erinnerungen hatte, wenn er zurückdachte an das Wirtshaus im Spessart.

Inhalt

Das große Märchenbuch

Die schönsten Märchen
von den Brüdern Grimm,
Hans-Christian Andersen,
Wilhelm Hauff und Ludwig Bechstein,
zusammengeführt in einer einmaligen
Sammlung mit den hinreißenden
Illustrationen von Ruth und Martin
Koser-Michaëls

ISBN 3-426-66432-1